Georg Büchner
dtv-Gesamtausgabe

Georg Büchner
Werke und Briefe

Mit einem Nachwort
von Fritz Bergemann

Deutscher
Taschenbuch
Verlag

April 1965
Deutscher Taschenbuch Verlag GmbH & Co. KG,
München
Als Druckvorlage diente die im Insel-Verlag, Frankfurt am Main, erschienene Gesamtausgabe der Werke und Briefe Georg Büchners, herausgegeben von Fritz Bergemann (Neunte, berichtigte Auflage. 1962)
Umschlagentwurf: Celestino Piatti
Gesamtherstellung: C. H. Beck'sche Buchdruckerei, Nördlingen
Printed in Germany

DANTONS TOD

EIN DRAMA

Personen

Georg Danton · Legendre · Camille Desmoulins
Hérault-Séchelles · Lacroix · Philippeau
Fabre d'Églantine · Mercier · Thomas Payne
Deputierte des Nationalkonvents

Robespierre · St. Just · Barère
Collot d'Herbois · Billaud-Varennes
Mitglieder des Wohlfahrtsausschusses

Chaumette, *Prokurator des Gemeinderats*
Dillon, *ein General*
Fouquier-Tinville, *öffentlicher Ankläger*

Amar · Vouland
Mitglieder des Sicherheitsausschusses

Herman · Dumas
Präsidenten des Revolutionstribunales

Paris, *ein Freund Dantons*
Simon, *Souffleur* · Weib Simons
Laflotte
Julie, *Dantons Gattin*
Lucile, *Gattin des Camille Desmoulins*

Rosalie · Adelaide · Marion
Grisetten

Damen am Spieltisch, Herren und Damen
sowie junger Herr und Eugenie auf einer Promenade,
Bürger, Bürgersoldaten, Lyoner und andere Deputierte,
Jakobiner, Präsidenten des Jakobinerklubs
und des Nationalkonvents, Schließer, Henker
und Fuhrleute, Männer und Weiber aus dem Volk,
Grisetten, Bänkelsänger, Bettler usw.

ERSTER AKT

Hérault-Séchelles, einige Damen am Spieltisch.
Danton, Julie etwas weiter weg, Danton auf einem Schemel zu den Füßen von Julie.

DANTON. Sieh die hübsche Dame, wie artig sie die Karten dreht! Ja wahrhaftig, sie versteht's; man sagt, sie halte ihrem Manne immer das cœur und anderen Leuten das carreau hin. – Ihr könntet einen noch in die Lüge verliebt machen.

JULIE. Glaubst du an mich?

DANTON. Was weiß ich! Wir wissen wenig voneinander. Wir sind Dickhäuter, wir strecken die Hände nacheinander aus, aber es ist vergebliche Mühe, wir reiben nur das grobe Leder aneinander ab, – wir sind sehr einsam.

JULIE. Du kennst mich, Danton.

DANTON. Ja, was man so kennen heißt. Du hast dunkle Augen und lockiges Haar und einen feinen Teint und sagst immer zu mir: lieber Georg! Aber *er deutet ihr auf Stirn und Augen* da, da, was liegt hinter dem? Geh, wir haben grobe Sinne. Einander kennen? Wir müßten uns die Schädeldecken aufbrechen und die Gedanken einander aus den Hirnfasern zerren. –

EINE DAME *zu Hérault.* Was haben Sie nur mit Ihren Fingern vor?

HÉRAULT. Nichts!

DAME. Schlagen Sie den Daumen nicht so ein, es ist nicht zum Ansehn!

HÉRAULT. Sehn Sie nur, das Ding hat eine ganz eigne Physiognomie. –

DANTON. Nein, Julie, ich liebe dich wie das Grab.

JULIE *sich abwendend.* O!

DANTON. Nein, höre! Die Leute sagen, im Grab sei Ruhe, und Grab und Ruhe seien eins. Wenn das ist, lieg ich in deinem Schoß schon unter der Erde. Du süßes Grab, deine Lippen sind Totenglocken, deine Stimme ist mein Grabgeläute, deine Brust mein Grabhügel und dein Herz mein Sarg. –

DAME. Verloren!

HÉRAULT. Das war ein verliebtes Abenteuer, es kostet Geld wie alle andern.

DAME. Dann haben Sie Ihre Liebeserklärungen, wie ein Taubstummer, mit den Fingern gemacht.

HÉRAULT. Ei, warum nicht? Man will sogar behaupten, gerade *die* würden am leichtesten verstanden. – Ich zettelte eine Liebschaft mit einer Kartenkönigin an; meine Finger waren in Spinnen verwandelte Prinzen, Sie, Madame, waren die Fee; aber es ging schlecht, die Dame lag immer in den Wochen, jeden Augenblick bekam sie einen Buben. Ich würde meine Tochter dergleichen nicht spielen lassen, die Herren und Damen fallen so unanständig übereinander und die Buben kommen gleich hintennach. *Camille Desmoulins und Philippeau treten ein.*

HÉRAULT. Philippeau, welch trübe Augen! Hast du dir ein Loch in die rote Mütze gerissen? Hat der heilige Jakob ein böses Gesicht gemacht? Hat es während des Guillotinierens geregnet? Oder hast du einen schlechten Platz bekommen und nichts sehen können?

CAMILLE. Du parodierst den Sokrates. Weißt du auch, was der Göttliche den Alcibiades fragte, als er ihn eines Tages finster und niedergeschlagen fand: »Hast du deinen Schild auf dem Schlachtfeld verloren? Bist du im Wettlauf oder im Schwertkampf besiegt worden? Hat ein andrer besser gesungen oder besser die Zither geschlagen?« Welche klassischen Republikaner! Nimm einmal unsere Guillotinenromantik dagegen!

PHILIPPEAU. Heute sind wieder zwanzig Opfer gefallen. Wir waren im Irrtum, man hat die Hebertisten nur aufs Schafott geschickt, weil sie nicht systematisch genug verfuhren, vielleicht auch, weil die Dezemvirn sich verloren glaubten, wenn es nur eine Woche Männer gegeben hätte, die man mehr fürchtete als sie.

HÉRAULT. Sie möchten uns zu Antediluvianern machen. St. Just säh es nicht ungern, wenn wir wieder auf allen vieren kröchen, damit uns der Advokat von Arras nach der Mechanik des Genfer Uhrmachers Fallhütchen, Schulbänke und einen Herrgott erfände.

PHILIPPEAU. Sie würden sich nicht scheuen, zu dem Behuf an Marats Rechnung noch einige Nullen zu hängen. Wie lange sollen wir noch schmutzig und blutig sein wie neugeborne Kinder, Särge zur Wiege haben und mit Köpfen spielen? Wir müssen vorwärts: der Gnadenausschuß muß durchgesetzt, die ausgestoßnen Deputierten müssen wieder aufgenommen werden!

HÉRAULT. Die Revolution ist in das Stadium der Reorganisation gelangt. – Die Revolution muß aufhören, und die Republik muß anfangen. – In unsern Staatsgrundsätzen muß das Recht an die Stelle der Pflicht, das Wohlbefinden an die der Tugend und die Notwehr an die der Strafe treten. Jeder muß sich geltend machen und seine Natur durchsetzen können. Er mag nun vernünftig oder unvernünftig, gebildet oder ungebildet, gut oder böse sein, das geht den Staat nichts an. Wir alle sind Narren, es hat keiner das Recht, einem andern seine eigentümliche Narrheit aufzudringen. – Jeder muß in seiner Art genießen können, jedoch so, daß keiner auf Unkosten eines andern genießen oder ihn in seinem eigentümlichen Genuß stören darf.

CAMILLE. Die Staatsform muß ein durchsichtiges Gewand sein, das sich dicht an den Leib des Volkes schmiegt. Jedes Schwellen der Adern, jedes Spannen der Muskeln, jedes Zucken der Sehnen muß sich darin abdrücken. Die Gestalt mag nun schön oder häßlich sein, sie hat einmal das Recht, zu sein, wie sie ist; wir sind nicht berechtigt, ihr ein Röcklein nach Belieben zuzuschneiden. – Wir werden den Leuten, welche über die nackten Schultern der allerliebsten Sünderin Frankreich den Nonnenschleier werfen wollen, auf die Finger schlagen. – Wir wollen nackte Götter, Bacchantinnen, olympische Spiele, und von melodischen Lippen: ach, die gliederlösende, böse Liebe! – Wir wollen den Römern nicht verwehren, sich in die Ecke zu setzen und Rüben zu kochen, aber sie sollen uns keine Gladiatorspiele mehr geben wollen. – Der göttliche Epikur und die Venus mit dem schönen Hintern müssen statt der Heiligen Marat und Chalier die Türsteher der Republik werden. – Danton, du wirst den Angriff im Konvent machen!

DANTON. Ich werde, du wirst, er wird. Wenn wir bis dahin noch leben! sagen die alten Weiber. Nach einer Stunde werden sechzig Minuten verflossen sein. Nicht wahr, mein Junge?

CAMILLE. Was soll das hier? Das versteht sich von selbst.

DANTON. O, es versteht sich alles von selbst. Wer soll denn all die schönen Dinge ins Werk setzen?

PHILIPPEAU. Wir und die ehrlichen Leute.

DANTON. Das ›und‹ dazwischen ist ein langes Wort, es hält uns ein wenig weit auseinander; die Strecke ist lang, die Ehrlichkeit verliert den Atem, eh wir zusammenkommen. Und wenn auch! – den ehrlichen Leuten kann man Geld leihen, man kann bei ihnen Gevatter stehn und seine Töchter an sie verheiraten, aber das ist alles!

CAMILLE. Wenn du das weißt, warum hast du den Kampf begonnen?

DANTON. Die Leute waren mir zuwider. Ich konnte dergleichen gespreizte Katonen nie ansehn, ohne ihnen einen Tritt zu geben. Mein Naturell ist einmal so. *Er erhebt sich.*

JULIE. Du gehst?

DANTON *zu Julie.* Ich muß fort, sie reiben mich mit ihrer Politik noch auf. – *Im Hinausgehn:* Zwischen Tür und Angel will ich euch prophezeien: die Statue der Freiheit ist noch nicht gegossen, der Ofen glüht, wir alle können uns noch die Finger dabei verbrennen. *Ab.*

CAMILLE. Laßt ihn! Glaubt ihr, er könne die Finger davon lassen, wenn es zum Handeln kömmt?

HÉRAULT. Ja, aber bloß zum Zeitvertreib, wie man Schach spielt.

EINE GASSE

Simon. Sein Weib.

SIMON *schlägt das Weib.* Du Kuppelpelz, du runzliche Sublimatpille, du wurmstichischer Sündenapfel!

WEIB. He, Hülfe! Hülfe! *Es kommen*

LEUTE *gelaufen:* Reißt sie auseinander, reißt sie auseinander!

SIMON. Nein, laßt mich, Römer! Zerschellen will ich dies Geripp! Du Vestalin!

WEIB. Ich eine Vestalin? Das will ich sehen, ich.

SIMON. So reiß ich von den Schultern dein Gewand.
Nackt in die Sonne schleudr' ich dann dein Aas.
Du Hurenbett, in jeder Runzel deines Leibes nistet Unzucht.
Sie werden getrennt.

ERSTER BÜRGER. Was gibt's?

SIMON. Wo ist die Jungfrau? Sprich! Nein, so kann ich nicht sagen. Das Mädchen! Nein, auch das nicht. Die Frau, das Weib! Auch das, auch das nicht! Nur noch *ein* Name; o, der erstickt mich! Ich habe keinen Atem dafür.

ZWEITER BÜRGER. Das ist gut, sonst würde der Name nach Schnaps riechen.

SIMON. Alter Virginius, verhülle dein kahl Haupt – der Rabe Schande sitzt darauf und hackt nach deinen Augen. Gebt mir ein Messer, Römer! *Er sinkt um.*

WEIB. Ach, er ist sonst ein braver Mann, er kann nur nicht viel vertragen; der Schnaps stellt ihm gleich ein Bein.

ZWEITER BÜRGER. Dann geht er mit dreien.

WEIB. Nein, er fällt.

ZWEITER BÜRGER. Richtig, erst geht er mit dreien, und dann fällt er auf das dritte, bis das dritte selbst wieder fällt.

SIMON. Du bist die Vampirzunge, die mein wärmstes Herzblut trinkt.

WEIB. Laßt ihn nur, das ist so die Zeit, worin er immer gerührt wird; es wird sich schon geben.

ERSTER BÜRGER. Was gibt's denn?

WEIB. Seht ihr: ich saß da so auf dem Stein in der Sonne und wärmte mich, seht ihr – denn wir haben kein Holz, seht ihr –

ZWEITER BÜRGER. So nimm deines Mannes Nase.

WEIB. Und meine Tochter war da hinuntergegangen um die Ecke – sie ist ein braves Mädchen und ernährt ihre Eltern.

SIMON. Ha, sie bekennt!

WEIB. Du Judas! hättest du nur ein paar Hosen hinaufzuziehen, wenn die jungen Herren die Hosen nicht bei ihr hinunterließen? Du Branntweinfaß, willst du verdursten, wenn das Brünnlein zu laufen aufhört, he? – Wir arbeiten mit allen Gliedern, warum denn nicht auch damit; ihre Mutter hat damit geschafft, wie sie zur Welt kam, und es hat ihr weh getan; kann sie für ihre Mutter nicht auch damit schaffen, he? und tut's ihr auch weh dabei, he? Du Dummkopf!

SIMON. Ha, Lukretia! ein Messer, gebt mir ein Messer, Römer! Ha, Appius Claudius!

ERSTER BÜRGER. Ja, ein Messer, aber nicht für die arme Hure! Was tat sie? Nichts! Ihr Hunger hurt und bettelt. Ein Messer für die Leute, die das Fleisch unserer Weiber und Töchter kaufen. Weh über die, so mit den Töchtern des Volkes huren! Ihr habt Kollern im Leib, und sie haben Magendrücken; ihr habt Löcher in den Jacken, und sie haben warme Röcke; ihr habt Schwielen in den Fäusten, und sie haben Samthände. Ergo, ihr arbeitet, und sie tun nichts; ergo, ihr habt's erworben, und sie haben's gestohlen; ergo, wenn ihr von eurem gestohlnen Eigentum ein paar Heller wiederhaben wollt, müßt ihr huren und betteln; ergo, sie sind Spitzbuben, und man muß sie totschlagen!

DRITTER BÜRGER. Sie haben kein Blut in den Adern, als was sie uns ausgesaugt haben. Sie haben uns gesagt: schlagt die Aristokraten tot, das sind Wölfe! Wir haben die Aristokraten an die Laternen gehängt. Sie haben gesagt: das Veto frißt euer Brot; wir haben das Veto totgeschlagen. Sie haben gesagt: die Girondisten hungern euch aus; wir haben die Girondisten guillotiniert. Aber sie haben die Toten ausgezogen, und wir laufen wie zuvor auf nackten Beinen und frieren. Wir wollen ihnen die Haut von den Schenkeln ziehen und uns Hosen daraus machen, wir wollen ihnen das Fett auslassen und unsere Suppen mit schmelzen. Fort! Totgeschlagen, wer kein Loch im Rock hat!

ERSTER BÜRGER. Totgeschlagen, wer lesen und schreiben kann!

ZWEITER BÜRGER. Totgeschlagen, wer auswärts geht!

ALLE *schreien.* Totgeschlagen! Totgeschlagen!

Einige schleppen einen jungen Menschen herbei.

EINIGE STIMMEN. Er hat ein Schnupftuch! ein Aristokrat! an die Laterne! an die Laterne!

ZWEITER BÜRGER. Was? er schneuzt sich die Nase nicht mit den Fingern? An die Laterne! *Eine Laterne wird heruntergelassen.*

JUNGER MENSCH. Ach, meine Herren!

ZWEITER BÜRGER. Es gibt hier keine Herren! An die Laterne!

EINIGE *singen:* Die da liegen in der Erden,
Von de Würm gefresse werden;
Besser hangen in der Luft,
Als verfaulen in der Gruft!

JUNGER MENSCH. Erbarmen!

DRITTER BÜRGER. Nur ein Spielen mit einer Hanflocke um den Hals! 's ist nur ein Augenblick, wir sind barmherziger als ihr. Unser Leben ist der Mord durch Arbeit; wir hängen sechzig Jahre lang am Strick und zapplen, aber wir werden uns losschneiden. – An die Laterne!

JUNGER MENSCH. Meinetwegen, ihr werdet deswegen nicht heller sehen.

DIE UMSTEHENDEN. Bravo! Bravo!

EINIGE STIMMEN. Laßt ihn laufen! *Er entwischt.*

Robespierre tritt auf, begleitet von Weibern und Ohnehosen.

ROBESPIERRE. Was gibt's da, Bürger?

DRITTER BÜRGER. Was wird's geben? Die paar Tropfen Bluts vom August und September haben dem Volk die Backen nicht rot gemacht. Die Guillotine ist zu langsam. Wir brauchen einen Platzregen!

ERSTER BÜRGER. Unsere Weiber und Kinder schreien nach Brot, wir wollen sie mit Aristokratenfleisch füttern. He! totgeschlagen, wer kein Loch im Rock hat!

ALLE. Totgeschlagen! Totgeschlagen!

ROBESPIERRE. Im Namen des Gesetzes!

ERSTER BÜRGER. Was ist das Gesetz?

ROBESPIERRE. Der Wille des Volks.

ERSTER BÜRGER. Wir sind das Volk, und wir wollen, daß kein Gesetz sei; ergo ist dieser Wille das Gesetz, ergo im Namen des Gesetzes gibt's kein Gesetz mehr, ergo totgeschlagen!

EINIGE STIMMEN. Hört den Aristides! hört den Unbestechlichen!

EIN WEIB. Hört den Messias, der gesandt ist, zu wählen und zu richten; er wird die Bösen mit der Schärfe des Schwertes schlagen. Seine Augen sind die Augen der Wahl, seine Hände sind die Hände des Gerichts.

ROBESPIERRE. Armes, tugendhaftes Volk! Du tust deine Pflicht, du opferst deine Feinde. Volk, du bist groß! Du offenbarst dich unter Blitzstrahlen und Donnerschlägen. Aber, Volk, deine Streiche dürfen deinen eignen Leib nicht verwunden; du mordest dich selbst in deinem Grimm. Du kannst nur durch deine eigne Kraft fallen, das wissen deine Feinde. Deine Gesetzgeber wachen, sie werden deine Hände führen; ihre Augen sind untrügbar, deine Hände sind unentrinnbar. Kommt mit zu den Jakobinern! Eure Brüder werden euch ihre Arme öffnen, wir werden ein Blutgericht über unsere Feinde halten.

VIELE STIMMEN. Zu den Jakobinern! Es lebe Robespierre!

Alle ab.

SIMON. Weh mir, verlassen! *Er versucht sich aufzurichten.*

WEIB. Da! *Sie unterstützt ihn.*

SIMON. Ach, meine Baucis! du sammelst Kohlen auf mein Haupt.

WEIB. Da steh!

SIMON. Du wendest dich ab? Ha, kannst du mir vergeben, Porcia? Schlug ich dich? Das war nicht meine Hand, war nicht mein Arm, mein Wahnsinn tat es.

Sein Wahnsinn ist des armen Hamlet Feind.
Hamlet tat's nicht, Hamlet verleugnet's.

Wo ist unsre Tochter, wo ist mein Sannchen?

WEIB. Dort um das Eck herum.

SIMON. Fort zu ihr! Komm, mein tugendreich Gemahl.

Beide ab.

DER JAKOBINERKLUB

EIN LYONER. Die Brüder von Lyon senden uns, um in eure Brust ihren bittren Unmut auszuschütten. Wir wissen nicht, ob der Karren, auf dem Ronsin zur Guillotine fuhr, der Totenwagen der Freiheit war, aber wir wissen, daß seit jenem Tage die Mörder Chaliers wieder so fest auf den Boden treten, als ob es kein Grab für sie gäbe. Habt ihr vergessen, daß Lyon ein Flecken auf dem Boden Frankreichs ist, den man mit den Gebeinen der Verräter zudecken muß? Habt ihr vergessen, daß diese Hure der Könige ihren Aussatz nur in dem Wasser der Rhone abwaschen kann? Habt ihr vergessen, daß dieser revolutionäre Strom die Flotten Pitts im Mittelmeere auf den Leichen der Aristokraten muß stranden machen? Eure Barmherzigkeit mordet die Revolution. Der Atemzug eines Aristokraten ist das Röcheln der Freiheit. Nur ein Feigling stirbt für die Republik, ein Jakobiner tötet für sie. Wißt: finden wir in euch nicht mehr die Spannkraft der Männer des 10. August, des September und des 31. Mai, so bleibt uns, wie dem Patrioten Gaillard, nur der Dolch des Kato.

Beifall und verwirrtes Geschrei.

EIN JAKOBINER. Wir werden den Becher des Sokrates mit euch trinken!

LEGENDRE *schwingt sich auf die Tribüne.* Wir haben nicht nötig, unsere Blicke auf Lyon zu werfen. Die Leute, die seidne Kleider tragen, die in Kutschen fahren, die in den Logen im Theater sitzen und nach dem Diktionär der Akademie sprechen, tragen seit einigen Tagen die Köpfe fest auf den Schultern. Sie sind witzig und sagen, man müsse Marat und Chalier zu einem doppelten Märtyrertum verhelfen und sie in effigie guillotinieren. *Heftige Bewegung in der Versammlung.*

EINIGE STIMMEN. Das sind tote Leute, ihre Zunge guillotiniert sie.

LEGENDRE. Das Blut dieser Heiligen komme über sie! Ich frage die anwesenden Mitglieder des Wohlfahrtsausschusses, seit wann ihre Ohren so taub geworden sind . . .

COLLOT D'HERBOIS *unterbricht ihn.* Und ich frage dich, Legendre, wessen Stimme solchen Gedanken Atem gibt, daß sie lebendig werden und zu sprechen wagen? Es ist Zeit, die Masken abzureißen. Hört! Die Ursache verklagt ihre Wirkung, der Ruf sein Echo, der

Grund seine Folge. Der Wohlfahrtsausschuß versteht mehr Logik, Legendre. Sei ruhig! Die Büsten der Heiligen werden unberührt bleiben, sie werden wie Medusenhäupter die Verräter in Stein verwandlen.

ROBESPIERRE. Ich verlange das Wort.

DIE JAKOBINER. Hört, hört den Unbestechlichen!

ROBESPIERRE. Wir warteten nur auf den Schrei des Unwillens, der von allen Seiten ertönt, um zu sprechen. Unsere Augen waren offen, wir sahen den Feind sich rüsten und sich erheben, aber wir haben das Lärmzeichen nicht gegeben; wir ließen das Volk sich selbst bewachen, es hat nicht geschlafen, es hat an die Waffen geschlagen. Wir ließen den Feind aus seinem Hinterhalt hervorbrechen, wir ließen ihn anrücken; jetzt steht er frei und ungedeckt in der Helle des Tages, jeder Streich wird ihn treffen, er ist tot, sobald ihr ihn erblickt habt.

Ich habe es euch schon einmal gesagt: in zwei Abteilungen, wie in zwei Heerhaufen, sind die inneren Feinde der Republik zerfallen. Unter Bannern von verschiedener Farbe und auf den verschiedensten Wegen eilen sie alle dem nämlichen Ziele zu. Die eine dieser Faktionen ist nicht mehr. In ihrem affektierten Wahnsinn suchte sie die erprobtesten Patrioten als abgenutzte Schwächlinge beiseite zu werfen, um die Republik ihrer kräftigsten Arme zu berauben. Sie erklärte der Gottheit und dem Eigentum den Krieg, um eine Diversion zugunsten der Könige zu machen. Sie parodierte das erhabne Drama der Revolution, um dieselbe durch studierte Ausschweifungen bloßzustellen. Héberts Triumph hätte die Republik in ein Chaos verwandelt, und der Despotismus war befriedigt. Das Schwert des Gesetzes hat den Verräter getroffen. Aber was liegt den Fremden daran, wenn ihnen Verbrecher einer anderen Gattung zur Erreichung des nämlichen Zwecks bleiben? Wir haben nichts getan, wenn wir noch eine andere Faktion zu vernichten haben.

Sie ist das Gegenteil der vorhergehenden. Sie treibt uns zur Schwäche, ihr Feldgeschrei heißt: Erbarmen! Sie will dem Volk seine Waffen und die Kraft, welche die Waffen führt, entreißen, um es nackt und entnervt den Königen zu überantworten.

Die Waffe der Republik ist der Schrecken, die Kraft der Republik ist die Tugend – die Tugend, weil ohne sie der Schrecken verderblich, der Schrecken, weil ohne ihn die Tugend ohnmächtig ist. Der Schrecken ist ein Ausfluß der Tugend, er ist nichts anders als die schnelle, strenge und unbeugsame Gerechtigkeit. Sie sagen, der Schrecken sei die Waffe einer despotischen Regierung, die unsrige gliche also dem Despotismus. Freilich! aber so, wie das Schwert in

den Händen eines Freiheitshelden dem Säbel gleicht, womit der Satellit des Tyrannen bewaffnet ist. Regiere der Despot seine tierähnlichen Untertanen durch den Schrecken, er hat recht als Despot; zerschmettert durch den Schrecken die Feinde der Freiheit, und ihr habt als Stifter der Republik nicht minder recht. Die Revolutionsregierung ist der Despotismus der Freiheit gegen die Tyrannei.
Erbarmen mit den Royalisten! rufen gewisse Leute. Erbarmen mit Bösewichtern? Nein! Erbarmen für die Unschuld, Erbarmen für die Schwäche, Erbarmen für die Unglücklichen, Erbarmen für die Menschheit! Nur dem friedlichen Bürger gebührt von seiten der Gesellschaft Schutz.
In einer Republik sind nur Republikaner Bürger, Royalisten und Fremde sind Feinde. Die Unterdrücker der Menschheit bestrafen, ist Gnade; ihnen verzeihen, ist Barbarei. Alle Zeichen einer falschen Empfindsamkeit scheinen mir Seufzer, welche nach England oder nach Östreich fliegen.
Aber nicht zufrieden, den Arm des Volkes zu entwaffnen, sucht man noch die heiligsten Quellen seiner Kraft durch das Laster zu vergiften. Dies ist der feinste, gefährlichste und abscheulichste Angriff auf die Freiheit. Das Laster ist das Kainszeichen des Aristokratismus. In einer Republik ist es nicht nur ein moralisches, sondern auch ein politisches Verbrechen; der Lasterhafte ist der politische Feind der Freiheit, er ist ihr um so gefährlicher, je größer die Dienste sind, die er ihr scheinbar erwiesen. Der gefährlichste Bürger ist derjenige, welcher leichter ein Dutzend rote Mützen verbraucht, als eine gute Handlung vollbringt.
Ihr werdet mich leicht verstehen, wenn ihr an Leute denkt, welche sonst in Dachstuben lebten und jetzt in Karossen fahren und mit ehemaligen Marquisinnen und Baronessen Unzucht treiben. Wir dürfen wohl fragen: ist das Volk geplündert, oder sind die Goldhände der Könige gedrückt worden, wenn wir Gesetzgeber des Volks mit allen Lastern und allem Luxus der ehemaligen Höflinge Parade machen, wenn wir diese Marquis und Grafen der Revolution reiche Weiber heiraten, üppige Gastmähler geben, spielen, Diener halten und kostbare Kleider tragen sehen? Wir dürfen wohl staunen, wenn wir sie Einfälle haben, schöngeistern und so etwas vom guten Ton bekommen hören. Man hat vor kurzem auf eine unverschämte Weise den Tacitus parodiert, ich könnte mit dem Sallust antworten und den Katilina travestieren; doch ich denke, ich habe keine Striche mehr nötig, die Porträts sind fertig.
Keinen Vertrag, keinen Waffenstillstand mit den Menschen, welche nur auf Ausplünderung des Volkes bedacht waren, welche diese

Ausplünderung ungestraft zu vollbringen hofften, für welche die Republik eine Spekulation und die Revolution ein Handwerk war! In Schrecken gesetzt durch den reißenden Strom der Beispiele, suchen sie ganz leise die Gerechtigkeit abzukühlen. Man sollte glauben, jeder sage zu sich selbst: »Wir sind nicht tugendhaft genug, um so schrecklich zu sein. Philosophische Gesetzgeber, erbarmt euch unsrer Schwäche! Ich wage euch nicht zu sagen, daß ich lasterhaft bin; ich sage euch also lieber: seid nicht grausam!« Beruhige dich, tugendhaftes Volk, beruhigt euch, ihr Patrioten! Sagt euren Brüdern zu Lyon: das Schwert des Gesetzes roste nicht in den Händen, denen ihr es anvertraut habt! – Wir werden der Republik ein großes Beispiel geben.

Allgemeiner Beifall.

VIELE STIMMEN. Es lebe die Republik! Es lebe Robespierre!

PRÄSIDENT. Die Sitzung ist aufgehoben.

EINE GASSE

Lacroix. Legendre.

LACROIX. Was hast du gemacht, Legendre! Weißt du auch, wem du mit deinen Büsten den Kopf herunterwirfst?

LEGENDRE. Einigen Stutzern und eleganten Weibern, das ist alles.

LACROIX. Du bist ein Selbstmörder, ein Schatten, der sein Original und somit sich selbst ermordet.

LEGENDRE. Ich begreife nicht.

LACROIX. Ich dächte, Collot hätte deutlich gesprochen.

LEGENDRE. Was macht das? Er war wieder betrunken.

LACROIX. Narren, Kinder und – nun? – Betrunkne sagen die Wahrheit. Wen glaubst du denn, daß Robespierre mit dem Katilina gemeint habe?

LEGENDRE. Nun?

LACROIX. Die Sache ist einfach. Man hat die Atheisten und Ultrarevolutionärs aufs Schafott geschickt; aber dem Volk ist nicht geholfen, es läuft noch barfuß in den Gassen und will sich aus Aristokratenleder Schuhe machen. Der Guillotinenthermometer darf nicht fallen; noch einige Grade, und der Wohlfahrtsausschuß kann sich sein Bett auf dem Revolutionsplatz suchen.

LEGENDRE. Was haben damit meine Büsten zu schaffen?

LACROIX. Siehst du's noch nicht? Du hast die Contrerevolution offiziell bekannt gemacht, du hast die Dezemvirn zur Energie gezwungen, du hast ihnen die Hand geführt. Das Volk ist ein Minotaurus, der wöchentlich seine Leichen haben muß, wenn er sie nicht auffressen soll.

LEGENDRE. Wo ist Danton?

LACROIX. Was weiß ich! Er sucht eben die Mediceische Venus stückweise bei allen Grisetten des Palais-Royal zusammen; er macht Mosaik, wie er sagt. Der Himmel weiß, bei welchem Glied er gerade ist. Es ist ein Jammer, daß die Natur die Schönheit, wie Medea ihren Bruder, zerstückt und sie so in Fragmenten in die Körper gesenkt hat. – Gehn wir ins Palais-Royal! *Beide ab.*

EIN ZIMMER

Danton. Marion.

MARION. Nein, laß mich! So zu deinen Füßen. Ich will dir erzählen.

DANTON. Du könntest deine Lippen besser gebrauchen.

MARION. Nein, laß mich einmal so. – Meine Mutter war eine kluge Frau; sie sagte mir immer, die Keuschheit sei eine schöne Tugend. Wenn Leute ins Haus kamen und von manchen Dingen zu sprechen anfingen, hieß sie mich aus dem Zimmer gehn; frug ich, was die Leute gewollt hätten, so sagte sie mir, ich solle mich schämen; gab sie mir ein Buch zu lesen, so mußt ich fast immer einige Seiten überschlagen. Aber die Bibel las ich nach Belieben, da war alles heilig; aber es war etwas darin, was ich nicht begriff. Ich mochte auch niemand fragen, ich brütete über mir selbst. Da kam der Frühling; es ging überall etwas um mich vor, woran ich keinen Teil hatte. Ich geriet in eine eigne Atmosphäre, sie erstickte mich fast. Ich betrachtete meine Glieder; es war mir manchmal, als wäre ich doppelt und verschmölze dann wieder in eins. Ein junger Mensch kam zu der Zeit ins Haus; er war hübsch und sprach oft tolles Zeug; ich wußte nicht recht, was er wollte, aber ich mußte lachen. Meine Mutter hieß ihn öfters kommen, das war uns beiden recht. Endlich sahen wir nicht ein, warum wir nicht ebensogut zwischen zwei Betttüchern beieinander liegen, als auf zwei Stühlen nebeneinander sitzen durften. Ich fand dabei mehr Vergnügen als bei seiner Unterhaltung und sah nicht ab, warum man mir das geringere gewähren und das größere entziehen wollte. Wir taten's heimlich. Das ging so fort. Aber ich wurde wie ein Meer, was alles verschlang und sich tiefer und tiefer wühlte. Es war für mich nur ein Gegensatz da, alle Männer verschmolzen in *einen* Leib. Meine Natur war einmal so, wer kann da drüber hinaus? Endlich merkt' er's. Er kam eines Morgens und küßte mich, als wollte er mich ersticken; seine Arme schnürten sich um meinen Hals, ich war in unsäglicher Angst. Da ließ er mich los und lachte und sagte: er hätte fast einen dummen Streich gemacht; ich solle mein Kleid nur behalten und es brauchen, es würde sich schon von selbst abtragen, er wolle mir den Spaß nicht vor der Zeit verderben, es wäre doch das einzige, was ich hätte. Dann ging er; ich wußte wieder nicht, was er wollte. Den Abend saß ich am Fenster; ich bin sehr reizbar und hänge mit allem um mich nur durch eine Empfindung zusammen; ich versank in die Wellen der Abendröte. Da kam ein Haufe die Straße herab, die Kinder liefen voraus, die Weiber sahen aus den Fenstern. Ich sah hinunter: sie trugen ihn in einem Korb vorbei, der Mond schien auf seine bleiche Stirn, seine Locken waren feucht, er hatte sich ersäuft. Ich mußte weinen. – Das war der einzige Bruch in meinem Wesen. Die andern Leute haben Sonn- und Werktage, sie arbeiten sechs Tage und beten am siebenten, sie sind jedes Jahr auf ihren Geburtstag einmal gerührt und denken jedes Jahr auf Neujahr einmal nach. Ich begreife nichts davon: ich kenne keinen Absatz, keine Veränderung. Ich bin immer nur eins; ein ununterbrochenes Sehnen und Fassen, eine Glut, ein Strom. Meine Mutter ist vor Gram gestorben; die Leute weisen mit Fingern auf mich. Das ist dumm. Es läuft auf eins hinaus, an was man seine Freude hat, an Leibern, Christusbildern, Blumen oder Kinderspielsachen; es ist das nämliche Gefühl; wer am meisten genießt, betet am meisten.

DANTON. Warum kann ich deine Schönheit nicht ganz in mich fassen, sie nicht ganz umschließen?

MARION. Danton, deine Lippen haben Augen.

DANTON. Ich möchte ein Teil des Äthers sein, um dich in meiner Flut zu baden, um mich auf jeder Welle deines schönen Leibes zu brechen.

Lacroix, Adelaide, Rosalie treten ein.

LACROIX *bleibt in der Tür stehn.* Ich muß lachen, ich muß lachen.

DANTON *unwillig.* Nun?

LACROIX. Die Gasse fällt mir ein.

DANTON. Und?

LACROIX. Auf der Gasse waren Hunde, eine Dogge und ein Bologneser Schoßhündlein, die quälten sich.

DANTON. Was soll das?

LACROIX. Das fiel mir nun grade so ein, und da mußt ich lachen. Es sah erbaulich aus! Die Mädel guckten aus den Fenstern; man sollte vorsichtig sein und sie nicht einmal in der Sonne sitzen lassen. Die Mücken treiben's ihnen sonst auf den Händen; das macht Gedanken. – Legendre und ich sind fast durch alle Zellen gelaufen, die

Nönnlein von der Offenbarung durch das Fleisch hingen uns an den Rockschößen und wollten den Segen. Legendre gibt einer die Disziplin, aber er wird einen Monat dafür zu fasten bekommen. Da bringe ich zwei von den Priesterinnen mit dem Leib.

MARION. Guten Tag, Demoiselle Adelaide! guten Tag, Demoiselle Rosalie!

ROSALIE. Wir hatten schon lange nicht das Vergnügen.

MARION. Es war mir recht leid.

ADELAIDE. Ach Gott, wir sind Tag und Nacht beschäftigt.

DANTON *zu Rosalie.* Ei, Kleine, du hast ja geschmeidige Hüften bekommen.

ROSALIE. Ach ja, man vervollkommnet sich täglich.

LACROIX. Was ist der Unterschied zwischen dem antiken und einem modernen Adonis?

DANTON. Und Adelaide ist sittsam-interessant geworden; eine pikante Abwechslung. Ihr Gesicht sieht aus wie ein Feigenblatt, das sie sich vor den ganzen Leib hält. So ein Feigenbaum an einer so gangbaren Straße gibt einen erquicklichen Schatten.

ADELAIDE. Ich wäre ein Herdweg, wenn Monsieur . . .

DANTON. Ich verstehe; nur nicht böse, mein Fräulein!

LACROIX. So höre doch! Ein moderner Adonis wird nicht von einem Eber, sondern von Säuen zerrissen; er bekommt seine Wunde nicht am Schenkel, sondern in den Leisten, und aus seinem Blut sprießen nicht Rosen hervor, sondern schießen Quecksilberblüten an.

DANTON. O laß das, Fräulein Rosalie ist ein restaurierter Torso, woran nur die Hüften und Füße antik sind. Sie ist eine Magnetnadel: was der Pol Kopf abstößt, zieht der Pol Fuß an; die Mitte ist ein Äquator, wo jeder eine Sublimattaufe bekömmt, der die Linie passiert.

LACROIX. Zwei Barmherzige Schwestern; jede dient in einem Spital, d. h. in ihrem eignen Körper.

ROSALIE. Schämen Sie sich, unsere Ohren rot zu machen!

ADELAIDE. Sie sollten mehr Lebensart haben!

Adelaide und Rosalie ab.

DANTON. Gute Nacht, ihr hübschen Kinder!

LACROIX. Gute Nacht, ihr Quecksilbergruben!

DANTON. Sie dauern mich, sie kommen um ihr Nachtessen.

LACROIX. Höre, Danton, ich komme von den Jakobinern.

DANTON. Nichts weiter?

LACROIX. Die Lyoner verlasen eine Proklamation; sie meinten, es bliebe ihnen nichts übrig, als sich in die Toga zu wickeln. Jeder macht ein Gesicht, als wollte er zu seinem Nachbar sagen: Paetus, es schmerzt nicht! – Legendre rief, man wolle Chaliers und Marats Büsten zerschlagen. Ich glaube, er will sich das Gesicht wieder rot machen; er ist ganz aus der Terreur herausgekommen, die Kinder zupfen ihn auf der Gasse am Rock.

DANTON. Und Robespierre?

LACROIX. Fingerte auf der Tribüne und sagte: die Tugend muß durch den Schrecken herrschen. Die Phrase machte mir Halsweh.

DANTON. Sie hobelt Bretter für die Guillotine.

LACROIX. Und Collot schrie wie besessen, man müsse die Masken abreißen.

DANTON. Da werden die Gesichter mitgehen.

Paris tritt ein.

LACROIX. Was gibt's, Fabricius?

PARIS. Von den Jakobinern weg ging ich zu Robespierre; ich verlangte eine Erklärung. Er suchte eine Miene zu machen wie Brutus, der seine Söhne opfert. Er sprach im allgemeinen von den Pflichten, sagte: der Freiheit gegenüber kenne er keine Rücksicht, er würde alles opfern, sich, seinen Bruder, seine Freunde.

DANTON. Das war deutlich; man braucht nur die Skala herumzukehren, so steht er unten und hält seinen Freunden die Leiter. Wir sind Legendre Dank schuldig, er hat sie sprechen gemacht.

LACROIX. Die Hebertisten sind noch nicht tot, das Volk ist materiell elend, das ist ein furchtbarer Hebel. Die Schale des Blutes darf nicht steigen, wenn sie dem Wohlfahrtsausschuß nicht zur Laterne werden soll; er hat Ballast nötig, er braucht einen schweren Kopf.

DANTON. Ich weiß wohl – die Revolution ist wie Saturn, sie frißt ihre eignen Kinder. *Nach einigem Besinnen:* Doch, sie werden's nicht wagen.

LACROIX. Danton, du bist ein toter Heiliger; aber die Revolution kennt keine Reliquien, sie hat die Gebeine aller Könige auf die Gasse und alle Bildsäulen von den Kirchen geworfen. Glaubst du, man würde dich als Monument stehen lassen?

DANTON. Mein Name! das Volk!

LACROIX. Dein Name! Du bist ein Gemäßigter, ich bin einer, Camille, Philippeau, Hérault. Für das Volk sind Schwäche und Mäßigung eins; es schlägt die Nachzügler tot. Die Schneider von der Sektion der roten Mütze werden die ganze römische Geschichte in ihrer Nadel fühlen, wenn der Mann des September ihnen gegenüber ein Gemäßigter war.

DANTON. Sehr wahr, und außerdem – das Volk ist wie ein Kind, es muß alles zerbrechen, um zu sehen, was darin steckt.

LACROIX. Und außerdem, Danton, sind wir lasterhaft, wie Robespierre sagt, d. h. wir genießen; und das Volk ist tugendhaft, d. h. es genießt nicht, weil ihm die Arbeit die Genußorgane stumpf macht, es besäuft sich nicht, weil es kein Geld hat, und es geht nicht ins Bordell, weil es nach Käs und Hering aus dem Hals stinkt und die Mädel davor einen Ekel haben.

DANTON. Es haßt die Genießenden wie ein Eunuch die Männer.

LACROIX. Man nennt uns Spitzbuben, und *sich zu den Ohren Dantons neigend* es ist, unter uns gesagt, so halbwegs was Wahres dran. Robespierre und das Volk werden tugendhaft sein. St. Just wird einen Roman schreiben, und Barère wird eine Carmagnole schneidern und dem Konvent das Blutmäntelchen umhängen und – ich sehe alles.

DANTON. Du träumst. Sie hatten nie Mut ohne mich, sie werden keinen gegen mich haben; die Revolution ist noch nicht fertig, sie könnten mich noch nötig haben, sie werden mich im Arsenal aufheben.

LACROIX. Wir müssen handeln.

DANTON. Das wird sich finden.

LACROIX. Es wird sich finden, wenn wir verloren sind.

MARION *zu Danton.* Deine Lippen sind kalt geworden, deine Worte haben deine Küsse erstickt.

DANTON *zu Marion.* So viel Zeit zu verlieren! Das war der Mühe wert! – *Zu Lacroix*: Morgen geh ich zu Robespierre; ich werde ihn ärgern, da kann er nicht schweigen. Morgen also! Gute Nacht, meine Freunde, gute Nacht! ich danke euch!

LACROIX. Packt euch, meine guten Freunde, packt euch! Gute Nacht, Danton! Die Schenkel der Demoiselle guillotinieren dich, der Mons Veneris wird dein Tarpejischer Fels.

Ab mit Paris.

EIN ZIMMER

Robespierre. Danton. Paris.

ROBESPIERRE. Ich sage dir, wer mir in den Arm fällt, wenn ich das Schwert ziehe, ist mein Feind – seine Absicht tut nichts zur Sache; wer mich verhindert, mich zu verteidigen, tötet mich so gut, als wenn er mich angriffe.

DANTON. Wo die Notwehr aufhört, fängt der Mord an; ich sehe keinen Grund, der uns länger zum Töten zwänge.

ROBESPIERRE. Die soziale Revolution ist noch nicht fertig; wer eine Revolution zur Hälfte vollendet, gräbt sich selbst sein Grab. Die gute Gesellschaft ist noch nicht tot, die gesunde Volkskraft muß sich an die Stelle dieser nach allen Richtungen abgekitzelten Klasse setzen. Das Laster muß bestraft werden, die Tugend muß durch den Schrecken herrschen.

DANTON. Ich verstehe das Wort Strafe nicht. – Mit deiner Tugend, Robespierre! Du hast kein Geld genommen, du hast keine Schulden gemacht, du hast bei keinem Weibe geschlafen, du hast immer einen anständigen Rock getragen und dich nie betrunken. Robespierre, du bist empörend rechtschaffen. Ich würde mich schämen, dreißig Jahre lang mit der nämlichen Moralphysiognomie zwischen Himmel und Erde herumzulaufen, bloß um des elenden Vergnügens willen, andre schlechter zu finden als mich. – Ist denn nichts in dir, was dir nicht manchmal ganz leise, heimlich sagte: du lügst, du lügst!?

ROBESPIERRE. Mein Gewissen ist rein.

DANTON. Das Gewissen ist ein Spiegel, vor dem ein Affe sich quält; jeder putzt sich, wie er kann, und geht auf seine eigne Art auf seinen Spaß dabei aus. Das ist der Mühe wert, sich darüber in den Haaren zu liegen! Jeder mag sich wehren, wenn ein andrer ihm den Spaß verdirbt. Hast du das Recht, aus der Guillotine einen Waschzuber für die unreine Wäsche anderer Leute und aus ihren abgeschlagenen Köpfen Fleckkugeln für ihre schmutzigen Kleider zu machen, weil du immer einen sauber gebürsteten Rock trägst? Ja, du kannst dich wehren, wenn sie dir drauf spucken oder Löcher hineinreißen; aber was geht es dich an, solang sie dich in Ruhe lassen? Wenn sie sich nicht genieren, so herumzugehn, hast du deswegen das Recht, sie ins Grabloch zu sperren? Bist du der Polizeisoldat des Himmels? Und kannst du es nicht ebensogut mitansehn als dein lieber Herrgott, so halte dir dein Schnupftuch vor die Augen.

ROBESPIERRE. Du leugnest die Tugend?

DANTON. Und das Laster. Es gibt nur Epikureer, und zwar grobe und feine, Christus war der feinste; das ist der einzige Unterschied, den ich zwischen den Menschen herausbringen kann. Jeder handelt seiner Natur gemäß, d. h. er tut, was ihm wohltut. – Nicht wahr, Unbestechlicher, es ist grausam, dir die Absätze so von den Schuhen zu treten?

ROBESPIERRE. Danton, das Laster ist zu gewissen Zeiten Hochverrat.

DANTON. Du darfst es nicht proskribieren, ums Himmels willen nicht, das wäre undankbar; du bist ihm zu viel schuldig, durch den Kontrast nämlich. – Übrigens, um bei deinen Begriffen zu bleiben, unsere Streiche müssen der Republik nützlich sein, man darf die Unschuldigen nicht mit den Schuldigen treffen.

ROBESPIERRE. Wer sagt dir denn, daß ein Unschuldiger getroffen worden sei?

DANTON. Hörst du, Fabricius? Es starb kein Unschuldiger! *Er geht; im Hinausgehn zu Paris:* Wir dürfen keinen Augenblick verlieren, wir müssen uns zeigen! *Danton und Paris ab.*

ROBESPIERRE *allein.* Geh nur! Er will die Rosse der Revolution am Bordell halten machen, wie ein Kutscher seine dressierten Gäule; sie werden Kraft genug haben, ihn zum Revolutionsplatz zu schleifen.

Mir die Absätze von den Schuhen treten! Um bei deinen Begriffen zu bleiben! – Halt! Halt! Ist's das eigentlich? – Sie werden sagen, seine gigantische Gestalt hätte zu viel Schatten auf mich geworfen, ich hätte ihn deswegen aus der Sonne gehen heißen. – Und wenn sie recht hätten? – Ist's denn so notwendig? Ja, ja! die Republik! Er muß weg. Es ist lächerlich, wie meine Gedanken einander beaufsichtigen. – Er muß weg. Wer in einer Masse, die vorwärts drängt, stehen bleibt, leistet so gut Widerstand, als trät er ihr entgegen: er wird zertreten.

Wir werden das Schiff der Revolution nicht auf den seichten Berechnungen und den Schlammbänken dieser Leute stranden lassen; wir müssen die Hand abhauen, die es zu halten wagt – und wenn er es mit den Zähnen packte!

Weg mit einer Gesellschaft, die der toten Aristokratie die Kleider ausgezogen und ihren Aussatz geerbt hat!

Keine Tugend! Die Tugend ein Absatz meiner Schuhe! Bei meinen Begriffen! – Wie das immer wiederkommt. – Warum kann ich den Gedanken nicht loswerden? Er deutet mit blutigem Finger immer da, da hin! Ich mag so viel Lappen darum wickeln, als ich will, das Blut schlägt immer durch. – *Nach einer Pause:* Ich weiß nicht, was in mir das andere belügt.

Er tritt ans Fenster. Die Nacht schnarcht über der Erde und wälzt sich im wüsten Traum. Gedanken, Wünsche, kaum geahnt, wirr und gestaltlos, die scheu sich vor des Tages Licht verkrochen, empfangen jetzt Form und Gewand und stehlen sich in das stille Haus des Traums. Sie öffnen die Türen, sie sehen aus den Fenstern, sie werden halbwegs Fleisch, die Glieder strecken sich im Schlaf, die Lippen murmeln. – Und ist nicht unser Wachen ein hellerer Traum? sind wir nicht Nachtwandler? ist nicht unser Handeln wie das im Traum, nur deutlicher, bestimmter, durchgeführter? Wer will uns darum schelten? In einer Stunde verrichtet der Geist mehr Taten des Gedankens, als der träge Organismus unsres Leibes in Jahren nachzutun vermag. Die Sünde ist im Gedanken. Ob der Gedanke Tat wird, ob ihn der Körper nachspielt, das ist Zufall.

St. Just tritt ein.

ROBESPIERRE. He, wer da im Finstern? He, Licht, Licht!

ST. JUST. Kennst du meine Stimme?

ROBESPIERRE. Ah du, St. Just! *Eine Dienerin bringt Licht.*

ST. JUST. Warst du allein?

ROBESPIERRE. Eben ging Danton weg.

ST. JUST. Ich traf ihn unterwegs im Palais-Royal. Er machte seine revolutionäre Stirn und sprach in Epigrammen; er duzte sich mit den Ohnehosen, die Grisetten liefen hinter seinen Waden drein, und die Leute blieben stehn und zischelten sich in die Ohren, was er gesagt hatte. – Wir werden den Vorteil des Angriffs verlieren. Willst du noch länger zaudern? Wir werden ohne dich handeln. Wir sind entschlossen.

ROBESPIERRE. Was wollt ihr tun?

ST. JUST. Wir berufen den Gesetzgebungs-, den Sicherheits- und den Wohlfahrtsausschuß zu feierlicher Sitzung.

ROBESPIERRE. Viel Umstände.

ST. JUST. Wir müssen die große Leiche mit Anstand begraben, wie Priester, nicht wie Mörder; wir dürfen sie nicht verstümmeln, alle ihre Glieder müssen mit hinunter.

ROBESPIERRE. Sprich deutlicher!

ST. JUST. Wir müssen ihn in seiner vollen Waffenrüstung beisetzen und seine Pferde und Sklaven auf seinem Grabhügel schlachten: Lacroix –

ROBESPIERRE. Ein ausgemachter Spitzbube, gewesener Advokatenschreiber, gegenwärtig Generalleutnant von Frankreich. Weiter!

ST. JUST. Hérault-Séchelles.

ROBESPIERRE. Ein schöner Kopf!

ST. JUST. Er war der schöngemalte Anfangsbuchstaben der Konstitutionsakte; wir haben dergleichen Zierat nicht mehr nötig, er wird ausgewischt. – Philippeau. – Camille.

ROBESPIERRE. Auch der?

ST. JUST *überreicht ihm ein Papier*. Das dacht ich. Da lies!

ROBESPIERRE. Aha, ›Der alte Franziskaner‹! Sonst nichts? Er ist ein Kind, er hat über euch gelacht.

ST. JUST. Lies hier, hier! *Er zeigt ihm eine Stelle.*

ROBESPIERRE *liest*. ›Dieser Blutmessias Robespierre auf seinem Kalvarienberge zwischen den beiden Schächern Couthon und Collot, auf dem er opfert und nicht geopfert wird. Die Guillotinen-Betschwestern stehen wie Maria und Magdalena unten. St. Just liegt ihm wie Johannes am Herzen und macht den Konvent mit den apokalyptischen Offenbarungen des Meisters bekannt; er trägt seinen Kopf wie eine Monstranz.‹

ST. JUST. Ich will ihn den seinigen wie St. Denis tragen machen.

ROBESPIERRE *liest weiter.* ›Sollte man glauben, daß der saubere Frack des Messias das Leichenhemd Frankreichs ist, und daß seine dünnen, auf der Tribüne herumzuckenden Finger Guillotinenmesser sind? – Und du, Barère, der du gesagt hast, auf dem Revolutionsplatz werde Münze geschlagen! Doch – ich will den alten Sack nicht aufwühlen. Er ist eine Witwe, die schon ein halb Dutzend Männer hatte und sie alle begraben half. Wer kann was dafür? Das ist so eine Gabe, er sieht den Leuten ein halbes Jahr vor dem Tode das hippokratische Gesicht an. Wer mag sich auch zu Leichen setzen und den Gestank riechen?‹

Also auch du, Camille? – Weg mit ihnen! Rasch! Nur die Toten kommen nicht wieder.

Hast du die Anklage bereit?

ST. JUST. Es macht sich leicht. Du hast die Andeutungen bei den Jakobinern gemacht.

ROBESPIERRE. Ich wollte sie schrecken.

ST. JUST. Ich brauche nur durchzuführen; die Fälscher geben das Ei und die Fremden den Apfel ab. – Sie sterben an der Mahlzeit, ich gebe dir mein Wort.

ROBESPIERRE. Dann rasch, morgen! Keinen langen Todeskampf! Ich bin empfindlich seit einigen Tagen. – Nur rasch! *St. Just ab.*

ROBESPIERRE *allein.* Jawohl, Blutmessias, der opfert und nicht geopfert wird. – Er hat sie mit seinem Blut erlöst, und ich erlöse sie mit ihrem eignen. Er hat sie sündigen gemacht, und ich nehme die Sünde auf mich. Er hatte die Wollust des Schmerzes, und ich habe die Qual des Henkers. Wer hat sich mehr verleugnet, ich oder er? – Und doch ist was von Narrheit in dem Gedanken. – Was sehen wir nur immer nach dem Einen? Wahrlich, der Menschensohn wird in uns allen gekreuzigt, wir ringen alle im Gethsemanegarten im blutigen Schweiß, aber es erlöst keiner den andern mit seinen Wunden.

Mein Camille! – Sie gehen alle von mir – es ist alles wüst und leer – ich bin allein.

ZWEITER AKT

EIN ZIMMER

Danton, Lacroix, Philippeau, Paris, Camille Desmoulins.

CAMILLE. Rasch, Danton, wir haben keine Zeit zu verlieren!

DANTON *er kleidet sich an.* Aber die Zeit verliert uns.
Das ist sehr langweilig, immer das Hemd zuerst und dann die Hosen drüber zu ziehen und des Abends ins Bett und morgens wieder heraus zu kriechen und einen Fuß immer so vor den andern zu setzen; da ist gar kein Absehen, wie es anders werden soll. Das ist sehr traurig, und daß Millionen es schon so gemacht haben, und daß Millionen es wieder so machen werden, und daß wir noch obendrein aus zwei Hälften bestehen, die beide das nämliche tun, so daß alles doppelt geschieht – das ist sehr traurig.

CAMILLE. Du sprichst in einem ganz kindlichen Ton.

DANTON. Sterbende werden oft kindisch.

LACROIX. Du stürzest dich durch dein Zögern ins Verderben, du reißest alle deine Freunde mit dir. Benachrichtige die Feiglinge, daß es Zeit ist, sich um dich zu versammeln, fordere sowohl die vom Tale als die vom Berge auf! Schreie über die Tyrannei der Dezemvirn, sprich von Dolchen, rufe Brutus an, dann wirst du die Tribunen erschrecken und selbst die um dich sammeln, die man als Mitschuldige Héberts bedroht! Du mußt dich deinem Zorn überlassen. Laßt uns wenigstens nicht entwaffnet und erniedrigt wie der schändliche Hébert sterben!

DANTON. Du hast ein schlechtes Gedächtnis, du nanntest mich einen toten Heiligen. Du hattest mehr recht, als du selbst glaubtest. Ich war bei den Sektionen; sie waren ehrfurchtsvoll, aber wie Leichenbitter. Ich bin eine Reliquie, und Reliquien wirft man auf die Gasse, du hattest recht.

LACROIX. Warum hast du es dazu kommen lassen?

DANTON. Dazu? Ja, wahrhaftig, es war mir zuletzt langweilig. Immer im nämlichen Rock herumzulaufen und die nämlichen Falten zu ziehen! Das ist erbärmlich. So ein armseliges Instrument zu sein, auf dem eine Saite immer nur einen Ton angibt! – 's ist nicht zum Aushalten. Ich wollte mir's bequem machen. Ich habe es erreicht; die Revolution setzt mich in Ruhe, aber auf andere Weise, als ich dachte.
Übrigens, auf was sich stützen? Unsere Huren könnten es noch mit den Guillotinen-Betschwestern aufnehmen; sonst weiß ich nichts.

Es läßt sich an den Fingern herzählen: die Jakobiner haben erklärt, daß die Tugend an der Tagesordnung sei, die Cordeliers nennen mich Héberts Henker, der Gemeinderat tut Buße, der Konvent – das wäre noch ein Mittel! aber es gäbe einen 31. Mai, sie würden nicht gutwillig weichen. Robespierre ist das Dogma der Revolution, es darf nicht ausgestrichen werden. Es ginge auch nicht. Wir haben nicht die Revolution, sondern die Revolution hat uns gemacht.
Und wenn es ginge – ich will lieber guillotiniert werden als guillotinieren lassen. Ich hab es satt; wozu sollen wir Menschen miteinander kämpfen? Wir sollten uns nebeneinander setzen und Ruhe haben. Es wurde ein Fehler gemacht, wie wir geschaffen wurden; es fehlt uns etwas, ich habe keinen Namen dafür – aber wir werden es einander nicht aus den Eingeweiden herauswühlen, was sollen wir uns drum die Leiber aufbrechen? Geht, wir sind elende Alchymisten!

CAMILLE. Pathetischer gesagt, würde es heißen: wie lange soll die Menschheit in ewigem Hunger ihre eignen Glieder fressen? oder: wie lange sollen wir Schiffbrüchige auf einem Wrack in unlöschbarem Durst einander das Blut aus den Adern saugen? oder: wie lange sollen wir Algebraisten im Fleisch beim Suchen nach dem unbekannten, ewig verweigerten X unsere Rechnungen mit zerfetzten Gliedern schreiben?

DANTON. Du bist ein starkes Echo.

CAMILLE. Nicht wahr, ein Pistolenschuß schallt gleich wie ein Donnerschlag. Desto besser für dich, du solltest mich immer bei dir haben.

PHILIPPEAU. Und Frankreich bleibt seinen Henkern?

DANTON. Was liegt daran? Die Leute befinden sich ganz wohl dabei. Sie haben Unglück; kann man mehr verlangen, um gerührt, edel, tugendhaft oder witzig zu sein, oder um überhaupt keine Langeweile zu haben? – Ob sie nun an der Guillotine oder am Fieber oder am Alter sterben! Es ist noch vorzuziehen, sie treten mit gelenken Gliedern hinter die Kulissen und können im Abgehen noch hübsch gestikulieren und die Zuschauer klatschen hören. Das ist ganz artig und paßt für uns; wir stehen immer auf dem Theater, wenn wir auch zuletzt im Ernst erstochen werden.
Es ist recht gut, daß die Lebenszeit ein wenig reduziert wird; der Rock war zu lang, unsere Glieder konnten ihn nicht ausfüllen. Das Leben wird ein Epigramm, das geht an; wer hat auch Atem und Geist genug für ein Epos in fünfzig oder sechzig Gesängen? 's ist Zeit, daß man das bißchen Essenz nicht mehr aus Zubern, sondern aus Likörgläschen trinkt; so bekommt man doch das Maul voll,

sonst konnte man kaum einige Tropfen in dem plumpen Gefäß zusammenrinnen machen.
Endlich – ich müßte schreien; das ist mir der Mühe zuviel, das Leben ist nicht die Arbeit wert, die man sich macht, es zu erhalten.

PARIS. So flieh, Danton!

DANTON. Nimmt man das Vaterland an den Schuhsohlen mit? Und endlich – und das ist die Hauptsache: sie werden's nicht wagen. *Zu Camille:* Komm, mein Junge; ich sage dir, sie werden's nicht wagen. Adieu, adieu! *Danton und Camille ab.*

PHILIPPEAU. Da geht er hin.

LACROIX. Und glaubt kein Wort von dem, was er gesagt hat. Nichts als Faulheit! Er will sich lieber guillotinieren lassen als eine Rede halten.

PARIS. Was tun?

LACROIX. Heimgehn und als Lukretia auf einen anständigen Fall studieren.

EINE PROMENADE

Spaziergänger.

EIN BÜRGER. Meine gute Jacqueline – ich wollte sagen Korn ... wollt ich: Kor ...

SIMON. Kornelia, Bürger, Kornelia.

BÜRGER. Meine gute Kornelia hat mich mit einem Knäblein erfreut.

SIMON. Hat der Republik einen Sohn geboren.

BÜRGER. Der Republik, das lautet zu allgemein; man könnte sagen ...

SIMON. Das ist's gerade, das Einzelne muß sich dem Allgemeinen ...

BÜRGER. Ach ja, das sagt meine Frau auch.

BÄNKELSÄNGER *singt.*

Was doch ist, was doch ist
Aller Männer Freud und Lüst?

BÜRGER. Ach, mit den Namen, da komm ich gar nicht ins reine.

SIMON. Tauf ihn Pike, Marat!

BÄNKELSÄNGER. Unter Kummer, unter Sorgen
Sich bemühn vom frühen Morgen,
Bis der Tag vorüber ist.

BÜRGER. Ich hätte gern drei – es ist doch was mit der Zahl Drei – und dann was Nützliches und was Rechtliches; jetzt hab ich's: Pflug, Robespierre. Und dann das dritte?

SIMON. Pike.

BÜRGER. Ich dank Euch, Nachbar; Pike, Pflug, Robespierre, das sind hübsche Namen, das macht sich schön.

SIMON. Ich sage dir, die Brust deiner Kornelia wird wie das Euter der römischen Wölfin – nein, das geht nicht: Romulus war ein Tyrann, das geht nicht. *Gehn vorbei.*

EIN BETTLER *singt.* ›Eine Handvoll Erde und ein wenig Moos ...‹ Liebe Herren, schöne Damen!

ERSTER HERR. Kerl, arbeite, du siehst ganz wohlgenährt aus!

ZWEITER HERR. Da! *Er gibt ihm Geld.* Er hat eine Hand wie Sammet. Das ist unverschämt.

BETTLER. Mein Herr, wo habt Ihr Euren Rock her?

ZWEITER HERR. Arbeit, Arbeit! Du könntest den nämlichen haben; ich will dir Arbeit geben, komm zu mir, ich wohne ...

BETTLER. Herr, warum habt Ihr gearbeitet?

ZWEITER HERR. Narr, um den Rock zu haben.

BETTLER. Ihr habt Euch gequält, um einen Genuß zu haben; denn so ein Rock ist ein Genuß, ein Lumpen tut's auch.

ZWEITER HERR. Freilich, sonst geht's nicht.

BETTLER. Daß ich ein Narr wäre! Das hebt einander. Die Sonne scheint warm an das Eck, und das geht ganz leicht. *Singt:* ›Eine Handvoll Erde und ein wenig Moos ...‹

ROSALIE *zu Adelaiden.* Mach fort, da kommen Soldaten! Wir haben seit gestern nichts Warmes in den Leib gekriegt.

BETTLER. ›Ist auf dieser Erde einst mein letztes Los!‹ Meine Herren, meine Damen!

SOLDAT. Halt! Wo hinaus, meine Kinder? *Zu Rosalie:* Wie alt bist du?

ROSALIE. So alt wie mein kleiner Finger.

SOLDAT. Du bist sehr spitz.

ROSALIE. Und du sehr stumpf.

SOLDAT. So will ich mich an dir wetzen. *Er singt:*

Christinlein, lieb Christinlein mein,
Tut dir der Schaden weh, Schaden weh,
Schaden weh, Schaden weh?

ROSALIE *singt.* Ach nein, ihr Herrn Soldaten,
Ich hätt es gerne meh, gerne meh,
Gerne meh, gerne meh!

Danton und Camille treten auf.

DANTON. Geht das nicht lustig? – Ich wittre was in der Atmosphäre; es ist, als brüte die Sonne Unzucht aus. – Möchte man nicht drunter springen, sich die Hosen vom Leibe reißen und sich über den Hintern begatten wie die Hunde auf der Gasse? *Gehn vorbei.*

JUNGER HERR. Ach, Madame, der Ton einer Glocke, das Abendlicht an den Bäumen, das Blinken eines Sterns ...

MADAME. Der Duft einer Blume! Diese natürlichen Freuden, dieser reine Genuß der Natur! *Zu ihrer Tochter:* Sieh, Eugenie, nur die Tugend hat Augen dafür.

EUGENIE *küßt ihrer Mutter die Hand.* Ach, Mama, ich sehe nur Sie.

MADAME. Gutes Kind!

JUNGER HERR *zischelt Eugenien ins Ohr.* Sehen Sie dort die hübsche Dame mit dem alten Herrn?

EUGENIE. Ich kenne sie.

JUNGER HERR. Man sagt, ihr Friseur habe sie à l'enfant frisiert.

EUGENIE *lacht.* Böse Zunge!

JUNGER HERR. Der alte Herr geht nebenbei; er sieht das Knöspchen schwellen und führt es in die Sonne spazieren und meint, er sei der Gewitterregen, der es habe wachsen machen.

EUGENIE. Wie unanständig! Ich hätte Lust, rot zu werden.

JUNGER HERR. Das könnte mich blaß machen. *Gehn ab.*

DANTON *zu Camille.* Mute mir nur nichts Ernsthaftes zu! Ich begreife nicht, warum die Leute nicht auf der Gasse stehen bleiben und einander ins Gesicht lachen. Ich meine, sie müßten zu den Fenstern und zu den Gräbern herauslachen, und der Himmel müsse bersten, und die Erde müsse sich wälzen vor Lachen. *Gehn ab.*

ERSTER HERR. Ich versichre Sie, eine außerordentliche Entdeckung! Alle technischen Künste bekommen dadurch eine andere Physiognomie. Die Menschheit eilt mit Riesenschritten ihrer hohen Bestimmung entgegen.

ZWEITER HERR. Haben Sie das neue Stück gesehen? Ein babylonischer Turm! Ein Gewirr von Gewölben, Treppchen, Gängen, und das alles so leicht und kühn in die Luft gesprengt. Man schwindelt bei jedem Tritt. Ein bizarrer Kopf. *Er bleibt verlegen stehn.*

ERSTER HERR. Was haben Sie denn?

ZWEITER HERR. Ach, nichts! Ihre Hand, Herr! die Pfütze – so! Ich danke Ihnen. Kaum kam ich vorbei; das konnte gefährlich werden!

ERSTER HERR. Sie fürchteten doch nicht?

ZWEITER HERR. Ja, die Erde ist eine dünne Kruste; ich meine immer, ich könnte durchfallen, wo so ein Loch ist. – Man muß mit Vorsicht auftreten, man könnte durchbrechen. Aber gehn Sie ins Theater, ich rat es Ihnen!

EIN ZIMMER

Danton. Camille. Lucile.

CAMILLE. Ich sage euch, wenn sie nicht alles in hölzernen Kopieen bekommen, verzettelt in Theatern, Konzerten und Kunstausstellungen, so haben sie weder Augen noch Ohren dafür. Schnitzt einer eine Marionette, wo man den Strick hereinhängen sieht, an dem sie gezerrt wird und deren Gelenke bei jedem Schritt in fünffüßigen Jamben krachen – welch ein Charakter, welche Konsequenz! Nimmt einer ein Gefühlchen, eine Sentenz, einen Begriff, und zieht ihm Rock und Hosen an, macht ihm Hände und Füße, färbt ihm das Gesicht und läßt das Ding sich drei Akte hindurch herumquälen, bis es sich zuletzt verheiratet oder sich totschießt – ein Ideal! Fiedelt einer eine Oper, welche das Schweben und Senken im menschlichen Gemüt wiedergibt wie eine Tonpfeife mit Wasser die Nachtigall – ach, die Kunst!

Setzt die Leute aus dem Theater auf die Gasse: die erbärmliche Wirklichkeit! – Sie vergessen ihren Herrgott über seinen schlechten Kopisten. Von der Schöpfung, die glühend, brausend und leuchtend, um und in ihnen, sich jeden Augenblick neu gebiert, hören und sehen sie nichts. Sie gehen ins Theater, lesen Gedichte und Romane, schneiden den Fratzen darin die Gesichter nach und sagen zu Gottes Geschöpfen: wie gewöhnlich! – Die Griechen wußten, was sie sagten, wenn sie erzählten, Pygmalions Statue sei wohl lebendig geworden, habe aber keine Kinder bekommen.

DANTON. Und die Künstler gehn mit der Natur um wie David, der im September die Gemordeten, wie sie aus der Force auf die Gasse geworfen wurden, kaltblütig zeichnete und sagte: ich erhasche die letzten Zuckungen des Lebens in diesen Bösewichtern. *Danton wird hinausgerufen.*

CAMILLE. Was sagst du, Lucile?

LUCILE. Nichts, ich seh dich so gern sprechen.

CAMILLE. Hörst mich auch?

LUCILE. Ei freilich!

CAMILLE. Hab ich recht? Weißt du auch, was ich gesagt habe?

LUCILE. Nein, wahrhaftig nicht. *Danton kömmt zurück.*

CAMILLE. Was hast du?

DANTON. Der Wohlfahrtsausschuß hat meine Verhaftung beschlossen. Man hat mich gewarnt und mir einen Zufluchtsort angeboten. Sie wollen meinen Kopf; meinetwegen. Ich bin der Hudeleien überdrüssig. Mögen sie ihn nehmen. Was liegt daran? Ich werde mit Mut zu sterben wissen; das ist leichter, als zu leben.

CAMILLE. Danton, noch ist's Zeit!

DANTON. Unmöglich – aber ich hätte nicht gedacht . . .

CAMILLE. Deine Trägheit!

DANTON. Ich bin nicht träg, aber müde; meine Sohlen brennen mich.

CAMILLE. Wo gehst du hin?

DANTON. Ja, wer das wüßte!

CAMILLE. Im Ernst, wohin?

DANTON. Spazieren, mein Junge, spazieren. *Er geht.*

LUCILE. Ach, Camille!

CAMILLE. Sei ruhig, lieb Kind!

LUCILE. Wenn ich denke, daß sie dies Haupt –! Mein Camille! das ist Unsinn, gelt, ich bin wahnsinnig?

CAMILLE. Sei ruhig, Danton und ich sind nicht eins.

LUCILE. Die Erde ist weit, und es sind viel Dinge drauf – warum denn gerade das eine? Wer sollte mir's nehmen? Das wäre arg. Was wollten sie auch damit anfangen?

CAMILLE. Ich wiederhole dir: du kannst ruhig sein. Gestern sprach ich mit Robespierre: er war freundlich. Wir sind ein wenig gespannt, das ist wahr; verschiedne Ansichten, sonst nichts!

LUCILE. Such ihn auf!

CAMILLE. Wir saßen auf *einer* Schulbank. Er war immer finster und einsam. Ich allein suchte ihn auf und machte ihn zuweilen lachen. Er hat mir immer große Anhänglichkeit gezeigt. Ich gehe.

LUCILE. So schnell, mein Freund? Geh! Komm! Nur das *sie küßt ihn* und das! Geh! Geh! *Camille ab.*

Das ist eine böse Zeit. Es geht einmal so. Wer kann da drüber hinaus? Man muß sich fassen.

Singt: Ach Scheiden, ach Scheiden, ach Scheiden,
Wer hat sich das Scheiden erdacht?

Wie kommt mir grad das in Kopf? Das ist nicht gut, daß es den Weg so von selbst findet. – Wie er hinaus ist, war mir's, als könnte er nicht mehr umkehren und müsse immer weiter weg von mir, immer weiter.

Wie das Zimmer so leer ist; die Fenster stehn offen, als hätte ein Toter drin gelegen. Ich halt es da oben nicht aus. *Sie geht.*

FREIES FELD

DANTON. Ich mag nicht weiter. Ich mag in dieser Stille mit dem Geplauder meiner Tritte und dem Keuchen meines Atems nicht Lärm machen. *Er setzt sich nieder; nach einer Pause:*

Man hat mir von einer Krankheit erzählt, die einem das Gedächtnis verlieren mache. Der Tod soll etwas davon haben. Dann kommt mir manchmal die Hoffnung, daß er vielleicht noch kräftiger wirke und einem *alles* verlieren mache. Wenn das wäre! – Dann lief ich wie ein Christ, um einen Feind, d. h. mein Gedächtnis, zu retten.

Der Ort soll sicher sein, ja für mein Gedächtnis, aber nicht für mich; mir gibt das Grab mehr Sicherheit, es schafft mir wenigstens *Vergessen*. Es tötet mein Gedächtnis. Dort aber lebt mein Gedächtnis und tötet mich. Ich oder es? Die Antwort ist leicht. *Er erhebt sich und kehrt um.*
Ich kokettiere mit dem Tod; es ist ganz angenehm, so aus der Ferne mit dem Lorgnon mit ihm zu liebäugeln.
Eigentlich muß ich über die ganze Geschichte lachen. Es ist ein Gefühl des Bleibens in mir, was mir sagt: es wird morgen sein wie heute, und übermorgen und weiter hinaus ist alles wie eben. Das ist leerer Lärm, man will mich schrecken; sie werden's nicht wagen! *Ab*

EIN ZIMMER
Es ist Nacht.

DANTON *am Fenster.* Will denn das nie aufhören? Wird das Licht nie ausglühn und der Schall nie modern? Will's denn nie still und dunkel werden, daß wir uns die garstigen Sünden einander nicht mehr anhören und ansehen? – September! –

JULIE *ruft von innen.* Danton! Danton!

DANTON. He?

JULIE *tritt ein.* Was rufst du?

DANTON. Rief ich?

JULIE. Du sprachst von garstigen Sünden, und dann stöhntest du: September!

DANTON. Ich, ich? Nein, ich sprach nicht; das dacht ich kaum, das waren nur ganz leise, heimliche Gedanken.

JULIE. Du zitterst, Danton!

DANTON. Und soll ich nicht zittern, wenn so die Wände plaudern? Wenn mein Leib so zerschellt ist, daß meine Gedanken unstet, umirrend mit den Lippen der Steine reden? Das ist seltsam.

JULIE. Georg, mein Georg!

DANTON. Ja, Julie, das ist sehr seltsam. Ich möchte nicht mehr denken, wenn das gleich so spricht. Es gibt Gedanken, Julie, für die es keine Ohren geben sollte. Das ist nicht gut, daß sie bei der Geburt gleich schreien wie Kinder; das ist nicht gut.

JULIE. Gott erhalte dir deine Sinne! – Georg, Georg, erkennst du mich?

DANTON. Ei warum nicht! Du bist ein Mensch und dann eine Frau und endlich meine Frau, und die Erde hat fünf Weltteile, Europa, Asien, Afrika, Amerika, Australien, und zwei mal zwei macht vier. Ich bin bei Sinnen, siehst du. – Schrie's nicht September? Sagtest du nicht so was?

JULIE. Ja, Danton, durch alle Zimmer hört ich's.

DANTON. Wie ich ans Fenster kam – *er sieht hinaus:* die Stadt ist ruhig, alle Lichter aus . . .

JULIE. Ein Kind schreit in der Nähe.

DANTON. Wie ich ans Fenster kam – durch alle Gassen schrie und zetert' es: September!

JULIE. Du träumtest, Danton. Faß dich!

DANTON. Träumtest? Ja, ich träumte; doch das war anders, ich will dir es gleich sagen – mein armer Kopf ist schwach – gleich! So, jetzt hab ich's: Unter mir keuchte die Erdkugel in ihrem Schwung; ich hatte sie wie ein wildes Roß gepackt, mit riesigen Gliedern wühlt ich in ihren Mähnen und preßt ich ihre Rippen, das Haupt abwärts gewandt, die Haare flatternd über dem Abgrund; so ward ich geschleift. Da schrie ich in der Angst, und ich erwachte. Ich trat ans Fenster – und da hört ich's, Julie.
Was das Wort nur will? Warum gerade das? Was hab ich damit zu schaffen? Was streckt es nach mir die blutigen Hände? Ich hab es nicht geschlagen. – O hilf mir, Julie, mein Sinn ist stumpf! War's nicht im September, Julie?

JULIE. Die Könige waren nur noch vierzig Stunden von Paris . . .

DANTON. Die Festungen gefallen, die Aristokraten in der Stadt . . .

JULIE. Die Republik war verloren.

DANTON. Ja, verloren. Wir konnten den Feind nicht im Rücken lassen, wir wären Narren gewesen: zwei Feinde auf einem Brett; wir oder sie, der Stärkere stößt den Schwächeren hinunter – ist das nicht billig?

JULIE. Ja, ja.

DANTON. Wir schlugen sie – das war kein Mord, das war Krieg nach innen.

JULIE. Du hast das Vaterland gerettet.

DANTON. Ja, das hab ich; das war Notwehr, wir mußten. Der Mann am Kreuze hat sich's bequem gemacht: es muß ja Ärgernis kommen, doch wehe dem, durch welchen Ärgernis kommt! – Es muß; das war dies Muß. Wer will der Hand fluchen, auf die der Fluch des Muß gefallen? Wer hat das Muß gesprochen, wer? Was ist das, was in uns lügt, hurt, stiehlt und mordet?
Puppen sind wir, von unbekannten Gewalten am Draht gezogen; nichts, nichts wir selbst! die Schwerter, mit denen Geister kämpfen – man sieht nur die Hände nicht, wie im Märchen. – Jetzt bin ich ruhig.

JULIE. Ganz ruhig, lieb Herz?

DANTON. Ja, Julie; komm, zu Bette!

STRASSE VOR DANTONS HAUS
Simon. Bürgersoldaten.

SIMON. Wie weit ist's in der Nacht?
ERSTER BÜRGER. Was in der Nacht?
SIMON. Wie weit ist die Nacht?
ERSTER BÜRGER. So weit als zwischen Sonnenuntergang und Sonnenaufgang.
SIMON. Schuft, wieviel Uhr?
ERSTER BÜRGER. Sieh auf dein Zifferblatt; es ist die Zeit, wo die Perpendikel unter den Bettdecken ausschlagen.
SIMON. Wir müssen hinauf! Fort, Bürger! Wir haften mit unseren Köpfen dafür. Tot oder lebendig! Er hat gewaltige Glieder. Ich werde vorangehn, Bürger. Der Freiheit eine Gasse! – Sorgt für mein Weib! Eine Eichenkrone werd ich ihr hinterlassen.
ERSTER BÜRGER. Eine Eichelkrone? Es sollen ihr ohnehin jeden Tag Eicheln genug in den Schoß fallen.
SIMON. Vorwärts, Bürger, ihr werdet euch um das Vaterland verdient machen!
ZWEITER BÜRGER. Ich wollte, das Vaterland machte sich um uns verdient; über all den Löchern, die wir in andrer Leute Körper machen, ist noch kein einziges in unsern Hosen zugegangen.
ERSTER BÜRGER. Willst du, daß dir dein Hosenlatz zuginge? Hä, hä, hä!
DIE ANDERN. Hä, hä, hä!
SIMON. Fort, fort! *Sie dringen in Dantons Haus.*

DER NATIONALKONVENT
Eine Gruppe von Deputierten.

LEGENDRE. Soll denn das Schlachten der Deputierten nicht aufhören? – Wer ist noch sicher, wenn Danton fällt?
EIN DEPUTIERTER. Was tun?
EIN ANDERER. Er muß vor den Schranken des Konvents gehört werden. – Der Erfolg dieses Mittels ist sicher; was sollten sie seiner Stimme entgegensetzen?
EIN ANDERER. Unmöglich, ein Dekret verhindert uns.
LEGENDRE. Es muß zurückgenommen oder eine Ausnahme gestattet werden. – Ich werde den Antrag machen; ich rechne auf eure Unterstützung.
DER PRÄSIDENT. Die Sitzung ist eröffnet.

LEGENDRE *besteigt die Tribüne.* Vier Mitglieder des Nationalkonvents sind verflossene Nacht verhaftet worden. Ich weiß, daß Danton einer von ihnen ist, die Namen der übrigen kenne ich nicht. Mögen sie übrigens sein, wer sie wollen, so verlange ich, daß sie vor den Schranken gehört werden.
Bürger, ich erkläre es: ich halte Danton für ebenso rein wie mich selbst, und ich glaube nicht, daß mir irgendein Vorwurf gemacht werden kann. Ich will kein Mitglied des Wohlfahrts- oder des Sicherheitsausschusses angreifen, aber gegründete Ursachen lassen mich fürchten, Privathaß und Privatleidenschaft möchten der Freiheit Männer entreißen, die ihr die größten Dienste erwiesen haben. Der Mann, welcher im Jahre 1792 Frankreich durch seine Energie rettete, verdient gehört zu werden; er muß sich erklären dürfen, wenn man ihn des Hochverrats anklagt. *Heftige Bewegung.*

EINIGE STIMMEN. Wir unterstützen Legendres Vorschlag.

EIN DEPUTIERTER. Wir sind hier im Namen des Volkes; man kann uns ohne den Willen unserer Wähler nicht von unseren Plätzen reißen.

EIN ANDERER. Eure Worte riechen nach Leichen; ihr habt sie den Girondisten aus dem Munde genommen. Wollt ihr Privilegien? Das Beil des Gesetzes schwebt über allen Häuptern.

EIN ANDERER. Wir können unsern Ausschüssen nicht erlauben, die Gesetzgeber aus dem Asyl des Gesetzes auf die Guillotine zu schikken.

EIN ANDERER. Das Verbrechen hat kein Asyl, nur gekrönte Verbrecher finden eins auf dem Thron.

EIN ANDERER. Nur Spitzbuben appellieren an das Asylrecht.

EIN ANDERER. Nur Mörder erkennen es nicht an.

ROBESPIERRE. Die seit langer Zeit in dieser Versammlung unbekannte Verwirrung beweist, daß es sich um große Dinge handelt. Heute entscheidet sich's, ob einige Männer den Sieg über das Vaterland davontragen werden. – Wie könnt ihr eure Grundsätze weit genug verleugnen, um heute einigen Individuen das zu bewilligen, was ihr gestern Chabot, Delaunai und Fabre verweigert habt? Was soll dieser Unterschied zugunsten einiger Männer? Was kümmern mich die Lobsprüche, die man sich selbst und seinen Freunden spendet? Nur zu viele Erfahrungen haben uns gezeigt, was davon zu halten sei. Wir fragen nicht, ob ein Mann diese oder jene patriotische Handlung vollbracht habe; wir fragen nach seiner ganzen politischen Laufbahn. – Legendre scheint die Namen der Verhafteten nicht zu wissen; der ganze Konvent kennt sie. Sein Freund Lacroix ist darunter. Warum scheint Legendre das nicht zu wissen? Weil er wohl weiß, daß nur die Schamlosigkeit Lacroix verteidigen kann. Er nannte nur Danton, weil er glaubt, an diesen Namen knüpfe sich ein Privilegium. Nein, wir wollen keine Privilegien, wir wollen keine Götzen! *Beifall.* Was hat Danton vor Lafayette, vor Dumouriez, vor Brissot, Fabre, Chabot, Hébert voraus? Was sagt man von diesen, was man nicht auch von ihm sagen könnte? Habt ihr sie gleichwohl geschont? Wodurch verdient er einen Vorzug vor seinen Mitbürgern? Etwa, weil einige betrogene Individuen und andere, die sich nicht betrügen ließen, sich um ihn reihten, um in seinem Gefolge dem Glück und der Macht in die Arme zu laufen? – Je mehr er die Patrioten betrogen hat, welche Vertrauen in ihn setzten, desto nachdrücklicher muß er die Strenge der Freiheitsfreunde empfinden.

Man will euch Furcht einflößen vor dem Mißbrauche einer Gewalt, die ihr selbst ausgeübt habt. Man schreit über den Despotismus der Ausschüsse, als ob das Vertrauen, welches das Volk euch geschenkt und das ihr diesen Ausschüssen übertragen habt, nicht eine sichre Garantie ihres Patriotismus wäre. Man stellt sich, als zittre man. Aber ich sage euch, wer in diesem Augenblick zittert, ist schuldig; denn nie zittert die Unschuld vor der öffentlichen Wachsamkeit. *Allgemeiner Beifall.*

Man hat auch mich schrecken wollen; man gab mir zu verstehen, daß die Gefahr, indem sie sich Danton nähere, auch bis zu mir dringen könne. Man schrieb mir, Dantons Freunde hielten mich umlagert, in der Meinung, die Erinnerung an eine alte Verbindung, der blinde Glauben an erheuchelte Tugenden könnten mich bestimmen, meinen Eifer und meine Leidenschaft für die Freiheit zu mäßigen. – So erkläre ich denn: nichts soll mich aufhalten, und sollte auch Dantons Gefahr die meinige werden. Wir alle haben etwas Mut und etwas Seelengröße nötig. Nur Verbrecher und gemeine Seelen fürchten, ihresgleichen an ihrer Seite fallen zu sehen, weil sie, wenn keine Schar von Mitschuldigen sie mehr versteckt, sich dem Licht der Wahrheit ausgesetzt sehen. Aber wenn es dergleichen Seelen in dieser Versammlung gibt, so gibt es in ihr auch heroische. Die Zahl der Schurken ist nicht groß; wir haben nur wenige Köpfe zu treffen, und das Vaterland ist gerettet. *Beifall.*

Ich verlange, daß Legendres Vorschlag zurückgewiesen werde. *Die Deputierten erheben sich sämtlich zum Zeichen allgemeiner Beistimmung.*

ST. JUST. Es scheint in dieser Versammlung einige empfindliche Ohren zu geben, die das Wort ›Blut‹ nicht wohl vertragen können. Einige allgemeine Betrachtungen mögen sie überzeugen, daß wir nicht grausamer sind als die Natur und als die Zeit. Die Natur folgt ruhig und unwiderstehlich ihren Gesetzen; der Mensch wird vernichtet, wo er mit ihnen in Konflikt kommt. Eine Änderung in den Bestandteilen der Luft, ein Auflodern des tellurischen Feuers, ein Schwanken in dem Gleichgewicht einer Wassermasse und eine Seuche, ein vulkanischer Ausbruch, eine Überschwemmung begraben Tausende. Was ist das Resultat? Eine unbedeutende, im großen Ganzen kaum bemerkbare Veränderung der physischen Natur, die fast spurlos vorübergegangen sein würde, wenn nicht Leichen auf ihrem Wege lägen.

Ich frage nun: soll die geistige Natur in ihren Revolutionen mehr Rücksicht nehmen als die physische? Soll eine Idee nicht ebensogut wie ein Gesetz der Physik vernichten dürfen, was sich ihr widersetzt? Soll überhaupt ein Ereignis, was die ganze Gestaltung der moralischen Natur, das heißt der Menschheit, umändert, nicht durch Blut gehen dürfen? Der Weltgeist bedient sich in der geistigen Sphäre unserer Arme ebenso, wie er in der physischen Vulkane und Wasserfluten gebraucht. Was liegt daran, ob sie an einer Seuche oder an der Revolution sterben?

Die Schritte der Menschheit sind langsam, man kann sie nur nach Jahrhunderten zählen; hinter jedem erheben sich die Gräber von Generationen. Das Gelangen zu den einfachsten Erfindungen und Grundsätzen hat Millionen das Leben gekostet, die auf dem Wege starben. Ist es denn nicht einfach, daß zu einer Zeit, wo der Gang der Geschichte rascher ist, auch mehr Menschen außer Atem kommen?

Wir schließen schnell und einfach: Da alle unter gleichen Verhältnissen geschaffen werden, so sind alle gleich, die Unterschiede abgerechnet, welche die Natur selbst gemacht hat; es darf daher jeder Vorzüge und darf daher keiner Vorrechte haben, weder ein einzelner noch eine geringere oder größere Klasse von Individuen. – Jedes Glied dieses in der Wirklichkeit angewandten Satzes hat seine Menschen getötet. Der 14. Juli, der 10. August, der 31. Mai sind seine Interpunktionszeichen. Er hatte vier Jahre Zeit nötig, um in der Körperwelt durchgeführt zu werden, und unter gewöhnlichen Umständen hätte er ein Jahrhundert dazu gebraucht und wäre mit Generationen interpunktiert worden. Ist es da so zu verwundern, daß der Strom der Revolution bei jedem Absatz, bei jeder neuen Krümmung seine Leichen ausstößt?

Wir werden unserm Satze noch einige Schlüsse hinzuzufügen haben; sollen einige hundert Leichen uns verhindern, sie zu machen? – Moses führte sein Volk durch das Rote Meer und in die Wüste, bis die alte verdorbne Generation sich aufgerieben hatte, eh er den neuen Staat gründete. Gesetzgeber! Wir haben weder das Rote Meer noch die Wüste, aber wir haben den Krieg und die Guillotine.

Die Revolution ist wie die Töchter des Pelias: sie zerstückt die Menschheit, um sie zu verjüngen. Die Menschheit wird aus dem Blutkessel wie die Erde aus den Wellen der Sündflut mit urkräftigen Gliedern sich erheben, als wäre sie zum ersten Male geschaffen. *Langer, anhaltender Beifall. Einige Mitglieder erheben sich im Enthusiasmus.*

Alle geheimen Feinde der Tyrannei, welche in Europa und auf dem ganzen Erdkreise den Dolch des Brutus unter ihren Gewändern tragen, fordern wir auf, diesen erhabnen Augenblick mit uns zu teilen. *Die Zuhörer und die Deputierten stimmen die Marseillaise an.*

DRITTER AKT

DAS LUXEMBOURG. EIN SAAL MIT GEFANGNEN

Chaumette, Payne, Mercier, Hérault-Séchelles und andre Gefangne.

CHAUMETTE *zupft Payne am Ärmel.* Hören Sie, Payne, es könnte doch so sein, vorhin überkam es mich so; ich habe heute Kopfweh, helfen Sie mir ein wenig mit Ihren Schlüssen, es ist mir ganz unheimlich zumut.

PAYNE. So komm, Philosoph Anaxagoras, ich will dich katechisieren. – *Es gibt keinen Gott*, denn: Entweder hat Gott die Welt geschaffen oder nicht. Hat er sie nicht geschaffen, so hat die Welt ihren Grund in sich, und es gibt keinen Gott, da Gott nur dadurch Gott wird, daß er den Grund alles Seins enthält. Nun kann aber Gott die Welt nicht geschaffen haben; denn entweder ist die Schöpfung ewig wie Gott, oder sie hat einen Anfang. Ist letzteres der Fall, so muß Gott sie zu einem bestimmten Zeitpunkt geschaffen haben, Gott muß also, nachdem er eine Ewigkeit geruht, einmal tätig geworden sein, muß also einmal eine Veränderung in sich erlitten haben, die den Begriff *Zeit* auf ihn anwenden läßt, was beides gegen das Wesen Gottes streitet. Gott kann also die Welt nicht geschaffen haben. Da wir nun aber sehr deutlich wissen, daß die Welt oder daß unser Ich wenigstens vorhanden ist, und daß sie dem Vorhergehenden nach also auch ihren Grund in sich oder in etwas haben muß, das nicht Gott ist, so kann es keinen Gott geben. Quod erat demonstrandum.

CHAUMETTE. Ei wahrhaftig, das gibt mir wieder Licht; ich danke, danke!

MERCIER. Halten Sie, Payne! Wenn aber die Schöpfung ewig ist?

PAYNE. Dann ist sie schon keine Schöpfung mehr, dann ist sie eins mit Gott oder ein Attribut desselben, wie Spinoza sagt; dann ist Gott in allem, in Ihnen, Wertester, im Philosoph Anaxagoras und in mir. Das wäre so übel nicht, aber Sie müssen mir zugestehen, daß es gerade nicht viel um die himmlische Majestät ist, wenn der liebe Herrgott in jedem von uns Zahnweh kriegen, den Tripper haben, lebendig begraben werden oder wenigstens die sehr unangenehmen Vorstellungen davon haben kann.

MERCIER. Aber eine Ursache muß doch da sein.

PAYNE. Wer leugnet dies? Aber wer sagt Ihnen denn, daß diese Ursache das sei, was wir uns als Gott, d. h. als das Vollkommne denken? Halten Sie die Welt für vollkommen?

MERCIER. Nein.

PAYNE. Wie wollen Sie denn aus einer unvollkommnen Wirkung auf eine vollkommne Ursache schließen? – Voltaire wagte es ebensowenig mit Gott als mit den Königen zu verderben, deswegen tat er es. Wer einmal nichts hat als Verstand und ihn nicht einmal konsequent zu gebrauchen weiß oder wagt, ist ein Stümper.

MERCIER. Ich frage dagegen: kann eine vollkommne Ursache eine vollkommne Wirkung haben, d. h. kann etwas Vollkommnes was Vollkommnes schaffen? Ist das nicht unmöglich, weil das Geschaffne doch nie seinen Grund in sich haben kann, was doch, wie Sie sagten, zur Vollkommenheit gehört?

CHAUMETTE. Schweigen Sie! Schweigen Sie!

PAYNE. Beruhige dich, Philosoph! – Sie haben recht; aber muß denn Gott einmal schaffen, kann er nur was Unvollkommnes schaffen, so läßt er es gescheuter ganz bleiben. Ist's nicht sehr menschlich, uns Gott nur als schaffend denken zu können? Weil wir uns immer regen und schütteln müssen, um uns nur immer sagen zu können: wir sind! müssen wir Gott auch dies elende Bedürfnis andichten? – Müssen wir, wenn sich unser Geist in das Wesen einer harmonisch in sich ruhenden, ewigen Seligkeit versenkt, gleich annehmen, sie müsse die Finger ausstrecken und über Tisch Brotmännchen kneten? aus überschwenglichem Liebesbedürfnis, wie wir uns ganz geheimnisvoll in die Ohren sagen. Müssen wir das alles, bloß um uns zu Göttersöhnen zu machen? Ich nehme mit einem geringern Vater vorlieb; wenigstens werd ich ihm nicht nachsagen können, daß er mich unter seinem Stande in Schweineställen oder auf den Galeeren habe erziehen lassen.

Schafft das Unvollkommne weg, dann allein könnt ihr Gott demonstrieren; Spinoza hat es versucht. Man kann das Böse leugnen, aber nicht den Schmerz; nur der Verstand kann Gott beweisen, das Gefühl empört sich dagegen. Merke dir es, Anaxagoras: warum leide ich? Das ist der Fels des Atheismus. Das leiseste Zucken des Schmerzes, und rege es sich nur in einem Atom, macht einen Riß in der Schöpfung von oben bis unten.

MERCIER. Und die Moral?

PAYNE. Erst beweist ihr Gott aus der Moral und dann die Moral aus Gott! – Was wollt ihr denn mit eurer Moral? Ich weiß nicht, ob es an und für sich was Böses oder was Gutes gibt, und habe deswegen doch nicht nötig, meine Handlungsweise zu ändern. Ich handle meiner Natur gemäß; was ihr angemessen, ist für mich gut und ich tue es, und was ihr zuwider, ist für mich bös und ich tue es nicht und verteidige mich dagegen, wenn es mir in den Weg kommt. Sie können, wie man so sagt, tugendhaft bleiben und sich gegen das sogenannte Laster wehren, ohne deswegen ihre Gegner verachten zu müssen, was ein gar trauriges Gefühl ist.

CHAUMETTE. Wahr, sehr wahr!

HÉRAULT. O Philosoph Anaxagoras, man könnte aber auch sagen: damit Gott alles sei, müsse er auch sein eignes Gegenteil sein, d. h. vollkommen und unvollkommen, bös und gut, selig und leidend; das Resultat freilich würde gleich Null sein, es würde sich gegenseitig heben, wir kämen zum Nichts. – Freue dich, du kömmst glücklich durch: du kannst ganz ruhig in Madame Momoro das Meisterstück der Natur anbeten, wenigstens hat sie dir die Rosenkränze dazu in den Leisten gelassen.

CHAUMETTE. Ich danke Ihnen verbindlichst, meine Herren! *Ab.*

PAYNE. Er traut noch nicht, er wird sich zu guter Letzt noch die Ölung geben, die Füße nach Mekka zu legen und sich beschneiden lassen, um ja keinen Weg zu verfehlen.

Danton, Lacroix, Camille, Philippeau werden hereingeführt.

HÉRAULT *läuft auf Danton zu und umarmt ihn.* Guten Morgen! Gute Nacht sollte ich sagen. Ich kann nicht fragen, wie hast du geschlafen –: wie wirst du schlafen?

DANTON. Nun gut, man muß lachend zu Bett gehn.

MERCIER *zu Payne.* Diese Dogge mit Taubenflügeln! Er ist der böse Genius der Revolution; er wagte sich an seine Mutter, aber sie war stärker als er.

PAYNE. Sein Leben und sein Tod sind ein gleich großes Unglück.

LACROIX *zu Danton.* Ich dachte nicht, daß sie so schnell kommen würden.

DANTON. Ich wußte es, man hatte mich gewarnt.

LACROIX. Und du hast nichts gesagt?

DANTON. Zu was? Ein Schlagfluß ist der beste Tod; wolltest du zuvor krank sein? Und – ich dachte nicht, daß sie es wagen würden. *Zu Hérault:* Es ist besser, sich in die Erde legen als sich Leichdörner auf ihr laufen; ich habe sie lieber zum Kissen als zum Schemel.

HÉRAULT. Wir werden wenigstens nicht mit Schwielen an den Fingern der hübschen Dame Verwesung die Wangen streicheln.

CAMILLE *zu Danton.* Gib dir nur keine Mühe! du magst die Zunge noch so weit zum Hals heraushängen, du kannst dir damit doch nicht den Todesschweiß von der Stirne lecken. – O Lucile! Das ist ein großer Jammer!

Die Gefangnen drängen sich um die neu Angekommnen.

DANTON *zu Payne.* Was Sie für das Wohl Ihres Landes getan, habe ich für das meinige versucht. Ich war weniger glücklich, man schickt mich aufs Schafott; meinetwegen, ich werde nicht stolpern.

MERCIER *zu Danton.* Das Blut der Zweiundzwanzig ersäuft dich.

EIN GEFANGENER *zu Hérault.* Die Macht des Volkes und die Macht der Vernunft sind eins.

EIN ANDRER *zu Camille.* Nun, Generalprokurator der Laterne, deine Verbesserung der Straßenbeleuchtung hat in Frankreich nicht heller gemacht.

EIN ANDRER. Laßt ihn! Das sind die Lippen, welche das Wort ›Erbarmen‹ gesprochen. *Er umarmt Camille, mehrere Gefangne folgen seinem Beispiel.*

PHILIPPEAU. Wir sind Priester, die mit Sterbenden gebetet haben; wir sind angesteckt worden und sterben an der nämlichen Seuche.

EINIGE STIMMEN. Der Streich, der euch trifft, tötet uns alle.

CAMILLE. Meine Herren, ich beklage sehr, daß unsere Anstrengungen so fruchtlos waren; ich gehe aufs Schafott, weil mir die Augen über das Los einiger Unglücklichen naß geworden.

EIN ZIMMER

Fouquier-Tinville. Herman.

FOUQUIER. Alles bereit?

HERMAN. Es wird schwer halten; wäre Danton nicht darunter, so ginge es leicht.

FOUQUIER. Er muß vortanzen.

HERMAN. Er wird die Geschwornen erschrecken, er ist die Vogelscheuche der Revolution.

FOUQUIER. Die Geschwornen müssen wollen.

HERMAN. Ein Mittel wüßt ich, aber es wird die gesetzliche Form verletzen.

FOUQUIER. Nur zu!

HERMAN. Wir losen nicht, sondern suchen die Handfesten aus.

FOUQUIER. Das muß gehen. – Das wird ein gutes Heckefeuer geben. Es sind ihrer neunzehn. Sie sind geschickt zusammengewörfelt. Die vier Fälscher, dann einige Bankiers und Fremde. Es ist ein pikantes Gericht. Das Volk braucht dergleichen. – Also zuverlässige Leute! Wer zum Beispiel?

HERMAN. Leroi. Er ist taub und hört daher nichts von all dem, was die Angeklagten vorbringen. Danton mag sich den Hals bei ihm rauh schreien.

FOUQUIER. Sehr gut; weiter!

HERMAN. Vilatte und Lumière. Der eine sitzt immer in der Trinkstube, und der andere schläft immer; beide öffnen den Mund nur, um das Wort ›Schuldig‹ zu sagen. – Girard hat den Grundsatz, es dürfe keiner entwischen, der einmal vor das Tribunal gestellt sei. Renaudin . . .

FOUQUIER. Auch der? Er half einmal einigen Pfaffen durch.

HERMAN. Sei ruhig! Vor einigen Tagen kommt er zu mir und verlangt, man solle allen Verurteilten vor der Hinrichtung zur Ader lassen, um sie ein wenig matt zu machen; ihre meist trotzige Haltung ärgere ihn.

FOUQUIER. Ach, sehr gut. Also ich verlasse mich!

HERMAN. Laß mich nur machen!

DIE CONCIERGERIE. EIN KORRIDOR

Lacroix, Danton, Mercier und andre Gefangne auf und ab gehend.

LACROIX *zu einem Gefangnen.* Wie, so viel Unglückliche, und in einem so elenden Zustande?

DER GEFANGNE. Haben Ihnen die Guillotinenkarren nie gesagt, daß Paris eine Schlachtbank sei?

MERCIER. Nicht wahr, Lacroix, die Gleichheit schwingt ihre Sichel über allen Häuptern, die Lava der Revolution fließt, die Guillotine republikanisiert! Da klatschen die Galerieen, und die Römer reiben sich die Hände; aber sie hören nicht, daß jedes dieser Worte das Röcheln eines Opfers ist. Geht einmal euren Phrasen nach bis zu dem Punkt, wo sie verkörpert werden. – Blickt um euch, das alles habt ihr gesprochen; es ist eine mimische Übersetzung eurer Worte.

Diese Elenden, ihre Henker und die Guillotine sind eure lebendig gewordnen Reden. Ihr bautet eure Systeme, wie Bajazet seine Pyramiden, aus Menschenköpfen.

DANTON. Du hast recht – man arbeitet heutzutag alles in Menschenfleisch. Das ist der Fluch unserer Zeit. Mein Leib wird jetzt auch verbraucht.

Es ist grade ein Jahr, daß ich das Revolutionstribunal schuf. Ich bitte Gott und Menschen dafür um Verzeihung; ich wollte neuen Septembermorden zuvorkommen, ich hoffte die Unschuldigen zu retten, aber dies langsame Morden mit seinen Formalitäten ist gräßlicher und ebenso unvermeidlich. Meine Herren, ich hoffte, Sie alle diesen Ort verlassen zu machen.

MERCIER. O, herausgehen werden wir.

DANTON. Ich bin jetzt bei Ihnen; der Himmel weiß, wie das enden soll.

DAS REVOLUTIONSTRIBUNAL

HERMAN *zu Danton.* Ihr Name, Bürger.

DANTON. Die Revolution nennt meinen Namen. Meine Wohnung ist bald im Nichts und mein Name im Pantheon der Geschichte.

HERMAN. Danton, der Konvent beschuldigt Sie, mit Mirabeau, mit Dumouriez, mit Orléans, mit den Girondisten, den Fremden und der Faktion Ludwigs des XVII. konspiriert zu haben.

DANTON. Meine Stimme, die ich so oft für die Sache des Volkes ertönen ließ, wird ohne Mühe die Verleumdung zurückweisen. Die Elenden, welche mich anklagen, mögen hier erscheinen, und ich werde sie mit Schande bedecken. Die Ausschüsse mögen sich hierher begeben, ich werde nur vor ihnen antworten. Ich habe sie als Kläger und als Zeugen nötig. Sie mögen sich zeigen.

Übrigens, was liegt mir an euch und eurem Urteil? Ich hab es euch schon gesagt: das Nichts wird bald mein Asyl sein; – das Leben ist mir zur Last, man mag mir es entreißen, ich sehne mich danach, es abzuschütteln.

HERMAN. Danton, die Kühnheit ist dem Verbrecher, die Ruhe der Unschuld eigen.

DANTON. Privatkühnheit ist ohne Zweifel zu tadeln, aber jene Nationalkühnheit, die ich so oft gezeigt, mit welcher ich so oft für die Freiheit gekämpft habe, ist die verdienstvollste aller Tugenden. – Sie ist meine Kühnheit, sie ist es, der ich mich hier zum Besten der Republik gegen meine erbärmlichen Ankläger bediene. Kann ich mich fassen, wenn ich mich auf eine so niedrige Weise verleumdet sehe? – Von einem Revolutionär wie ich darf man keine kalte Verteidigung erwarten. Männer meines Schlages sind in Revolutionen unschätzbar, auf ihrer Stirne schwebt das Genie der Freiheit. *Zeichen von Beifall unter den Zuhörern.*

Mich klagt man an, mit Mirabeau, mit Dumouriez, mit Orléans konspiriert, zu den Füßen elender Despoten gekrochen zu haben; mich fordert man auf, vor der unentrinnbaren, unbeugsamen Gerechtigkeit zu antworten. – Du elender St. Just wirst der Nachwelt für diese Lästerung verantwortlich sein!

HERMAN. Ich fordere Sie auf, mit Ruhe zu antworten; gedenken Sie Marats, er trat mit Ehrfurcht vor seine Richter.

DANTON. Sie haben die Hände an mein ganzes Leben gelegt, so mag es sich denn aufrichten und ihnen entgegentreten; unter dem Gewichte jeder meiner Handlungen werde ich sie begraben. – Ich bin nicht stolz darauf. Das Schicksal führt uns den Arm, aber nur gewaltige Naturen sind seine Organe.

Ich habe auf dem Marsfelde dem Königtume den Krieg erklärt, ich habe es am 10. August geschlagen, ich habe es am 21. Januar getötet und den Königen einen Königskopf als Fehdehandschuh hingeworfen. *Wiederholte Zeichen von Beifall. – Er nimmt die Anklageakte.* Wenn ich einen Blick auf diese Schandschrift werfe, fühle ich mein ganzes Wesen beben. Wer sind denn die, welche Danton nötigen mußten, sich an jenem denkwürdigen Tage (dem 10. August) zu zeigen? Wer sind denn die privilegierten Wesen, von denen er seine Energie borgte? – Meine Ankläger mögen erscheinen! Ich bin ganz bei Sinnen, wenn ich es verlange. Ich werde die platten Schurken entlarven und sie in das Nichts zurückschleudern, aus dem sie nie hätten hervorkriechen sollen.

HERMAN *schellt.* Hören Sie die Klingel nicht?

DANTON. Die Stimme eines Menschen, welcher seine Ehre und sein Leben verteidigt, muß deine Schelle überschreien.

Ich habe im September die junge Brut der Revolution mit den zerstückten Leibern der Aristokraten geätzt. Meine Stimme hat aus dem Golde der Aristokraten und Reichen dem Volke Waffen geschmiedet. Meine Stimme war der Orkan, welcher die Satelliten des Despotismus unter Wogen von Bajonetten begrub. *Lauter Beifall.*

HERMAN. Danton, Ihre Stimme ist erschöpft, Sie sind zu heftig bewegt. Sie werden das nächste Mal Ihre Verteidigung beschließen, Sie haben Ruhe nötig. – Die Sitzung ist aufgehoben.

DANTON. Jetzt kennt Ihr Danton – noch wenige Stunden, und er wird in den Armen des Ruhmes entschlummern.

DAS LUXEMBOURG. EIN KERKER

Dillon. Laflotte. Ein Gefangenwärter.

DILLON. Kerl, leuchte mir mit deiner Nase nicht so ins Gesicht. Hä, hä, hä!

LAFLOTTE. Halte den Mund zu, deine Mondsichel hat einen Hof. Hä, hä, hä!

WÄRTER. Hä, hä, hä! Glaubt Ihr, Herr, daß Ihr bei ihrem Schein lesen könntet? *Zeigt auf einen Zettel, den er in der Hand hält.*

DILLON. Gib her!

WÄRTER. Herr, meine Mondsichel hat Ebbe bei mir gemacht.

LAFLOTTE. Deine Hosen sehen aus, als ob Flut wäre.

WÄRTER. Nein, sie zieht Wasser. *Zu Dillon:* Sie hat sich vor Eurer Sonne verkrochen, Herr; Ihr müßt mir was geben, das sie wieder feurig macht, wenn Ihr dabei lesen wollt.

DILLON. Da, Kerl! Pack dich! *Er gibt ihm Geld. Wärter ab. – Dillon liest:* Danton hat das Tribunal erschreckt, die Geschwornen schwankten, die Zuhörer murrten. Der Zudrang war außerordentlich. Das Volk drängte sich um den Justizpalast und stand bis zu den Brücken. Eine Handvoll Geld, ein Arm endlich – hm! hm! *Er geht auf und ab und schenkt sich von Zeit zu Zeit aus einer Flasche ein.* Hätt ich nur den Fuß auf der Gasse! Ich werde mich nicht so schlachten lassen. Ja, nur den Fuß auf der Gasse!

LAFLOTTE. Und auf dem Karren, das ist eins.

DILLON. Meinst du? Da lägen noch ein paar Schritte dazwischen, lang genug, um sie mit den Leichen der Dezemvirn zu messen. – Es ist endlich Zeit, daß die rechtschaffnen Leute das Haupt erheben.

LAFLOTTE *für sich.* Desto besser, um so leichter ist es zu treffen. Nur zu, Alter; noch einige Gläser, und ich werde flott.

DILLON. Die Schurken, die Narren, sie werden sich zuletzt noch selbst guillotinieren. *Er läuft auf und ab.*

LAFLOTTE *beiseite.* Man könnte das Leben ordentlich wieder liebhaben, wie sein Kind, wenn man sich's selbst gegeben. Das kommt gerade nicht oft vor, daß man so mit dem Zufall Blutschande treiben und sein eigner Vater werden kann. Vater und Kind zugleich. Ein behaglicher Ödipus!

DILLON. Man füttert das Volk nicht mit Leichen; Dantons und Camilles Weiber mögen Assignaten unter das Volk werfen, das ist besser als Köpfe.

LAFLOTTE *beiseite.* Ich würde mir hintennach die Augen nicht ausreißen; ich könnte sie nötig haben, um den guten General zu beweinen.

DILLON. Die Hand an Danton! Wer ist noch sicher? Die Furcht wird sie vereinigen.

LAFLOTTE *beiseite.* Er ist doch verloren. Was ist's denn, wenn ich auf eine Leiche trete, um aus dem Grab zu klettern?

DILLON. Nur den Fuß auf der Gasse! Ich werde Leute genug finden, alte Soldaten, Girondisten, Exadlige; wir erbrechen die Gefängnisse, wir müssen uns mit den Gefangnen verständigen.

LAFLOTTE *beiseite.* Nun freilich, es riecht ein wenig nach Schufterei. Was tut's? Ich hätte Lust, auch das zu versuchen; ich war bisher zu einseitig. Man bekommt Gewissensbisse, das ist doch eine Abwechslung; es ist nicht so unangenehm, seinen eignen Gestank zu riechen. – Die Aussicht auf die Guillotine ist mir langweilig geworden; so lang auf die Sache zu warten! Ich habe sie im Geist schon zwanzigmal durchprobiert. Es ist auch gar nichts Pikantes mehr dran; es ist ganz gemein geworden.

DILLON. Man muß Dantons Frau ein Billett zukommen lassen.

LAFLOTTE *beiseite.* Und dann – ich fürchte den Tod nicht, aber den Schmerz. Es könnte wehe tun, wer steht mir dafür? Man sagt zwar, es sei nur ein Augenblick; aber der Schmerz hat ein feineres Zeitmaß, er zerlegt eine Tertie. Nein! Der Schmerz ist die einzige Sünde, und das Leiden ist das einzige Laster; ich werde tugendhaft bleiben.

DILLON. Höre, Laflotte, wo ist der Kerl hingekommen? Ich habe Geld, das muß gehen. Wir müssen das Eisen schmieden; mein Plan ist fertig.

LAFLOTTE. Gleich, gleich! Ich kenne den Schließer, ich werde mit ihm sprechen. Du kannst auf mich zählen, General, wir werden aus dem Loch kommen – *für sich im Hinausgehn:* um in ein anderes zu gehen: ich in das weiteste, die Welt, er in das engste, das Grab.

DER WOHLFAHRTSAUSSCHUSS

St. Just, Barère, Collot d'Herbois, Billaud-Varennes.

BARÈRE. Was schreibt Fouquier?

ST. JUST. Das zweite Verhör ist vorbei. Die Gefangnen verlangen das Erscheinen mehrerer Mitglieder des Konvents und des Wohlfahrtsausschusses; sie appellierten an das Volk, wegen Verweigerung der Zeugen. Die Bewegung der Gemüter soll unbeschreiblich sein. – Danton parodierte den Jupiter und schüttelte die Locken.

COLLOT. Um so leichter wird ihn Samson daran packen.

BARÈRE. Wir dürfen uns nicht zeigen, die Fischweiber und die Lumpensammler könnten uns weniger imposant finden.

BILLAUD. Das Volk hat einen Instinkt, sich treten zu lassen, und wäre es nur mit Blicken; dergleichen insolente Physiognomieen gefallen ihm. Solche Stirnen sind ärger als ein adliges Wappen, der feine Aristokratismus der Menschenverachtung sitzt auf ihnen. Es sollte sie jeder einschlagen helfen, den es verdrießt, einen Blick von oben herunter zu erhalten.

BARÈRE. Er ist wie der hörnerne Siegfried, das Blut der Septembrisierten hat ihn unverwundbar gemacht. – Was sagt Robespierre?

ST. JUST. Er tut, als ob er etwas zu sagen hätte. – Die Geschwornen müssen sich für hinlänglich unterrichtet erklären und die Debatten schließen.

BARÈRE. Unmöglich, das geht nicht.

ST. JUST. Sie müssen weg, um jeden Preis, und sollten wir sie mit den eignen Händen erwürgen. Wagt! Danton soll uns das Wort nicht umsonst gelehrt haben. Die Revolution wird über ihre Leichen nicht stolpern; aber bleibt Danton am Leben, so wird er sie am Gewand fassen, und er hat etwas in seiner Gestalt, als ob er die Freiheit notzüchtigen könnte.

St. Just wird hinausgerufen. Ein Schließer tritt ein.

SCHLIESSER. In St. Pelagie liegen Gefangne am Sterben, sie verlangen einen Arzt.

BILLAUD. Das ist unnötig, so viel Mühe weniger für den Scharfrichter.

SCHLIESSER. Es sind schwangere Weiber dabei.

BILLAUD. Desto besser, da brauchen ihre Kinder keinen Sarg.

BARÈRE. Die Schwindsucht eines Aristokraten spart dem Revolutionstribunal eine Sitzung. Jede Arznei wäre contrerevolutionär.

COLLOT *nimmt ein Papier*. Eine Bittschrift, ein Weibername!

BARÈRE. Wohl eine von denen, die gezwungen sein möchten, zwischen einem Guillotinenbrett und dem Bett eines Jakobiners zu wählen. Die wie Lukretia nach dem Verlust ihrer Ehre sterben, aber etwas später als die Römerin: im Kindbett oder am Krebs oder aus Altersschwäche. – Es mag nicht so unangenehm sein, einen Tarquinius aus der Tugendrepublik einer Jungfrau zu treiben.

COLLOT. Sie ist zu alt. Madame verlangt den Tod, sie weiß sich auszudrücken: das Gefängnis liege auf ihr wie ein Sargdeckel; sie sitzt erst seit vier Wochen. Die Antwort ist leicht *er schreibt und liest:* »Bürgerin, es ist noch nicht lange genug, daß du den Tod wünschest.«
Schließer ab.

BARÈRE. Gut gesagt! Aber, Collot, es ist nicht gut, daß die Guillotine zu lachen anfängt; die Leute haben sonst keine Furcht mehr davor; man muß sich nicht so familiär machen.

St. Just kommt zurück.

ST. JUST. Eben erhalte ich eine Denunziation. Man konspiriert in den Gefängnissen; ein junger Mensch namens Laflotte hat alles entdeckt. Er saß mit Dillon im nämlichen Zimmer, Dillon hat getrunken und geplaudert.

BARÈRE. Er schneidet sich mit seiner Bouteille den Hals ab; das ist schon mehr vorgekommen.

ST. JUST. Dantons und Camilles Weiber sollen Geld unter das Volk werfen, Dillon soll ausbrechen, man will die Gefangnen befreien, der Konvent soll gesprengt werden.

BARÈRE. Das sind Märchen.

ST. JUST. Wir werden sie aber mit dem Märchen in Schlaf erzählen. Die Anzeige habe ich in Händen; dazu die Keckheit der Angeklagten, das Murren des Volks, die Bestürzung der Geschwornen – ich werde einen Bericht machen.

BARÈRE. Ja, geh, St. Just, und spinne deine Perioden, worin jedes Komma ein Säbelhieb und jeder Punkt ein abgeschlagner Kopf ist!

ST. JUST. Der Konvent muß dekretieren, das Tribunal solle ohne Unterbrechung den Prozeß fortführen und dürfe jeden Angeklagten, welcher die dem Gerichte schuldige Achtung verletzte oder störende Auftritte veranlaßte, von den Debatten ausschließen.

BARÈRE. Du hast einen revolutionären Instinkt; das lautet ganz gemäßigt und wird doch seine Wirkung tun. Sie können nicht schweigen, Danton muß schreien.

ST. JUST. Ich zähle auf eure Unterstützung. Es gibt Leute im Konvent, die ebenso krank sind wie Danton und welche die nämliche Kur fürchten. Sie haben wieder Mut bekommen, sie werden über Verletzung der Formen schreien . . .

BARÈRE *ihn unterbrechend.* Ich werde ihnen sagen: Zu Rom wurde der Konsul, welcher die Verschwörung des Katilina entdeckte und die Verbrecher auf der Stelle mit dem Tod bestrafte, der verletzten Förmlichkeit angeklagt. Wer waren seine Ankläger?

COLLOT *mit Pathos.* Geh, St. Just! Die Lava der Revolution fließt. Die Freiheit wird die Schwächlinge, welche ihren mächtigen Schoß befruchten wollten, in ihren Umarmungen ersticken; die Majestät des Volks wird ihnen wie Jupiter der Semele unter Donner und Blitz erscheinen und sie in Asche verwandeln. Geh, St. Just, wir werden dir helfen, den Donnerkeil auf die Häupter der Feiglinge zu schleudern! *St. Just ab.*

BARÈRE. Hast du das Wort Kur gehört? Sie werden noch aus der Guillotine ein Spezifikum gegen die Lustseuche machen. Sie kämpfen nicht mit den Moderierten, sie kämpfen mit dem Laster.

BILLAUD. Bis jetzt geht unser Weg zusammen.

BARÈRE. Robespierre will aus der Revolution einen Hörsaal für Moral machen und die Guillotine als Katheder gebrauchen.

BILLAUD. Oder als Betschemel.

COLLOT. Auf dem er aber alsdann nicht stehen, sondern liegen soll.

BARÈRE. Das wird leicht gehen. Die Welt müßte auf dem Kopf stehen, wenn die sogenannten Spitzbuben von den sogenannten rechtlichen Leuten gehängt werden sollten.

COLLOT *zu Barère.* Wann kommst du wieder nach Clichy?

BARÈRE. Wenn der Arzt nicht mehr zu mir kommt.

COLLOT. Nicht wahr, über dem Ort steht ein Haarstern, unter dessen versengenden Strahlen dein Rückenmark ganz ausgedörrt wird?

BILLAUD. Nächstens werden die niedlichen Finger der reizenden Demaly es ihm aus dem Futterale ziehen und es als Zöpfchen über den Rücken hinunterhängen machen.

BARÈRE *zuckt die Achseln.* Pst! davon darf der Tugendhafte nichts wissen.

BILLAUD. Er ist ein impotenter Masoret. *Billaud und Collot ab.*

BARÈRE *allein.* Die Ungeheuer! – ›Es ist noch nicht lange genug, daß du den Tod wünschest!‹ Diese Worte hätten die Zunge müssen verdorren machen, die sie gesprochen.
Und ich? – Als die Septembriseurs in die Gefängnisse drangen, faßt ein Gefangner sein Messer, er drängt sich unter die Mörder, er stößt es in die Brust eines Priesters, er ist gerettet! Wer kann was dawider haben? Ob ich mich nun unter die Mörder dränge oder mich in den Wohlfahrtsausschuß setze, ob ich ein Guillotinen- oder ein Taschenmesser nehme? Es ist der nämliche Fall, nur mit etwas verwickelteren Umständen; die Grundverhältnisse sind sich gleich. – Und durft er einen morden: durft er auch zwei, auch drei, auch noch mehr? wo hört das auf? Da kommen die Gerstenkörner! Machen zwei einen Haufen, drei, vier, wieviel dann? Komm, mein Gewissen, komm, mein Hühnchen, komm, bi, bi, bi, da ist Futter!
Doch – war ich auch Gefangner? Verdächtig war ich, das läuft auf eins hinaus; der Tod war mir gewiß. *Ab.*

DIE CONCIERGERIE

Lacroix, Danton, Philippeau, Camille.

LACROIX. Du hast gut geschrieen, Danton; hättest du dich etwas früher so um dein Leben gequält, es wäre jetzt anders. Nicht wahr, wenn der Tod einem so unverschämt nahe kommt und so aus dem Hals stinkt und immer zudringlicher wird?

CAMILLE. Wenn er einen noch notzüchtigte und seinen Raub unter Ringen und Kampf aus den heißen Gliedern riß! Aber so in allen Formalitäten wie bei der Hochzeit mit einem alten Weibe, wie die Pakten aufgesetzt, wie die Zeugen gerufen, wie das Amen gesagt und wie dann die Bettdecke gehoben wird und es langsam hereinkriecht mit seinen kalten Gliedern!

DANTON. Wär es ein Kampf, daß die Arme und Zähne einander packten! Aber es ist mir, als wäre ich in ein Mühlwerk gefallen, und die Glieder würden mir langsam systematisch von der kalten physischen Gewalt abgedreht. So mechanisch getötet zu werden!

CAMILLE. Und dann daliegen allein, kalt, steif in dem feuchten Dunst der Fäulnis – vielleicht, daß einem der Tod das Leben langsam aus den Fibern martert – mit Bewußtsein vielleicht sich wegzufaulen!

PHILIPPEAU. Seid ruhig, meine Freunde! Wir sind wie die Herbstzeitlose, welche erst nach dem Winter Samen trägt. Von Blumen, die versetzt werden, unterscheiden wir uns nur dadurch, daß wir über dem Versuch ein wenig stinken. Ist das so arg?

DANTON. Eine erbauliche Aussicht! Von einem Misthaufen auf den andern! Nicht wahr, die göttliche Klassentheorie? Von Prima nach Sekunda, von Sekunda nach Tertia und so weiter? Ich habe die Schulbänke satt, ich habe mir Gesäßschwielen wie ein Affe darauf gesessen.

PHILIPPEAU. Was willst du denn?

DANTON. Ruhe.

PHILIPPEAU. Die ist in Gott.

DANTON. Im Nichts. Versenke dich in was Ruhigers als das Nichts, und wenn die höchste Ruhe Gott ist, ist nicht das Nichts Gott? Aber ich bin ein Atheist. Der verfluchte Satz: Etwas kann nicht zu nichts werden! Und ich bin etwas, das ist der Jammer! – Die Schöpfung hat sich so breit gemacht, da ist nichts leer, alles voll Gewimmels. Das Nichts hat sich ermordet, die Schöpfung ist seine Wunde, wir sind seine Blutstropfen, die Welt ist das Grab, worin es fault. – Das lautet verrückt, es ist aber doch was Wahres daran.

CAMILLE. Die Welt ist der Ewige Jude, das Nichts ist der Tod, aber er ist unmöglich. O, nicht sterben können, nicht sterben können! wie es im Lied heißt.

DANTON. Wir sind alle lebendig begraben und wie Könige in drei- oder vierfachen Särgen beigesetzt, unter dem Himmel, in unsern Häusern, in unsern Röcken und Hemden. – Wir kratzen fünfzig Jahre lang am Sargdeckel. Ja, wer an Vernichtung glauben könnte! dem wäre geholfen. – Da ist keine Hoffnung im Tod; er ist nur eine

einfachere, das Leben eine verwickeltere, organisiertere Fäulnis, das ist der ganze Unterschied! – Aber ich bin gerad einmal an diese Art des Faulens gewöhnt; der Teufel weiß, wie ich mit einer andern zurechtkomme.
O Julie! Wenn ich allein ginge! Wenn sie mich einsam ließe! – Und wenn ich ganz zerfiele, mich ganz auflöste: ich wäre eine Handvoll gemarterten Staubes, jedes meiner Atome könnte nur Ruhe finden bei ihr. – Ich kann nicht sterben, nein, ich kann nicht sterben. Wir müssen schreien; sie müssen mir jeden Lebenstropfen aus den Gliedern reißen.

EIN ZIMMER

Fouquier. Amar. Vouland.

FOUQUIER. Ich weiß nicht mehr, was ich antworten soll; sie fordern eine Kommission.
AMAR. Wir haben die Schurken: da hast du, was du verlangst. *Er überreicht Fouquier ein Papier.*
VOULAND. Das wird sie zufriedenstellen.
FOUQUIER. Wahrhaftig, das hatten wir nötig.
AMAR. Nun mache, daß wir und sie die Sache vom Hals bekommen.

DAS REVOLUTIONSTRIBUNAL

DANTON. Die Republik ist in Gefahr, und er hat keine Instruktion! Wir appellieren an das Volk; meine Stimme ist noch stark genug, um den Dezemvirn die Leichenrede zu halten. – Ich wiederhole es, wir verlangen eine Kommission; wir haben wichtige Entdeckungen zu machen. Ich werde mich in die Zitadelle der Vernunft zurückziehen, ich werde mit der Kanone der Wahrheit hervorbrechen und meine Feinde zermalmen. *Zeichen des Beifalls.*
Fouquier, Amar und Vouland treten ein.
FOUQUIER. Ruhe im Namen der Republik, Achtung dem Gesetz! Der Konvent beschließt:
In Betracht, daß in den Gefängnissen sich Spuren von Meutereien zeigen, in Betracht, daß Dantons und Camilles Weiber Geld unter das Volk werfen und daß der General Dillon ausbrechen und sich an die Spitze der Empörer stellen soll, um die Angeklagten zu befreien, in Betracht endlich, daß diese selbst unruhige Auftritte herbeizuführen sich bemüht und das Tribunal zu beleidigen versucht haben, wird das Tribunal ermächtigt, die Untersuchung ohne Unterbrechung fortzusetzen und jeden Angeklagten, der die dem Ge-

setze schuldige Ehrfurcht außer Augen setzen sollte, von den Debatten auszuschließen.

DANTON. Ich frage die Anwesenden, ob wir dem Tribunal, dem Volke oder dem Nationalkonvent Hohn gesprochen haben?

VIELE STIMMEN: Nein! Nein!

CAMILLE. Die Elenden, sie wollen meine Lucile morden!

DANTON. Eines Tages wird man die Wahrheit erkennen. Ich sehe großes Unglück über Frankreich hereinbrechen. Das ist die Diktatur; sie hat ihren Schleier zerrissen, sie trägt die Stirne hoch, sie schreitet über unsere Leichen. *Auf Amar und Vouland deutend:* Seht da die feigen Mörder, seht da die Raben des Wohlfahrtsausschusses! Ich klage Robespierre, St. Just und ihre Henker des Hochverrats an. – Sie wollen die Republik im Blut ersticken. Die Gleise der Guillotinenkarren sind die Heerstraßen, auf welchen die Fremden in das Herz des Vaterlandes dringen sollen.
Wie lange sollen die Fußstapfen der Freiheit Gräber sein? – Ihr wollt Brot, und sie werfen euch Köpfe hin! Ihr durstet, und sie machen euch das Blut von den Stufen der Guillotine lecken! *Heftige Bewegung unter den Zuhörern, Geschrei des Beifalls.*

VIELE STIMMEN. Es lebe Danton, nieder mit den Dezemvirn! *Die Gefangnen werden mit Gewalt hinausgeführt.*

PLATZ VOR DEM JUSTIZPALAST

Ein Volkshaufe.

EINIGE STIMMEN. Nieder mit den Dezemvirn! Es lebe Danton!

ERSTER BÜRGER. Ja, das ist wahr, Köpfe statt Brot, Blut statt Wein!

EINIGE WEIBER. Die Guillotine ist eine schlechte Mühle und Samson ein schlechter Bäckerknecht; wir wollen Brot, Brot!

ZWEITER BÜRGER. Euer Brot, das hat Danton gefressen. Sein Kopf wird euch allen wieder Brot geben, er hatte recht.

ERSTER BÜRGER. Danton war unter uns am 10. August, Danton war unter uns im September. Wo waren die Leute, welche ihn angeklagt haben?

ZWEITER BÜRGER. Und Lafayette war mit euch in Versailles und war doch ein Verräter.

ERSTER BÜRGER. Wer sagt, daß Danton ein Verräter sei?

ZWEITER BÜRGER. Robespierre.

ERSTER BÜRGER. Und Robespierre ist ein Verräter!

ZWEITER BÜRGER. Wer sagt das?

ERSTER BÜRGER. Danton.

ZWEITER BÜRGER. Danton hat schöne Kleider, Danton hat ein schönes Haus, Danton hat eine schöne Frau, er badet sich in Burgunder, ißt das Wildbret von silbernen Tellern und schläft bei euren Weibern und Töchtern, wenn er betrunken ist. – Danton war arm wie ihr. Woher hat er das alles? Das Veto hat es ihm gekauft, damit er ihm die Krone rette. Der Herzog von Orléans hat es ihm geschenkt, damit er ihm die Krone stehle. Der Fremde hat es ihm gegeben, damit er euch alle verrate. – Was hat Robespierre? Der tugendhafte Robespierre! Ihr kennt ihn alle.

ALLE. Es lebe Robespierre! Nieder mit Danton! Nieder mit dem Verräter!

VIERTER AKT

EIN ZIMMER

Julie. Ein Knabe.

JULIE. Es ist aus. Sie zitterten vor ihm. Sie töten ihn aus Furcht. Geh! ich habe ihn zum letzten Mal gesehen; sag ihm, ich könne ihn nicht so sehen. *Sie gibt ihm eine Locke.* Da, bring ihm das und sag ihm, er würde nicht allein gehn – er versteht mich schon. Und dann schnell zurück, ich will seine Blicke aus deinen Augen lesen.

EINE STRASSE

Dumas. Ein Bürger.

BÜRGER. Wie kann man nach einem solchen Verhör soviel Unschuldige zum Tod verurteilen?

DUMAS. Das ist in der Tat außerordentlich; aber die Revolutionsmänner haben einen Sinn, der andern Menschen fehlt, und dieser Sinn trügt sie nie.

BÜRGER. Das ist der Sinn des Tigers. – Du hast ein Weib.

DUMAS. Ich werde bald eins gehabt haben.

BÜRGER. So ist es denn wahr?

DUMAS. Das Revolutionstribunal wird unsere Ehescheidung aussprechen; die Guillotine wird uns von Tisch und Bett trennen.

BÜRGER. Du bist ein Ungeheuer!

DUMAS. Schwachkopf! Du bewunderst Brutus?

BÜRGER. Von ganzer Seele.

DUMAS. Muß man denn gerade römischer Konsul sein und sein Haupt mit der Toga verhüllen können, um sein Liebstes dem Vaterlande zu opfern? Ich werde mir die Augen mit dem Ärmel meines roten Fracks abwischen; das ist der ganze Unterschied.

BÜRGER. Das ist entsetzlich!

DUMAS. Geh, du begreifst mich nicht! *Sie gehen ab.*

DIE CONCIERGERIE

Lacroix, Hérault auf einem Bett, Danton, Camille auf einem andern.

LACROIX. Die Haare wachsen einem so und die Nägel, man muß sich wirklich schämen.

HÉRAULT. Nehmen Sie sich ein wenig in acht, Sie niesen mir das ganze Gesicht voll Sand!

LACROIX. Und treten Sie mir nicht so auf die Füße, Bester, ich habe Hühneraugen!

HÉRAULT. Sie leiden noch an Ungeziefer.

LACROIX. Ach, wenn ich nur einmal die Würmer ganz los wäre!

HÉRAULT. Nun, schlafen Sie wohl! wir müssen sehen, wie wir miteinander zurechtkommen, wir haben wenig Raum. – Kratzen Sie mich nicht mit Ihren Nägeln im Schlaf! – So! – Zerren Sie nicht so am Leintuch, es ist kalt da unten! –

DANTON. Ja, Camille, morgen sind wir durchgelaufne Schuhe, die man der Bettlerin Erde in den Schoß wirft.

CAMILLE. Das Rindsleder, woraus nach Platon die Engel sich Pantoffeln geschnitten und damit auf der Erde herumtappen. Es geht aber auch danach. – Meine Lucile!

DANTON. Sei ruhig, mein Junge!

CAMILLE. Kann ich's? Glaubst du, Danton? Kann ich's? Sie können die Hände nicht an sie legen! Das Licht der Schönheit, das von ihrem süßen Leib sich ausgießt, ist unlöschbar. Sieh, die Erde würde nicht wagen, sie zu verschütten; sie würde sich um sie wölben, der Grabdunst würde wie Tau an ihren Wimpern funkeln, Kristalle würden wie Blumen um ihre Glieder sprießen und helle Quellen in Schlaf sie murmeln.

DANTON. Schlafe, mein Junge, schlafe!

CAMILLE. Höre, Danton, unter uns gesagt, es ist so elend, sterben müssen. Es hilft auch zu nichts. Ich will dem Leben noch die letzten Blicke aus seinen hübschen Augen stehlen, ich will die Augen offen haben.

DANTON. Du wirst sie ohnehin offen behalten, Samson drückt einem die Augen nicht zu. Der Schlaf ist barmherziger. Schlafe, mein Junge, schlafe!

CAMILLE. Lucile, deine Küsse phantasieren auf meinen Lippen; jeder Kuß wird ein Traum, meine Augen sinken und schließen ihn fest ein. –

DANTON. Will denn die Uhr nicht ruhen? Mit jedem Picken schiebt sie die Wände enger um mich, bis sie so eng sind wie ein Sarg. – Ich las einmal als Kind so'ne Geschichte, die Haare standen mir zu Berg.
Ja, als Kind! Das war der Mühe wert, mich so groß zu füttern und mich warm zu halten. Bloß Arbeit für den Totengräber!
Es ist mir, als röch ich schon. Mein lieber Leib, ich will mir die Nase zuhalten und mir einbilden, du seist ein Frauenzimmer, was vom Tanzen schwitzt und stinkt, und dir Artigkeiten sagen. Wir haben uns sonst schon mehr miteinander die Zeit vertrieben.
Morgen bist du eine zerbrochene Fiedel; die Melodie darauf ist ausgespielt. Morgen bist du eine leere Bouteille; der Wein ist ausgetrunken, aber ich habe keinen Rausch davon und gehe nüchtern zu Bett – das sind glückliche Leute, die sich noch besaufen können. Morgen bist du eine durchgerutschte Hose; du wirst in die Garderobe geworfen, und die Motten werden dich fressen, du magst stinken, wie du willst.
Ach, das hilft nichts! Jawohl, es ist so elend, sterben müssen. Der Tod äfft die Geburt; beim Sterben sind wir so hilflos und nackt wie neugeborne Kinder. Freilich, wir bekommen das Leichentuch zur Windel. Was wird es helfen? Wir können im Grab so gut wimmern wie in der Wiege.
Camille! Er schläft; *indem er sich über ihn bückt:* ein Traum spielt zwischen seinen Wimpern. Ich will den goldnen Tau des Schlafes ihm nicht von den Augen streifen.
Er erhebt sich und tritt ans Fenster. Ich werde nicht allein gehn: ich danke dir, Julie! doch hätte ich anders sterben mögen, so ganz mühelos, so wie ein Stern fällt, wie ein Ton sich selbst aushaucht, sich mit den eignen Lippen totküßt, wie ein Lichtstrahl in klaren Fluten sich begräbt. – Wie schimmernde Tränen sind die Sterne durch die Nacht gesprengt; es muß ein großer Jammer in dem Aug sein, von dem sie abträufelten.

CAMILLE. O! *Er hat sich aufgerichtet und tastet nach der Decke.*

DANTON. Was hast du, Camille?

CAMILLE. O, o!

DANTON *schüttelt ihn.* Willst du die Decke herunterkratzen?

CAMILLE. Ach du, du – o halt mich! sprich, du!

DANTON. Du bebst an allen Gliedern, der Schweiß steht dir auf der Stirne.

CAMILLE. Das bist du, das ich – so! Das ist meine Hand! Ja, jetzt besinn ich mich. O Danton, das war entsetzlich!

DANTON. Was denn?

CAMILLE. Ich lag so zwischen Traum und Wachen. Da schwand die Decke, und der Mond sank herein, ganz nahe, ganz dicht, mein Arm erfaßt' ihn. Die Himmelsdecke mit ihren Lichtern hatte sich gesenkt, ich stieß daran, ich betastete die Sterne, ich taumelte wie ein Ertrinkender unter der Eisdecke. Das war entsetzlich, Danton!

DANTON. Die Lampe wirft einen runden Schein an die Decke, das sahst du.

CAMILLE. Meinetwegen, es braucht grade nicht viel, um einem das bißchen Verstand verlieren zu machen. Der Wahnsinn faßte mich bei den Haaren. *Er erhebt sich.* Ich mag nicht mehr schlafen, ich mag nicht verrückt werden.

Er greift nach einem Buch.

DANTON. Was nimmst du?

CAMILLE. Die Nachtgedanken.

DANTON. Willst du zum voraus sterben? Ich nehme die Pucelle. Ich will mich aus dem Leben nicht wie aus dem Betstuhl, sondern wie aus dem Bett einer Barmherzigen Schwester wegschleichen. Es ist eine Hure; es treibt mit der ganzen Welt Unzucht.

PLATZ VOR DER CONCIERGERIE

Ein Schließer, zwei Fuhrleute mit Karren, Weiber.

SCHLIESSER. Wer hat euch herfahren geheißen?

ERSTER FUHRMANN. Ich heiße nicht Herfahren, das ist ein kurioser Namen.

SCHLIESSER. Dummkopf, wer hat dir die Bestallung dazu gegeben?

ERSTER FUHRMANN. Ich habe keine Stallung dazu kriegt, nichts als zehn Sous für den Kopf.

ZWEITER FUHRMANN. Der Schuft will mich ums Brot bringen.

ERSTER FUHRMANN. Was nennst du dein Brot? *Auf die Fenster der Gefangnen deutend:* Das ist Wurmfraß.

ZWEITER FUHRMANN. Meine Kinder sind auch Würmer, und die wollen auch ihr Teil davon. O, es geht schlecht mit unsrem Metier, und doch sind wir die besten Fuhrleute.

ERSTER FUHRMANN. Wie das?

ZWEITER FUHRMANN. Wer ist der beste Fuhrmann?

ERSTER FUHRMANN. Der am weitesten und am schnellsten fährt.

ZWEITER FUHRMANN. Nun, Esel, wer fährt weiter, als der aus der Welt fährt, und wer fährt schneller, als der 's in einer Viertelstunde tut? Genau gemessen ist's eine Viertelstunde von da bis zum Revolutionsplatz.

SCHLIESSER. Rasch, ihr Schlingel! Näher ans Tor; Platz da, ihr Mädel!

ERSTER FUHRMANN. Halt't Euren Platz vor! Um ein Mädel fährt man nit herum, immer in die Mitt' nein.

ZWEITER FUHRMANN. Ja, das glaub ich: du kannst mit Karren und Gäulen hinein, du findst gute Gleise; aber du mußt Quarantäne halten, wenn du herauskommst. *Sie fahren vor.*

ZWEITER FUHRMANN *zu den Weibern.* Was gafft ihr?

EIN WEIB. Wir warten auf alte Kunden.

ZWEITER FUHRMANN. Meint ihr, mein Karren wär ein Bordell? Er ist ein anständiger Karren, er hat den König und alle vornehmen Herren aus Paris zur Tafel gefahren.

LUCILE *tritt auf. Sie setzt sich auf einen Stein unter die Fenster der Gefangnen.* Camille, Camille! *Camille erscheint am Fenster.* Höre, Camille, du machst mich lachen mit dem langen Steinrock und der eisernen Maske vor dem Gesicht; kannst du dich nicht bücken? Wo sind deine Arme? – Ich will dich locken, lieber Vogel *singt:*

Es stehn zwei Sternlein an dem Himmel,
Scheinen heller als der Mond,
Der ein' scheint vor Feinsliebchens Fenster,
Der andre vor die Kammertür.

Komm, komm, mein Freund! Leise die Treppe herauf, sie schlafen alle. Der Mond hilft mir schon lange warten. Aber du kannst ja nicht zum Tor herein, das ist eine unleidliche Tracht. Das ist zu arg für den Spaß, mach ein Ende! Du rührst dich auch gar nicht, warum sprichst du nicht? Du machst mir Angst.

Höre! die Leute sagen, du müßtest sterben, und machen dazu so ernsthafte Gesichter. Sterben! ich muß lachen über die Gesichter. Sterben! Was ist das für ein Wort? Sag mir's, Camille. Sterben! Ich will nachdenken. Da, da ist's. Ich will ihm nachlaufen; komm, süßer Freund, hilf mir fangen, komm! komm! *Sie läuft weg.*

CAMILLE *ruft.* Lucile! Lucile!

DIE CONCIERGERIE

Danton an einem Fenster, was ins nächste Zimmer geht. Camille, Philippeau, Lacroix, Hérault.

DANTON. Du bist jetzt ruhig, Fabre.

EINE STIMME *von innen.* Am Sterben.

DANTON. Weißt du auch, was wir jetzt machen werden?

DIE STIMME. Nun?

DANTON. Was du dein ganzes Leben hindurch gemacht hast – des vers.

CAMILLE *für sich.* Der Wahnsinn saß hinter ihren Augen. Es sind schon mehr Leute wahnsinnig geworden, das ist der Lauf der Welt. Was können wir dazu? Wir waschen unsere Hände –. Es ist auch besser so.

DANTON. Ich lasse alles in einer schrecklichen Verwirrung. Keiner versteht das Regieren. Es könnte vielleicht noch gehn, wenn ich Robespierre meine Huren und Couthon meine Waden hinterließe.

LACROIX. Wir hätten die Freiheit zur Hure gemacht!

DANTON. Was wäre es auch! Die Freiheit und eine Hure sind die kosmopolitischsten Dinge unter der Sonne. Sie wird sich jetzt anständig im Ehebett des Advokaten von Arras prostituieren. Aber ich denke, sie wird die Klytämnestra gegen ihn spielen; ich lasse ihm keine sechs Monate Frist, ich ziehe ihn mit mir.

CAMILLE *für sich.* Der Himmel verhelf ihr zu einer behaglichen fixen Idee. Die allgemeinen fixen Ideen, welche man die gesunde Vernunft tauft, sind unerträglich langweilig. Der glücklichste Mensch war der, welcher sich einbilden konnte, daß er Gott Vater, Sohn und Heiliger Geist sei.

LACROIX. Die Esel werden schreien ›Es lebe die Republik‹, wenn wir vorbeigehen.

DANTON. Was liegt daran? Die Sündflut der Revolution mag unsere Leichen absetzen, wo sie will; mit unsern fossilen Knochen wird man noch immer allen Königen die Schädel einschlagen können.

HÉRAULT. Ja, wenn sich gerade ein Simson für unsere Kinnbacken findet.

DANTON. Sie sind Kainsbrüder.

LACROIX. Nichts beweist mehr, daß Robespierre ein Nero ist, als der Umstand, daß er gegen Camille nie freundlicher war als zwei Tage vor dessen Verhaftung. Ist es nicht so, Camille?

CAMILLE. Meinetwegen, was geht das mich an? – *Für sich:* Was sie an dem Wahnsinn ein reizendes Kind geboren hat! Warum muß ich jetzt fort? Wir hätten zusammen mit ihm gelacht, es gewiegt und geküßt.

DANTON. Wenn einmal die Geschichte ihre Grüfte öffnet, kann der Despotismus noch immer an dem Duft unsrer Leichen ersticken.

HÉRAULT. Wir stanken bei Lebzeiten schon hinlänglich. – Das sind Phrasen für die Nachwelt, nicht wahr, Danton; uns gehn sie eigentlich nichts an.

CAMILLE. Er zieht ein Gesicht, als solle es versteinern und von der Nachwelt als Antike ausgegraben werden.
Das verlohnt sich auch der Mühe, Mäulchen zu machen und Rot aufzulegen und mit einem guten Akzent zu sprechen; wir sollten einmal die Masken abnehmen, wir sähen dann, wie in einem Zimmer mit Spiegeln, überall nur den einen uralten, zahllosen, unverwüstlichen Schafskopf, nichts mehr, nichts weniger. Die Unterschiede sind so groß nicht, wir alle sind Schurken und Engel, Dummköpfe und Genies, und zwar das alles in einem: die vier Dinge finden Platz genug in dem nämlichen Körper, sie sind nicht so breit, als man sich einbildet. Schlafen, Verdauen, Kinder machen – das treiben alle; die übrigen Dinge sind nur Variationen aus verschiedenen Tonarten über das nämliche Thema. Da braucht man sich auf die Zehen zu stellen und Gesichter zu schneiden, da braucht man sich voreinander zu genieren! Wir haben uns alle am nämlichen Tische krank gegessen und haben Leibgrimmen; was haltet ihr euch die Servietten vor das Gesicht? Schreit nur und greint, wie es euch ankommt! Schneidet nur keine so tugendhafte und so witzige und so heroische und so geniale Grimassen, wir kennen uns ja einander, spart euch die Mühe!

HÉRAULT. Ja, Camille, wir wollen uns beieinandersetzen und schreien; nichts dummer, als die Lippen zusammenzupressen, wenn einem was weh tut. – Griechen und Götter schrieen, Römer und Stoiker machten die heroische Fratze.

DANTON. Die einen waren so gut Epikureer wie die andern. Sie machten sich ein ganz behagliches Selbstgefühl zurecht. Es ist nicht so übel, seine Toga zu drapieren und sich umzusehen, ob man einen langen Schatten wirft. Was sollen wir uns zerren? Ob wir uns nun Lorbeerblätter, Rosenkränze oder Weinlaub vor die Scham binden oder das häßliche Ding offen tragen und es uns von den Hunden lekken lassen?

PHILIPPEAU. Meine Freunde, man braucht gerade nicht hoch über der Erde zu stehen, um von all dem wirren Schwanken und Flimmern nichts mehr zu sehen und die Augen von einigen großen, göttlichen Linien erfüllt zu haben. Es gibt ein Ohr, für welches das Ineinanderschreien und der Zeter, die uns betäuben, ein Strom von Harmonieen sind.

DANTON. Aber wir sind die armen Musikanten und unsere Körper die Instrumente. Sind denn die häßlichen Töne, welche auf ihnen herausgepfuscht werden, nur da, um höher und höher dringend und endlich leise verhallend wie ein wollüstiger Hauch in himmlischen Ohren zu sterben?

HÉRAULT. Sind wir wie Ferkel, die man für fürstliche Tafeln mit Ruten totpeitscht, damit ihr Fleisch schmackhafter werde?

DANTON. Sind wir Kinder, die in den glühenden Molochsarmen dieser Welt gebraten und mit Lichtstrahlen gekitzelt werden, damit die Götter sich über ihr Lachen freuen?

CAMILLE. Ist denn der Äther mit seinen Goldaugen eine Schüssel mit Goldkarpfen, die am Tisch der seligen Götter steht, und die seligen Götter lachen ewig, und die Fische sterben ewig, und die Götter erfreuen sich ewig am Farbenspiel des Todeskampfes?

DANTON. Die Welt ist das Chaos. Das Nichts ist der zu gebärende Weltgott.

Der Schließer tritt ein.

SCHLIESSER. Meine Herren, Sie können abfahren, die Wagen halten vor der Tür.

PHILIPPEAU. Gute Nacht, meine Freunde! Legen wir ruhig die große Decke über uns, worunter alle Herzen ausschlagen und alle Augen zufallen. *Sie umarmen einander.*

HÉRAULT *nimmt Camilles Arm.* Freue dich, Camille, wir bekommen eine schöne Nacht. Die Wolken hängen am stillen Abendhimmel wie ein ausglühender Olymp mit verbleichenden, versinkenden Göttergestalten. *Sie gehen ab.*

EIN ZIMMER

JULIE. Das Volk lief in den Gassen, jetzt ist alles still. Keinen Augenblick möchte ich ihn warten lassen. *Sie zieht eine Phiole hervor.* Komm, liebster Priester, dessen Amen uns zu Bette gehn macht. *Sie tritt ans Fenster.* Es ist so hübsch, Abschied zu nehmen; ich habe die Türe nur noch hinter mir zuzuziehen. *Sie trinkt.*

Man möchte immer so stehn. – Die Sonne ist hinunter; der Erde Züge waren so scharf in ihrem Licht, doch jetzt ist ihr Gesicht so still und ernst wie einer Sterbenden. – Wie schön das Abendlicht ihr um Stirn und Wangen spielt. – Stets bleicher und bleicher wird sie, wie eine Leiche treibt sie abwärts in der Flut des Äthers. Will denn kein Arm sie bei den goldnen Locken fassen und aus dem Strom sie ziehen und sie begraben?

Ich gehe leise. Ich küsse sie nicht, daß kein Hauch, kein Seufzer sie aus dem Schlummer wecke. – Schlafe, schlafe! *Sie stirbt.*

DER REVOLUTIONSPLATZ

Die Wagen kommen angefahren und halten vor der Guillotine. Männer und Weiber singen und tanzen die Carmagnole. Die Gefangnen stimmen die Marseillaise an.

EIN WEIB MIT KINDERN. Platz! Platz! Die Kinder schreien, sie haben Hunger. Ich muß sie zusehen machen, daß sie still sind. Platz!

EIN WEIB. He, Danton, du kannst jetzt mit den Würmern Unzucht treiben.

EINE ANDERE. Hérault, aus deinen hübschen Haaren laß ich mir eine Perücke machen.

HÉRAULT. Ich habe nicht Waldung genug für einen so abgeholzten Venusberg.

CAMILLE. Verfluchte Hexen! Ihr werdet noch schreien: ›Ihr Berge, fallet auf uns!‹

EIN WEIB. Der Berg ist auf euch, oder ihr seid ihn vielmehr hinuntergefallen.

DANTON *zu Camille.* Ruhig, mein Junge! Du hast dich heiser geschrieen.

CAMILLE *gibt dem Fuhrmann Geld.* Da, alter Charon, dein Karren ist ein guter Präsentierteller! – Meine Herren, ich will mich zuerst servieren. Das ist ein klassisches Gastmahl; wir liegen auf unsern Plätzen und verschütten etwas Blut als Libation. Adieu, Danton! *Er besteigt das Blutgerüst, die Gefangnen folgen ihm, einer nach dem andern. Danton steigt zuletzt hinauf.*

LACROIX *zu dem Volk.* Ihr tötet *uns* an dem Tage, wo ihr den Verstand verloren habt; ihr werdet *sie* an dem töten, wo ihr ihn wiederbekommt.

EINIGE STIMMEN. Das war schon einmal da; wie langweilig!

LACROIX. Die Tyrannen werden über unsern Gräbern den Hals brechen.

HÉRAULT *zu Danton.* Er hält seine Leiche für ein Mistbeet der Freiheit.

PHILIPPEAU *auf dem Schafott.* Ich vergebe euch; ich wünsche, eure Todesstunde sei nicht bittrer als die meinige.

HÉRAULT. Dacht ich's doch! er muß sich noch einmal in den Busen greifen und den Leuten da unten zeigen, daß er reine Wäsche hat.

FABRE. Lebe wohl, Danton! Ich sterbe doppelt.

DANTON. Adieu, mein Freund! Die Guillotine ist der beste Arzt.

HÉRAULT *will Danton umarmen.* Ach, Danton, ich bringe nicht einmal einen Spaß mehr heraus. Da ist's Zeit. *Ein Henker stößt ihn zurück.*

DANTON *zum Henker.* Willst du grausamer sein als der Tod? Kannst du verhindern, daß unsere Köpfe sich auf dem Boden des Korbes küssen?

EINE STRASSE

LUCILE. Es ist doch was wie Ernst darin. Ich will einmal nachdenken. Ich fange an, so was zu begreifen.

Sterben – Sterben –! – Es darf ja alles leben, alles, die kleine Mücke da, der Vogel. Warum denn er nicht? Der Strom des Lebens müßte stocken, wenn nur der eine Tropfen verschüttet würde. Die Erde müßte eine Wunde bekommen von dem Streich.

Es regt sich alles, die Uhren gehen, die Glocken schlagen, die Leute laufen, das Wasser rinnt, und so alles weiter bis da, dahin – nein, es darf nicht geschehen, nein, ich will mich auf den Boden setzen und schreien, daß erschrocken alles stehn bleibt, alles stockt, sich nichts mehr regt. *Sie setzt sich nieder, verhüllt sich die Augen und stößt einen Schrei aus. Nach einer Pause erhebt sie sich:* Das hilft nichts, da ist noch alles wie sonst; die Häuser, die Gasse, der Wind geht, die Wolken ziehen. – Wir müssen's wohl leiden.

Einige Weiber kommen die Gasse herunter.

ERSTES WEIB. Ein hübscher Mann, der Hérault!

ZWEITES WEIB. Wie er beim Konstitutionsfest so am Triumphbogen stand, da dacht ich so, der muß sich gut auf der Guillotine ausnehmen, dacht ich. Das war so 'ne Ahnung.

DRITTES WEIB. Ja, man muß die Leute in allen Verhältnissen sehen; es ist recht gut, daß das Sterben so öffentlich wird. *Sie gehen vorbei.*

LUCILE. Mein Camille! Wo soll ich dich jetzt suchen?

DER REVOLUTIONSPLATZ

Zwei Henker, an der Guillotine beschäftigt.

ERSTER HENKER *steht auf der Guillotine und singt.*

Und wann ich hame geh,
Scheint der Mond so scheh . . .

ZWEITER HENKER. He, holla! Bist bald fertig?

ERSTER HENKER. Gleich, gleich! *Singt:*

Scheint in meines Ellervaters Fenster –
Kerl, wo bleibst so lang bei de Menscher?

So! Die Jacke her! *Sie gehn singend ab:*

Und wenn ich hame geh,
Scheint der Mond so scheh . . .

LUCILE *tritt auf und setzt sich auf die Stufen der Guillotine.* Ich setze mich auf deinen Schoß, du stiller Todesengel. *Sie singt:*

Es ist ein Schnitter, der heißt Tod,
Hat Gewalt vom höchsten Gott.

Du liebe Wiege, die du meinen Camille in Schlaf gelullt, ihn unter deinen Rosen erstickt hast. Du Totenglocke, die du ihn mit deiner süßen Zunge zu Grabe sangst. *Sie singt:*

Viel Hunderttausend ungezählt,
Was nur unter die Sichel fällt.

Eine Patrouille tritt auf.

EIN BÜRGER. He, wer da?

LUCILE *sinnend und wie einen Entschluß fassend, plötzlich.* Es lebe der König!

BÜRGER. Im Namen der Republik! *Sie wird von der Wache umringt und weggeführt.*

LENZ

Den 20. Jänner ging Lenz durchs Gebirg. Die Gipfel und hohen Bergflächen im Schnee, die Täler hinunter graues Gestein, grüne Flächen, Felsen und Tannen.

Es war naßkalt; das Wasser rieselte die Felsen hinunter und sprang über den Weg. Die Äste der Tannen hingen schwer herab in die feuchte Luft. Am Himmel zogen graue Wolken, aber alles so dicht – und dann dampfte der Nebel herauf und strich schwer und feucht durch das Gesträuch, so träg, so plump.

Er ging gleichgültig weiter, es lag ihm nichts am Weg, bald auf-, bald abwärts. Müdigkeit spürte er keine, nur war es ihm manchmal unangenehm, daß er nicht auf dem Kopf gehn konnte.

Anfangs drängte es ihm in der Brust, wenn das Gestein so wegsprang, der graue Wald sich unter ihm schüttelte und der Nebel die Formen bald verschlang, bald die gewaltigen Glieder halb enthüllte; es drängte in ihm, er suchte nach etwas, wie nach verlornen Träumen, aber er fand nichts. Es war ihm alles so klein, so nahe, so naß; er hätte die Erde hinter den Ofen setzen mögen. Er begriff nicht, daß er so viel Zeit brauchte, um einen Abhang hinunter zu klimmen, einen fernen Punkt zu erreichen; er meinte, er müsse alles mit ein paar Schritten ausmessen können. Nur manchmal, wenn der Sturm das Gewölk in die Täler warf und es den Wald herauf dampfte, und die Stimmen an den Felsen wach wurden, bald wie fern verhallende Donner und dann gewaltig heranbrausten, in Tönen, als wollten sie in ihrem wilden Jubel die Erde besingen, und die Wolken wie wilde, wiehernde Rosse heransprengten, und der Sonnenschein dazwischen durchging und kam und sein blitzendes Schwert an den Schneeflächen zog, so daß ein helles, blendendes Licht über die Gipfel in die Täler schnitt; oder wenn der Sturm das Gewölk abwärts trieb und einen lichtblauen See hineinriß und dann der Wind verhallte und tief unten aus den Schluchten, aus den Wipfeln der Tannen wie ein Wiegenlied und Glockengeläute heraufsummte, und am tiefen Blau ein leises Rot hinaufklomm und kleine Wölkchen auf silbernen Flügeln durchzogen, und alle Berggipfel, scharf und fest, weit über das Land hin glänzten und blitzten – riß es ihm in der Brust, er stand, keuchend, den Leib vorwärts gebogen, Augen und Mund weit offen, er meinte, er müsse den Sturm in sich ziehen, alles in sich fassen, er dehnte sich aus und lag über der Erde, er wühlte sich in das All hinein, es war eine Lust, die ihm wehe tat; oder er stand still und legte das Haupt ins Moos und schloß die Augen halb, und dann zog es weit von ihm, die Erde wich unter ihm, sie wurde klein wie ein wandelnder Stern und tauchte sich in einen brausenden Strom, der seine klare Flut unter ihm zog. Aber es waren nur Augenblicke; und dann erhob er sich nüchtern, fest, ruhig, als wäre ein Schattenspiel vor ihm vorübergezogen – er wußte von nichts mehr.

Gegen Abend kam er auf die Höhe des Gebirgs, auf das Schneefeld, von wo man wieder hinabstieg in die Ebene nach Westen. Er setzte sich oben nieder. Es war gegen Abend ruhiger geworden; das Gewölk lag fest und unbeweglich am Himmel; soweit der Blick reichte, nichts als Gipfel, von denen sich breite Flächen hinabzogen, und alles so still, grau, dämmernd. Es wurde ihm entsetzlich einsam; er war allein, ganz allein. Er wollte mit sich sprechen, aber er konnte nicht, er wagte kaum zu atmen; das Biegen seines Fußes tönte wie Donner unter ihm, er mußte sich niedersetzen. Es faßte ihn eine namenlose Angst in diesem Nichts: er war im Leeren! Er riß sich auf und flog den Abhang hinunter.

Es war finster geworden, Himmel und Erde verschmolzen in eins. Es war, als ginge ihm was nach und als müsse ihn was Entsetzliches erreichen, etwas, das Menschen nicht ertragen können, als jage der Wahnsinn auf Rossen hinter ihm.

Endlich hörte er Stimmen; er sah Lichter, es wurde ihm leichter. Man sagte ihm, er hätte noch eine halbe Stunde nach Waldbach.

Er ging durch das Dorf. Die Lichter schienen durch die Fenster, er sah hinein im Vorbeigehen: Kinder am Tische, alte Weiber, Mädchen, alles ruhige, stille Gesichter. Es war ihm, als müsse das Licht von ihnen ausstrahlen; es ward ihm leicht, er war bald in Waldbach im Pfarrhause.

Man saß am Tische, er hinein; die blonden Locken hingen ihm um das bleiche Gesicht, es zuckte ihm in den Augen und um den Mund, seine Kleider waren zerrissen.

Oberlin hieß ihn willkommen, er hielt ihn für einen Handwerker: »Sein Sie mir willkommen, obschon Sie mir unbekannt.« – »Ich bin ein Freund von Kaufmann und bringe Ihnen Grüße von ihm.« – »Der Name, wenn's beliebt?« – »Lenz.« – »Ha, ha, ha, ist er nicht gedruckt? Habe ich nicht einige Dramen gelesen, die einem Herrn dieses Namens zugeschrieben werden?« – »Ja, aber belieben Sie, mich nicht darnach zu beurteilen.«

Man sprach weiter, er suchte nach Worten und erzählte rasch, aber auf der Folter; nach und nach wurde er ruhig – das heimliche Zimmer und die stillen Gesichter, die aus dem Schatten hervortraten: das helle Kindergesicht, auf dem alles Licht zu ruhen schien und das neugierig, vertraulich aufschaute, bis zur Mutter, die hinten im Schatten engelgleich stille saß. Er fing an zu erzählen, von seiner Heimat; er zeichnete allerhand Trachten, man drängte sich teilnehmend um ihn, er war gleich zu Haus. Sein blasses Kindergesicht, das jetzt lächelte, sein lebendiges Erzählen! Er wurde ruhig; es war ihm, als träten alte Gestalten, vergessene Gesichter wieder aus dem Dunkeln, alte Lieder wachten auf, er war weg, weit weg.

Endlich war es Zeit zum Gehen. Man führte ihn über die Straße: das Pfarrhaus war zu eng, man gab ihm ein Zimmer im Schulhause. Er ging hinauf. Es war kalt oben, eine weite Stube, leer, ein hohes Bett im Hintergrund. Er stellte das Licht auf den Tisch und ging auf und ab. Er besann sich wieder auf den Tag, wie er hergekommen, wo er war. Das Zimmer im Pfarrhause mit seinen Lichtern und lieben Gesichtern, es war ihm wie ein Schatten, ein Traum, und es wurde ihm leer, wieder wie auf dem Berg; aber er konnte es mit nichts mehr ausfüllen, das Licht war erloschen, die Finsternis verschlang alles. Eine unnennbare Angst erfaßte ihn. Er sprang auf, er lief durchs Zimmer, die Treppe hinunter, vors Haus; aber umsonst, alles finster, nichts – er war sich selbst ein Traum. Einzelne Gedanken huschten auf, er hielt sie fest; es war ihm, als müsse er immer ›Vater unser‹ sagen. Er konnte sich nicht mehr finden; ein dunkler Instinkt trieb ihn, sich zu retten. Er stieß an die Steine, er riß sich mit den Nägeln; der Schmerz fing an, ihm das Bewußtsein wiederzugeben. Er stürzte sich in den Brunnenstein, aber das Wasser war nicht tief, er patschte darin.

Da kamen Leute; man hatte es gehört, man rief ihm zu. Oberlin kam gelaufen. Lenz war wieder zu sich gekommen, das ganze Bewußtsein seiner Lage stand vor ihm, es war ihm wieder leicht. Jetzt schämte er sich und war betrübt, daß er den guten Leuten Angst gemacht; er sagte ihnen, daß er gewohnt sei, kalt zu baden, und ging wieder hinauf; die Erschöpfung ließ ihn endlich ruhen.

Den andern Tag ging es gut. Mit Oberlin zu Pferde durch das Tal: breite Bergflächen, die aus großer Höhe sich in ein schmales, gewundnes Tal zusammenzogen, das in mannigfachen Richtungen sich hoch an den Bergen hinaufzog; große Felsenmassen, die sich nach unten ausbreiteten; wenig Wald, aber alles im grauen, ernsten Anflug; eine Aussicht nach Westen in das Land hinein und auf die Bergkette, die sich grad hinunter nach Süden und Norden zog und deren Gipfel gewaltig, ernsthaft oder schweigend still, wie ein dämmernder Traum, standen. Gewaltige Lichtmassen, die manchmal aus den Tälern, wie ein goldner Strom, schwollen, dann wieder Gewölk, das an dem höchsten Gipfel lag und dann langsam den Wald herab in das Tal klomm oder in den Sonnenblitzen sich wie ein fliegendes, silbernes

Gespenst herabsenkte und hob; kein Lärm, keine Bewegung, kein Vogel, nichts als das bald nahe, bald ferne Wehn des Windes. Auch erschienen Punkte, Gerippe von Hütten, Bretter mit Stroh gedeckt, von schwarzer, ernster Farbe. Die Leute, schweigend und ernst, als wagten sie die Ruhe ihres Tales nicht zu stören, grüßten ruhig, wie sie vorbeiritten.

In den Hütten war es lebendig: man drängte sich um Oberlin, er wies zurecht, gab Rat, tröstete; überall zutrauensvolle Blicke, Gebet. Die Leute erzählten Träume, Ahnungen. Dann rasch ins praktische Leben: Wege angelegt, Kanäle gegraben, die Schule besucht.

Oberlin war unermüdlich, Lenz fortwährend sein Begleiter, bald in Gespräch, bald tätig am Geschäft, bald in die Natur versunken. Es wirkte alles wohltätig und beruhigend auf ihn. Er mußte Oberlin oft in die Augen sehen, und die mächtige Ruhe, die uns über der ruhenden Natur, im tiefen Wald, in mondhellen, schmelzenden Sommernächten überfällt, schien ihm noch näher in diesem ruhigen Auge, diesem ehrwürdigen ernsten Gesicht. Er war schüchtern; aber er machte Bemerkungen, er sprach. Oberlin war sein Gespräch sehr angenehm, und das anmutige Kindergesicht Lenzens machte ihm große Freude.

Aber nur solange das Licht im Tale lag, war es ihm erträglich; gegen Abend befiel ihn eine sonderbare Angst, er hätte der Sonne nachlaufen mögen. Wie die Gegenstände nach und nach schattiger wurden, kam ihm alles so traumartig, so zuwider vor: es kam ihm die Angst an wie Kindern, die im Dunkeln schlafen; es war ihm, als sei er blind. Jetzt wuchs sie, der Alp des Wahnsinns setzte sich zu seinen Füßen: der rettungslose Gedanke, als sei alles nur sein Traum, öffnete sich vor ihm; er klammerte sich an alle Gegenstände. Gestalten zogen rasch an ihm vorbei, er drängte sich an sie; es waren Schatten, das Leben wich aus ihm, und seine Glieder waren ganz starr. Er sprach, er sang, er rezitierte Stellen aus Shakespeare, er griff nach allem, was sein Blut sonst hatte rascher fließen machen, er versuchte alles, aber – kalt, kalt! Er mußte dann hinaus ins Freie. Das wenige, durch die Nacht zerstreute Licht, wenn seine Augen an die Dunkelheit gewöhnt waren, machte ihm besser; er stürzte sich in den Brunnen, die grelle Wirkung des Wassers machte ihm besser; auch hatte er eine geheime Hoffnung auf eine Krankheit – er verrichtete sein Baden jetzt mit weniger Geräusch.

Doch je mehr er sich in das Leben hineinlebte, ward er ruhiger. Er unterstützte Oberlin, zeichnete, las die Bibel; alte, vergangne Hoffnungen gingen in ihm auf; das Neue Testament trat ihm hier so entgegen ... Wie Oberlin ihm erzählte, wie ihn eine unsichtbare Hand auf der Brücke gehalten hätte, wie auf der Höhe ein Glanz seine Augen geblendet hätte, wie er eine Stimme gehört hätte, wie es in der Nacht mit ihm gesprochen, und wie Gott so ganz bei ihm eingekehrt, daß er kindlich seine Lose aus der Tasche holte, um zu wissen, was er tun sollte: dieser Glaube, dieser ewige Himmel im Leben, dieses Sein in Gott – jetzt erst ging ihm die Heilige Schrift auf. Wie den Leuten die Natur so nah trat, alles in himmlischen Mysterien; aber nicht gewaltsam majestätisch, sondern noch vertraut.

Eines Morgens ging er hinaus. Die Nacht war Schnee gefallen; im Tal lag heller Sonnenschein, aber weiterhin die Landschaft halb im Nebel. Er kam bald vom Weg ab und eine sanfte Höhe hinauf, keine Spur von Fußtritten mehr, neben einem Tannenwald hin; die Sonne schnitt Kristalle, der Schnee war leicht und flockig, hie und da Spur von Wild leicht auf dem Schnee, die sich ins Gebirg hinzog. Keine Regung in der Luft als ein leises Wehen, als das Rauschen eines Vogels, der die Flocken leicht vom Schwanze stäubte. Alles so still, und die Bäume weithin mit schwankenden weißen Federn in der tiefblauen Luft. Es wurde ihm heimlich nach und nach. Die einförmigen, gewaltigen Flächen und Linien, vor denen es ihm manchmal war, als ob sie ihn mit gewaltigen Tönen anredeten, waren verhüllt; ein heimliches Weihnachtsgefühl beschlich ihn: er meinte manchmal, seine Mutter müsse hinter einem Baume hervortreten, groß, und ihm sagen, sie hätte ihm dies alles beschert. Wie er hinunterging, sah er, daß um seinen Schatten sich ein Regenbogen von Strahlen legte; es wurde ihm, als hätte ihn was an der Stirn berührt, das Wesen sprach ihn an.

Er kam hinunter. Oberlin war im Zimmer; Lenz kam heiter auf ihn zu und sagte ihm, er möge wohl einmal predigen. – »Sind Sie Theologe?« – »Ja!« – »Gut, nächsten Sonntag.«

Lenz ging vergnügt auf sein Zimmer. Er dachte auf einen Text zum Predigen und verfiel in Sinnen, und seine Nächte wurden ruhig. Der Sonntagmorgen kam, es war Tauwetter eingefallen. Vorüberstreifende Wolken, Blau dazwischen. Die Kirche lag neben am Berg hinauf, auf einem Vorsprung; der Kirchhof drumherum. Lenz stand oben, wie die Glocke läutete und die Kirchengänger, die Weiber und Mädchen in ihrer ernsten schwarzen Tracht, das weiße gefaltete Schnupftuch auf dem Gesangbuch und den Rosmarinzweig, von den verschiedenen Seiten die schmalen Pfade zwischen den Felsen herauf- und herabkamen. Ein Sonnenblick lag manchmal über dem Tal, die laue Luft regte sich langsam, die Landschaft schwamm im Duft, fernes Geläute – es war, als löste sich alles in eine harmonische Welle auf.

Auf dem kleinen Kirchhof war der Schnee weg, dunkles Moos unter den schwarzen Kreuzen; ein verspäteter Rosenstrauch lehnte an der Kirchhofmauer, verspätete Blumen dazu unter dem Moos hervor; manchmal Sonne, dann wieder dunkel. Die Kirche fing an, die Menschenstimmen begegneten sich im reinen hellen Klang; ein Eindruck, als schaue man in reines, durchsichtiges Bergwasser. Der Gesang verhallte – Lenz sprach. Er war schüchtern; unter den Tönen hatte sein Starrkrampf sich ganz gelegt, sein ganzer Schmerz wachte jetzt auf und legte sich in sein Herz. Ein süßes Gefühl unendlichen Wohls beschlich ihn. Er sprach einfach mit den Leuten; sie litten alle mit ihm, und es war ihm ein Trost, wenn er über einige müdgeweinte Augen Schlaf und gequälten Herzen Ruhe bringen, wenn er über dieses von materiellen Bedürfnissen gequälte Sein, diese dumpfen Leiden gen Himmel leiten konnte. Er war fester geworden, wie er schloß – da fingen die Stimmen wieder an:

Laß in mir die heilgen Schmerzen,
Tiefe Bronnen ganz aufbrechen;
Leiden sei all mein Gewinst,
Leiden sei mein Gottesdienst.

Das Drängen in ihm, die Musik, der Schmerz, erschütterte ihn. Das All war für ihn in Wunden; er fühlte tiefen, unnennbaren Schmerz davon. Jetzt ein anderes Sein: göttliche, zuckende Lippen bückten sich über ihm nieder und sogen sich an seine Lippen; er ging auf sein einsames Zimmer. Er war allein, allein! Da rauschte die Quelle, Ströme brachen aus seinen Augen, er krümmte sich in sich, es zuckten seine Glieder, es war ihm, als müsse er sich auflösen, er konnte kein Ende finden der Wollust. Endlich dämmerte es in ihm: er empfand ein leises tiefes Mitleid mit sich selbst, er weinte über sich; sein Haupt sank auf die Brust, er schlief ein. Der Vollmond stand am Himmel; die Locken fielen ihm über die Schläfe und das Gesicht, die Tränen hingen ihm an den Wimpern und trockneten auf den Wangen – so lag er nun da allein, und alles war ruhig und still und kalt, und der Mond schien die ganze Nacht und stand über den Bergen.

Am folgenden Morgen kam er herunter, er erzählte Oberlin ganz ruhig, wie ihm die Nacht seine Mutter erschienen sei: sie sei in einem weißen Kleid aus der dunkeln Kirchhofmauer hervorgetreten und habe eine weiße und eine rote Rose an der Brust stecken gehabt; sie sei dann in eine Ecke gesunken, und die Rosen seien langsam über sie gewachsen, sie sei gewiß tot; er sei ganz ruhig darüber. Oberlin versetzte ihm nun, wie er bei dem Tod seines Vaters allein auf dem Felde gewesen sei und er dann eine Stimme gehört habe, so daß er wußte, daß sein Vater tot sei; und wie er heimgekommen, sei es so gewesen. Das führte sie weiter: Oberlin sprach noch von den Leuten im Gebirge, von Mädchen, die das Wasser und Metall unter der Erde fühlten, von Männern, die auf manchen Berghöhen angefaßt würden und mit einem Geiste rängen; er sagte ihm auch, wie er einmal im Gebirg durch das Schauen in ein leeres tiefes Bergwasser in eine Art von Somnambulismus versetzt worden sei. Lenz sagte, daß der Geist des Wassers über ihn gekommen sei, daß er dann etwas von seinem eigentümlichen Sein empfunden hätte. Er fuhr weiter fort: Die einfachste, reinste Natur hinge am nächsten mit der elementarischen zusammen; je feiner der Mensch geistig fühlt und lebt, um so abgestumpfter würde dieser elementarische Sinn; er halte ihn nicht für einen hohen Zustand, er sei nicht selbständig genug, aber er meine, es müsse ein unendliches Wonnegefühl sein, so von dem eigentümlichen Leben jeder Form berührt zu werden, für Gesteine, Metalle, Wasser und Pflanzen eine Seele zu haben, so traumartig jedes Wesen in der Natur in sich aufzunehmen, wie die Blumen mit dem Zu- und Abnehmen des Mondes die Luft.

Er sprach sich selbst weiter aus: wie in allem eine unaussprechliche Harmonie, ein Ton, eine Seligkeit sei, die in den höhern Formen mit mehr Organen aus sich herausgriffe, tönte, auffaßte und dafür aber auch um so tiefer affiziert würde; wie in den niedrigen Formen alles zurückgedrängter, beschränkter, dafür aber auch die Ruhe in sich größer sei. Er verfolgte das noch weiter. Oberlin brach es ab, es führte ihn zu weit von seiner einfachen Art ab. Ein ander Mal zeigte ihm Oberlin Farbentäfelchen, er setzte ihm auseinander, in welcher Beziehung jede Farbe mit dem Menschen stände; er brachte zwölf Apostel heraus, deren jeder durch eine Farbe repräsentiert würde. Lenz faßte das auf, er spann die Sache weiter, kam in ängstliche Träume und fing an, wie Stilling, die Apokalypse zu lesen, und las viel in der Bibel.

Um diese Zeit kam Kaufmann mit seiner Braut ins Steintal. Lenzen war anfangs das Zusammentreffen unangenehm; er hatte sich so ein Plätzchen zurechtgemacht, das bißchen Ruhe war ihm so kostbar – und jetzt kam ihm jemand entgegen, der ihn an so vieles erinnerte, mit dem er sprechen, reden mußte, der seine Verhältnisse kannte. Oberlin wußte von allem nichts; er hatte ihn aufgenommen, gepflegt; er sah es als eine Schickung Gottes, der den Unglücklichen ihm zugesandt hätte, er liebte ihn herzlich. Auch war es allen notwendig, daß er da war; er gehörte zu ihnen, als wäre er schon längst da, und niemand frug, woher er gekommen und wohin er gehen werde.

Über Tisch war Lenz wieder in guter Stimmung: man sprach von Literatur, er war auf seinem Gebiete. Die idealistische Periode fing damals an; Kaufmann war ein Anhänger davon, Lenz widersprach heftig. Er sagte: Die Dichter, von denen man sage, sie geben die Wirklichkeit, hätten auch keine Ahnung davon; doch seien sie immer noch erträglicher als die, welche die Wirklichkeit verklären wollten. Er sagte: Der liebe Gott hat die Welt wohl gemacht, wie sie sein soll, und wir können wohl nicht was Besseres klecksen; unser einziges Bestreben soll sein, ihm ein wenig nachzuschaffen. Ich verlange in allem – Leben, Möglichkeit des Daseins, und dann ist's gut; wir haben dann nicht zu fragen, ob es schön, ob es häßlich ist. Das Gefühl, daß, was geschaffen sei, Leben habe, stehe über diesen beiden und sei das einzige Kriterium in Kunstsachen. Übrigens begegne es uns nur selten: in Shakespeare finden wir es, und in den Volksliedern tönt es einem ganz, in Goethe manchmal entgegen; alles übrige kann man ins Feuer werfen. Die Leute können auch keinen Hundsstall zeichnen. Da wollte man idealistische Gestalten, aber alles, was ich davon gesehen, sind Holzpuppen. Dieser Idealismus ist die schmählichste Verachtung der menschlichen Natur. Man versuche es einmal und senke sich in das Leben des Geringsten und gebe es wieder in den Zuckungen, den Andeutungen, dem ganzen feinen, kaum bemerkten Mienenspiel; er hätte dergleichen versucht im ›Hofmeister‹ und den ›Soldaten‹. Es sind die prosaischsten Menschen unter der Sonne; aber die Gefühlsader ist in fast allen Menschen gleich, nur ist die Hülle mehr oder weniger dicht, durch die sie brechen muß. Man muß nur Aug und Ohren dafür haben. Wie ich gestern neben am Tal hinaufging, sah ich auf einem Steine zwei Mädchen sitzen: die eine band ihr Haar auf, die andre half ihr; und das goldne Haar hing herab, und ein ernstes bleiches Gesicht, und doch so jung, und die schwarze Tracht, und die andre so sorgsam bemüht. Die schönsten, innigsten Bilder der altdeutschen Schule geben kaum eine Ahnung davon. Man möchte manchmal ein Medusenhaupt sein, um so eine Gruppe in Stein verwandeln zu können, und den Leuten zurufen. Sie standen auf, die schöne Gruppe war zerstört; aber wie sie so hinabstiegen, zwischen den Felsen, war es wieder ein anderes Bild.

Die schönsten Bilder, die schwellendsten Töne gruppieren, lösen sich auf. Nur eins bleibt: eine unendliche Schönheit, die aus einer Form in die andre tritt, ewig aufgeblättert, verändert. Man kann sie aber freilich nicht immer festhalten und in Museen stellen und auf Noten ziehen, und dann alt und jung herbeirufen und die Buben und Alten darüber radotieren und sich entzücken lassen. Man muß die Menschheit lieben, um in das eigentümliche Wesen jedes einzudringen; es darf einem keiner zu gering, keiner zu häßlich sein, erst dann kann man sie verstehen; das unbedeutendste Gesicht macht einen tiefern Eindruck als die bloße Empfindung des Schönen, und man kann die Gestalten aus sich heraustreten lassen, ohne etwas vom Äußern hinein zu kopieren, wo einem kein Leben, keine Muskeln, kein Puls entgegenschwillt und pocht.

Kaufmann warf ihm vor, daß er in der Wirklichkeit doch keine Typen für einen Apoll von Belvedere oder eine Raffaelische Madonna finden würde. Was liegt daran, versetzte er; ich muß gestehen, ich fühle mich dabei sehr tot. Wenn ich in mir arbeite, kann ich auch wohl was dabei fühlen, aber ich tue das Beste daran. *Der* Dichter und Bildende ist mir der liebste, der mir die Natur am wirklichsten gibt, so daß ich über seinem Gebild fühle; alles übrige stört mich. Die holländischen Maler sind mir lieber als die italienischen, sie sind auch die einzigen faßlichen. Ich kenne nur zwei Bilder, und zwar von Niederländern, die mir einen Eindruck gemacht hätten wie das Neue Testament: das eine ist, ich weiß nicht von wem, Christus und die Jünger von Emmaus. Wenn man so liest, wie die Jünger hinausgingen, es liegt gleich die ganze Natur in den paar Worten. Es ist ein trüber, dämmernder Abend, ein einförmiger roter Streifen am Horizont, halbfinster auf der Straße; da kommt ein Unbekannter zu ihnen, sie sprechen, er bricht das Brot; da erkennen sie ihn, in einfach-menschlicher Art, und die göttlich-leidenden Züge reden ihnen deutlich, und sie erschrecken, denn es ist finster geworden, und es tritt sie etwas Unbegreifliches an; aber es ist kein gespenstisches Grauen, es ist, wie wenn einem ein geliebter Toter in der Dämmerung in der alten Art entgegenträte: so ist das Bild mit dem einförmigen, bräunlichen Ton darüber, dem trüben stillen Abend. Dann ein anderes: Eine Frau sitzt in ihrer Kammer, das Gebetbuch in der Hand. Es ist sonntäglich aufgeputzt, der Sand gestreut, so heimlich rein und warm. Die Frau hat nicht zur Kirche gekonnt, und sie verrichtet die Andacht zu Haus; das Fenster ist offen, sie sitzt darnach hingewandt, und es ist, als schwebten zu dem Fenster über die weite ebne Landschaft die Glokkentöne von dem Dorfe herein und verhallet der Sang der nahen Gemeinde aus der Kirche her, und die Frau liest den Text nach.

In *der* Art sprach er weiter; man horchte auf, es traf vieles. Er war rot geworden über dem Reden, und bald lächelnd, bald ernst schüttelte er die blonden Locken. Er hatte sich ganz vergessen.

Nach dem Essen nahm ihn Kaufmann beiseite. Er hatte Briefe von Lenzens Vater erhalten, sein Sohn sollte zurück, ihn unterstützen. Kaufmann sagte ihm, wie er sein Leben hier verschleudre, unnütz verliere, er solle sich ein Ziel stecken, und dergleichen mehr. Lenz fuhr ihn an: »Hier weg, weg? nach Haus? Toll werden dort? Du weißt, ich kann es nirgends aushalten als da herum, in der Gegend. Wenn ich nicht manchmal auf einen Berg könnte und die Gegend sehen könnte, und dann wieder herunter ins Haus, durch den Garten gehn und zum Fenster hineinsehn – ich würde toll! toll! Laßt mich doch in Ruhe! Nur ein bißchen Ruhe jetzt, wo es mir ein wenig wohl wird! Weg,

weg? Ich verstehe das nicht, mit den zwei Worten ist die Welt verhunzt. Jeder hat was nötig; wenn er ruhen kann, was könnt er mehr haben! Immer steigen, ringen und so in Ewigkeit alles, was der Augenblick gibt, wegwerfen und immer darben, um einmal zu genießen! Dürsten, während einem helle Quellen über den Weg springen! Es ist mir jetzt erträglich, und da will ich bleiben. Warum? warum? Eben weil es mir wohl ist. Was will mein Vater? Kann er mehr geben? Unmöglich! Laßt mich in Ruhe!« – Er wurde heftig; Kaufmann ging, Lenz war verstimmt.

Am folgenden Tag wollte Kaufmann weg. Er beredete Oberlin, mit ihm in die Schweiz zu gehen. Der Wunsch, Lavater, den er längst durch Briefe kannte, auch persönlich kennen zu lernen, bestimmte ihn. Er sagte es zu. Man mußte einen Tag länger wegen der Zurüstungen warten. Lenz fiel das aufs Herz. Er hatte, um seiner unendlichen Qual los zu werden, sich ängstlich an alles geklammert; er fühlte in einzelnen Augenblicken tief, wie er sich alles nur zurechtmache; er ging mit sich um wie mit einem kranken Kinde. Manche Gedanken, mächtige Gefühle wurde er nur mit der größten Angst los; da trieb es ihn wieder mit unendlicher Gewalt darauf, er zitterte, das Haar sträubte ihm fast, bis er es in der ungeheuersten Anspannung erschöpfte. Er rettete sich in eine Gestalt, die ihm immer vor Augen schwebte, und in Oberlin; seine Worte, sein Gesicht taten ihm unendlich wohl. So sah er mit Angst seiner Abreise entgegen.

Es war Lenzen unheimlich, jetzt allein im Hause zu bleiben. Das Wetter war milde geworden: er beschloß, Oberlin zu begleiten, ins Gebirg. Auf der andern Seite, wo die Täler sich in die Ebne ausliefen, trennten sie sich. Er ging allein zurück. Er durchstrich das Gebirg in verschiedenen Richtungen. Breite Flächen zogen sich in die Täler herab, wenig Wald, nichts als gewaltige Linien und weiter hinaus die weite, rauchende Ebne; in der Luft ein gewaltiges Wehen, nirgends eine Spur von Menschen, als hie und da eine verlassene Hütte, wo die Hirten den Sommer zubrachten, an den Abhängen gelehnt. Er wurde still, vielleicht fast träumend: es verschmolz ihm alles in eine Linie, wie eine steigende und sinkende Welle, zwischen Himmel und Erde; es war ihm, als läge er an einem unendlichen Meer, das leise auf und ab wogte. Manchmal saß er; dann ging er wieder, aber langsam träumend. Er suchte keinen Weg.

Es war finstrer Abend, als er an eine bewohnte Hütte kam, im Abhang nach dem Steintal. Die Türe war verschlossen; er ging ans Fenster, durch das ein Lichtschimmer fiel. Eine Lampe erhellte fast nur einen Punkt: ihr Licht fiel auf das bleiche Gesicht eines Mädchens, das mit halb geöffneten Augen, leise die Lippen bewegend, dahinter ruhte. Weiter weg im Dunkel saß ein altes Weib, das mit schnarrender Stimme aus einem Gesangbuch sang. Nach langem Klopfen öffnete sie; sie war halb taub. Sie trug Lenz einiges Essen auf und wies ihm eine Schlafstelle an, wobei sie beständig ihr Lied fortsang. Das Mädchen hatte sich nicht gerührt. Einige Zeit darauf kam ein Mann herein; er war lang und hager, Spuren von grauen Haaren, mit unruhigem, verwirrtem Gesicht. Er trat zum Mädchen, sie zuckte auf und wurde unruhig. Er nahm ein getrocknetes Kraut von der Wand und legte ihr die Blätter auf die Hand, so daß sie ruhiger wurde und verständliche Worte in langsam ziehenden, durchschneidenden Tönen summte. Er erzählte, wie er eine Stimme im Gebirge gehört und dann über den Tälern ein Wetterleuchten gesehen habe; auch habe es ihn angefaßt, und er habe damit gerungen wie Jakob. Er warf sich nieder und betete leise mit Inbrunst, während die Kranke in einem langsam ziehenden, leise verhallenden Ton sang. Dann gab er sich zur Ruhe.

Lenz schlummerte träumend ein, und dann hörte er im Schlaf, wie die Uhr pickte. Durch das leise Singen des Mädchens und die Stimme der Alten zugleich tönte das Sausen des Windes, bald näher, bald ferner, und der bald helle, bald verhüllte Mond warf sein wechselndes Licht traumartig in die Stube. Einmal wurden die Töne lauter, das Mädchen redete deutlich und bestimmt: sie sagte, wie auf der Klippe gegenüber eine Kirche stehe. Lenz sah auf, und sie saß mit weitgeöffneten Augen aufrecht hinter dem Tisch, und der Mond warf sein stilles Licht auf ihre Züge, von denen ein unheimlicher Glanz zu strahlen schien; zugleich schnarrte die Alte, und über diesem Wechseln und Sinken des Lichts, den Tönen und Stimmen schlief endlich Lenz tief ein.

Er erwachte früh. In der dämmernden Stube schlief alles, auch das Mädchen war ruhig geworden. Sie lag zurückgelehnt, die Hände gefaltet unter der linken Wange; das Geisterhafte aus ihren Zügen war verschwunden, sie hatte jetzt einen Ausdruck unbeschreiblichen Leidens. Er trat ans Fenster und öffnete es, die kalte Morgenluft schlug ihm entgegen. Das Haus lag am Ende eines schmalen, tiefen Tales, das sich nach Osten öffnete; rote Strahlen schossen durch den grauen Morgenhimmel in das dämmernde Tal, das im weißen Rauch lag, und funkelten am grauen Gestein und trafen in die Fenster der Hütten. Der Mann erwachte. Seine Augen trafen auf ein erleuchtet Bild an der Wand, sie richteten sich fest und starr darauf; nun fing er an, die Lippen zu bewegen, und betete leise, dann laut und immer lauter. Indem kamen Leute zur Hütte herein, sie warfen sich schweigend nieder. Das Mädchen lag in Zuckungen, die Alte schnarrte ihr Lied und plauderte mit den Nachbarn.

Die Leute erzählten Lenzen, der Mann sei vor langer Zeit in die

Gegend gekommen, man wisse nicht woher; er stehe im Ruf eines Heiligen, er sehe das Wasser unter der Erde und könne Geister beschwören, und man wallfahre zu ihm. Lenz erfuhr zugleich, daß er weiter vom Steintal abgekommen; er ging weg mit einigen Holzhauern, die in die Gegend gingen. Es tat ihm wohl, Gesellschaft zu finden; es war ihm jetzt unheimlich mit dem gewaltigen Menschen, von dem es ihm manchmal war, als rede er in entsetzlichen Tönen. Auch fürchtete er sich vor sich selbst in der Einsamkeit.

Er kam heim. Doch hatte die verflossene Nacht einen gewaltigen Eindruck auf ihn gemacht. Die Welt war ihm helle gewesen, und er spürte an sich ein Regen und Wimmeln nach einem Abgrund, zu dem ihn eine unerbittliche Gewalt hinriß. Er wühlte jetzt in sich. Er aß wenig; halbe Nächte im Gebet und fieberhaften Träumen. Ein gewaltsames Drängen, und dann erschöpft zurückgeschlagen; er lag in den heißesten Tränen. Und dann bekam er plötzlich eine Stärke und erhob sich kalt und gleichgültig; seine Tränen waren ihm dann wie Eis, er mußte lachen. Je höher er sich aufriß, desto tiefer stürzte er hinunter. Alles strömte wieder zusammen. Ahnungen von seinem alten Zustande durchzuckten ihn und warfen Streiflichter in das wüste Chaos seines Geistes.

Des Tags saß er gewöhnlich unten im Zimmer. Madame Oberlin ging ab und zu; er zeichnete, malte, las, griff nach jeder Zerstreuung, alles hastig von einem zum andern. Doch schloß er sich jetzt besonders an Madame Oberlin an, wenn sie so dasaß, das schwarze Gesangbuch vor sich, neben eine Pflanze, im Zimmer gezogen, das jüngste Kind zwischen den Knieen; auch machte er sich viel mit dem Kinde zu tun. So saß er einmal, da wurde ihm ängstlich, er sprang auf, ging auf und ab. Die Tür halb offen – da hörte er die Magd singen, erst unverständlich, dann kamen die Worte:

Auf dieser Welt hab ich kein Freud,
Ich hab mein Schatz, und der ist weit.

Das fiel auf ihn, er verging fast unter den Tönen. Madame Oberlin sah ihn an. Er faßte sich ein Herz, er konnte nicht mehr schweigen, er mußte davon sprechen. »Beste Madame Oberlin, können Sie mir nicht sagen, was das Frauenzimmer macht, dessen Schicksal mir so zentnerschwer auf dem Herzen liegt?« – »Aber Herr Lenz, ich weiß von nichts.«

Er schwieg dann wieder und ging hastig im Zimmer auf und ab; dann fing er wieder an: »Sehn Sie, ich will gehen; Gott, Sie sind noch die einzigen Menschen, wo ich's aushalten könnte, und doch – doch, ich muß weg, zu *ihr* – aber ich kann nicht, ich darf nicht.« – Er war heftig bewegt und ging hinaus.

Gegen Abend kam Lenz wieder, es dämmerte in der Stube; er setzte sich neben Madame Oberlin. »Sehn Sie,« fing er wieder an, »wenn sie so durchs Zimmer ging und so halb für sich allein sang, und jeder Tritt war eine Musik, es war so eine Glückseligkeit in ihr, und das strömte in mich über; ich war immer ruhig, wenn ich sie ansah oder sie so den Kopf an mich lehnte ... Ganz Kind; es war, als wär ihr die Welt zu weit: sie zog sich so in sich zurück, sie suchte das engste Plätzchen im ganzen Haus, und da saß sie, als wäre ihre ganze Seligkeit nur in einem kleinen Punkt, und dann war mir's auch so; wie ein Kind hätte ich dann spielen können. Jetzt ist es mir so eng, so eng! Sehn Sie, es ist mir manchmal, als stieß' ich mit den Händen an den Himmel; o, ich ersticke! Es ist mir dabei oft, als fühlt ich physischen Schmerz, da in der linken Seite, im Arm, womit ich sie sonst faßte. Doch kann ich sie mir nicht mehr vorstellen, das Bild läuft mir fort, und dies martert mich; nur wenn es mir manchmal ganz hell wird, so ist mir wieder recht wohl.« – Er sprach später noch oft mit Madame Oberlin davon, aber meist in abgebrochenen Sätzen; sie wußte wenig zu antworten, doch tat es ihm wohl.

Unterdessen ging es fort mit seinen religiösen Quälereien. Je leerer, je kälter, je sterbender er sich innerlich fühlte, desto mehr drängte es ihn, eine Glut in sich zu wecken; es kamen ihm Erinnerungen an die Zeiten, wo alles in ihm sich drängte, wo er unter all seinen Empfindungen keuchte. Und jetzt so tot. Er verzweifelte an sich selbst; dann warf er sich nieder, er rang die Hände, er rührte alles in sich auf – aber tot! tot! Dann flehte er, Gott möge ein Zeichen an ihm tun; dann wühlte er in sich, fastete, lag träumend am Boden.

Am 3. Hornung hörte er, ein Kind in Fouday sei gestorben, das Friederike hieß; er faßte es auf wie eine fixe Idee. Er zog sich in sein Zimmer und fastete einen Tag. Am 4. trat er plötzlich ins Zimmer zu Madame Oberlin; er hatte sich das Gesicht mit Asche beschmiert und forderte einen alten Sack. Sie erschrak; man gab ihm, was er verlangte. Er wickelte den Sack um sich, wie ein Büßender, und schlug den Weg nach Fouday ein. Die Leute im Tale waren ihn schon gewohnt; man erzählte sich allerlei Seltsames von ihm. Er kam ins Haus, wo das Kind lag. Die Leute gingen gleichgültig ihrem Geschäfte nach; man wies ihm eine Kammer: das Kind lag im Hemde auf Stroh, auf einem Holztisch.

Lenz schauderte, wie er die kalten Glieder berührte und die halbgeöffneten gläsernen Augen sah. Das Kind kam ihm so verlassen vor, und er sich so allein und einsam. Er warf sich über die Leiche nieder. Der Tod erschreckte ihn, ein heftiger Schmerz faßte ihn an: diese Züge, dieses stille Gesicht sollte verwesen – er warf sich nieder;

er betete mit allem Jammer der Verzweiflung, daß Gott ein Zeichen an ihm tue und das Kind beleben möge . . .; dann sank er ganz in sich und wühlte all seinen Willen auf einen Punkt. So saß er lange starr. Dann erhob er sich und faßte die Hände des Kindes und sprach laut und fest: »Stehe auf und wandle!« Aber die Wände hallten ihm nüchtern den Ton nach, daß es zu spotten schien, und die Leiche blieb kalt. Da stürzte er halb wahnsinnig nieder; dann jagte es ihn auf, hinaus ins Gebirg.

Wolken zogen rasch über den Mond; bald alles im Finstern, bald zeigten sie die nebelhaft verschwindende Landschaft im Mondschein. Er rannte auf und ab. In seiner Brust war ein Triumphgesang der Hölle. Der Wind klang wie ein Titanenlied. Es war ihm, als könnte er eine ungeheure Faust hinauf in den Himmel ballen und Gott herbeireißen und zwischen seinen Wolken schleifen; als könnte er die Welt mit den Zähnen zermalmen und sie dem Schöpfer ins Gesicht speien; er schwur, er lästerte. So kam er auf die Höhe des Gebirges, und das ungewisse Licht dehnte sich hinunter, wo die weißen Steinmassen lagen, und der Himmel war ein dummes blaues Aug, und der Mond stand ganz lächerlich drin, einfältig. Lenz mußte laut lachen, und mit dem Lachen griff der Atheismus in ihn und faßte ihn ganz sicher und ruhig und fest. Er wußte nicht mehr, was ihn vorhin so bewegt hatte, es fror ihn; er dachte, er wolle jetzt zu Bette gehn, und er ging kalt und unerschütterlich durch das unheimliche Dunkel – es war ihm alles leer und hohl, er mußte laufen und ging zu Bette.

Am folgenden Tag befiel ihn ein großes Grauen vor seinem gestrigen Zustand. Er stand nun am Abgrund, wo eine wahnsinnige Lust ihn trieb, immer wieder hineinzuschauen und sich diese Qual zu wiederholen. Dann steigerte sich seine Angst, die Sünde wider den Heiligen Geist stand vor ihm.

Einige Tage darauf kam Oberlin aus der Schweiz zurück, viel früher, als man es erwartet hatte. Lenz war darüber betroffen. Doch wurde er heiter, als Oberlin ihm von seinen Freunden im Elsaß erzählte. Oberlin ging dabei im Zimmer hin und her und packte aus, legte hin. Dabei erzählte er von Pfeffel, das Leben eines Landgeistlichen glücklich preisend. Dabei ermahnte er ihn, sich in den Wunsch seines Vaters zu fügen, seinem Berufe gemäß zu leben, heimzukehren. Er sagte ihm: »Ehre Vater und Mutter!« und dergleichen mehr. Über dem Gespräch geriet Lenz in heftige Unruhe; er stieß tiefe Seufzer aus, Tränen drangen ihm aus den Augen, er sprach abgebrochen. »Ja, ich halt es aber nicht aus; wollen Sie mich verstoßen? Nur in Ihnen ist der Weg zu Gott. Doch mit mir ist's aus! Ich bin abgefallen, verdammt in Ewigkeit, ich bin der Ewige Jude.« Oberlin sagte ihm, dafür sei Jesus gestorben; er möge sich brünstig an ihn wenden, und er würde teilhaben an seiner Gnade.

Lenz erhob das Haupt, rang die Hände und sagte: »Ach! ach! göttlicher Trost –.« Dann frug er plötzlich freundlich, was das Frauenzimmer mache. Oberlin sagte, er wisse von nichts, er wolle ihm aber in allem helfen und raten; er müsse ihm aber Ort, Umstände und Person angeben. Er antwortete nichts wie gebrochne Worte: »Ach, ist sie tot? Lebt sie noch? Der Engel! Sie liebte mich – ich liebte sie, sie war's würdig – o der Engel! Verfluchte Eifersucht, ich habe sie aufgeopfert – sie liebte noch einen andern – ich liebte sie, sie war's würdig – o gute Mutter, auch die liebte mich – ich bin euer Mörder!« Oberlin versetzte: vielleicht lebten alle diese Personen noch, vielleicht vergnügt; es möge sein, wie es wolle, so könne und werde Gott, wenn er sich zu ihm bekehrt haben würde, diesen Personen auf sein Gebet und Tränen so viel Gutes erweisen, daß der Nutzen, den sie alsdann von ihm hätten, den Schaden, den er ihnen zugefügt, vielleicht überwiegen würde. Er wurde darauf nach und nach ruhiger und ging wieder an sein Malen.

Den Nachmittag kam er wieder. Auf der linken Schulter hatte er ein Stück Pelz und in der Hand ein Bündel Gerten, die man Oberlin nebst einem Briefe für Lenz mitgegeben hatte. Er reichte Oberlin die Gerten mit dem Begehren, er sollte ihn damit schlagen. Oberlin nahm die Gerten aus seiner Hand, drückte ihm einige Küsse auf den Mund und sagte: dies wären die Streiche, die er ihm zu geben hätte; er möchte ruhig sein, seine Sache mit Gott allein ausmachen, alle möglichen Schläge würden keine einzige seiner Sünden tilgen; dafür hätte Jesus gesorgt, zu dem möchte er sich wenden. Er ging.

Beim Nachtessen war er wie gewöhnlich etwas tiefsinnig. Doch sprach er von allerlei, aber mit ängstlicher Hast. Um Mitternacht wurde Oberlin durch ein Geräusch geweckt. Lenz rannte durch den Hof, rief mit hohler, harter Stimme den Namen Friederike, mit äußerster Schnelle, Verwirrung und Verzweiflung ausgesprochen; er stürzte sich dann in den Brunnentrog, patschte darin, wieder heraus und herauf in sein Zimmer, wieder herunter in den Trog, und so einigemal – endlich wurde er still. Die Mägde, die in der Kinderstube unter ihm schliefen, sagten, sie hätten oft, insonderheit aber in selbiger Nacht, ein Brummen gehört, das sie mit nichts als mit dem Tone einer Haberpfeife zu vergleichen wüßten. Vielleicht war es sein Winseln, mit hohler, fürchterlicher, verzweifelnder Stimme.

Am folgenden Morgen kam Lenz lange nicht. Endlich ging Oberlin hinauf in sein Zimmer: er lag im Bett, ruhig und unbeweglich. Oberlin mußte lange fragen, ehe er Antwort bekam; endlich sagte er: »Ja, Herr Pfarrer, sehen Sie, die Langeweile! die Langeweile! o, so langweilig! Ich weiß gar nicht mehr, was ich sagen soll; ich habe schon allerlei Figuren an die Wand gezeichnet.« Oberlin sagte ihm, er möge sich zu Gott wenden; da lachte er und sagte: »Ja, wenn ich so glücklich wäre wie Sie, einen so behaglichen Zeitvertreib aufzufinden, ja, man könnte sich die Zeit schon so ausfüllen. Alles aus Müßiggang. Denn die meisten beten aus Langeweile, die andern verlieben sich aus Langeweile, die dritten sind tugendhaft, die vierten lasterhaft, und ich gar nichts, gar nichts, ich mag mich nicht einmal umbringen: es ist zu langweilig!

O Gott! in deines Lichtes Welle,
In deines glühnden Mittags Helle,
Sind meine Augen wund gewacht.
Wird es denn niemals wieder Nacht?«

Oberlin blickte ihn unwillig an und wollte gehen. Lenz huschte ihm nach, und indem er ihn mit unheimlichen Augen ansah: »Sehn Sie, jetzt kommt mir doch was ein, wenn ich nur unterscheiden könnte, ob ich träume oder wache; sehn Sie, das ist sehr wichtig, wir wollen es untersuchen« – er huschte dann wieder ins Bett.

Den Nachmittag wollte Oberlin in der Nähe einen Besuch machen; seine Frau war schon fort. Er war im Begriff wegzugehen, als es an seine Türe klopfte und Lenz hereintrat mit vorwärts gebogenem Leib, niederwärts hängendem Haupt, das Gesicht über und über und das Kleid hie und da mit Asche bestreut, mit der rechten Hand den linken Arm haltend. Er bat Oberlin, ihm den Arm zu ziehen: er hätte ihn verrenkt, er hätte sich zum Fenster heruntergestürzt; weil es aber niemand gesehen, wolle er es auch niemand sagen. Oberlin erschrak heftig, doch sagte er nichts; er tat, was Lenz begehrte. Zugleich schrieb er an den Schulmeister Sebastian Scheidecker von Bellefosse, er möge herunterkommen, und gab ihm Instruktionen. Dann ritt er weg.

Der Mann kam. Lenz hatte ihn schon oft gesehen und hatte sich an ihn attachiert. Er tat, als hätte er mit Oberlin etwas reden wollen, wollte dann wieder weg. Lenz bat ihn zu bleiben, und so blieben sie beisammen. Lenz schlug noch einen Spaziergang nach Fouday vor. Er besuchte das Grab des Kindes, das er hatte erwecken wollen, kniete zu verschiedenen Malen nieder, küßte die Erde des Grabes, schien betend, doch mit großer Verwirrung, riß etwas von der auf dem Grab stehenden Krone ab, als ein Andenken, ging wieder zurück nach Waldbach, kehrte wieder um, und Sebastian mit. Bald ging er langsam und klagte über große Schwäche in den Gliedern, dann ging er mit verzweifelnder Schnelligkeit; die Landschaft beängstigte ihn, sie war so eng, daß er an alles zu stoßen fürchtete. Ein unbeschreibliches Gefühl des Mißbehagens befiel ihn; sein Begleiter ward ihm endlich lästig, auch mochte er seine Absicht erraten und suchte Mittel, ihn zu entfernen. Sebastian schien ihm nachzugeben, fand aber heimlich Mittel, seinen Bruder von der Gefahr zu benachrichtigen, und nun hatte Lenz zwei Aufseher, statt einen. Er zog sie wacker herum; endlich ging er nach Waldbach zurück, und da sie nahe am Dorfe waren, kehrte er wie ein Blitz wieder um und sprang wie ein Hirsch gen Fouday zurück. Die Männer setzten ihm nach. Indem sie ihn in Fouday suchten, kamen zwei Krämer und erzählten ihnen, man hätte in einem Hause einen Fremden gebunden, der sich für einen Mörder ausgäbe, der aber gewiß kein Mörder sein könne. Sie liefen in dies Haus und fanden es so. Ein junger Mensch hatte ihn, auf sein ungestümes Dringen, in der Angst gebunden. Sie banden ihn los und brachten ihn glücklich nach Waldbach, wohin Oberlin indessen mit seiner Frau zurückgekommen war. Er sah verwirrt aus. Da er aber merkte, daß er liebreich und freundlich empfangen wurde, bekam er wieder Mut; sein Gesicht veränderte sich vorteilhaft, er dankte seinen beiden Begleitern freundlich und zärtlich, und der Abend ging ruhig herum. Oberlin bat ihn inständig, nicht mehr zu baden, die Nacht ruhig im Bette zu bleiben, und wenn er nicht schlafen könne, sich mit Gott zu unterhalten. Er versprach's und tat es so die folgende Nacht; die Mägde hörten ihn fast die ganze Nacht hindurch beten.

Den folgenden Morgen kam er mit vergnügter Miene auf Oberlins Zimmer. Nachdem sie verschiedenes gesprochen hatten, sagte er mit ausnehmender Freundlichkeit: »Liebster Herr Pfarrer, das Frauenzimmer, wovon ich Ihnen sagte, ist gestorben, ja, gestorben – der Engel!« – »Woher wissen Sie das?« – »Hieroglyphen, Hieroglyphen!« und dann zum Himmel geschaut und wieder: »Ja, gestorben – Hieroglyphen!« Es war dann nichts weiter aus ihm zu bringen. Er setzte sich und schrieb einige Briefe, gab sie sodann Oberlin mit der Bitte, einige Zeilen dazu zu setzen.

Sein Zustand war indessen immer trostloser geworden. Alles, was er an Ruhe aus der Nähe Oberlins und aus der Stille des Tals geschöpft hatte, war weg; die Welt, die er hatte nutzen wollen, hatte einen ungeheuern Riß; er hatte keinen Haß, keine Liebe, keine Hoffnung – eine schreckliche Leere, und doch eine folternde Unruhe, sie auszufüllen. Er hatte *nichts*. Was er tat, tat er nicht mit Bewußtsein, und doch zwang ihn ein innerlicher Instinkt. Wenn er allein war, war es ihm so entsetzlich einsam, daß er beständig laut mit sich redete, rief, und dann erschrak er wieder, und es war ihm, als hätte eine fremde Stimme mit ihm gesprochen. Im Gespräch stockte er oft, eine unbeschreibliche Angst befiel ihn, er hatte das Ende seines Satzes verloren; dann meinte er, er müsse das zuletzt gesprochene Wort behalten und immer sprechen, nur mit großer Anstrengung unterdrückte er diese Gelüste. Es bekümmerte die guten Leute tief, wenn er manchmal in ruhigen Augenblicken bei ihnen saß und unbefangen sprach, und er dann stockte und eine unaussprechliche Angst sich in seinen Zügen malte, er die Personen, die ihm zunächst saßen, krampfhaft am Arm faßte und erst nach und nach wieder zu sich kam. War er allein oder las er, war's noch ärger; all seine geistige Tätigkeit blieb manchmal in einem Gedanken hängen. Dachte er an eine fremde Person, oder stellte er sie sich lebhaft vor, so war es ihm, als würde er sie selbst; er verwirrte sich ganz, und dabei hatte er einen unendlichen Trieb, mit allem um ihn im Geiste willkürlich umzugehen – die Natur, Menschen, nur Oberlin ausgenommen, alles traumartig, kalt. Er amüsierte sich, die Häuser auf die Dächer zu stellen, die Menschen an- und auszukleiden, die wahnwitzigsten Possen auszusinnen. Manchmal fühlte er einen unwiderstehlichen Drang, das Ding, das er gerade im Sinne hatte, auszuführen, und dann schnitt er entsetzliche Fratzen. Einst saß er neben Oberlin, die Katze lag gegenüber auf einem Stuhl. Plötzlich wurden seine Augen starr, er hielt sie unverrückt auf das Tier gerichtet; dann glitt er langsam den Stuhl herunter, die Katze ebenfalls: sie war wie bezaubert von seinem Blick, sie geriet in ungeheure Angst, sie sträubte sich scheu; Lenz mit den nämlichen Tönen, mit fürchterlich entstelltem Gesicht; wie in Verzweiflung stürzten beide aufeinander los – da endlich erhob sich Madame Oberlin, um sie zu trennen. Dann war er wieder tief beschämt. Die Zufälle des Nachts steigerten sich aufs schrecklichste. Nur mit der größten Mühe schlief er ein, während er zuvor noch die schreckliche Leere zu füllen versucht hatte. Dann geriet er zwischen Schlaf und Wachen in einen entsetzlichen Zustand: er stieß an etwas Grauenhaftes, Entsetzliches, der Wahnsinn packte ihn; er fuhr mit fürchterlichem Schreien, in Schweiß gebadet, auf, und erst nach und nach fand er sich wieder. Er mußte dann mit den einfachsten Dingen anfangen, um wieder zu sich zu kommen. Eigentlich nicht er selbst tat es, sondern ein mächtiger Erhaltungstrieb: es war, als sei er doppelt, und der eine Teil suche den andern zu retten und riefe sich selbst zu; er erzählte, er sagte in der heftigsten Angst Gedichte her, bis er wieder zu sich kam.

Auch bei Tage bekam er diese Zufälle, sie waren dann noch schrecklicher; denn sonst hatte ihn die Helle davor bewahrt. Es war ihm dann, als existiere er allein, als bestünde die Welt nur in seiner

Einbildung, als sei nichts als er; er sei das ewig Verdammte, der Satan, allein mit seinen folternden Vorstellungen. Er jagte mit rasender Schnelligkeit sein Leben durch, und dann sagte er: »Konsequent, konsequent«; wenn jemand was sprach: »Inkonsequent, inkonsequent«; – es war die Kluft unrettbaren Wahnsinns, eines Wahnsinns durch die Ewigkeit.

Der Trieb der geistigen Erhaltung jagte ihn auf: er stürzte sich in Oberlins Arme, er klammerte sich an ihn, als wolle er sich in ihn drängen; er war das einzige Wesen, das für ihn lebte und durch den ihm wieder das Leben offenbart wurde. Allmählich brachten ihn Oberlins Worte dann zu sich; er lag auf den Knieen vor Oberlin, seine Hände in den Händen Oberlins, sein mit kaltem Schweiß bedecktes Gesicht auf dessen Schoß, am ganzen Leibe bebend und zitternd. Oberlin empfand unendliches Mitleid, die Familie lag auf den Knieen und betete für den Unglücklichen, die Mägde flohen und hielten ihn für einen Besessenen. Und wenn er ruhiger wurde, war es wie der Jammer eines Kindes: er schluchzte, er empfand ein tiefes, tiefes Mitleid mit sich selbst; das waren auch seine seligsten Augenblicke. Oberlin sprach ihm von Gott. Lenz wand sich ruhig los und sah ihn mit einem Ausdruck unendlichen Leidens an, und sagte endlich: »Aber ich, wär ich allmächtig, sehen Sie, wenn ich so wäre, ich könnte das Leiden nicht ertragen, ich würde retten, retten; ich will ja nichts als Ruhe, Ruhe, nur ein wenig Ruhe, um schlafen zu können.« Oberlin sagte, dies sei eine Profanation. Lenz schüttelte trostlos mit dem Kopfe.

Die halben Versuche zum Entleiben, die er indes fortwährend machte, waren nicht ganz ernst. Es war weniger der Wunsch des Todes – für ihn war ja keine Ruhe und Hoffnung im Tode –, es war mehr in Augenblicken der fürchterlichsten Angst oder der dumpfen, ans Nichtsein grenzenden Ruhe ein Versuch, sich zu sich selbst zu bringen durch physischen Schmerz. Augenblicke, worin sein Geist sonst auf irgendeiner wahnwitzigen Idee zu reiten schien, waren noch die glücklichsten. Es war doch ein wenig Ruhe, und sein wirrer Blick war nicht so entsetzlich als die nach Rettung dürstende Angst, die ewige Qual der Unruhe! Oft schlug er sich den Kopf an die Wand oder verursachte sich sonst einen heftigen physischen Schmerz.

Den 8. morgens blieb er im Bette, Oberlin ging hinauf; er lag fast nackt auf dem Bette und war heftig bewegt. Oberlin wollte ihn zudecken, er klagte aber sehr, wie schwer alles sei, so schwer! er glaube gar nicht, daß er gehen könne; jetzt endlich empfinde er die ungeheure Schwere der Luft. Oberlin sprach ihm Mut zu. Er blieb aber in seiner frühern Lage und blieb den größten Teil des Tages so, auch nahm er keine Nahrung zu sich.

Gegen Abend wurde Oberlin zu einem Kranken nach Bellefosse gerufen. Es war gelindes Wetter und Mondschein. Auf dem Rückweg begegnete ihm Lenz. Er schien ganz vernünftig und sprach ruhig und freundlich mit Oberlin. Der bat ihn, nicht zu weit zu gehen; er versprach's. Im Weggehn wandte er sich plötzlich um und trat wieder ganz nahe zu Oberlin und sagte rasch: »Sehn Sie, Herr Pfarrer, wenn ich das nur nicht mehr hören müßte, mir wäre geholfen.« – »Was denn, mein Lieber?« – »Hören Sie denn nichts? hören Sie denn nicht die entsetzliche Stimme, die um den ganzen Horizont schreit und die man gewöhnlich die Stille heißt? Seit ich in dem stillen Tal bin, hör ich's immer, es läßt mich nicht schlafen; ja, Herr Pfarrer, wenn ich wieder einmal schlafen könnte!« Er ging dann kopfschüttelnd weiter.

Oberlin ging zurück nach Waldbach und wollte ihm jemand nachschicken, als er ihn die Stiege herauf in sein Zimmer gehen hörte. Einen Augenblick darauf platzte etwas im Hof mit so starkem Schall, daß es Oberlin unmöglich von dem Fall eines Menschen herkommen zu können schien. Die Kindsmagd kam todblaß und ganz zitternd ...

Er saß mit kalter Resignation im Wagen, wie sie das Tal hervor nach Westen fuhren. Es war ihm einerlei, wohin man ihn führte. Mehrmals, wo der Wagen bei dem schlechten Wege in Gefahr geriet, blieb er ganz ruhig sitzen; er war vollkommen gleichgültig. In diesem Zustand legte er den Weg durchs Gebirg zurück. Gegen Abend waren sie im Rheintale. Sie entfernten sich allmählich vom Gebirg, das nun wie eine tiefblaue Kristallwelle sich in das Abendrot hob, und auf deren warmer Flut die roten Strahlen des Abends spielten; über die Ebene hin am Fuße des Gebirgs lag ein schimmerndes, bläuliches Gespinst. Es wurde finster, je mehr sie sich Straßburg näherten; hoher Vollmond, alle fernen Gegenstände dunkel, nur der Berg neben bildete eine scharfe Linie; die Erde war wie ein goldner Pokal, über den schäumend die Goldwellen des Mondes liefen. Lenz starrte ruhig hinaus, keine Ahnung, kein Drang; nur wuchs eine dumpfe Angst in ihm, je mehr die Gegenstände sich in der Finsternis verloren. Sie mußten einkehren. Da machte er wieder mehrere Versuche, Hand an sich zu legen, war aber zu scharf bewacht.

Am folgenden Morgen, bei trübem, regnerischem Wetter, traf er in Straßburg ein. Er schien ganz vernünftig, sprach mit den Leuten. Er tat alles, wie es die andern taten; es war aber eine entsetzliche Leere in ihm, er fühlte keine Angst mehr, kein Verlangen, sein Dasein war ihm eine notwendige Last. –

So lebte er hin ...

LEONCE UND LENA

EIN LUSTSPIEL

Vorrede

Alfieri: ›E la Fama?‹

Gozzi: ›E la Fame?‹

Personen

König Peter *vom Reiche Popo*
Prinz Leonce, *sein Sohn, verlobt mit*
Prinzessin Lena *vom Reiche Pipi*
Valerio
Die Gouvernante
Der Hofmeister
Der Zeremonienmeister
Der Präsident des Staatsrats
Der Hofprediger
Der Landrat
Der Schulmeister
Rosetta

Bediente, Staatsräte, Bauern etc.

ERSTER AKT

O wär ich doch ein Narr!
Mein Ehrgeiz geht auf eine bunte Jacke.
(Wie es euch gefällt)

ERSTE SZENE

EIN GARTEN

Leonce halb ruhend auf einer Bank. Der Hofmeister.

LEONCE. Mein Herr, was wollen Sie von mir? Mich auf meinen Beruf vorbereiten? Ich habe alle Hände voll zu tun, ich weiß mir vor Arbeit nicht zu helfen. – Sehen Sie, erst habe ich auf den Stein hier dreihundertfünfundsechzigmal hintereinander zu spucken. Haben Sie das noch nicht probiert? Tun Sie es, es gewährt eine ganz eigne Unterhaltung. Dann – sehen Sie diese Handvoll Sand? *Er nimmt Sand auf, wirft ihn in die Höhe und fängt ihn mit dem Rücken der Hand wieder auf.* – Jetzt werf ich sie in die Höhe. Wollen wir wetten? Wieviel Körnchen hab ich jetzt auf dem Handrücken? Grad oder ungrad? – Wie? Sie wollen nicht wetten? Sind Sie ein Heide? Glauben Sie an Gott? Ich wette gewöhnlich mit mir selbst und kann es tagelang so treiben. Wenn Sie einen Menschen aufzutreiben wissen, der Lust hätte, manchmal mit mir zu wetten, so werden Sie mich sehr verbinden. Dann – habe ich nachzudenken, wie es wohl angehn mag, daß ich mir auf den Kopf sehe. O, wer sich einmal auf den Kopf sehen könnte! Das ist eins von meinen Idealen. Mir wäre geholfen. Und dann – und dann noch unendlich viel der Art. – Bin ich ein Müßiggänger? Habe ich jetzt keine Beschäftigung? – Ja, es ist traurig ...

HOFMEISTER. Sehr traurig, Euer Hoheit.

LEONCE. Daß die Wolken schon seit drei Wochen von Westen nach Osten ziehen. Es macht mich ganz melancholisch.

HOFMEISTER. Eine sehr gegründete Melancholie.

LEONCE. Mensch, warum widersprechen Sie mir nicht? Sie haben dringende Geschäfte, nicht wahr? Es ist mir leid, daß ich Sie so lange aufgehalten habe. *Der Hofmeister entfernt sich mit einer tiefen Verbeugung.* Mein Herr, ich gratuliere Ihnen zu der schönen Parenthese, die Ihre Beine machen, wenn Sie sich verbeugen.

LEONCE *allein, streckt sich auf der Bank aus.* Die Bienen sitzen so träg an den Blumen, und der Sonnenschein liegt so faul auf dem Boden. Es krassiert ein entsetzlicher Müßiggang. – Müßiggang ist aller Laster Anfang. – Was die Leute nicht alles aus Langeweile treiben! Sie studieren aus Langeweile, sie beten aus Langeweile, sie verlieben, verheiraten und vermehren sich aus Langeweile und sterben endlich aus Langeweile, und – und das ist der Humor davon – alles mit den wichtigsten Gesichtern, ohne zu merken, warum, und meinen Gott weiß was dazu. Alle diese Helden, diese Genies, diese Dummköpfe, diese Heiligen, diese Sünder, diese Familienväter sind im Grunde nichts als raffinierte Müßiggänger. – Warum muß ich es gerade wissen? Warum kann ich mir nicht wichtig werden und der armen Puppe einen Frack anziehen und einen Regenschirm in die Hand geben, daß sie sehr rechtlich und sehr nützlich und sehr moralisch würde? – Der Mann, der eben von mir ging, ich beneidete ihn, ich hätte ihn aus Neid prügeln mögen. O, wer einmal jemand anders sein könnte! Nur 'ne Minute lang. – *Valerio, etwas betrunken, tritt auf.* Wie der Mensch läuft! Wenn ich nur etwas unter der Sonne wüßte, was mich noch könnte laufen machen.

VALERIO *stellt sich dicht vor den Prinzen, legt den Finger an die Nase und sieht ihn starr an.* Ja!

LEONCE *ebenso.* Richtig!

VALERIO. Haben Sie mich begriffen?

LEONCE. Vollkommen.

VALERIO. Nun, so wollen wir von etwas anderm reden. *Er legt sich ins Gras.* Ich werde mich indessen in das Gras legen und meine Nase oben zwischen den Halmen herausblühen lassen und romantische Empfindungen beziehen, wenn die Bienen und Schmetterlinge sich darauf wiegen wie auf einer Rose.

LEONCE. Aber Bester, schnaufen Sie nicht so stark, oder die Bienen und Schmetterlinge müssen verhungern über den ungeheuren Prisen, die Sie aus den Blumen ziehen.

VALERIO. Ach Herr, was ich ein Gefühl für die Natur habe! Das Gras steht so schön, daß man ein Ochs sein möchte, um es fressen zu können, und dann wieder ein Mensch, um den Ochsen zu essen, der solches Gras gefressen.

LEONCE. Unglücklicher, Sie scheinen auch an Idealen zu laborieren.

VALERIO. Es ist ein Jammer! Man kann keinen Kirchturm herunterspringen, ohne den Hals zu brechen. Man kann keine vier Pfund Kirschen mit den Steinen essen, ohne Leibweh zu kriegen. Seht, Herr, ich könnte mich in eine Ecke setzen und singen vom Abend bis zum Morgen: »Hei, da sitzt e Fleig an der Wand! Fleig an der Wand! Fleig an der Wand!« und so fort bis zum Ende meines Lebens.

LEONCE. Halt's Maul mit deinem Lied, man könnte darüber ein Narr werden.

VALERIO. So wäre man doch etwas. Ein Narr! Ein Narr! Wer will mir seine Narrheit gegen meine Vernunft verhandeln? – Ha, ich bin ein Alexander der Große! Wie mir die Sonne eine goldne Krone in die Haare scheint, wie meine Uniform blitzt! Herr Generalissimus Heupferd, lassen Sie die Truppen anrücken! Herr Finanzminister Kreuzspinne, ich brauche Geld! Liebe Hofdame Libelle, was macht meine teure Gemahlin Bohnenstange? Ach bester Herr Leibmedicus Kantharide, ich bin um einen Erbprinzen verlegen. Und zu diesen köstlichen Phantasieen bekommt man gute Suppe, gutes Fleisch, gutes Brot, ein gutes Bett und das Haar umsonst geschoren – im Narrenhaus nämlich –, während ich mit meiner gesunden Vernunft mich höchstens noch zur Beförderung der Reife auf einen Kirschbaum verdingen könnte, um – nun? – um?

LEONCE. Um die Kirschen durch die Löcher in deinen Hosen schamrot zu machen! Aber, Edelster, dein Handwerk, deine Profession, dein Gewerbe, dein Stand, deine Kunst?

VALERIO *mit Würde.* Herr, ich habe die große Beschäftigung, müßig zu gehen; ich habe eine ungemeine Fertigkeit im Nichtstun; ich besitze eine ungeheure Ausdauer in der Faulheit. Keine Schwiele schändet meine Hände, der Boden hat noch keinen Tropfen von meiner Stirne getrunken, ich bin noch Jungfrau in der Arbeit; und wenn es mir nicht der Mühe zuviel wäre, würde ich mir die Mühe nehmen, Ihnen diese Verdienste weitläufiger auseinanderzusetzen.

LEONCE *mit komischem Enthusiasmus.* Komm an meine Brust! Bist du einer von den Göttlichen, welche mühelos mit reiner Stirne durch den Schweiß und Staub über die Heerstraße des Lebens wandeln, und mit glänzenden Sohlen und blühenden Leibern gleich seligen Göttern in den Olympus treten? Komm! Komm!

VALERIO *singt im Abgehen:* Hei, da sitzt e Fleig an der Wand! Fleig an der Wand! Fleig an der Wand! *Beide Arm in Arm ab.*

ZWEITE SZENE

EIN ZIMMER

König Peter wird von zwei Kammerdienern angekleidet.

PETER *während er angekleidet wird.* Der Mensch muß denken, und ich muß für meine Untertanen denken; denn sie denken nicht, sie denken nicht. – Die Substanz ist das An-sich, das bin ich. *Er läuft fast nackt im Zimmer herum.* Begriffen? An-sich ist an sich, versteht ihr? Jetzt kommen meine Attribute, Modifikationen, Affektionen und Akzidenzien: wo ist mein Hemd, meine Hose? – Halt, pfui! der freie Wille steht da vorn ganz offen. Wo ist die Moral: wo sind die Manschetten? Die Kategorieen sind in der schändlichsten Verwirrung: es sind zwei Knöpfe zuviel zugeknöpft, die Dose steckt in der rechten Tasche; mein ganzes System ist ruiniert. – Ha, was bedeutet der Knopf im Schnupftuch? Kerl, was bedeutet der Knopf, an was wollte ich mich erinnern?

ERSTER KAMMERDIENER. Als Eure Majestät diesen Knopf in Ihr Schnupftuch zu knüpfen geruhten, so wollten Sie –

KÖNIG. Nun?

ERSTER KAMMERDIENER. Sich an etwas erinnern.

PETER. Eine verwickelte Antwort! – Ei! Nun, und was meint Er?

ZWEITER KAMMERDIENER. Eure Majestät wollten sich an etwas erinnern, als Sie diesen Knopf in Ihr Schnupftuch zu knüpfen geruhten.

PETER *läuft auf und ab.* Was? Was? Die Menschen machen mich konfus, ich bin in der größten Verwirrung. Ich weiß mir nicht mehr zu helfen.

Ein Diener tritt auf.

DIENER. Eure Majestät, der Staatsrat ist versammelt.

PETER *freudig.* Ja, das ist's, das ist's: Ich wollte mich an mein Volk erinnern. – Kommen Sie, meine Herren! Gehen Sie symmetrisch. Ist es nicht sehr heiß? Nehmen Sie doch auch Ihre Schnupftücher und wischen Sie sich das Gesicht! Ich bin immer so in Verlegenheit, wenn ich öffentlich sprechen soll. *Alle ab.*

König Peter. Der Staatsrat.

PETER. Meine Lieben und Getreuen, ich wollte euch hiermit kund und zu wissen tun, kund und zu wissen tun – denn, entweder verheiratet sich mein Sohn, oder nicht – *legt den Finger an die Nase:* entweder, oder – ihr versteht mich doch? Ein Drittes gibt es nicht. Der Mensch muß denken. *Steht eine Zeit lang sinnend.* Wenn ich so laut rede, so weiß ich nicht, wer es eigentlich ist, ich oder ein anderer; das ängstigt mich. *Nach langem Besinnen:* Ich bin ich. – Was halten Sie davon, Präsident?

PRÄSIDENT *gravitätisch langsam.* Eure Majestät, vielleicht ist es so, vielleicht ist es aber auch nicht so.

DER GANZE STAATSRAT IM CHOR. Ja, vielleicht ist es so, vielleicht ist es aber auch nicht so.

PETER *mit Rührung.* O meine Weisen! – Also von was war eigentlich die Rede? Von was wollte ich sprechen? Präsident, was haben Sie ein so kurzes Gedächtnis bei einer so feierlichen Gelegenheit? Die Sitzung ist aufgehoben.

Er entfernt sich feierlich, der ganze Staatsrat folgt ihm.

DRITTE SZENE

EIN REICHGESCHMÜCKTER SAAL

KERZEN BRENNEN

Leonce mit einigen Dienern.

LEONCE. Sind alle Läden geschlossen? Zündet die Kerzen an! Weg mit dem Tag! Ich will Nacht, tiefe ambrosische Nacht. Stellt die Lampen unter Kristallglocken zwischen die Oleander, daß sie wie Mädchenaugen unter den Wimpern der Blätter hervorträumen. Rückt die Rosen näher, daß der Wein wie Tautropfen auf die Kelche sprudle. Musik! Wo sind die Violinen? Wo ist die Rosetta? – Fort! Alle hinaus! *Die Diener gehen ab. Leonce streckt sich auf ein Ruhebett.*

Rosetta, zierlich gekleidet, tritt ein. Man hört Musik aus der Ferne.

ROSETTA *nähert sich schmeichelnd.* Leonce!

LEONCE. Rosetta!

ROSETTA. Leonce!

LEONCE. Rosetta!
ROSETTA. Deine Lippen sind träg. Vom Küssen?
LEONCE. Vom Gähnen!
ROSETTA. Oh!
LEONCE. Ach Rosetta, ich habe die entsetzliche Arbeit ...
ROSETTA. Nun?
LEONCE. Nichts zu tun ...
ROSETTA. Als zu lieben?
LEONCE. Freilich Arbeit!
ROSETTA *beleidigt*. Leonce!
LEONCE. Oder Beschäftigung.
ROSETTA. Oder Müßiggang.
LEONCE. Du hast recht wie immer. Du bist ein kluges Mädchen, und ich halte viel auf deinen Scharfsinn.
ROSETTA. So liebst du mich aus Langeweile?
LEONCE. Nein, ich habe Langeweile, weil ich dich liebe. Aber ich liebe meine Langeweile wie dich. Ihr seid eins. O dolce far niente! Ich träume über deinen Augen wie an wunderheimlichen tiefen Quellen, das Kosen deiner Lippen schläfert mich ein wie Wellenrauschen. *Er umfaßt sie.* Komm, liebe Langeweile, deine Küsse sind ein wollüstiges Gähnen, und deine Schritte sind ein zierlicher Hiatus.
ROSETTA. Du liebst mich, Leonce?
LEONCE. Ei warum nicht?
ROSETTA. Und immer?
LEONCE. Das ist ein langes Wort: immer! Wenn ich dich nun noch fünftausend Jahre und sieben Monate liebe, ist's genug? Es ist zwar viel weniger als immer, ist aber doch eine erkleckliche Zeit, und wir können uns Zeit nehmen, uns zu lieben.
ROSETTA. Oder die Zeit kann uns das Lieben nehmen.
LEONCE. Oder das Lieben uns die Zeit. Tanze, Rosetta, tanze, daß die Zeit mit dem Takt deiner niedlichen Füße geht!
ROSETTA. Meine Füße gingen lieber aus der Zeit. *Sie tanzt und singt:*

O meine müden Füße, ihr müßt tanzen
In bunten Schuhen,
Und möchtet lieber tief, tief
Im Boden ruhen.

O meine heißen Wangen, ihr müßt glühen
Im wilden Kosen,
Und möchtet lieber blühen –
Zwei weiße Rosen.

O meine armen Augen, ihr müßt blitzen
Im Strahl der Kerzen,
Und schlieft im Dunkel lieber aus
Von euren Schmerzen.

LEONCE *indes träumend vor sich hin.* O, eine sterbende Liebe ist schöner als eine werdende. Ich bin ein Römer; bei dem köstlichen Mahle spielen zum Dessert die goldnen Fische in ihren Todesfarben. Wie ihr das Rot von den Wangen stirbt, wie still das Auge ausglüht, wie leis das Wogen ihrer Glieder steigt und fällt! Adio, adio, meine Liebe, ich will deine Leiche lieben. *Rosetta nähert sich ihm wieder.* Tränen, Rosetta? Ein feiner Epikureismus, weinen zu können. Stelle dich in die Sonne, damit die köstlichen Tropfen kristallisieren, es muß prächtige Diamanten geben. Du kannst dir ein Halsband daraus machen lassen.

ROSETTA. Wohl Diamanten, sie schneiden mir in die Augen. Ach, Leonce! *Will ihn umfassen.*

LEONCE. Gib acht! Mein Kopf! Ich habe unsere Liebe darin beigesetzt. Sieh zu den Fenstern meiner Augen hinein! Siehst du, wie schön tot das arme Ding ist? Siehst du die zwei weißen Rosen auf seinen Wangen und die zwei roten auf seiner Brust? Stoß mich nicht, daß ihm kein Ärmchen abbricht, es wäre schade. Ich muß meinen Kopf gerade auf den Schultern tragen, wie die Totenfrau einen Kindersarg.

ROSETTA *scherzend.* Narr!

LEONCE. Rosetta! *Rosetta macht ihm eine Fratze.* Gott sei Dank! *Hält sich die Augen zu.*

ROSETTA *erschrocken.* Leonce, sieh mich an!

LEONCE. Um keinen Preis!

ROSETTA. Nur einen Blick!

LEONCE. Keinen! Was meinst du: um ein klein wenig, und meine liebe Liebe käme wieder auf die Welt. Ich bin froh, daß ich sie begraben habe. Ich behalte den Eindruck.

ROSETTA *entfernt sich traurig und langsam, sie singt im Abgehn.*

Ich bin eine arme Waise,
Ich fürchte mich ganz allein.
Ach, lieber Gram –
Willst du nicht kommen mit mir heim?

LEONCE *allein.* Ein sonderbares Ding um die Liebe. Man liegt ein Jahr lang schlafwachend zu Bette, und an einem schönen Morgen wacht man auf, trinkt ein Glas Wasser, zieht seine Kleider an und fährt sich mit der Hand über die Stirn und besinnt sich – und besinnt sich. – Mein Gott, wie viel Weiber hat man nötig, um die

Skala der Liebe auf und ab zu singen? Kaum, daß eine einen Ton ausfüllt. Warum ist der Dunst über unsrer Erde ein Prisma, das den weißen Glutstrahl der Liebe in einen Regenbogen bricht? – *Er trinkt.* In welcher Bouteille steckt denn der Wein, an dem ich mich heute betrinken soll? Bringe ich es nicht einmal mehr so weit? Ich sitze wie unter einer Luftpumpe. Die Luft so scharf und dünn, daß mich friert, als sollte ich in Nankinghosen Schlittschuh laufen. – Meine Herren, meine Herren, wißt ihr auch, was Caligula und Nero waren? Ich weiß es. – Komm, Leonce, halte mir einen Monolog, ich will zuhören. Mein Leben gähnt mich an wie ein großer weißer Bogen Papier, den ich vollschreiben soll, aber ich bringe keinen Buchstaben heraus. Mein Kopf ist ein leerer Tanzsaal, einige verwelkte Rosen und zerknitterte Bänder auf dem Boden, geborstene Violinen in der Ecke, die letzten Tänzer haben die Masken abgenommen und sehen mit todmüden Augen einander an. Ich stülpe mich jeden Tag vierundzwanzigmal herum wie einen Handschuh. O, ich kenne mich, ich weiß, was ich in einer Viertelstunde, was ich in acht Tagen, was ich in einem Jahr denken und träumen werde. Gott, was habe ich denn verbrochen, daß du mich wie einen Schulbuben meine Lektion so oft hersagen läßt? –
Bravo, Leonce! Bravo! *Er klatscht.* Es tut mir ganz wohl, wenn ich mir so rufe. He, Leonce! Leonce!

VALERIO *unter einem Tisch hervor.* Eure Hoheit scheint mir wirklich auf dem besten Weg, ein wahrhaftiger Narr zu werden.

LEONCE. Ja, beim Licht besehen, kommt es mir eigentlich ebenso vor.

VALERIO. Warten Sie, wir wollen uns darüber sogleich ausführlicher unterhalten! Ich habe nur noch ein Stück Braten zu verzehren, das ich aus der Küche, und etwas Wein, den ich von Ihrem Tische gestohlen. Ich bin gleich fertig.

LEONCE. Das schmatzt! Der Kerl verursacht mir ganz idyllische Empfindungen; ich könnte wieder mit dem Einfachsten anfangen, ich könnte Käs essen, Bier trinken, Tabak rauchen. Mach fort, grunze nicht so mit deinem Rüssel, und klappre mit deinen Hauern nicht so!

VALERIO. Wertester Adonis, sind Sie in Angst um Ihre Schenkel? Sein Sie unbesorgt, ich bin weder ein Besenbinder noch ein Schulmeister; ich brauche keine Gerten zu Ruten.

LEONCE. Du bleibst nichts schuldig.

VALERIO. Ich wollte, es ginge meinem Herrn ebenso.

LEONCE. Meinst du, damit du zu deinen Prügeln kämst? Bist du so besorgt um deine Erziehung?

VALERIO. O Himmel, man kömmt leichter zu seiner Erzeugung als zu seiner Erziehung. Es ist traurig, in welche Umstände einen anderer Umstände versetzen können! Was für Wochen hab ich erlebt, seit meine Mutter in die Wochen kam! Wie viel Gutes hab ich empfangen, das ich meiner Empfängnis zu danken hätte?

LEONCE. Was deine Empfänglichkeit betrifft, so könnte sie es nicht besser treffen, um getroffen zu werden. Drück dich besser aus, oder willst du den unangenehmsten Eindruck von meinem Nachdruck haben.

VALERIO. Als meine Mutter um das Vorgebirg der guten Hoffnung schiffte ...

LEONCE. Und dein Vater am Kap Horn Schiffbruch litt ...

VALERIO. Richtig, denn er war Nachtwächter. Doch setzte er das Horn nicht so oft an die Lippen als die Väter edler Söhne an die Stirn.

LEONCE. Mensch, du besitzest eine himmlische Unverschämtheit. Ich fühle ein gewisses Bedürfnis, mich in nähere Berührung mit ihr zu setzen. Ich habe eine große Passion, dich zu prügeln.

VALERIO. Das ist eine schlagende Antwort und ein triftiger Beweis.

LEONCE *geht auf ihn los.* Oder du bist eine geschlagene Antwort. Denn du bekommst Prügel für deine Antwort.

VALERIO *läuft weg, Leonce stolpert und fällt.* Und Sie sind ein Beweis, der noch geführt werden muß; denn er fällt über seine eigenen Beine, die im Grund genommen selbst noch zu beweisen sind. Es sind höchst unwahrscheinliche Waden und sehr problematische Schenkel.

Der Staatsrat tritt auf. Leonce bleibt auf dem Boden sitzen. Valerio.

PRÄSIDENT. Eure Hoheit verzeihen ...

LEONCE. Wie mir selbst! Wie mir selbst! Ich verzeihe mir die Gutmütigkeit, Sie anzuhören. Meine Herren, wollen Sie nicht Platz nehmen? – Was die Leute für Gesichter machen, wenn sie das Wort ›Platz‹ hören! Setzen Sie sich nur auf den Boden und genieren Sie sich nicht! Es ist doch der letzte Platz, den Sie einst erhalten, aber er trägt niemanden etwas ein – außer dem Totengräber.

PRÄSIDENT *verlegen mit dem Finger schnipsend.* Geruhen Eure Hoheit ...

LEONCE. Aber schnipsen Sie nicht so mit den Fingern, wenn Sie mich nicht zum Mörder machen wollen!

PRÄSIDENT *immer stärker schnipsend.* Wollen gnädigst, in Betracht ...

LEONCE. Mein Gott, stecken Sie doch die Hände in die Hosen, oder setzen Sie sich darauf. Er ist ganz aus der Fassung. Sammeln Sie sich!

VALERIO. Man darf Kinder nicht während des P . . . . . . unterbrechen, sie bekommen sonst eine Verhaltung.

LEONCE. Mann, fassen Sie sich! Bedenken Sie Ihre Familie und den Staat! Sie riskieren einen Schlagfluß, wenn Ihnen Ihre Rede zurücktritt.

PRÄSIDENT *zieht ein Papier aus der Tasche.* Erlauben Eure Hoheit . . .

LEONCE. Was? Sie können schon lesen? Nun denn . . .

PRÄSIDENT. Daß man der zu erwartenden Ankunft von Eurer Hoheit verlobter Braut, der durchlauchtigsten Prinzessin Lena von Pipi, auf morgen sich zu gewärtigen habe, davon läßt Ihro königliche Majestät Eure Hoheit benachrichtigen.

LEONCE. Wenn meine Braut mich erwartet, so werde ich ihr den Willen tun und sie auf mich warten lassen. Ich habe sie gestern nacht im Traum gesehen, sie hatte ein paar Augen, so groß, daß die Tanzschuhe meiner Rosetta zu Augenbrauen darüber gepaßt hätten, und auf den Wangen waren keine Grübchen, sondern ein paar Abzugsgräben für das Lachen. Ich glaube an Träume. Träumen Sie auch zuweilen, Herr Präsident? Haben Sie auch Ahnungen?

VALERIO. Versteht sich. Immer die Nacht vor dem Tag, an dem ein Braten verbrennt, ein Kapaun krepiert oder Ihre königliche Majestät Leibweh bekommt.

LEONCE. Apropos, hatten Sie nicht noch etwas auf der Zunge? Geben Sie nur alles von sich.

PRÄSIDENT. An dem Tage der Vermählung ist ein höchster Wille gesonnen, seine allerhöchsten Willensäußerungen in die Hände Eurer Hoheit niederzulegen.

LEONCE. Sagen Sie einem höchsten Willen, daß ich alles tun werde, das ausgenommen, was ich werde bleiben lassen, was aber jedenfalls nicht so viel sein wird, als wenn es noch einmal so viel wäre. – Meine Herren, Sie entschuldigen, daß ich Sie nicht begleite, ich habe gerade die Passion zu sitzen, aber meine Gnade ist so groß, daß ich sie mit den Beinen kaum ausmessen kann. *Er spreizt die Beine auseinander.* Herr Präsident, nehmen Sie doch das Maß, damit Sie mich später daran erinnern. Valerio, gib den Herren das Geleite!

VALERIO. Das Geläute? Soll ich dem Herrn Präsidenten eine Schelle anhängen? Soll ich sie führen, als ob sie auf allen vieren gingen?

LEONCE. Mensch, du bist nichts als ein schlechtes Wortspiel. Du hast weder Vater noch Mutter, sondern die fünf Vokale haben dich miteinander erzeugt.

VALERIO. Und Sie, Prinz, sind ein Buch ohne Buchstaben, mit nichts als Gedankenstrichen. – Kommen Sie jetzt, meine Herren! Es ist eine traurige Sache um das Wort ›kommen‹. Will man ein Einkommen, so muß man stehlen; an ein Aufkommen ist nicht zu denken, als wenn man sich hängen läßt; ein Unterkommen findet man erst, wenn man begraben wird, und ein Auskommen hat man jeden Augenblick mit seinem Witz, wenn man nichts mehr zu sagen weiß, wie ich zum Beispiel eben, und Sie, *ehe* Sie noch etwas gesagt haben. Ihr Abkommen haben Sie gefunden, und Ihr Fortkommen werden Sie jetzt zu suchen ersucht. *Staatsrat und Valerio ab.*

LEONCE *allein.* Wie gemein ich mich zum Ritter an den armen Teufeln gemacht habe! Es steckt nun aber doch einmal ein gewisser Genuß in einer gewissen Gemeinheit. – Hm! Heiraten! Das heißt einen Ziehbrunnen leer trinken. O Shandy, alter Shandy, wer mir deine Uhr schenkte! – *Valerio kommt zurück.* Ach, Valerio, hast du es gehört?

VALERIO. Nun, Sie sollen König werden. Das ist eine lustige Sache. Man kann den ganzen Tag spazieren fahren und den Leuten die Hüte verderben durchs viele Abziehen; man kann aus ordentlichen Menschen ordentliche Soldaten ausschneiden, so daß alles ganz natürlich wird; man kann schwarze Fräcke und weiße Halsbinden zu Staatsdienern machen; und wenn man stirbt, so laufen alle blanken Knöpfe blau an, und die Glockenstricke reißen wie Zwirnsfäden vom vielen Läuten. Ist das nicht unterhaltend?

LEONCE. Valerio! Valerio! Wir müssen was anderes treiben. Rate!

VALERIO. Ach, die Wissenschaft, die Wissenschaft! Wir wollen Gelehrte werden! A priori? oder a posteriori?

LEONCE. A priori, das muß man bei meinem Herrn Vater lernen; und a posteriori fängt alles an, wie ein altes Märchen: es war einmal.

VALERIO. So wollen wir Helden werden! *Er marschiert trompetend und trommelnd auf und ab.* Trom – trom – pläre – plem!

LEONCE. Aber der Heroismus fuselt abscheulich und bekommt das Lazarettfieber und kann ohne Leutnants und Rekruten nicht bestehen. Pack dich mit deiner Alexanders- und Napoleonsromantik!

VALERIO. So wollen wir Genies werden!

LEONCE. Die Nachtigall der Poesie schlägt den ganzen Tag über unserm Haupt, aber das Feinste geht zum Teufel, bis wir ihr die Federn ausreißen und in die Tinte oder die Farbe tauchen.

VALERIO. So wollen wir nützliche Mitglieder der menschlichen Gesellschaft werden!

LEONCE. Lieber möchte ich meine Demission als Mensch geben.

VALERIO. So wollen wir zum Teufel gehen!

LEONCE. Ach, der Teufel ist nur des Kontrastes wegen da, damit wir begreifen sollen, daß am Himmel doch eigentlich etwas sei. *Aufspringend:* Ah, Valerio, Valerio, jetzt hab ich's! Fühlst du nicht das

Wehen aus Süden? Fühlst du nicht, wie der tiefblaue, glühende Äther auf und ab wogt, wie das Licht blitzt von dem goldnen, sonnigen Boden, von der heiligen Salzflut und von den Marmorsäulen und -leibern? Der große Pan schläft, und die ehernen Gestalten träumen im Schatten über den tiefrauschenden Wellen von dem alten Zaubrer Virgil, von Tarantella und Tamburin und tiefen, tollen Nächten voll Masken, Fackeln und Gitarren. Ein Lazzaroni! Valerio, ein Lazzaroni! Wir gehen nach Italien.

VIERTE SZENE

EIN GARTEN

Prinzessin Lena im Brautschmuck. Die Gouvernante.

LENA. Ja, jetzt! Da ist es. Ich dachte die Zeit an nichts. Es ging so hin, und auf einmal richtet sich *der* Tag vor mir auf. Ich habe den Kranz im Haar – und die Glocken, die Glocken! *Sie lehnt sich zurück und schließt die Augen.* Sieh, ich wollte, der Rasen wüchse so über mich, und die Bienen summten über mir hin; sieh, jetzt bin ich eingekleidet und habe Rosmarin im Haar. Gibt es nicht ein altes Lied:

Auf dem Kirchhof will ich liegen,
Wie ein Kindlein in der Wiegen.

GOUVERNANTE. Armes Kind, wie Sie bleich sind unter Ihren blitzenden Steinen!

LENA. O Gott, ich könnte lieben, warum nicht? Man geht ja so einsam und tastet nach einer Hand, die einen hielte, bis die Leichenfrau die Hände auseinander nähme und sie jedem über der Brust faltete. Aber warum schlägt man einen Nagel durch zwei Hände, die sich nicht suchten? Was hat meine arme Hand getan? *Sie zieht einen Ring vom Finger.* Dieser Ring sticht mich wie eine Natter.

GOUVERNANTE. Aber – er soll ja ein wahrer Don Carlos sein!

LENA. Aber – ein Mann . . .

GOUVERNANTE. Nun?

LENA. Den man nicht liebt. *Sie erhebt sich.* Pfui! Siehst du, ich schäme mich. – Morgen ist aller Duft und Glanz von mir gestreift. Bin ich denn wie die arme, hülflose Quelle, die jedes Bild, das sich über sie bückt, in ihrem stillen Grund abspiegeln muß? Die Blumen öffnen und schließen, wie sie wollen, ihre Kelche der Morgensonne und dem Abendwind. Ist denn die Tochter eines Königs weniger als eine Blume?

GOUVERNANTE *weinend.* Lieber Engel, du bist doch ein wahres Opferlamm.

LENA. Jawohl, und der Priester hebt schon das Messer. – Mein Gott, mein Gott, ist es denn wahr, daß wir uns selbst erlösen müssen mit unserm Schmerz? Ist es denn wahr, die Welt sei ein gekreuzigter Heiland, die Sonne seine Dornenkrone, und die Sterne die Nägel und Speere in seinen Füßen und Lenden?

GOUVERNANTE. Mein Kind, mein Kind! Ich kann dich nicht so sehen. Es kann nicht so gehen, es tötet dich. – Vielleicht, wer weiß! Ich habe so etwas im Kopf. Wir wollen sehen. Komm! *Sie führt die Prinzessin weg.*

ZWEITER AKT

Wie ist mir eine Stimme doch erklungen
Im tiefsten Innern,
Und hat mit einem Male mir verschlungen
All mein Erinnern.
Adalbert von Chamisso

ERSTE SZENE

FREIES FELD. EIN WIRTSHAUS IM HINTERGRUND

Leonce und Valerio, der einen Pack trägt, treten auf.

VALERIO *keuchend.* Auf Ehre, Prinz, die Welt ist doch ein ungeheuer weitläufiges Gebäude.

LEONCE. Nicht doch! Nicht doch! Ich wage kaum die Hände auszustrecken, wie in einem engen Spiegelzimmer, aus Furcht, überall anzustoßen, daß die schönen Figuren in Scherben auf dem Boden lägen und ich vor der kahlen nackten Wand stünde.

VALERIO. Ich bin verloren.

LEONCE. Da wird niemand einen Verlust dabei haben, als wer dich findet.

VALERIO. Ich werde mich nächstens in den Schatten meines Schattens stellen.

LEONCE. Du verflüchtigst dich ganz an der Sonne. Siehst du die schöne Wolke da oben? Sie ist wenigstens ein Viertel von dir. Sie sieht ganz wohlbehaglich auf deine gröberen materiellen Stoffe herab.

VALERIO. Die Wolke könnte Ihrem Kopf nichts schaden, wenn man sie Ihnen Tropfen für Tropfen darauf fallen ließe. – Ein köstlicher Einfall! Wir sind schon durch ein Dutzend Fürstentümer, durch ein halbes Dutzend Großherzogtümer und durch ein paar Königreiche gelaufen, und das in der größten Übereilung in einem halben Tag – und warum? Weil man König werden und eine schöne Prinzessin heiraten soll! Und Sie leben noch in einer solchen Lage? Ich begreife Ihre Resignation nicht. Ich begreife nicht, daß Sie nicht Arsenik genommen, sich auf das Geländer des Kirchturms gestellt und sich eine Kugel durch den Kopf gejagt haben, um es ja nicht zu verfehlen.

LEONCE. Aber Valerio, die Ideale! Ich habe das Ideal eines Frauenzimmers in mir und muß es suchen. Sie ist unendlich schön und unendlich geistlos. Die Schönheit ist da so hülflos, so rührend wie ein neugebornes Kind. Es ist ein köstlicher Kontrast: diese himmlisch stupiden Augen, dieser göttlich einfältige Mund, dieses schafnasige griechische Profil, dieser geistige Tod in diesem geistlosen Leib.

VALERIO. Teufel! da sind wir schon wieder auf der Grenze. Das ist ein Land wie eine Zwiebel: nichts als Schalen, oder wie ineinandergesteckte Schachteln: in der größten sind nichts als Schachteln und in der kleinsten ist gar nichts. *Er wirft seinen Pack zu Boden.* Soll denn dieser Pack mein Grabstein werden? Sehen Sie, Prinz – ich werde philosophisch –, ein Bild des menschlichen Lebens: Ich schleppe diesen Pack mit wunden Füßen durch Frost und Sonnenbrand, weil ich abends ein reines Hemd anziehen will, und wenn endlich der Abend kommt, so ist meine Stirn gefurcht, meine Wange hohl, mein Auge dunkel, und ich habe grade noch Zeit, mein Hemd anzuziehen, als Totenhemd. Hätte ich nun nicht gescheiter getan, ich hätte mein Bündel vom Stecken gehoben und es in der ersten besten Kneipe verkauft, und hätte mich dafür betrunken und im Schatten geschlafen, bis es Abend geworden wäre, und hätte nicht geschwitzt und mir keine Leichdörner gelaufen? Und, Prinz, jetzt kommt die Anwendung und die Praxis: aus lauter Schamhaftigkeit wollen wir jetzt auch den inneren Menschen bekleiden und Rock und Hosen inwendig anziehen. *Beide gehen auf das Wirtshaus los.* Ei, du lieber Pack, welch ein köstlicher Duft, welche Weindüfte und Bratengerüche! Ei, ihr lieben Hosen, wie wurzelt ihr im Boden und grünt und blüht! und die langen, schweren Trauben hängen mir in den Mund, und der Most gärt unter der Kelter. *Sie gehen ab.*
Prinzessin Lena, die Gouvernante kommen.

GOUVERNANTE. Es muß ein bezauberter Tag sein, die Sonne geht nicht unter, und es ist so unendlich lang seit unsrer Flucht.

LENA. Nicht doch, meine Liebe, die Blumen sind ja kaum welk, die ich zum Abschied brach, als wir aus dem Garten gingen.

GOUVERNANTE. Und wo sollen wir ruhen? Wir sind noch auf gar nichts gestoßen. Ich sehe kein Kloster, keinen Eremiten, keinen Schäfer.

LENA. Wir haben alles wohl anders geträumt mit unsern Büchern hinter der Mauer unsers Gartens, zwischen unsern Myrten und Oleandern.

GOUVERNANTE. O, die Welt ist abscheulich! An einen irrenden Königssohn ist gar nicht zu denken.

LENA. O, sie ist schön und so weit, so unendlich weit! Ich möchte immer so fort gehen, Tag und Nacht. Es rührt sich nichts. Ein roter Blumenschein spielt über die Wiesen, und die fernen Berge liegen auf der Erde wie ruhende Wolken.

GOUVERNANTE. Du mein Jesus, was wird man sagen? Und doch ist es so zart und weiblich! Es ist eine Entsagung. Es ist wie die Flucht der heiligen Ottilia. Aber wir müssen ein Obdach suchen: es wird Abend!

LENA. Ja, die Pflanzen legen ihre Fiederblättchen zum Schlaf zusammen, und die Sonnenstrahlen wiegen sich an den Grashalmen wie müde Libellen.

ZWEITE SZENE

DAS WIRTSHAUS AUF EINER ANHÖHE,
AN EINEM FLUSS. WEITE AUSSICHT.
DER GARTEN VOR DEMSELBEN

Valerio. Leonce.

VALERIO. Nun, Prinz, liefern Ihre Hosen nicht ein köstliches Getränk? Laufen Ihnen Ihre Stiefel nicht mit der größten Leichtigkeit die Kehle hinunter?

LEONCE. Siehst du die alten Bäume, die Hecken, die Blumen? Das alles hat seine Geschichten, seine lieblichen, heimlichen Geschichten. Siehst du die greisen freundlichen Gesichter unter den Reben an der Haustür? Wie sie sitzen und sich bei den Händen halten und Angst haben, daß sie so alt sind und die Welt noch so jung ist. O Valerio, und ich bin so jung, und die Welt ist so alt! Ich bekomme manchmal eine Angst um mich und könnte mich in eine Ecke setzen und heiße Tränen weinen aus Mitleid mit mir.

VALERIO *gibt ihm ein Glas.* Nimm diese Glocke, diese Taucherglocke, und senke dich in das Meer des Weines, daß es Perlen über dir schlägt. Sieh, wie die Elfen über dem Kelch der Weinblumen schweben, goldbeschuht, die Cymbeln schlagend.

LEONCE *aufspringend.* Komm, Valerio, wir müssen was treiben, was treiben! Wir wollen uns mit tiefen Gedanken abgeben; wir wollen untersuchen, wie es kommt, daß der Stuhl auf drei Beinen steht und nicht auf zweien. Komm, wir wollen Ameisen zergliedern, Staubfäden zählen! Ich werde es doch noch zu irgendeiner fürstlichen Liebhaberei bringen. Ich werde doch noch eine Kinderrassel finden, die mir erst aus der Hand fällt, wenn ich Flocken lese und an der Decke zupfe. Ich habe noch eine gewisse Dosis Enthusiasmus zu verbrauchen; aber wenn ich alles recht warm gekocht habe, so brauche ich eine unendliche Zeit, um einen Löffel zu finden, mit dem ich das Gericht esse, und darüber steht es ab.

VALERIO. Ergo bibamus! Diese Flasche ist keine Geliebte, keine Idee, sie macht keine Geburtsschmerzen, sie wird nicht langweilig, wird nicht treulos, sie bleibt eins vom ersten Tropfen bis zum letzten. Du brichst das Siegel, und alle Träume, die in ihr schlummern, sprühen dir entgegen.

LEONCE. O Gott! Die Hälfte meines Lebens soll ein Gebet sein, wenn mir nur ein Strohhalm beschert wird, auf dem ich reite wie auf einem prächtigen Roß, bis ich selbst auf dem Stroh liege. – Welch unheimlicher Abend! Da unten ist alles still, und da oben wechseln und ziehen die Wolken, und der Sonnenschein geht und kommt wieder. Sieh, was seltsame Gestalten sich dort jagen! sieh die langen weißen Schatten mit den entsetzlich magern Beinen und Fledermausschwingen! Und alles so rasch, so wirr, und da unten rührt sich kein Blatt, kein Halm. Die Erde hat sich ängstlich zusammengeschmiegt wie ein Kind, und über ihre Wiege schreiten die Gespenster.

VALERIO. Ich weiß nicht, was Ihr wollt, mir ist ganz behaglich zumut. Die Sonne sieht aus wie ein Wirtshausschild, und die feurigen Wolken darüber wie die Aufschrift: ›Wirtshaus zur goldenen Sonne‹. Die Erde und das Wasser da unten sind wie ein Tisch, auf dem Wein verschüttet ist, und wir liegen darauf wie Spielkarten, mit denen Gott und der Teufel aus Langeweile eine Partie machen, und Ihr seid ein Kartenkönig, und ich bin ein Kartenbube, es fehlt nur noch eine Dame, eine schöne Dame, mit einem großen Lebkuchenherz auf der Brust und einer mächtigen Tulpe, worin die lange Nase sentimental versinkt *die Gouvernante und die Prinzessin treten auf,* und – bei Gott, da ist sie! Es ist aber eigentlich keine Tulpe, sondern eine Prise Tabak, und es ist eigentlich keine Nase, sondern ein Rüssel. *Zur Gouvernante:* Warum schreiten Sie, Werteste, so eilig, daß man Ihre weiland Waden bis zu Ihren respektabeln Strumpfbändern sieht?

GOUVERNANTE *heftig erzürnt, bleibt stehen.* Warum reißen Sie, Geehrtester, das Maul so weit auf, daß Sie einem ein Loch in die Aussicht machen?

VALERIO. Damit Sie, Geehrteste, sich die Nase am Horizont nicht blutig stoßen. Solch eine Nase ist wie der Turm auf Libanon, der gen Damaskus steht.

LENA *zur Gouvernante.* Meine Liebe, ist denn der Weg so lang?

LEONCE *träumend vor sich hin.* O, jeder Weg ist lang. Das Picken der Totenuhr in unserer Brust ist langsam, und jeder Tropfen Blut mißt seine Zeit, und unser Leben ist ein schleichend Fieber. Für müde Füße ist jeder Weg zu lang . . .

LENA *die ihm ängstlich sinnend zuhört.* Und müden Augen jedes Licht zu scharf, und müden Lippen jeder Hauch zu schwer, *lächelnd:* und müden Ohren jedes Wort zu viel. *Sie tritt mit der Gouvernante in das Haus.*

LEONCE. O lieber Valerio! Könnte ich nicht auch sagen: ›Sollte nicht dies und ein Wald von Federbüschen nebst ein paar gepufften Rosen auf meinen Schuhen ...‹? Ich hab es, glaub ich, ganz melancholisch gesagt. Gott sei Dank, daß ich anfange, mit der Melancholie niederzukommen! Die Luft ist nicht mehr so hell und kalt, der Himmel senkt sich glühend dicht um mich, und schwere Tropfen fallen. – O diese Stimme: ›Ist denn der Weg so lang?‹ Es reden viele Stimmen über die Erde, und man meint, sie sprächen von andern Dingen, aber ich habe *sie* verstanden. Sie ruht auf mir wie der Geist, da er über den Wassern schwebte, eh das Licht ward. Welch Gären in der Tiefe, welch Werden in mir, wie sich die Stimme durch den Raum gießt! – ›Ist denn der Weg so lang?‹ *Geht ab.*

VALERIO. Nein, der Weg zum Narrenhaus ist nicht so lang; er ist leicht zu finden, ich kenne alle Fußpfade, alle Vizinalwege und Chausseen dorthin. Ich sehe ihn schon auf einer breiten Allee dahin, an einem eiskalten Wintertag, den Hut unter dem Arm, wie er sich in die langen Schatten unter die kahlen Bäume stellt und mit dem Schnupftuch fächelt. – Er ist ein Narr! *Folgt ihm.*

DRITTE SZENE

EIN ZIMMER

Lena. Die Gouvernante.

GOUVERNANTE. Denken Sie nicht an den Menschen!

LENA. Er war so alt unter seinen blonden Locken. Den Frühling auf den Wangen und den Winter im Herzen! Das ist traurig. Der müde

Leib findet sein Schlafkissen überall, doch wenn der Geist müd ist, wo soll er ruhen? Es kommt mir ein entsetzlicher Gedanke: ich glaube, es gibt Menschen, die unglücklich sind, unheilbar, bloß weil sie *sind*.
Sie erhebt sich.

GOUVERNANTE. Wohin, mein Kind?

LENA. Ich will hinunter in den Garten.

GOUVERNANTE. Aber . . .

LENA. Aber, liebe Mutter? Du weißt, man hätte mich eigentlich in eine Scherbe setzen sollen. Ich brauche Tau und Nachtluft, wie die Blumen. – Hörst du die Harmonieen des Abends? Wie die Grillen den Tag einsingen und die Nachtviolen ihn mit ihrem Duft einschläfern! Ich kann nicht im Zimmer bleiben. Die Wände fallen auf mich.

VIERTE SZENE

DER GARTEN. NACHT UND MONDSCHEIN

Man sieht Lena, auf dem Rasen sitzend.

VALERIO *in einiger Entfernung.* Es ist eine schöne Sache um die Natur, sie wäre aber doch noch schöner, wenn es keine Schnaken gäbe, die Wirtsbetten etwas reinlicher wären und die Totenuhren nicht so in den Wänden pickten. Drin schnarchen die Menschen, und draußen quaken die Frösche, drin pfeifen die Hausgrillen und draußen die Feldgrillen. Lieber Rasen, dies ist ein rasender Entschluß!
Er legt sich auf den Rasen nieder.

LEONCE *tritt auf.* O Nacht, balsamisch wie die erste, die auf das Paradies herabsank! *Er bemerkt die Prinzessin und nähert sich ihr leise.*

LENA *spricht vor sich hin.* Die Grasmücke hat im Traum gezwitschert. – Die Nacht schläft tiefer, ihre Wange wird bleicher und ihr Atem stiller. Der Mond ist wie ein schlafendes Kind, die goldnen Locken sind ihm im Schlaf über das liebe Gesicht heruntergefallen. – O, sein Schlaf ist Tod. Wie der tote Engel auf seinem dunklen Kissen ruht und die Sterne gleich Kerzen um ihn brennen! Armes Kind! Es ist traurig, tot und so allein.

LEONCE. Steh auf in deinem weißen Kleid und wandle hinter der Leiche durch die Nacht und singe ihr das Sterbelied!

LENA. Wer spricht da?

LEONCE. Ein Traum.

LENA. Träume sind selig.

LEONCE. So träume dich selig und laß mich dein seliger Traum sein.

LENA. Der Tod ist der seligste Traum.

LEONCE. So laß mich dein Todesengel sein! Laß meine Lippen sich gleich seinen Schwingen auf deine Augen senken. *Er küßt sie.* Schöne Leiche, du ruhst so lieblich auf dem schwarzen Bahrtuch der Nacht, daß die Natur das Leben haßt und sich in den Tod verliebt.

LENA. Nein, laß mich! *Sie springt auf und entfernt sich rasch.*

LEONCE. Zu viel! zu viel! Mein ganzes Sein ist in dem *einen* Augenblick. Jetzt stirb! Mehr ist unmöglich. Wie frischatmend, schönheitglänzend ringt die Schöpfung sich aus dem Chaos mir entgegen! Die Erde ist eine Schale von dunklem Gold: wie schäumt das Licht in ihr und flutet über ihren Rand, und hellauf perlen daraus die Sterne. Dieser eine Tropfen Seligkeit macht mich zu einem köstlichen Gefäß. Hinab, heiliger Becher! *Er will sich in den Fluß stürzen.*

VALERIO *springt auf und umfaßt ihn.* Halt, Serenissime!

LEONCE. Laß mich!

VALERIO. Ich werde Sie lassen, sobald Sie gelassen sind und das Wasser zu lassen versprechen.

LEONCE. Dummkopf!

VALERIO. Ist denn Eure Hoheit noch nicht über die Leutnantsromantik hinaus: das Glas zum Fenster hinauszuwerfen, womit man die Gesundheit seiner Geliebten getrunken?

LEONCE. Ich glaube halbwegs, du hast recht.

VALERIO. Trösten Sie sich! Wenn Sie auch nicht heut nacht *unter* dem Rasen schlafen, so schlafen Sie wenigstens *darauf*. Es wäre ein ebenso selbstmörderischer Versuch, in eins von den Betten gehn zu wollen. Man liegt auf dem Stroh wie ein Toter und wird von den Flöhen gestochen wie ein Lebendiger.

LEONCE. Meinetwegen. *Er legt sich ins Gras.* Mensch, du hast mich um den schönsten Selbstmord gebracht! Ich werde in meinem Leben keinen so vorzüglichen Augenblick mehr dazu finden, und das Wetter ist so vortrefflich. Jetzt bin ich schon aus der Stimmung. Der Kerl hat mir mit seiner gelben Weste und seinen himmelblauen Hosen alles verdorben. – Der Himmel beschere mir einen recht gesunden, plumpen Schlaf!

VALERIO. Amen! – Und ich habe ein Menschenleben gerettet und werde mir mit meinem guten Gewissen heut nacht den Leib warm halten.

LEONCE. Wohl bekomm's, Valerio!

DRITTER AKT

ERSTE SZENE

Leonce. Valerio.

VALERIO. Heiraten? Seit wann hat es Eure Hoheit zum ewigen Kalender gebracht?

LEONCE. Weißt du auch, Valerio, daß selbst der Geringste unter den Menschen so groß ist, daß das Leben noch viel zu kurz ist, um ihn lieben zu können? Und dann kann ich doch einer gewissen Art von Leuten, die sich einbilden, daß nichts so schön und heilig sei, daß sie es nicht noch schöner und heiliger machen müßten, die Freude lassen. Es liegt ein gewisser Genuß in dieser lieben Arroganz. Warum soll ich ihnen denselben nicht gönnen?

VALERIO. Sehr human und philobestialisch! Aber weiß sie auch, wer Sie sind?

LEONCE. Sie weiß nur, daß sie mich liebt.

VALERIO. Und weiß Eure Hoheit auch, wer sie ist?

LEONCE. Dummkopf! Frag doch die Nelke und die Tauperle nach ihrem Namen.

VALERIO. Das heißt, sie ist überhaupt etwas, wenn das nicht schon zu unzart ist und nach dem Signalement schmeckt. – Aber, wie soll das gehn? – Hm! Prinz, bin ich Minister, wenn Sie heute vor Ihrem Vater mit der Unaussprechlichen, Namenlosen mittelst des Ehesegens zusammengeschmiedet werden? Ihr Wort?

LEONCE. Mein Wort!

VALERIO. Der arme Teufel Valerio empfiehlt sich seiner Exzellenz dem Herrn Staatsminister Valerio von Valeriental. – ›Was will der Kerl? Ich kenne ihn nicht. Fort, Schlingel!‹ *Er läuft weg; Leonce folgt ihm.*

ZWEITE SZENE

FREIER PLATZ VOR DEM SCHLOSSE
DES KÖNIGS PETER

Der Landrat. Der Schulmeister. Bauern im Sonntagsputz, Tannenzweige haltend.

LANDRAT. Lieber Herr Schulmeister, wie halten sich Eure Leute?

SCHULMEISTER. Sie halten sich so gut in ihren Leiden, daß sie sich schon seit geraumer Zeit aneinander halten. Sie gießen brav Spiritus in sich, sonst könnten sie sich in der Hitze unmöglich so lange halten. Courage, ihr Leute! Streckt eure Tannenzweige grad vor euch hin, damit man meint, ihr wärt ein Tannenwald, und eure Nasen die Erdbeeren, und eure Dreimaster die Hörner vom Wildbret, und eure hirschledernen Hosen der Mondschein darin. Und merkt's euch: der hinterste läuft immer wieder vor den vordersten, damit es aussieht, als wärt ihr ins Quadrat erhoben.

LANDRAT. Und, Schulmeister, Ihr steht vor die Nüchternheit.

SCHULMEISTER. Versteht sich, denn ich kann vor Nüchternheit kaum noch stehen.

LANDRAT. Gebt acht, Leute, im Programm steht: ›Sämtliche Untertanen werden von freien Stücken reinlich gekleidet, wohlgenährt und mit zufriedenen Gesichtern sich längs der Landstraße aufstellen.‹ Macht uns keine Schande!

SCHULMEISTER. Seid standhaft! Kratzt euch nicht hinter den Ohren und schneuzt euch die Nase nicht, solang das hohe Paar vorbeifährt, und zeigt die gehörige Rührung, oder es werden rührende Mittel gebraucht werden. Erkennt, was man für euch tut: man hat euch grade so gestellt, daß der Wind von der Küche über euch geht und ihr auch einmal in eurem Leben einen Braten riecht. Könnt ihr noch eure Lektion? He? Vi!

DIE BAUERN. Vi!

SCHULMEISTER. Vat!

DIE BAUERN. Vat!

SCHULMEISTER. Vivat!

DIE BAUERN. Vivat!

SCHULMEISTER. So, Herr Landrat! Sie sehen, wie die Intelligenz im Steigen ist. Bedenken Sie, es ist Latein! Wir geben aber auch heut abend einen transparenten Ball mittelst der Löcher in unseren Jacken und Hosen, und schlagen uns mit unseren Fäusten Kokarden an die Köpfe.

DRITTE SZENE

GROSSER SAAL. GEPUTZTE HERREN UND DAMEN, SORGFÄLTIG GRUPPIERT

Der Zeremonienmeister mit einigen Bedienten auf dem Vordergrund.

ZEREMONIENMEISTER. Es ist ein Jammer! Alles geht zugrund. Die Braten schnurren ein. Alle Glückwünsche stehen ab. Alle Vatermörder legen sich um, wie melancholische Schweinsohren. Den Bauern wachsen die Nägel und der Bart wieder. Den Soldaten gehn die Lokken auf. Von den zwölf Unschuldigen ist keine, die nicht das horizontale Verhalten dem senkrechten vorzöge.

ERSTER BEDIENTER. Sie sehen in ihren weißen Kleidchen aus wie erschöpfte Seidenhasen, und der Hofpoet grunzt um sie herum wie ein bekümmertes Meerschweinchen. Die Herren Offiziere kommen um all ihre Haltung, und die Hofdamen stehen da wie Gradierbäue; das Salz kristallisiert sich an ihren Halsketten.

ZWEITER BEDIENTER. Sie machen es sich wenigstens bequem; man kann ihnen nicht nachsagen, daß sie auf den Schultern trügen. Wenn sie auch nicht offenherzig sind, so sind sie doch offen bis zum Herzen.

ZEREMONIENMEISTER. Ja, sie sind gute Karten vom türkischen Reich: man sieht die Dardanellen und das Marmormeer. Fort, ihr Schlingel! An die Fenster! Da kömmt Ihro Majestät! *König Peter und der Staatsrat treten ein.*

PETER. Also auch die Prinzessin ist verschwunden. Hat man noch keine Spur von unserm geliebten Erbprinzen? Sind meine Befehle befolgt? Werden die Grenzen beobachtet?

ZEREMONIENMEISTER. Ja, Majestät. Die Aussicht von diesem Saal gestattet uns die strengste Aufsicht. *Zu dem ersten Bedienten:* Was hast du gesehen?

ERSTER BEDIENTER. Ein Hund, der seinen Herrn sucht, ist durch das Reich gelaufen.

ZEREMONIENMEISTER *zu einem andern.* Und du?

ZWEITER BEDIENTER. Es geht jemand auf der Nordgrenze spazieren, aber es ist nicht der Prinz, ich könnte ihn erkennen.

ZEREMONIENMEISTER. Und du?

DRITTER BEDIENTER. Sie verzeihen – nichts.

ZEREMONIENMEISTER. Das ist sehr wenig. Und du?

VIERTER BEDIENTER. Auch nichts.

ZEREMONIENMEISTER. Das ist ebensowenig.

PETER. Aber, Staatsrat, habe ich nicht den Beschluß gefaßt, daß meine königliche Majestät sich an diesem Tage freuen und daß an ihm die Hochzeit gefeiert werden sollte? War das nicht unser festester Entschluß?

PRÄSIDENT. Ja, Eure Majestät, so ist es protokolliert und aufgezeichnet.

PETER. Und würde ich mich nicht kompromittieren, wenn ich meinen Beschluß nicht ausführte?

PRÄSIDENT. Wenn es anders für Eure Majestät möglich wäre, sich zu kompromittieren, so wäre dies ein Fall, worin sie sich kompromittieren könnte.

PETER. Habe ich nicht mein königliches Wort gegeben? – Ja, ich werde meinen Beschluß sogleich ins Werk setzen, ich werde mich freuen. *Er reibt sich die Hände.* O, ich bin außerordentlich froh!

PRÄSIDENT. Wir teilen sämtlich die Gefühle Eurer Majestät, soweit es für Untertanen möglich und schicklich ist.

PETER. O, ich weiß mir vor Freude nicht zu helfen! Ich werde meinen Kammerherren rote Röcke machen lassen, ich werde einige Kadetten zu Leutnants machen, ich werde meinen Untertanen erlauben, – aber, aber, die Hochzeit? Lautet die andere Hälfte des Beschlusses nicht, daß die Hochzeit gefeiert werden sollte?

PRÄSIDENT. Ja, Eure Majestät.

PETER. Ja, wenn aber der Prinz nicht kommt und die Prinzessin auch nicht?

PRÄSIDENT. Ja, wenn der Prinz nicht kommt und die Prinzessin auch nicht – dann – dann –

PETER. Dann, dann?

PRÄSIDENT. Dann können sie sich eben nicht heiraten.

PETER. Halt, ist der Schluß logisch? Wenn – dann –. Richtig! Aber mein Wort, mein königliches Wort!

PRÄSIDENT. Tröste Eure Majestät sich mit andern Majestäten! Ein königliches Wort ist ein Ding – ein Ding – ein Ding, – das nichts ist.

PETER *zu den Dienern.* Seht ihr noch nichts?

DIE DIENER. Eure Majestät, nichts, gar nichts.

PETER. Und ich hatte beschlossen, mich so zu freuen! Grade mit dem Glockenschlag zwölf wollte ich anfangen und wollte mich freuen volle zwölf Stunden – ich werde ganz melancholisch.

PRÄSIDENT. Alle Untertanen werden aufgefordert, die Gefühle Ihrer Majestät zu teilen.

ZEREMONIENMEISTER. Denjenigen, welche kein Schnupftuch bei sich haben, ist das Weinen jedoch Anstandes halber untersagt.

ERSTER BEDIENTER. Halt! Ich sehe was? Es ist etwas wie ein Vorsprung, wie eine Nase, das übrige ist noch nicht über der Grenze; und dann seh ich noch einen Mann, und dann noch zwei Personen entgegengesetzten Geschlechts.

ZEREMONIENMEISTER. In welcher Richtung?

ERSTER BEDIENTER. Sie kommen näher. Sie gehn auf das Schloß zu. Da sind sie! *Valerio, Leonce, die Gouvernante und die Prinzessin treten maskiert auf.*

PETER. Wer seid Ihr?

VALERIO. Weiß ich's? *Er nimmt langsam hintereinander mehrere Masken ab.* Bin ich das? oder das? oder das? Wahrhaftig, ich bekomme Angst, ich könnte mich so ganz auseinanderschälen und -blättern.

PETER *verlegen.* Aber – aber etwas müßt Ihr denn doch sein?

VALERIO. Wenn Eure Majestät es so befehlen! Aber, meine Herren, hängen Sie dann die Spiegel herum und verstecken Sie Ihre blanken Knöpfe etwas, und sehen Sie mich nicht so an, daß ich mich in Ihren Augen spiegeln muß, oder ich weiß wahrhaftig nicht mehr, was ich eigentlich bin.

PETER. Der Mensch bringt mich in Konfusion, zur Desperation! Ich bin in der größten Verwirrung.

VALERIO. Aber eigentlich wollte ich einer hohen und geehrten Gesellschaft verkündigen, daß hiermit die zwei weltberühmten Automaten angekommen sind, und daß ich vielleicht der dritte und merkwürdigste von beiden bin, wenn ich eigentlich selbst recht wüßte, wer ich wäre, worüber man übrigens sich nicht wundern dürfte, da ich selbst gar nichts von dem weiß, was ich rede, ja auch nicht einmal weiß, daß ich es nicht weiß, so daß es höchst wahrscheinlich ist, daß man mich nur so reden *läßt*, und es eigentlich nichts als Walzen und Windschläuche sind, die alles sagen. *Mit schnarrendem Ton:* Sehen Sie hier, meine Herren und Damen, zwei Personen beiderlei Geschlechts, ein Männchen und ein Weibchen, einen Herrn und eine Dame! Nichts als Kunst und Mechanismus, nichts als Pappendeckel und Uhrfedern! Jede hat eine feine, feine Feder von Rubin unter dem Nagel der kleinen Zehe am rechten Fuß, man drückt ein klein wenig, und die Mechanik läuft volle fünfzig Jahre. Diese Personen sind so vollkommen gearbeitet, daß man sie von andern Menschen gar nicht unterscheiden könnte, wenn man nicht wüßte, daß sie bloße Pappdeckel sind; man könnte sie eigentlich zu Mitgliedern der menschlichen Gesellschaft machen. Sie sind sehr edel, denn sie sprechen Hochdeutsch. Sie sind sehr moralisch, denn sie stehn auf den Glockenschlag auf, essen auf den Glockenschlag zu Mittag und gehn auf den Glockenschlag zu Bett; auch haben sie eine gute Verdauung, was beweist, daß sie ein gutes Gewissen haben. Sie haben ein feines sittliches Gefühl, denn die Dame hat gar kein Wort für den Begriff Beinkleider, und dem Herrn ist es rein unmöglich, hinter einem Frauenzimmer eine Treppe hinauf- oder vor ihm hinunterzugehen. Sie sind sehr gebildet, denn die Dame singt alle neuen Opern, und der Herr trägt Manschetten. Geben Sie acht, meine Herren und Damen, sie sind jetzt in einem interessanten Stadium: der Mechanismus der Liebe fängt an sich zu äußern, der Herr hat der Dame schon einigemal den Schal getragen, die Dame hat schon einigemal die Augen verdreht und gen Himmel geblickt. Beide haben schon mehrmals geflüstert: Glaube, Liebe, Hoffnung! Beide sehen bereits ganz akkordiert aus, es fehlt nur noch das winzige Wörtchen: Amen.

PETER *den Finger an die Nase legend.* In effigie? in effigie? Präsident, wenn man einen Menschen in effigie hängen läßt, ist das nicht ebensogut, als wenn er ordentlich gehängt würde?

PRÄSIDENT. Verzeihen, Eure Majestät, es ist noch viel besser, denn es geschieht ihm kein Leid dabei, und er wird dennoch gehängt.

PETER. Jetzt hab ich's. Wir feiern die Hochzeit in effigie! *Auf Lena und Leonce deutend:* Das ist die Prinzessin, das ist der Prinz. – Ich werde meinen Beschluß durchsetzen, ich werde mich freuen. – Laßt die Glocken läuten! Macht Eure Glückwünsche zurecht! Hurtig, Herr Hofprediger!

Der Hofprediger tritt vor, räuspert sich, blickt einigemal gen Himmel.

VALERIO. Fang an! Laß deine vermaledeiten Gesichter und fang an! Wohlauf!

HOFPREDIGER *in der größten Verwirrung.* Wenn wir – oder – aber –

VALERIO. Sintemal und alldieweil –

HOFPREDIGER. Denn –

VALERIO. Es war vor Erschaffung der Welt –

HOFPREDIGER. Daß –

VALERIO. Gott Langeweile hatte –

PETER. Machen Sie es nur kurz, Bester.

HOFPREDIGER *sich fassend.* Geruhen Eure Hoheit, Prinz Leonce vom Reiche Popo, und geruhen Eure Hoheit, Prinzessin Lena vom Reiche Pipi, und geruhen Eure Hoheiten gegenseitig, sich beiderseitig einander haben zu wollen, so sprechen Sie ein lautes und vernehmliches Ja.

LENA *und* LEONCE. Ja!

HOFPREDIGER. So sage ich Amen.

VALERIO. Gut gemacht, kurz und bündig; so wären denn das Männlein und Fräulein erschaffen, und alle Tiere des Paradieses stehen um sie. *Leonce nimmt die Maske ab.*

ALLE. Der Prinz.

PETER. Der Prinz! Mein Sohn! Ich bin verloren, ich bin betrogen! *Er geht auf die Prinzessin los.* Wer ist die Person? Ich lasse alles für ungültig erklären!

GOUVERNANTE *nimmt der Prinzessin die Maske ab, triumphierend.* Die Prinzessin!

LEONCE. Lena?

LENA. Leonce?

LEONCE. Ei, Lena, ich glaube, das war die Flucht in das Paradies.

LENA. Ich bin betrogen!

LEONCE. Ich bin betrogen!

LENA. O Zufall!

LEONCE. O Vorsehung!

VALERIO. Ich muß lachen, ich muß lachen. Eure Hoheiten sind wahrhaftig durch den Zufall einander zugefallen; ich hoffe, Sie werden dem Zufall zu Gefallen – Gefallen aneinander finden.

GOUVERNANTE. Daß meine alten Augen endlich das sehen konnten! Ein irrender Königssohn! Jetzt sterb ich ruhig.

PETER. Meine Kinder, ich bin gerührt, ich weiß mir vor Rührung kaum zu helfen. Ich bin der glücklichste Mann! Ich lege aber auch hiermit feierlichst die Regierung in deine Hände, mein Sohn, und werde sogleich ungestört zu denken anfangen. Mein Sohn, du überlässest mir diese Weisen *er deutet auf den Staatsrat*, damit sie mich in meinen Bemühungen unterstützen. Kommen Sie, meine Herren, wir müssen denken, ungestört denken! *Er entfernt sich mit dem Staatsrat.* Der Mensch hat mich vorhin konfus gemacht, ich muß mir wieder heraushelfen.

LEONCE *zu den Anwesenden.* Meine Herren! Meine Gemahlin und ich bedauern unendlich, daß Sie uns heute so lange zu Diensten gestanden sind. Ihre Stellung ist so traurig, daß wir um keinen Preis Ihre Standhaftigkeit länger auf die Probe stellen möchten. Gehn Sie jetzt nach Hause, aber vergessen Sie Ihre Reden, Predigten und Verse nicht, denn morgen fangen wir in aller Ruhe und Gemütlichkeit den Spaß noch einmal von vorne an. Auf Wiedersehn!

Alle entfernen sich, Leonce, Lena, Valerio und die Gouvernante ausgenommen.

LEONCE. Nun, Lena, siehst du jetzt, wie wir die Taschen voll haben, voll Puppen und Spielzeug? Was wollen wir damit anfangen? Wollen wir ihnen Schnurrbärte machen und ihnen Säbel anhängen? Oder wollen wir ihnen Fräcke anziehen und sie infusorische Politik und Diplomatie treiben lassen, und uns mit dem Mikroskop danebensetzen? Oder hast du Verlangen nach einer Drehorgel, auf der die milchweißen ästhetischen Spitzmäuse herumhuschen? Wollen wir ein Theater bauen? *Lena lehnt sich an ihn und schüttelt den Kopf.* Aber ich weiß besser, was du willst: wir lassen alle Uhren zerschlagen, alle Kalender verbieten und zählen Stunden und Monden nur nach der Blumenuhr, nur nach Blüte und Frucht. Und dann umstellen wir das Ländchen mit Brennspiegeln, daß es keinen Winter mehr gibt und wir uns im Sommer bis Ischia und Capri hinaufdestillieren, und das ganze Jahr zwischen Rosen und Veilchen, zwischen Orangen und Lorbeer stecken.

VALERIO. Und ich werde Staatsminister, und es wird ein Dekret erlassen, daß, wer sich Schwielen in die Hände schafft, unter Kuratel gestellt wird; daß, wer sich krank arbeitet, kriminalistisch strafbar ist; daß jeder, der sich rühmt, sein Brot im Schweiße seines Angesichts zu essen, für verrückt und der menschlichen Gesellschaft gefährlich erklärt wird; und dann legen wir uns in den Schatten und bitten Gott um Makkaroni, Melonen und Feigen, um musikalische Kehlen, klassische Leiber und eine commode Religion!

WOYZECK

Personen

Woyzeck · Marie
Hauptmann · Doktor · Tambourmajor
Unteroffizier · Andres · Margret
Budenbesitzer · Marktschreier
Alter Mann mit Leierkasten · Jude
Wirt · Erster Handwerksbursch
Zweiter Handwerksbursch
Käthe · Narr Karl · Großmutter
Erstes, zweites, drittes Kind
Erste, zweite Person
Polizeikommissar

Soldaten · Studenten · Burschen und Mädchen
Kinder · Volk

BEIM HAUPTMANN

Hauptmann auf einem Stuhl; Woyzeck rasiert ihn.

HAUPTMANN. Langsam, Woyzeck, langsam; eins nach dem andern! Er macht mir ganz schwindlig. Was soll ich dann mit den zehn Minuten anfangen, die Er heut zu früh fertig wird? Woyzeck, bedenk Er: Er hat noch seine schöne dreißig Jahr zu leben, dreißig Jahr! Macht dreihundertsechzig Monate! und Tage! Stunden! Minuten! Was will Er denn mit der ungeheuren Zeit all anfangen? Teil Er sich ein, Woyzeck!

WOYZECK. Jawohl, Herr Hauptmann.

HAUPTMANN. Es wird mir ganz angst um die Welt, wenn ich an die Ewigkeit denke. Beschäftigung, Woyzeck, Beschäftigung! Ewig: das ist ewig, das ist ewig – das siehst du ein; nun ist es aber wieder nicht ewig, und das ist ein Augenblick, ja ein Augenblick – Woyzeck, es schaudert mich, wenn ich denke, daß sich die Welt in einem Tag herumdreht! Was 'n Zeitverschwendung! Wo soll das hinaus? Woyzeck, ich kann kein Mühlrad mehr sehn, oder ich werd melancholisch.

WOYZECK. Jawohl, Herr Hauptmann.

HAUPTMANN. Woyzeck, Er sieht immer so verhetzt aus! Ein guter Mensch tut das nicht, ein guter Mensch, der sein gutes Gewissen hat. – Red Er doch was, Woyzeck! Was ist heut für Wetter?

WOYZECK. Schlimm, Herr Hauptmann, schlimm: Wind!

HAUPTMANN. Ich spür's schon, 's ist so was Geschwindes draußen; so ein Wind macht mir den Effekt wie eine Maus. *Pfiffig:* Ich glaub, wir haben so was aus Süd-Nord?

WOYZECK. Jawohl, Herr Hauptmann.

HAUPTMANN. Ha! ha! ha! Süd-Nord! Ha! ha! ha! Oh, Er ist dumm, ganz abscheulich dumm! – *Gerührt:* Woyzeck, Er ist ein guter Mensch, – aber *mit Würde:* Woyzeck, Er hat keine Moral! Moral, das ist, wenn man moralisch ist, versteht Er. Es ist ein gutes Wort. Er hat ein Kind ohne den Segen der Kirche, wie unser hochehrwürdiger Herr Garnisonsprediger sagt, – ohne den Segen der Kirche, es ist nicht von mir.

WOYZECK. Herr Hauptmann, der liebe Gott wird den armen Wurm nicht drum ansehen, ob das Amen drüber gesagt ist, eh er gemacht wurde. Der Herr sprach: Lasset die Kleinen zu mir kommen.

HAUPTMANN. Was sagt Er da? Was ist das für eine kuriose Antwort? Er macht mich ganz konfus mit seiner Antwort. Wenn ich sag: Er, so mein' ich Ihn, Ihn –

WOYZECK. Wir arme Leut – Sehn Sie, Herr Hauptmann: Geld, Geld! Wer kein Geld hat – Da setz einmal eines seinesgleichen auf die Moral in die Welt! Man hat auch sein Fleisch und Blut. Unsereins ist doch einmal unselig in der und der andern Welt. Ich glaub, wenn wir in Himmel kämen, so müßten wir donnern helfen.

HAUPTMANN. Woyzeck, Er hat keine Tugend! Er ist kein tugendhafter Mensch! Fleisch und Blut? Wenn ich am Fenster lieg, wenn's geregnet hat, und den weißen Strümpfen so nachseh, wie sie über die Gassen springen – verdammt, Woyzeck, da kommt mir die Liebe! Ich hab auch Fleisch und Blut. Aber, Woyzeck, die Tugend! die Tugend! Wie sollte ich dann die Zeit herumbringen? Ich sag mir immer: du bist ein tugendhafter Mensch, *gerührt* ein guter Mensch, ein guter Mensch.

WOYZECK. Ja, Herr Hauptmann, die Tugend, – ich hab's noch nit so aus. Sehn Sie: wir gemeine Leut, das hat keine Tugend, es kommt einem nur so die Natur; aber wenn ich ein Herr wär und hätt ein' Hut und eine Uhr und eine Anglaise und könnt vornehm reden, ich wollt schon tugendhaft sein. Es muß was Schönes sein um die Tugend, Herr Hauptmann. Aber ich bin ein armer Kerl!

HAUPTMANN. Gut, Woyzeck. Du bist ein guter Mensch, ein guter Mensch. Aber du denkst zuviel, das zehrt; du siehst immer so verhetzt aus. – Der Diskurs hat mich ganz angegriffen. Geh jetzt, und renn nicht so; langsam, hübsch langsam die Straße hinunter!

FREIES FELD, DIE STADT IN DER FERNE

Woyzeck und Andres schneiden Stecken im Gebüsch.

ANDRES *peift.*

WOYZECK. Ja, Andres, der Platz ist verflucht. Siehst du den lichten Streif da über das Gras hin, wo die Schwämme so nachwachsen? Da rollt abends der Kopf. Es hob ihn einmal einer auf, er meint', es wär ein Igel: drei Tag und drei Nächt, und er lag auf den Hobelspänen. *Leise:* Andres, das waren die Freimaurer! ich hab's, die Freimaurer!

ANDRES *singt:* Saßen dort zwei Hasen,
Fraßen ab das grüne, grüne Gras . . .

WOYZECK. Still! Hörst du's, Andres? hörst du's? Es geht was!

ANDRES. Fraßen ab das grüne, grüne Gras
Bis auf den Rasen.

WOYZECK. Es geht hinter mir, unter mir. *Stampft auf den Boden:* Hohl, hörst du? alles hohl da unten! Die Freimaurer!

ANDRES. Ich fürcht mich.

WOYZECK. 's ist so kurios still. Man möcht den Atem halten. – Andres!

ANDRES. Was?

WOYZECK. Red was! *Starrt in die Gegend.* Andres! wie hell! Über der Stadt is alles Glut! Ein Feuer fährt um den Himmel und ein Getös herunter wie Posaunen. Wie's heraufzieht! – Fort! Sieh nicht hinter dich! *Reißt ihn ins Gebüsch.*

ANDRES *nach einer Pause.* Woyzeck, hörst du's noch?

WOYZECK. Still, alles still, als wär die Welt tot.

ANDRES. Hörst du? Sie trommeln drin. Wir müssen fort!

DIE STADT

Marie mit ihrem Kind am Fenster. Margret.
Der Zapfenstreich geht vorbei, der Tambourmajor voran.

MARIE *das Kind wippend auf dem Arm.* He, Bub! Sa ra ra ra! Hörst? Da kommen sie!

MARGRET. Was ein Mann, wie ein Baum!

MARIE. Er steht auf seinen Füßen wie ein Löw. *Tambourmajor grüßt.*

MARGRET. Ei, was freundliche Auge, Frau Nachbarin! So was is man an ihr nit gewöhnt.

MARIE *singt:* Soldaten, das sind schöne Bursch . . .

MARGRET. Ihre Auge glänze ja noch –

MARIE. Und wenn! Trag Sie Ihre Auge zum Jud, und laß Sie sie putze; vielleicht glänze sie noch, daß man sie für zwei Knöpf verkaufe könnt.

MARGRET. Was, Sie? Sie? Frau Jungfer! Ich bin eine honette Person, aber Sie, es weiß jeder, Sie guckt sieben Paar lederne Hose durch!

MARIE. Luder! *Schlägt das Fenster durch.* Komm, mei Bub! Was die Leut wolle. Bist doch nur ein arm Hurenkind und machst deiner Mutter Freud mit deim unehrliche Gesicht! Sa! sa!

Singt: Mädel, was fangst du jetzt an?
Hast ein klein Kind und kein' Mann!
Ei, was frag ich danach?
Sing ich die ganze Nacht
Heio, popeio, mei Bu, juchhe!
Gibt mir kein Mensch nix dazu.

Es klopft am Fenster.

MARIE. Wer da? Bist du's, Franz? Komm herein!

WOYZECK. Kann nit. Muß zum Verles'.

MARIE. Hast du Stecken geschnitten für den Hauptmann?

WOYZECK. Ja, Marie.

MARIE. Was hast du, Franz? Du siehst so verstört.

WOYZECK *geheimnisvoll.* Marie, es war wieder was, viel – steht nicht geschrieben: Und sieh, da ging ein Rauch vom Land, wie der Rauch vom Ofen?

MARIE. Mann!

WOYZECK. Es ist hinter mir hergangen bis vor die Stadt. Etwas, was wir nicht fassen, begreifen, was uns von Sinnen bringt. Was soll das werden?

MARIE. Franz!

WOYZECK. Ich muß fort. – Heut abend auf die Meß! Ich hab wieder was gespart. *Er geht.*

MARIE. Der Mann! So vergeistert. Er hat sein Kind nicht angesehn! Er schnappt noch über mit den Gedanken! – Was bist so still, Bub? Furchtst dich? Es wird so dunkel; man meint, man wär blind. Sonst scheint als die Latern herein. Ich halt's nit aus; es schauert mich! *Geht ab.*

BUDEN. LICHTER. VOLK

ALTER MANN *singt und* KIND *tanzt zum Leierkasten:*

Auf der Welt ist kein Bestand,
Wir müssen alle sterben,
Das ist uns wohlbekannt.

WOYZECK. Hei, Hopsa's! – Armer Mann, alter Mann! Armes Kind, junges Kind! Sorgen und Feste!

MARIE. Mensch, sind noch die Narrn von Verstande, dann ist man selbst Narr. – Komische Welt! schöne Welt! *Beide gehn weiter zum Marktschreier.*

MARKTSCHREIER *vor einer Bude mit seiner Frau in Hosen und einem kostümierten Affen.* Meine Herren, meine Herren! Sehn Sie die Kreatur, wie sie Gott gemacht: nix, gar nix. Sehn Sie jetzt die Kunst: geht aufrecht, hat Rock und Hosen, hat ein' Säbel! Der Aff ist Soldat; 's ist noch nit viel, unterste Stuf von menschliche Geschlecht. Ho! Mach Kompliment! So – bist Baron. Gib Kuß! *Er trompetet:* Wicht ist musikalisch. – Meine Herren, hier ist zu sehen das astronomische Pferd und die kleine Kanaillevögele. Sind Favorit von alle gekrönte Häupter Europas, verkündigen den Leuten alles: wie alt, wieviel Kinder, was für Krankheit. Die Rapräsentationen anfangen! Es wird sogleich sein das Commencement von Commencement.

WOYZECK. Willst du?

MARIE. Meinetwegen. Das muß schön Dings sein. Was der Mensch Quasten hat! Und die Frau hat Hosen! *Beide gehn in die Bude.*

TAMBOURMAJOR. Halt, jetzt! Siehst du sie? Was ein Weibsbild!

UNTEROFFIZIER. Teufel! Zum Fortpflanzen von Kürassierregimentern!

TAMBOURMAJOR. Und zur Zucht von Tambourmajors!

UNTEROFFIZIER. Wie sie den Kopf trägt! Man meint, das schwarze Haar müßt sie abwärts ziehn wie ein Gewicht. Und Augen –

TAMBOURMAJOR. Als ob man in ein' Ziehbrunnen oder zu einem Schornstein hinunter guckt. Fort, hinterdrein! –

DAS INNERE DER HELLERLEUCHTETEN BUDE

MARIE. Was Licht!

WOYZECK. Ja, Marie, schwarze Katzen mit feurige Augen. Hei, was ein Abend!

DER BUDENBESITZER *ein Pferd vorführend.* Zeig dein Talent! zeig deine viehische Vernünftigkeit! Beschäme die menschliche Sozietät! Meine Herren, dies Tier, was Sie da sehn, Schwanz am Leib, auf seine vier Hufe, ist Mitglied von alle gelehrte Sozietät, ist Professor an unsre Universität, wo die Studente bei ihm reiten und schlagen lernen. – Das war einfacher Verstand. Denk jetzt mit der doppelten Raison! Was machst du, wann du mit der doppelten Raison denkst? Ist unter der gelehrten Société da ein Esel? *Der Gaul schüttelt den*

Kopf. Sehn Sie jetzt die doppelte Raison? Das ist Viehsionomik. Ja, das ist kein viehdummes Individuum, das ist ein Person, ein Mensch, ein tierischer Mensch –, und doch ein Vieh, ein Bête. *Das Pferd führt sich ungebührlich auf.* So, beschäme die Société. Sehn Sie, das Vieh ist noch Natur, unideale Natur! Lernen Sie bei ihm! Fragen Sie den Arzt, es ist sonst höchst schädlich! Das hat geheißen: Mensch, sei natürlich! Du bist geschaffen aus Staub, Sand, Dreck. Willst du mehr sein als Staub, Sand, Dreck? – Sehn Sie, was Vernunft: es kann rechnen und kann doch nit an den Fingern herzählen. Warum? Kann sich nur nit ausdrücken, nur nit explizieren, ist ein verwandelter Mensch. Sag den Herren, wieviel Uhr es ist! Wer von den Herren und Damen hat ein Uhr? ein Uhr?

UNTEROFFIZIER. Eine Uhr? *Zieht großartig und gemessen eine Uhr aus der Tasche:* Da, mein Herr!

MARIE. Das muß ich sehn. *Sie klettert auf den ersten Platz; Unteroffizier hilft ihr.*

TAMBOURMAJOR. Das ist ein Weibsbild!

—

MARIENS KAMMER

MARIE *sitzt, ihr Kind auf dem Schoß, ein Stückchen Spiegel in der Hand.* Der andre hat ihm befohlen, und er hat gehen müssen! – *Bespiegelt sich:* Was die Steine glänzen! Was sind's für? was hat er gesagt? – – Schlaf, Bub! Drück die Augen zu, fest! *Das Kind versteckt die Augen hinter den Händen.* Noch fester! Bleib so – still, oder er holt dich! *Singt:*

Mädel, mach 's Ladel zu,
's kommt e Zigeunerbu,
Führt dich an deiner Hand
Fort ins Zigeunerland.

Spiegelt sich wieder. 's ist gewiß Gold! Wie wird mir's beim Tanz stehen? Unsereins hat nur ein Eckchen in der Welt und ein Stückchen Spiegel, und doch hab ich ein' so roten Mund als die großen Madamen mit ihren Spiegeln von oben bis unten und ihren schönen Herrn, die ihnen die Händ küssen. Ich bin nur ein arm Weibsbild! – *Das Kind richtet sich auf:* Still, Bub, die Augen zu! Das Schlafengelchen! wie's an der Wand läuft *sie blinkt mit dem Glas:* Die Auge zu, oder es sieht dir hinein, daß du blind wirst!

Woyzeck tritt herein, hinter sie. Sie fährt auf, mit den Händen nach den Ohren.

WOYZECK. Was hast du?

MARIE. Nix.
WOYZECK. Unter deinen Fingern glänzt's ja.
MARIE. Ein Ohrringlein; hab's gefunden.
WOYZECK. Ich hab so noch nix gefunden, zwei auf einmal!
MARIE. Bin ich ein Mensch?
WOYZECK. 's is gut, Marie. – Was der Bub schläft! Greif ihm unters Ärmchen, der Stuhl drückt ihn. Die hellen Tropfen stehn ihm auf der Stirn; alles Arbeit unter der Sonn, sogar Schweiß im Schlaf. Wir arme Leut! – Da is wieder Geld, Marie; die Löhnung und was von meim Hauptmann.
MARIE. Gott vergelt's, Franz.
WOYZECK. Ich muß fort. Heut abend, Marie! Adies!
MARIE *allein, nach einer Pause.* Ich bin doch ein schlecht Mensch! Ich könnt mich erstechen. – Ach! was Welt! Geht doch alles zum Teufel, Mann und Weib!

BEIM DOKTOR

Woyzeck. Der Doktor.

DOKTOR. Was erleb ich, Woyzeck? Ein Mann von Wort!
WOYZECK. Was denn, Herr Doktor?
DOKTOR. Ich hab's gesehn, Woyzeck; Er hat auf die Straß gepißt, an die Wand gepißt, wie ein Hund! – Und doch drei Groschen täglich und Kost! Woyzeck, das ist schlecht; die Welt wird schlecht, sehr schlecht!
WOYZECK. Aber, Herr Doktor, wenn einem die Natur kommt.
DOKTOR. Die Natur kommt, die Natur kommt! Die Natur! Hab ich nicht nachgewiesen, daß der Musculus constrictor vesicae dem Willen unterworfen ist? Die Natur! Woyzeck, der Mensch ist frei, in dem Menschen verklärt sich die Individualität zur Freiheit. – Den Harn nicht halten können! *Schüttelt den Kopf, legt die Hände auf den Rücken und geht auf und ab.* Hat Er schon seine Erbsen gegessen, Woyzeck? Nichts als Erbsen, cruciferae, merk' Er sich's! Es gibt eine Revolution in der Wissenschaft, ich sprenge sie in die Luft. Harnstoff 0,10, salzsaures Ammonium, Hyperoxydul – Woyzeck, muß Er nicht wieder pissen? Geh Er einmal hinein und probier Er's!
WOYZECK. Ich kann nit, Herr Doktor.
DOKTOR *mit Affekt.* Aber an die Wand pissen! Ich hab's schriftlich, den Akkord in der Hand! – Ich hab's gesehn, mit diesen Augen gesehn; ich steckt grade die Nase zum Fenster hinaus und ließ die Sonnenstrahlen hinein fallen, um das Niesen zu beobachten. *Tritt auf ihn los:* Nein, Woyzeck, ich ärgre mich nicht; Ärger ist ungesund,

ist unwissenschaftlich. Ich bin ruhig, ganz ruhig; mein Puls hat seine gewöhnlichen 60, und ich sag's Ihm mit der größten Kaltblütigkeit. Behüte, wer wird sich über einen Menschen ärgern, ein' Menschen! Wenn es noch ein Proteus wäre, der einem krepiert! Aber, Woyzeck, Er hätte doch nicht an die Wand pissen sollen –

WOYZECK. Sehn Sie, Herr Doktor, manchmal hat einer so 'en Charakter, so 'ne Struktur. – Aber mit der Natur ist's was anders, sehn Sie; mit der Natur *er kracht mit den Fingern*, das is so was, wie soll ich doch sagen, zum Beispiel ...

DOKTOR. Woyzeck, Er philosophiert wieder.

WOYZECK *vertraulich*. Herr Doktor, haben Sie schon was von der doppelten Natur gesehn? Wenn die Sonn in Mittag steht und es ist, als ging' die Welt in Feuer auf, hat schon eine fürchterliche Stimme zu mir geredt!

DOKTOR. Woyzeck, Er hat eine Aberratio.

WOYZECK *legt den Finger an die Nase*. Die Schwämme, Herr Doktor, da, da steckt's. Haben Sie schon gesehn, in was für Figuren die Schwämme auf dem Boden wachsen? Wer das lesen könnt!

DOKTOR. Woyzeck, Er hat die schönste Aberratio mentalis partialis, die zweite Spezies, sehr schön ausgeprägt. Woyzeck, Er kriegt Zulage! Zweite Spezies: fixe Idee mit allgemein vernünftigem Zustand. – Er tut noch alles wie sonst? rasiert seinen Hauptmann?

WOYZECK. Jawohl.

DOKTOR. Ißt seine Erbsen?

WOYZECK. Immer ordentlich, Herr Doktor. Das Geld für die Menage kriegt meine Frau.

DOKTOR. Tut seinen Dienst?

WOYZECK. Jawohl.

DOKTOR. Er ist ein interessanter Kasus. Subjekt Woyzeck, Er kriegt Zulage, halt Er sich brav! Zeig Er seinen Puls. Ja.

MARIENS KAMMER

Marie. Tambourmajor.

TAMBOURMAJOR. Marie!

MARIE *ihn ansehend, mit Ausdruck*. Geh einmal vor dich hin! – Über die Brust wie ein Rind und ein Bart wie ein Löw. So ist keiner! – Ich bin stolz vor allen Weibern!

TAMBOURMAJOR. Wenn ich am Sonntag erst den großen Federbusch hab und die weiße Handschuh, Donnerwetter! Der Prinz sagt immer: Mensch, Er ist ein Kerl!

MARIE *spöttisch.* Ach was! – *Tritt vor ihn hin:* Mann!
TAMBOURMAJOR. Und du bist auch ein Weibsbild! Sapperment, wir wollen eine Zucht von Tambourmajors anlegen. He? *Er umfaßt sie.*
MARIE *verstimmt.* Laß mich!
TAMBOURMAJOR. Wild Tier!
MARIE *heftig.* Rühr mich an!
TAMBOURMAJOR. Sieht dir der Teufel aus den Augen?
MARIE. Meinetwegen! Es is alles eins!

STRASSE

Hauptmann. Doktor. Hauptmann keucht die Straße herunter, hält an; keucht, sieht sich um.

HAUPTMANN. Herr Doktor, rennen Sie nicht so! Rudern Sie mit Ihrem Stock nicht so in der Luft! Sie hetzen sich ja hinter dem Tod drein. Ein guter Mensch, der sein gutes Gewissen hat, geht nicht so schnell. Ein guter Mensch – *er erwischt den Doktor am Rock:* Herr Doktor, erlauben Sie, daß ich ein Menschenleben rette!
DOKTOR. Pressiert, Herr Hauptmann, pressiert!
HAUPTMANN. Herr Doktor, ich bin so schwermütig, ich habe so was Schwärmerisches; ich muß immer weinen, wenn ich meinen Rock an der Wand hängen sehe –.
DOKTOR. Hm! Aufgedunsen, fett, dicker Hals: apoplektische Konstitution. Ja, Herr Hauptmann, Sie können eine Apoplexia cerebri kriegen; Sie können sie aber vielleicht auch nur auf der einen Seite bekommen und dann auf der einen gelähmt sein, oder aber Sie können im besten Fall geistig gelähmt werden und nur fort vegetieren: das sind so ohngefähr Ihre Aussichten auf die nächsten vier Wochen! Übrigens kann ich Sie versichern, daß Sie einen von den interessanten Fällen abgeben, und wenn Gott will, daß Ihre Zunge zum Teil gelähmt wird, so machen wir die unsterblichsten Experimente.
HAUPTMANN. Herr Doktor, erschrecken Sie mich nicht! Es sind schon Leute am Schreck gestorben, am bloßen hellen Schreck. – Ich sehe schon die Leute mit den Zitronen in den Händen; aber sie werden sagen, er war ein guter Mensch, ein guter Mensch – Teufel Sargnagel!
DOKTOR *hält ihm den Hut hin.* Was ist das, Herr Hauptmann? – Das ist Hohlkopf, geehrtester Herr Exerzierzagel!
HAUPTMANN *macht eine Falte.* Was ist das, Herr Doktor? – Das ist Einfalt, bester Herr Sargnagel! Hähähä! Aber nichts für ungut! Ich bin ein guter Mensch, aber ich kann auch, wenn ich will, Herr Doktor, hähähä! wenn ich will ... *Woyzeck kommt und will vorbeieilen.* He,

Woyzeck, was hetzt Er sich so an uns vorbei. Bleib Er doch, Woyzeck! Er läuft ja wie ein offnes Rasiermesser durch die Welt, man schneidt sich an Ihm; Er läuft, als hätt Er ein Regiment Kastrierte zu rasieren und würde gehenkt über dem längsten Haar noch vorm Verschwinden. Aber, über die langen Bärte – was wollt ich doch sagen? Woyzeck: die langen Bärte . . .

DOKTOR. Ein langer Bart unter dem Kinn, schon Plinius spricht davon, man müßt es den Soldaten abgewöhnen . . .

HAUPTMANN *fährt fort.* Ha! über die langen Bärte! Wie is, Woyzeck, hat Er noch nicht ein Haar aus einem Bart in seiner Schüssel gefunden? He, Er versteht mich doch? Ein Haar von einem Menschen, vom Bart eines Sapeurs, eines Unteroffiziers, eines – eines Tambourmajors? He, Woyzeck? Aber Er hat eine brave Frau. Geht Ihm nicht wie andern.

WOYZECK. Jawohl! Was wollen Sie sagen, Herr Hauptmann?

HAUPTMANN. Was der Kerl ein Gesicht macht! . . . Vielleicht nun auch nicht in der Suppe, aber wenn Er sich eilt und um die Eck geht, so kann er vielleicht noch auf ein Paar Lippen eins finden. Ein Paar Lippen, Woyzeck – ich habe auch das Lieben gefühlt, Woyzeck. Kerl, Er ist ja kreideweiß!

WOYZECK. Herr Hauptmann, ich bin ein armer Teufel – und hab sonst nichts auf der Welt. Herr Hauptmann, wenn Sie Spaß machen –

HAUPTMANN. Spaß, ich? Daß dich Spaß, Kerl!

DOKTOR. Den Puls, Woyzeck, den Puls! – Klein, hart, hüpfend, unregelmäßig.

WOYZECK. Herr Hauptmann, die Erd is höllenheiß – mir eiskalt, eiskalt – Die Hölle is kalt, wollen wir wetten. – – Unmöglich! Mensch! Mensch! unmöglich!

HAUPTMANN. Kerl, will Er – will Er ein paar Kugeln vor den Kopf haben? Er ersticht mich mit seinen Augen, und ich mein' es gut mit Ihm, weil Er ein guter Mensch ist, Woyzeck, ein guter Mensch.

DOKTOR. Gesichtsmuskeln starr, gespannt, zuweilen hüpfend. Haltung aufgeregt, gespannt.

WOYZECK. Ich geh. Es is viel möglich. Der Mensch! Es is viel möglich. – Wir haben schön Wetter, Herr Hauptmann. Sehn Sie, so ein schöner, fester, grauer Himmel; man könnte Lust bekommen, ein' Kloben hineinzuschlagen und sich daran zu hängen, nur wegen des Gedankenstrichels zwischen Ja und wieder Ja – und Nein. Herr Hauptmann, Ja und Nein? Ist das Nein am Ja oder das Ja am Nein schuld? Ich will drüber nachdenken. *Geht mit breiten Schritten ab, erst langsam, dann immer schneller.*

DOKTOR *schießt ihm nach.* Phänomen! Woyzeck, Zulage!

HAUPTMANN. Mir wird ganz schwindlig vor den Menschen. Wie schnell! Der lange Schlingel greift aus, als läuft der Schatten von einem Spinnbein, und der Kurze, das zuckelt. Der Lange ist der Blitz und der Kleine der Donner. Haha ... Grotesk! grotesk!

MARIENS KAMMER

Marie. Woyzeck.

WOYZECK *sieht sie starr an und schüttelt den Kopf.* Hm! Ich seh nichts, ich seh nichts. O, man müßt's sehen, man müßt's greifen könne mit Fäusten!

MARIE *verschüchtert.* Was hast du, Franz? – Du bist hirnwütig, Franz.

WOYZECK. Eine Sünde, so dick und so breit – es stinkt, daß man die Engelchen zum Himmel hinausräuchern könnt! Du hast ein' roten Mund, Marie. Keine Blase drauf? Wie, Marie, du bist schön wie die Sünde – kann die Todsünde so schön sein?

MARIE. Franz, du redst im Fieber!

WOYZECK. Teufel! – Hat er da gestanden? so? so?

MARIE. Dieweil der Tag lang und die Welt alt is, können viel Menschen an einem Platz stehn, einer nach dem andern.

WOYZECK. Ich hab ihn gesehn!

MARIE. Man kann viel sehn, wenn man zwei Auge hat und nicht blind is und die Sonn scheint.

WOYZECK. Mensch! *Geht auf sie los.*

MARIE. Rühr mich an, Franz! Ich hätt lieber ein Messer in den Leib als deine Hand auf meiner. Mein Vater hat mich nit anzugreifen gewagt, wie ich zehn Jahr alt war, wenn ich ihn ansah.

WOYZECK. Weib! – Nein, es müßte was an dir sein! Jeder Mensch is ein Abgrund; es schwindelt einem, wenn man hinabsieht. – Es wäre! Sie geht wie die Unschuld. Nun, Unschuld, du hast ein Zeichen an dir. Weiß ich's? weiß ich's? Wer weiß es? *Er geht.*

DIE WACHTSTUBE

Woyzeck. Andres.

ANDRES *singt.* Frau Wirtin hat ne brave Magd,
Sie sitzt im Garten Tag und Nacht,
Sie sitzt in ihrem Garten ...

WOYZECK. Andres!

ANDRES. Nu?

WOYZECK. Schön Wetter.

ANDRES. Sonntagswetter – Musik vor der Stadt. Vorhin sind die Weibsbilder hinaus; die Mensche dampfe, das geht!

WOYZECK *unruhig*. Tanz, Andres, sie tanze!

ANDRES. Im Rössel und in Sternen.

WOYZECK. Tanz, Tanz!

ANDRES. Meintwege.

Sie sitzt in ihrem Garten,
Bis daß das Glöcklein zwölfe schlägt,
Und paßt auf die Solda–aten.

WOYZECK. Andres, ich hab kei Ruh.

ANDRES. Narr!

WOYZECK. Ich muß hinaus. Es dreht sich mir vor den Augen. Tanz, Tanz! Wird sie heiße Händ habe! Verdammt, Andres!

ANDRES. Was willst du?

WOYZECK. Ich muß fort, muß sehen.

ANDRES. Du Unfried! Wegen dem Mensch?

WOYZECK. Ich muß hinaus, 's is so heiß dahie.

WIRTSHAUS

Die Fenster offen, Tanz. Bänke vor dem Haus. Bursche.

ERSTER HANDWERKSBURSCH.

Ich hab ein Hemdlein an, das ist nicht mein;
Meine Seele stinkt nach Branndewein –

ZWEITER HANDWERKSBURSCH. Bruder, soll ich dir aus Freundschaft ein Loch in die Natur machen? Vorwärts! Ich will ein Loch in die Natur machen! Ich bin auch ein Kerl, du weißt – ich will ihm alle Flöh am Leib totschlagen.

ERSTER HANDWERKSBURSCH. Meine Seele, meine Seele stinkt nach Branndewein! – Selbst das Geld geht in Verwesung über! Vergißmeinnicht, wie ist diese Welt so schön! Bruder, ich muß ein Regenfaß voll greinen vor Wehmut. Ich wollt, unsre Nasen wären zwei Bouteillen, und wir könnten sie uns einander in den Hals gießen.

ANDRE *im Chor*. Ein Jäger aus der Pfalz
Ritt einst durch einen grünen Wald.
Halli, hallo, ha lustig ist die Jägerei
Allhier auf grüner Heid.
Das Jagen is mei Freud.

Woyzeck stellt sich ans Fenster. Marie und der Tambourmajor tanzen vorbei, ohne ihn zu bemerken.

WOYZECK. Er! Sie! Teufel!

MARIE *im Vorbeitanzen.* Immer zu, immer zu –

WOYZECK *erstickt.* Immer zu – immer zu! *Fährt heftig auf und sinkt zurück auf die Bank:* Immer zu, immer zu! *Schlägt die Hände ineinander:* Dreht euch, wälzt euch! Warum bläst Gott nicht die Sonn aus, daß alles in Unzucht sich übereinander wälzt, Mann und Weib, Mensch und Vieh?! Tut's am hellen Tag, tut's einem auf den Händen wie die Mücken! – Weib! Das Weib is heiß, heiß! – Immer zu, immer zu! *Fährt auf:* Der Kerl, wie er an ihr herumgreift, an ihrem Leib! Er, er hat sie – wie ich zu Anfang. *Er sinkt betäubt zusammen.*

ERSTER HANDWERKSBURSCH *predigt auf dem Tisch.* Jedoch, wenn ein Wandrer, der gelehnt steht an dem Strom der Zeit oder aber sich die göttliche Weisheit beantwortet und sich anredet: Warum ist der Mensch? Warum ist der Mensch? – Aber wahrlich, ich sage euch: Von was hätte der Landmann, der Weißbinder, der Schuster, der Arzt leben sollen, wenn Gott den Menschen nicht geschaffen hätte? Von was hätte der Schneider leben sollen, wenn er dem Menschen nicht die Empfindung der Scham eingepflanzt hätte, von was der Soldat, wenn er ihn nicht mit dem Bedürfnis sich totzuschlagen ausgerüstet hätte? Darum zweifelt nicht – ja, ja, es ist lieblich und fein, aber alles Irdische ist übel, selbst das Geld geht in Verwesung über. Zum Beschluß, meine geliebten Zuhörer, laßt uns noch übers Kreuz pissen, damit ein Jud stirbt! *Unter allgemeinem Gejohle erwacht Woyzeck und rast davon.*

FREIES FELD

WOYZECK. Immer zu! immer zu! – Hisch, hasch! so gehn die Geigen und die Pfeifen. – Immer zu! immer zu! – Still, Musik! Was spricht da unten? *Reckt sich gegen den Boden:* Ha! was, was sagt ihr? Lauter! lauter! Stich, stich die Zickwolfin tot? – stich, stich die – Zickwolfin tot! – Soll ich? muß ich? Hör ich's da auch? – Sagt's der Wind auch? – Hör ich's immer, immer zu: stich tot, tot!

EIN ZIMMER IN DER KASERNE

Nacht. Andres und Woyzeck in einem Bett.

WOYZECK *leise.* Andres!

ANDRES *murmelt im Schlaf.*

WOYZECK *schüttelt Andres.* He, Andres! Andres!

ANDRES. Na, was is?

WOYZECK. Ich kann nit schlafen! Wenn ich die Aug zumach, dreht sich's immer, und ich hör die Geigen, immer zu, immer zu. Und dann spricht's aus der Wand. Hörst du nix?

ANDRES. Ja – laß sie tanze! Einer is müd, und dann Gott behüt uns, Amen.

WOYZECK. Es redt immer: stich! stich! und zieht mir zwischen den Augen wie ein Messer –

ANDRES. Schlaf, Narr! *Er schläft wieder ein.*

WOYZECK. Immer zu! immer zu!

DER HOF DES DOKTORS

Studenten und Woyzeck unten, der Doktor am Dachfenster.

DOKTOR. Meine Herren, ich bin auf dem Dach wie David, als er die Bathseba sah; aber ich sehe nichts als die culs de Paris der Mädchenpension im Garten trocknen. Meine Herren, wir sind an der wichtigen Frage über das Verhältnis des Subjekts zum Objekt. Wenn wir nur eins von den Dingen nehmen, worin sich die organische Selbstaffirmation des Göttlichen, auf einem so hohen Standpunkte, manifestiert, und ihre Verhältnisse zum Raum, zur Erde, zum Planetarischen untersuchen, meine Herren, wenn ich diese Katze zum Fenster hinauswerfe: wie wird diese Wesenheit sich zum centrum gravitationis gemäß ihrem eigenen Instinkt verhalten? – He, Woyzeck, *brüllt* Woyzeck!

WOYZECK *fängt die Katze auf.* Herr Doktor, sie beißt!

DOKTOR. Kerl, Er greift die Bestie so zärtlich an, als wär's seine Großmutter. *Er kommt herunter.*

WOYZECK. Herr Doktor, ich hab 's Zittern.

DOKTOR *ganz erfreut.* Ei, ei! schön, Woyzeck! *Reibt sich die Hände. Er nimmt die Katze:* Was seh ich, meine Herren, die neue Spezies Hasenlaus, eine schöne Spezies ... *Er zieht eine Lupe heraus, die Katze läuft fort.* Meine Herren, das Tier hat keinen wissenschaftlichen Instinkt ... Sie können dafür was anders sehen. Sehen Sie: der Mensch, seit einem Vierteljahr ißt er nichts als Erbsen; bemerken Sie die Wirkung, fühlen Sie einmal: was ein ungleicher Puls! der und die Augen!

WOYZECK. Herr Doktor, es wird mir dunkel! *Er setzt sich.*

DOKTOR. Courage, Woyzeck! Noch ein paar Tage, und dann ist's fertig. Fühlen Sie, meine Herren, fühlen Sie! *Sie betasten ihm Schläfe, Puls und Busen.* Apropos, Woyzeck, beweg den Herren doch einmal die Ohren! Ich hab es Ihnen schon zeigen wollen, zwei Muskeln sind bei ihm tätig. Allons, frisch!

WOYZECK. Ach, Herr Doktor!

DOKTOR. Bestie, soll ich dir die Ohren bewegen? Willst du's machen wie die Katze? So, meine Herren! Das sind so Übergänge zum Esel, häufig auch die Folge weiblicher Erziehung und die Muttersprache. Wieviel Haare hat dir die Mutter zum Andenken schon ausgerissen aus Zärtlichkeit? Sie sind dir ja ganz dünn geworden seit ein paar Tagen. Ja, die Erbsen, meine Herren!

KASERNENHOF

WOYZECK. Hast nix gehört?

ANDRES. Er is da, noch mit einem Kameraden.

WOYZECK. Er hat was gesagt.

ANDRES. Woher weißt du's? Was soll ich's sagen? Nu, er lachte, und dann sagt' er: Ein köstlich Weibsbild! die hat Schenkel, und alles so heiß!

WOYZECK *ganz kalt*. So, hat er das gesagt? Von was hat mir doch heut nacht geträumt? War's nicht von einem Messer? Was man doch närrische Träume hat!

ANDRES. Wohin, Kamerad?

WOYZECK. Meim Offizier Wein holen. – Aber, Andres, sie war doch ein einzig Mädel.

ANDRES. Wer war?

WOYZECK. Nix. Adies! *Ab.*

WIRTSHAUS

Tambourmajor. Woyzeck. Leute.

TAMBOURMAJOR. Ich bin ein Mann! *schlägt sich auf die Brust:* ein Mann, sag ich. Wer will was? Wer kein besoffner Herrgott ist, der laß sich von mir. Ich will ihm die Nas ins Arschloch prügeln! Ich will – *zu Woyzeck:* Du Kerl, sauf! Ich wollt, die Welt wär Schnaps, Schnaps – der Mann muß saufen! *Woyzeck pfeift.* Kerl, soll ich dir die Zung aus dem Hals ziehn und sie um den Leib herumwickeln? *Sie ringen, Woyzeck verliert.* Soll ich dir noch so viel Atem lassen als 'en Altweiberfurz, soll ich? *Woyzeck setzt sich erschöpft zitternd auf eine Bank.* Der Kerl soll dunkelblau pfeifen.

Branndewein, das ist mein Leben,
Branndwein gibt Courage!

EINE. Der hat sein Fett.
ANDRE. Er blut'.
WOYZECK. Eins nach dem andern.

KRAMLADEN

Woyzeck. Der Jude.

WOYZECK. Das Pistolchen ist zu teuer.
JUDE. Nu, kauft's oder kauft's nit, was is?
WOYZECK. Was kost' das Messer?
JUDE. 's ist ganz grad. Wollt Ihr Euch den Hals mit abschneiden? Nu, was is es? Ich geb's Euch so wohlfeil wie ein andrer. Ihr sollt Euern Tod wohlfeil haben, aber doch nit umsonst. Was is es? Er soll einen ökonomischen Tod haben.
WOYZECK. Das kann mehr als Brot schneiden –
JUDE. Zwee Grosche.
WOYZECK. Da! *Geht ab.*
JUDE. Da! Als ob's nichts wär! Und es is doch Geld. – Du Hund!

MARIENS KAMMER

NARR *liegt und erzählt sich Märchen an den Fingern.* Der hat die goldne Kron, der Herr König ... Morgen hol ich der Frau Königin ihr Kind ... Blutwurst sagt: komm, Leberwurst ...
MARIE *blättert in der Bibel:* ›Und ist kein Betrug in seinem Munde erfunden‹ ... Herrgott, Herrgott! Sieh mich nicht an! *Blättert weiter:* ›Aber die Pharisäer brachten ein Weib zu ihm, im Ehebruch begriffen, und stelleten sie ins Mittel dar ... Jesus aber sprach: So verdamme ich dich auch nicht. Geh hin und sündige hinfort nicht mehr!‹ *Schlägt die Hände zusammen:* Herrgott! Herrgott! Ich kann nicht! – Herrgott, gib mir nur so viel, daß ich beten kann. *Das Kind drängt sich an sie.* Das Kind gibt mir einen Stich ins Herz. – *Zum Narrn:* Karl! Das brüst' sich in der Sonne! *Narr nimmt das Kind und wird still.* Der Franz ist nit gekommen, gestern nit, heut nit. Es wird heiß hier! *Sie macht das Fenster auf und liest wieder:* ›Und trat hinten zu seinen Füßen und weinete, und fing an, seine Füße zu netzen mit Tränen und mit den Haaren ihres Hauptes zu trocknen, und küssete seine Füße und salbete sie mit Salbe ...‹ *Schlägt sich auf die Brust:* Alles tot! Heiland! Heiland! ich möchte dir die Füße salben! –

KASERNE

Andres. Woyzeck kramt in seinen Sachen.

WOYZECK. Das Kamisolchen, Andres, ist nit zur Montur: du kannst's brauchen, Andres.

ANDRES *ganz starr, sagt zu allem:* Jawohl.

WOYZECK. Das Kreuz ist meiner Schwester und das Ringlein.

ANDRES. Jawohl.

WOYZECK. Ich hab auch noch ein Heiligen, zwei Herze und schön Gold – es lag in meiner Mutter Bibel, und da steht:

Herr! wie dein Leib war rot und wund,
So laß mein Herz sein aller Stund.

Mein Mutter fühlt nur noch, wenn ihr die Sonn auf die Händ scheint – das tut nix.

ANDRES. Jawohl.

WOYZECK *zieht ein Papier hervor.* Friedrich Johann Franz Woyzeck, Wehrmann, Füsilier im 2. Regiment, 2. Bataillon, 4. Kompagnie, geboren Mariä Verkündigung, den 20. Juli. – Ich bin heut alt 30 Jahr, 7 Monat und 12 Tage.

ANDRES. Franz, du kommst ins Lazarett. Armer, du mußt Schnaps trinken und Pulver drin, das töt' das Fieber.

WOYZECK. Ja, Andres, wenn der Schreiner die Hobelspäne sammelt, es weiß niemand, wer seinen Kopf drauflegen wird.

STRASSE

Marie mit Mädchen vor der Haustür, Großmutter; später Woyzeck.

MÄDCHEN.
Wie scheint die Sonn am Lichtmeßtag
Und steht das Korn im Blühn.
Sie gingen wohl die Wiese hin,
Sie gingen zu zwein und zwein.
Die Pfeifer gingen voran,
Die Geiger hinterdrein,
Sie hatten rote Socken an ...

ERSTES KIND. Das ist nit schön.

ZWEITES KIND. Was willst du auch immer!

ERSTES KIND. Marie, sing du uns!

MARIE. Ich kann nit.

ERSTES KIND. Warum?

MARIE. Darum.

ZWEITES KIND. Aber warum darum?

DRITTES KIND. Großmutter, erzähl!

GROSSMUTTER. Kommt, ihr kleinen Krabben! – Es war einmal ein arm Kind und hatt kein Vater und keine Mutter, war alles tot, und war niemand mehr auf der Welt. Alles tot, und es is hingangen und hat gesucht Tag und Nacht. Und weil auf der Erde niemand mehr war, wollt's in Himmel gehn, und der Mond guckt es so freundlich an; und wie es endlich zum Mond kam, war's ein Stück faul Holz. Und da is es zur Sonn gangen, und wie es zur Sonn kam, war's ein verwelkt Sonneblum. Und wie's zu den Sternen kam, waren's kleine goldne Mücken, die waren angesteckt, wie der Neuntöter sie auf die Schlehen steckt. Und wie's wieder auf die Erde wollt, war die Erde ein umgestürzter Hafen. Und es war ganz allein. Und da hat sich's hingesetzt und geweint, und da sitzt es noch und is ganz allein.

WOYZECK *erscheint*. Marie!

MARIE *erschreckt*. Was is?

WOYZECK. Marie, wir wollen gehn. 's is Zeit.

MARIE. Wohin?

WOYZECK. Weiß ich's?

WALDSAUM AM TEICH

Marie und Woyzeck.

MARIE. Also dort hinaus is die Stadt. 's is finster.

WOYZECK. Du sollst noch bleiben. Komm, setz dich!

MARIE. Aber ich muß fort.

WOYZECK. Du wirst dir die Füß nit wund laufe.

MARIE. Wie bist du nur auch!

WOYZECK. Weißt du auch, wie lang es jetzt is, Marie?

MARIE. Am Pfingsten zwei Jahr.

WOYZECK. Weißt du auch, wie lang es noch sein wird?

MARIE. Ich muß fort, das Nachtessen richten.

WOYZECK. Friert's dich, Marie? Und doch bist du warm. Was du heiße Lippen hast! heiß, heißen Hurenatem! Und doch möcht ich den Himmel geben, sie noch einmal zu küssen. – Friert's dich? Wenn man kalt is, so friert man nicht mehr. Du wirst vom Morgentau nicht frieren.

MARIE. Was sagst du?

WOYZECK. Nix. *Schweigen.*

MARIE. Was der Mond rot aufgeht!

WOYZECK. Wie ein blutig Eisen.

MARIE. Was hast du vor? Franz, du bist so blaß. – *Er holt mit dem Messer aus.* Franz, halt ein! Um des Himmels willen, Hilfe, Hilfe!

WOYZECK *sticht drauflos.* Nimm das und das! Kannst du nicht sterben? So! so! – Ha, sie zuckt noch; noch nicht? noch nicht? Immer noch *stößt nochmals zu.* – Bist du tot? Tot! tot! *Er läßt das Messer fallen und läuft weg.*

DAS WIRTSHAUS

WOYZECK. Tanzt alle, immer zu! schwitzt und stinkt! Er holt euch doch einmal alle! *Singt.*

Ach, Tochter, liebe Tochter,
Was hast du gedenkt,
Daß du dich an die Landkutscher
Und die Fuhrleut hast gehenkt.

Er tanzt. So, Käthe! setz dich! Ich hab heiß, heiß! *Er zieht den Rock aus.* Es ist einmal so, der Teufel holt die eine und läßt die andre laufen. Käthe, du bist heiß! Warum denn? Käthe, du wirst auch noch kalt werden. Sei vernünftig. – Kannst du nicht singen?

KÄTHE *singt.* Ins Schwabenland, das mag ich nicht,
Und lange Kleider trag ich nicht,
Denn lange Kleider, spitze Schuh,
Die kommen keiner Dienstmagd zu.

WOYZECK. Nein, keine Schuh, man kann auch ohne Schuh in die Höll gehn.

KÄTHE *singt.* O pfui, mein Schatz, das war nicht fein,
Behalt dein Taler und schlaf allein.

WOYZECK. Ja, wahrhaftig, ich möchte mich nicht blutig machen.

KÄTHE. Aber was hast du an deiner Hand?

WOYZECK. Ich? ich?

KÄTHE. Rot! Blut! *Es stellen sich Leute um sie.*

WOYZECK. Blut? Blut?

WIRT. Uu – Blut!

WOYZECK. Ich glaub, ich hab mich geschnitten, da an der rechten Hand.

WIRT. Wie kommt's aber an den Ellenbogen?

WOYZECK. Ich hab's abgewischt.

WIRT. Was, mit der rechten Hand an den rechten Ellenbogen? Ihr seid geschickt!

NARR. Und da hat der Ries gesagt: Ich riech, ich riech Menschenfleisch. Puh, das stinkt schon!

WOYZECK. Teufel, was wollt ihr? Was geht's euch an? Platz, oder der erste – Teufel! Meint ihr, ich hätt jemand umgebracht? Bin ich ein Mörder? Was gafft ihr? Guckt euch selbst an! Platz da! *Er läuft hinaus.*

AM TEICH

Woyzeck allein.

Das Messer? Wo ist das Messer? Ich hab es da gelassen. Es verrät mich! Näher, noch näher! Was is das für ein Platz? Was hör ich? Es rührt sich was. Still. – Da in der Nähe. Marie? Ha, Marie! Still. Alles still! Was bist du so bleich, Marie? Was hast du eine rote Schnur um den Hals? Bei wem hast du das Halsband verdient mit deinen Sünden? Du warst schwarz davon, schwarz! Hab ich dich gebleicht? Was hängen deine Haare so wild? Hast du deine Zöpfe heut nicht geflochten? ... – Das Messer, das Messer! Hab ich's? So! *Er läuft zum Wasser.*

So, da hinunter! *Er wirft das Messer hinein.* Es taucht in das dunkle Wasser wie ein Stein. – Nein, es liegt zu weit vorn, wenn sie sich baden. *Er geht in den Teich und wirft weit.* So, jetzt – aber im Sommer, wenn sie tauchen nach Muscheln? – Bah, es wird rostig, wer kann's erkennen. – Hätt ich es zerbrochen! – – Bin ich noch blutig? Ich muß mich waschen. Da ein Fleck, und da noch einer ...

Es kommen Leute.

ERSTE PERSON. Halt!

ZWEITE PERSON. Hörst du? Still! Dort!

ERSTE. Uu! Da! Was ein Ton!

ZWEITE. Es ist das Wasser, es ruft: schon lang ist niemand ertrunken. Fort! es ist nicht gut, es zu hören!

ERSTE. Uu! jetzt wieder! – wie ein Mensch, der stirbt!

ZWEITE. Es ist unheimlich! So dunstig, allenthalben Nebelgrau – und das Summen der Käfer wie gesprungne Glocken. Fort!

ERSTE. Nein, zu deutlich, zu laut! Da hinauf! Komm mit!*

* Anderer Ausgang, mit Rückkehr Woyzecks vom Teich und gerichtlichem Nachspiel, nur in den Entwürfen angedeutet: vgl. S. 265, Z. 24ff. und Nachwort, S. 349ff.

DER HESSISCHE LANDBOTE
ERSTE BOTSCHAFT

Darmstadt, im Juli 1834.

VORBERICHT

Dieses Blatt soll dem hessischen Lande die Wahrheit melden, aber wer die Wahrheit sagt, wird gehenkt; ja sogar der, welcher die Wahrheit liest, wird durch meineidige Richter vielleicht gestraft. Darum haben die, welchen dies Blatt zukommt, folgendes zu beobachten:

1. Sie müssen das Blatt sorgfältig außerhalb ihres Hauses vor der Polizei verwahren;
2. sie dürfen es nur an treue Freunde mitteilen;
3. denen, welchen sie nicht trauen wie sich selbst, dürfen sie es nur heimlich hinlegen;
4. würde das Blatt dennoch bei einem gefunden, der es gelesen hat, so muß er gestehen, daß er es eben dem Kreisrat habe bringen wollen;
5. wer das Blatt nicht gelesen hat, wenn man es bei ihm findet, der ist natürlich ohne Schuld.

FRIEDE DEN HÜTTEN! KRIEG DEN PALÄSTEN!

Im Jahre 1834 siehet es aus, als würde die Bibel Lügen gestraft. Es sieht aus, als hätte Gott die Bauern und Handwerker am fünften Tage und die Fürsten und Vornehmen am sechsten gemacht, und als hätte der Herr zu diesen gesagt: ›Herrschet über alles Getier, das auf Erden kriecht‹, und hätte die Bauern und Bürger zum Gewürm gezählt. Das Leben der *Vornehmen* ist ein langer Sonntag: sie wohnen in schönen Häusern, sie tragen zierliche Kleider, sie haben feiste Gesichter und reden eine eigne Sprache; das Volk aber liegt vor ihnen wie Dünger auf dem Acker. Der Bauer geht hinter dem Pflug, der *Vornehme* aber geht hinter ihm und dem Pflug und treibt ihn mit den Ochsen am Pflug, er nimmt das Korn und läßt ihm die Stoppeln. Das Leben des Bauern ist ein langer Werktag; Fremde verzehren seine Äcker vor seinen Augen, sein Leib ist eine Schwiele, sein Schweiß ist das Salz auf dem Tische des *Vornehmen.*

Im Großherzogtum Hessen sind 718373 Einwohner, die geben an den Staat jährlich an 6363436 Gulden, als

1. Direkte Steuern	2128131	Fl.
2. Indirekte Steuern	2478264	„
3. Domänen	1547394	„
4. Regalien	46938	„
5. Geldstrafen	98511	„
6. Verschiedene Quellen	64198	„
	6363436	Fl.

Dies Geld ist der Blutzehnte, der vom Leib des Volkes genommen wird. An 700000 Menschen schwitzen, stöhnen und hungern dafür. Im Namen des Staates wird es erpreßt, die Presser berufen sich auf die Regierung, und die Regierung sagt, das sei nötig, die Ordnung im Staat zu erhalten. Was ist denn nun das für gewaltiges Ding: der Staat? Wohnt eine Anzahl Menschen in einem Land und es sind Verordnungen oder Gesetze vorhanden, nach denen jeder sich richten muß, so sagt man, sie bilden einen Staat. Der Staat also sind *alle;* die Ordner im Staate sind die Gesetze, durch welche das Wohl *aller* gesichert wird und die aus dem Wohl *aller* hervorgehen sollen. – Seht nun, was man in dem Großherzogtum aus dem Staat gemacht hat; seht, was es heißt: die Ordnung im Staate erhalten! 700000 Menschen bezahlen dafür 6 Millionen, d. h. sie werden zu Ackergäulen und Pflugstieren gemacht, damit sie in Ordnung leben. In Ordnung leben heißt hungern und geschunden werden.

Wer sind denn die, welche diese Ordnung gemacht haben und die wachen, diese Ordnung zu erhalten? Das ist die Großherzogliche Regierung. Die Regierung wird gebildet von dem Großherzog und seinen obersten Beamten. Die andern Beamten sind Männer, die von der Regierung berufen werden, um jene Ordnung in Kraft zu erhalten. Ihre Anzahl ist Legion: Staatsräte und Regierungsräte, Landräte und Kreisräte, geistliche Räte und Schulräte, Finanzräte und Forsträte usw. mit allem ihrem Heer von Sekretären usw. Das Volk ist ihre Herde, sie sind seine Hirten, Melker und Schinder; sie haben die Häute der Bauern an, der Raub der Armen ist in ihrem Hause; die Tränen der Witwen und Waisen sind das Schmalz auf ihren Gesichtern; sie herrschen frei und ermahnen das Volk zur Knechtschaft. Ihnen gebt ihr 6000000 Fl. Abgaben; sie haben dafür die Mühe, euch zu regieren; d. h. sich von euch füttern zu lassen und euch eure Menschen- und Bürgerrechte zu rauben. Sehet, was die Ernte eures Schweißes ist!

Für das Ministerium des Innern und der Gerechtigkeitspflege

werden bezahlt 1110607 Gulden. Dafür habt ihr einen Wust von Gesetzen, zusammengehäuft aus willkürlichen Verordnungen aller Jahrhunderte, meist geschrieben in einer fremden Sprache. Der Unsinn aller vorigen Geschlechter hat sich darin auf euch vererbt, der Druck, unter dem sie erlagen, sich auf euch fortgewälzt. Das Gesetz ist das Eigentum einer unbedeutenden Klasse von *Vornehmen* und Gelehrten, die sich durch ihr eignes Machwerk die Herrschaft zuspricht. Diese Gerechtigkeit ist nur ein Mittel, euch in Ordnung zu halten, damit man euch bequemer schinde; sie spricht nach Gesetzen, die ihr nicht versteht, nach Grundsätzen, von denen ihr nichts wißt, Urteile, von denen ihr nichts begreift. Unbestechlich ist sie, weil sie sich gerade teuer genug bezahlen läßt, um keine Bestechung zu brauchen. Aber die meisten ihrer Diener sind der Regierung mit Haut und Haar verkauft. Ihre Ruhestühle stehen auf einem Geldhaufen von 461373 Gulden (so viel betragen die Ausgaben für die Gerichtshöfe und die Kriminalkosten). Die Fräcke, Stöcke und Säbel ihrer unverletzlichen Diener sind mit dem Silber von 197502 Gulden beschlagen (so viel kostet die Polizei überhaupt, die Gendarmerie usw.). Die Justiz ist in Deutschland seit Jahrhunderten die Hure der deutschen Fürsten. Jeden Schritt zu ihr müßt ihr mit Silber pflastern, und mit Armut und Erniedrigung erkauft ihr ihre Sprüche. Denkt an das Stempelpapier, denkt an euer Bücken in den Amtsstuben und euer Wachestehen vor denselben. Denkt an die Sporteln für Schreiber und Gerichtsdiener. Ihr dürft euern Nachbar verklagen, der euch eine Kartoffel stiehlt; aber klagt einmal über den Diebstahl, der von Staats wegen unter dem Namen von Abgabe und Steuern jeden Tag an eurem Eigentum begangen wird; damit eine Legion unnützer Beamten sich von eurem Schweiße mästen; klagt einmal, daß ihr der Willkür einiger Fettwänste überlassen seid und daß diese Willkür Gesetz heißt, klagt, daß ihr die Ackergäule des Staates seid, klagt über eure verlorne Menschenrechte: wo sind die Gerichtshöfe, die eure Klage annehmen, wo die Richter, die Recht sprächen? – Die Ketten eurer Vogelsberger Mitbürger, die man nach Rockenburg schleppte, werden euch Antwort geben.

Und will endlich ein Richter oder ein andrer Beamte von den wenigen, welchen das Recht und das gemeine Wohl lieber ist als ihr Bauch und der Mammon, ein Volksrat und kein Volksschinder sein, so wird er von den obersten Räten des Fürsten selber geschunden.

Für das Ministerium der Finanzen 1551502 Fl.

Damit werden die Finanzräte, Obereinnehmer, Steuerboten, die Untererheber besoldet. Dafür wird der Ertrag eurer Äcker berechnet und eure Köpfe gezählt. Der Boden unter euren Füßen, der Bissen zwischen euren Zähnen ist besteuert. Dafür sitzen die Herren in Fräcken beisammen, und das Volk steht nackt und gebückt vor ihnen; sie legen die Hände an seine Lenden und Schultern und rechnen aus, wie viel es noch tragen kann, und wenn sie barmherzig sind, so geschieht es nur, wie man ein Vieh schont, das man nicht so sehr angreifen will.

Für das Militär wird bezahlt 914820 Gulden.

Dafür kriegen eure Söhne einen bunten Rock auf den Leib, ein Gewehr oder eine Trommel auf die Schulter und dürfen jeden Herbst einmal blind schießen und erzählen, wie die Herren vom Hof und die ungeratenen Buben vom Adel allen Kindern ehrlicher Leute vorgehen und mit ihnen in den breiten Straßen der Städte herumziehen mit Trommeln und Trompeten. Für jene 900000 Gulden müssen eure Söhne den Tyrannen schwören und Wache halten an ihren Palästen. Mit ihren Trommeln übertäuben sie eure Seufzer, mit ihren Kolben zerschmettern sie euch den Schädel, wenn ihr zu denken wagt, daß ihr freie Menschen seid. Sie sind die gesetzlichen Mörder, welche die gesetzlichen Räuber schützen; denkt an Södel! Eure Brüder, eure Kinder waren dort Bruder- und Vatermörder.

Für die Pensionen 480000 Gulden.

Dafür werden die Beamten aufs Polster gelegt, wenn sie eine gewisse Zeit dem Staate treu gedient haben, d. h. wenn sie eifrige Handlanger bei der regelmäßig eingerichteten Schinderei gewesen, die man Ordnung und Gesetz heißt.

Für das Staatsministerium und den Staatsrat 174600 Gulden.

Die größten Schurken stehen wohl jetzt allerwärts in Deutschland den Fürsten am nächsten, wenigstens im Großherzogtum. Kommt ja ein ehrlicher Mann in einen Staatsrat, so wird er ausgestoßen. Könnte aber auch ein ehrlicher Mann jetzo Minister sein oder bleiben, so wäre er, wie die Sachen stehn in Deutschland, nur eine Drahtpuppe, an der die fürstliche Puppe zieht; und an dem fürstlichen Popanz zieht wieder ein Kammerdiener oder ein Kutscher oder seine Frau und ihr Günstling oder sein Halbbruder – oder alle zusammen.

In Deutschland stehet es jetzt, wie der Prophet Micha schreibt, Kap. 7, V. 3 und 4: ›Die Gewaltigen raten nach ihrem Mutwillen, Schaden zu tun, und drehen es, wie sie es wollen. Der Beste unter ihnen ist wie ein Dorn, und der Redlichste wie eine Hecke.‹ Ihr müßt die Dörner und Hecken teuer bezahlen! denn ihr müßt ferner für das großherzogliche Haus und den Hofstaat 827772 Gulden bezahlen.

Die Anstalten, die Leute, von denen ich bis jetzt gesprochen, sind nur Werkzeuge, sind nur Diener. Sie tun nichts in ihrem Namen, unter der Ernennung zu ihrem Amt steht ein L., das bedeutet *Ludwig* von Gottes Gnaden, und sie sprechen mit Ehrfurcht: ›Im Namen des Großherzogs.‹ Dies ist ihr Feldgeschrei, wenn sie euer Gerät versteigern, euer Vieh wegtreiben, euch in den Kerker werfen. Im Namen des Großherzogs sagen sie, und der Mensch, den sie so nennen, heißt: unverletzlich, heilig, souverän, königliche Hoheit. Aber tretet zu dem Menschenkinde und blickt durch seinen Fürstenmantel. Es ißt, wenn es hungert, und schläft, wenn sein Auge dunkel wird. Sehet, es kroch so nackt und weich in die Welt wie ihr und wird so hart und steif hinausgetragen wie ihr, und doch hat es seinen Fuß auf eurem Nacken, hat 700000 Menschen an seinem Pflug, hat Minister, die verantwortlich sind für das, was es tut, hat Gewalt über euer Eigentum durch die Steuern, die es ausschreibt, über euer Leben durch die Gesetze, die es macht, es hat adliche Herrn und Damen um sich, die man Hofstaat heißt, und seine göttliche Gewalt vererbt sich auf seine Kinder mit Weibern, welche aus ebenso übermenschlichen Geschlechtern sind.

Wehe über euch Götzendiener! – Ihr seid wie die Heiden, die das Krokodil anbeten, von dem sie zerrissen werden. Ihr setzt ihm eine Krone auf, aber es ist eine Dornenkrone, die ihr euch selbst in den Kopf drückt; ihr gebt ihm ein Zepter in die Hand, aber es ist eine Rute, womit ihr gezüchtigt werdet; ihr setzt ihn auf euern Thron, aber es ist ein Marterstuhl für euch und eure Kinder. Der Fürst ist der Kopf des Blutigels, der über euch hinkriecht, die Minister sind seine Zähne und die Beamten sein Schwanz. Die hungrigen Mägen aller vornehmen Herren, denen er die hohen Stellen verteilt, sind Schröpfköpfe, die er dem Lande setzt. Das L., was unter seinen Verordnungen steht, ist das Malzeichen des Tieres, das die Götzendiener unserer Zeit anbeten. Der Fürstenmantel ist der Teppich, auf dem sich die Herren und Damen vom Adel und Hofe in ihrer Geilheit übereinander wälzen – mit Orden und Bändern decken sie ihre Geschwüre, und mit kostbaren Gewändern bekleiden sie ihre aussätzigen Leiber. Die Töchter des Volks sind ihre Mägde und Huren, die Söhne des Volks ihre Lakaien und Soldaten. Geht einmal nach Darmstadt und seht, wie die Herren sich für euer Geld dort lustig machen, und erzählt dann euern hungernden Weibern und Kindern, daß ihr Brot an fremden Bäuchen herrlich angeschlagen sei, erzählt ihnen von den schönen Kleidern, die in ihrem Schweiß gefärbt, und von den zierlichen Bändern, die aus den Schwielen ihrer Hände geschnitten sind, erzählt von den stattlichen Häusern, die aus den Knochen des Volks gebaut sind; und dann kriecht in eure rauchigen Hütten und bückt euch auf euren steinichten Äckern, damit eure Kinder auch einmal hingehen können, wenn ein Erbprinz mit einer Erbprinzessin für einen andern Erbprinzen Rat schaffen will, und durch die geöffneten Glastüren das Tischtuch sehen, wovon die Herren speisen, und die Lampen riechen, aus denen man mit dem Fett der Bauern illuminiert.

Das alles duldet ihr, weil euch Schurken sagen: diese Regierung sei von Gott. Diese Regierung ist nicht von Gott, sondern vom Vater der Lügen. Diese deutschen Fürsten sind keine rechtmäßige Obrigkeit, sondern die rechtmäßige Obrigkeit, den deutschen Kaiser, der vormals vom Volke frei gewählt wurde, haben sie seit Jahrhunderten verachtet und endlich gar verraten. Aus Verrat und Meineid, und nicht aus der Wahl des Volkes, ist die Gewalt der deutschen Fürsten hervorgegangen, und darum ist ihr Wesen und Tun von Gott verflucht! ihre Weisheit ist Trug, ihre Gerechtigkeit ist Schinderei. Sie zertreten das Land und zerschlagen die Person des Elenden. Ihr lästert Gott, wenn ihr einen dieser Fürsten einen Gesalbten des Herrn nennt, d. h. Gott habe die Teufel gesalbt und zu Fürsten über die deutsche Erde gesetzt. Deutschland, unser liebes Vaterland, haben diese Fürsten zerrissen, den Kaiser, den unsere freien Voreltern wählten, haben diese Fürsten verraten, und nun fordern diese Verräter und Menschenquäler Treue von euch! – Doch das Reich der Finsternis neiget sich zum Ende. Über ein kleines, und Deutschland, das jetzt die Fürsten schinden, wird als ein Freistaat mit einer vom Volk gewählten Obrigkeit wieder auferstehn. Die Heilige Schrift sagt: ›Gebet dem Kaiser, was des Kaisers ist.‹ Was ist aber dieser Fürsten, der Verräter? – Das Teil von Judas!

Für die Landstände 16000 Gulden.

Im Jahr 1789 war das Volk in Frankreich müde, länger die Schindmähre seines Königs zu sein. Es erhob sich und berief Männer, denen es vertraute, und die Männer traten zusammen und sagten, ein König sei ein Mensch wie ein anderer auch, er sei nur der erste Diener im Staat, er müsse sich vor dem Volk verantworten, und wenn er sein Amt schlecht verwalte, könne er zur Strafe gezogen werden. Dann erklärten sie die Rechte des Menschen: ›Keiner erbt vor dem andern mit der Geburt ein Recht oder einen Titel, keiner erwirbt mit dem Eigentum ein Recht vor dem andern. Die höchste Gewalt ist in dem Willen aller oder der Mehrzahl. Dieser Wille ist das Gesetz, er tut sich kund durch die Landstände oder die Vertreter des Volks, sie werden von allen gewählt, und jeder kann gewählt werden; diese Gewählten sprechen den Willen ihrer Wähler aus, und so entspricht der Wille der Mehrzahl unter ihnen dem Willen der Mehrzahl unter dem Volke; der König hat nur für die Ausübung der von ihnen erlassenen Gesetze zu sorgen.‹ Der König schwur, dieser Verfassung treu zu sein; er wurde aber meineidig an dem Volke, und das Volk richtete ihn, wie es einem Verräter geziemt. Dann schafften die Franzosen die erbliche Königswürde ab und wählten frei eine neue Obrigkeit, wozu jedes Volk nach der Vernunft und der Heiligen Schrift das Recht hat. Die Männer, die über die Vollziehung der Gesetze wachen sollten, wurden von der Versammlung der Volksvertreter ernannt, sie bildeten die neue Obrigkeit. Sie waren Regierung und Gesetzgeber vom Volk gewählt, und Frankreich war ein Freistaat.

Die übrigen Könige aber entsetzten sich vor der Gewalt des französischen Volkes; sie dachten, sie könnten alle über der ersten Königsleiche den Hals brechen und ihre mißhandelten Untertanen möchten bei dem Freiheitsruf der Franken erwachen. Mit gewaltigem Kriegsgerät und reisigem Zeug stürzten sie von allen Seiten auf Frankreich, und ein großer Teil der Adligen und *Vornehmen* im Lande stand auf und schlug sich zu dem Feind. Da ergrimmte das Volk und erhob sich in seiner Kraft. Es erdrückte die Verräter und zerschmetterte die Söldner der Könige. Die junge Freiheit wuchs im Blut der Tyrannen, und vor ihrer Stimme bebten die Throne und jauchzten die Völker. Aber die Franzosen verkauften selbst ihre junge Freiheit für den Ruhm, den ihnen Napoleon darbot, und erhoben ihn auf den Kaiserthron. – Da ließ der Allmächtige das Heer des Kaisers in Rußland erfrieren und züchtigte Frankreich durch die Knute der Kosaken und gab den Franzosen die dickwanstigen Bourbonen wieder zu Königen, damit Frankreich sich bekehre vom Götzendienst der erblichen Königsherrschaft und dem Gotte diene, der die Menschen frei und gleich geschaffen. Aber als die Zeit seiner Strafe verflossen war und tapfere Männer im Julius 1830 den meineidigen König Karl den Zehnten aus dem Lande jagten, da wendete dennoch das befreite Frankreich sich abermals zur halberblichen Königsherrschaft und band sich in dem Heuchler Louis Philipp eine neue Zuchtrute auf. In Deutschland und ganz Europa aber war große Freude, als der zehnte Karl vom Thron gestürzt ward, und die unterdrückten deutschen Länder rüsteten sich zum Kampf für die Freiheit. Da ratschlagten die Fürsten, wie sie dem Grimm des Volkes entgehen sollten, und die listigen unter ihnen sagten: Laßt uns einen Teil unserer Gewalt abgeben, daß wir das übrige behalten. Und sie traten vor das Volk und sprachen: Wir wollen euch die Freiheit schenken, um die ihr kämpfen wollt. Und zitternd vor Furcht warfen sie einige Brocken hin und sprachen von ihrer Gnade. Das Volk traute ihnen leider und legte sich zur Ruhe. – Und so ward Deutschland betrogen wie Frankreich.

Denn was sind diese Verfassungen in Deutschland? Nichts als leeres Stroh, woraus die Fürsten die Körner für sich herausgeklopft haben. Was sind unsere Landtage? Nichts als langsame Fuhrwerke, die man einmal oder zweimal wohl der Raubgier der Fürsten und ihrer Minister in den Weg schieben, woraus man aber nimmermehr eine feste Burg für deutsche Freiheit bauen kann. Was sind unsere Wahlgesetze? Nichts als Verletzungen der Bürger- und Menschenrechte der meisten Deutschen. Denkt an das Wahlgesetz im Großherzogtum, wornach keiner gewählt werden kann, der nicht hochbegütert ist, wie rechtschaffen und gutgesinnt er auch sei, wohl aber der *Grolmann*, der euch um die zwei Millionen bestehlen wollte. *Denkt an die Verfassung des Großherzogtums. – Nach den Artikeln derselben ist der Großherzog unverletzlich, heilig und unverantwortlich. Seine Würde ist erblich in seiner Familie, er hat das Recht, Krieg zu führen, und ausschließliche Verfügung über das Militär. Er beruft die Landstände, vertagt sie oder löst sie auf. Die Stände dürfen keinen Gesetzesvorschlag machen, sondern sie müssen um das Gesetz bitten, und dem Gutdünken des Fürsten bleibt es unbedingt überlassen, es zu geben oder zu verweigern. Er bleibt im Besitz einer fast unumschränkten Gewalt, nur darf er keine neuen Gesetze machen und keine neuen Steuern ausschreiben ohne Zustimmung der Stände. Aber teils kehrt er sich nicht an diese Zustimmung, teils genügen ihm die alten Gesetze, die das Werk der Fürstengewalt sind, und er bedarf darum keiner neuen Gesetze. Eine solche Verfassung ist ein elend jämmerlich Ding. Was ist von Ständen zu erwarten, die an eine solche Verfassung gebunden sind? Wenn unter den Gewählten auch keine Volksverräter und feige Memmen wären, wenn sie aus lauter entschlossenen Volksfreunden bestünden?! Was ist von Ständen zu erwarten, die kaum die elenden Fetzen einer armseligen Verfassung zu verteidigen vermögen! – Der einzige Widerstand, den sie zu leisten vermochten, war die Verweigerung der zwei Millionen Gulden, die sich der Großherzog von dem überschuldeten Volke wollte schenken lassen zur Bezahlung seiner Schulden. – Hätten aber auch die Landstände des Großherzogtums genügende Rechte, und hätte das Großherzogtum, aber nur das Großherzogtum allein, eine wahrhafte Verfassung, so würde die Herrlichkeit doch bald zu Ende sein. Die Raubgeier in Wien und Berlin würden ihre Henkerskrallen ausstrecken und die kleine Freiheit mit Rumpf und Stumpf ausrotten. Das ganze deutsche Volk muß sich die Freiheit erringen. Und diese Zeit, geliebte Mitbürger, ist nicht ferne. – Der Herr hat das schöne deutsche Land, das viele Jahrhunderte das herrlichste Reich der Erde war, in die Hände der fremden und einheimischen Schinder gegeben, weil das Herz des deutschen Volkes von der Freiheit und Gleichheit seiner Voreltern und von der Furcht des Herrn abgefallen war, weil ihr dem Götzendienste der vielen Herrlein, Kleinherzoge und Däumlings-Könige euch ergeben hattet.*

Der Herr, der den Stecken des fremden Treibers Napoleon zerbrochen hat, wird auch die Götzenbilder unserer einheimischen Tyrannen zerbrechen durch die Hände des Volks. Wohl glänzen diese Götzenbilder von Gold und Edelsteinen, von Orden und Ehrenzeichen, aber in ihrem Innern stirbt der Wurm nicht, und ihre Füße sind von Lehm. – Gott wird euch Kraft geben, ihre Füße zu zerschmeißen, sobald ihr euch bekehret von dem Irrtum eures Wandels und die Wahrheit erkennet: daß nur ein Gott ist und keine Götter neben ihm, die sich Hoheiten und Allerhöchste, heilig und unverantwortlich nennen lassen, daß Gott alle Menschen frei und gleich in ihren Rechten schuf, und daß keine Obrigkeit von Gott zum Segen verordnet ist als die, welche auf das Vertrauen des Volkes sich gründet und vom Volke ausdrücklich oder stillschweigend erwählt ist! daß dagegen die Obrigkeit, die Gewalt, aber kein Recht über ein Volk hat, nur also *von Gott ist, wie der Teufel auch von Gott ist, und daß der Gehorsam gegen eine solche Teufelsobrigkeit nur so lange gilt, bis ihre Teufelsgewalt gebrochen werden kann! – daß der Gott, der ein Volk durch* eine *Sprache zu* einem *Leibe vereinigte, die Gewaltigen, die es zerfleischen und vierteilen oder gar in dreißig Stücke zerreißen, als Volksmörder und Tyrannen hier zeitlich und dort ewiglich strafen wird, denn die Schrift sagt: was Gott vereinigt hat, soll der Mensch nicht trennen! und daß der Allmächtige, der aus der Einöde ein Paradies schaffen kann, auch ein Land des Jammers und des Elends wieder in ein Paradies umschaffen kann, wie unser teuerwertes Deutschland war, bis seine Fürsten es zerfleischten und schunden.*

Weil das deutsche Reich morsch und faul war und die Deutschen von Gott und von der Freiheit abgefallen waren, hat Gott das Reich zu Trümmern gehen lassen, um es zu einem Freistaat zu verjüngen. Er hat eine Zeitlang den Satansengeln Gewalt gegeben, daß sie Deutschland mit Fäusten schlügen, er hat den Gewaltigen und Fürsten, die in der Finsternis herrschen, den bösen Geistern unter dem Himmel (Ephes. 6), Gewalt gegeben, daß sie Bürger und Bauern peinigten und ihr Blut aussaugten und ihren Mutwillen trieben mit allen, die Recht und Freiheit mehr lieben als Unrecht und Knechtschaft. – Aber ihr Maß ist voll!

Sehet an das von Gott gezeichnete Scheusal, den König Ludwig von Bayern, den Gotteslästerer, der redliche Männer vor seinem Bilde niederzuknieen zwingt und die, welche die Wahrheit bezeugen, durch meineidige Richter zum Kerker verurteilen läßt! das Schwein, das sich in allen Lasterpfützen von Italien wälzte, den Wolf, der sich für seinen Baals-Hofstaat für immer jährlich fünf Millionen durch meineidige Landstände verwilligen läßt, und fragt dann: ›Ist das eine Obrigkeit von Gott, zum Segen verordnet?‹

Ha! du wärst Obrigkeit von Gott?
Gott spendet Segen aus;
Du raubst, du schindest, kerkerst ein,
Du nicht von Gott, Tyrann!

Ich sage euch: sein und seiner Mitfürsten Maß ist voll. Gott, der Deutschland um seiner Sünden willen geschlagen hat durch diese Fürsten, wird es wieder heilen. ›Er wird die Hecken und Dörner niederreißen und auf einem Haufen verbrennen.‹ Jesaias 27,4. So wenig der Höcker noch wächset, womit Gott diesen König Ludwig gezeichnet hat, so wenig werden die Schandtaten dieser Fürsten noch wachsen können. Ihr Maß ist voll. Der Herr wird ihre Körper zerschmeißen, und in Deutschland wird dann Leben und Kraft als Segen der Freiheit wieder erblühen. Zu einem großen Leichenfelde haben die Fürsten die deutsche Erde gemacht, wie Ezechiel im 37. Kapitel beschreibt: ›Der Herr führte mich auf ein weites Feld, das voller Gebeine lag, und siehe, sie waren sehr verdorrt.‹ Aber wie lautet des Herrn Wort zu den verdorrten Gebeinen: ›Siehe, ich will euch Adern geben und Fleisch lassen über euch wachsen, und euch mit Haut überziehen, und will euch Odem geben, daß ihr wieder lebendig werdet, und sollt erfahren, daß Ich der Herr bin.‹ Und des Herrn Wort wird auch an Deutschland sich wahrhaftig beweisen, wie der Prophet spricht: ›Siehe, es rauschte und regte sich, und die Gebeine kamen wieder zusammen, ein jegliches zu seinem Gebein. – Da kam Odem in sie, und sie wurden wieder lebendig und richteten sich auf ihre Füße, und ihrer war ein sehr groß Heer.‹ Wie der Prophet schreibet, also stand es bisher in Deutschland: eure Gebeine sind verdorrt, denn die Ordnung, in der ihr lebt, ist eitel Schinderei. Sechs Millionen bezahlt ihr im Großherzogtum einer Handvoll Leute, deren Willkür euer Leben und Eigentum überlassen ist, und die anderen in dem zerrissenen Deutschland gleich also. Ihr seid nichts, ihr habt nichts! Ihr seid rechtlos. Ihr müsset geben, was eure unersättlichen Presser fordern, und tragen, was sie euch aufbürden. *So weit ein Tyrann blicket – und Deutschland hat deren wohl dreißig –, verdorret Land und Volk. Aber wie der Prophet schreibet, so wird es bald stehen in Deutschland: der Tag der Auferstehung wird nicht säumen. In dem Leichenfelde wird sich's regen und wird rauschen, und der Neubelebten wird ein großes Heer sein.*

Hebt die Augen auf und zählt das Häuflein eurer Presser, die nur stark sind durch das Blut, das sie euch aussaugen, und durch eure Arme, die ihr ihnen willenlos leihet. Ihrer sind vielleicht 10000 im Großherzogtum und eurer sind es 700000, und also verhält sich die Zahl des Volkes zu seinen Pressern auch im übrigen Deutschland. Wohl drohen sie mit dem Rüstzeug und den Reisigen der Könige, aber ich sage euch: Wer das Schwert erhebt gegen das Volk, der wird durch das Schwert des Volkes umkommen. Deutschland ist jetzt ein Leichenfeld, bald wird es ein Paradies sein. Das deutsche Volk ist *ein* Leib, ihr seid ein Glied dieses Leibes. Es ist einerlei, wo die Scheinleiche zu zucken anfängt. Wann der Herr euch seine Zeichen gibt durch die Männer, durch welche er die Völker aus der Dienstbarkeit zur Freiheit führt, dann erhebet euch, und der ganze Leib wird mit euch aufstehen.

Ihr bücktet euch lange Jahre in den Dornäckern der Knechtschaft, dann schwitzt ihr einen Sommer im Weinberge der Freiheit und werdet frei sein bis ins tausendste Glied.

Ihr wühltet ein langes Leben die Erde auf, dann wühlt ihr euren Tyrannen ein Grab. Ihr bautet die Zwingburgen, dann stürzt ihr sie und bauet der Freiheit Haus. Dann könnt ihr eure Kinder frei taufen mit dem Wasser des Lebens. Und bis der Herr euch ruft durch seine Boten und Zeichen, wachet und rüstet euch im Geiste und betet ihr selbst und lehrt eure Kinder beten: ›Herr, zerbrich den Stecken unserer Treiber und laß dein Reich zu uns kommen – das Reich der Gerechtigkeit. Amen.‹

ÜBER SCHÄDELNERVEN

Probevorlesung in Zürich 1836

Hochgeachtete Zuhörer!

... Es treten uns auf dem Gebiete der physiologischen und anatomischen Wissenschaften zwei sich gegenüberstehende Grundansichten entgegen, die sogar ein nationelles Gepräge tragen, indem die eine in England und Frankreich, die andere in Deutschland überwiegt. Die erste betrachtet alle Erscheinungen des organischen Lebens vom *teleologischen* Standpunkt aus; sie findet die Lösung des Rätsels in dem Zweck, der Wirkung, in dem Nutzen der Verrichtung eines Organs. Sie kennt das Individuum nur als etwas, das einen Zweck außer sich erreichen soll, und nur in seiner Bestrebung, sich der Außenwelt gegenüber teils als Individuum, teils als Art zu behaupten. Jeder Organismus ist für sie eine verwickelte Maschine, mit den künstlichen Mitteln versehen, sich bis auf einen gewissen Punkt zu erhalten. Das Enthüllen der schönsten und reinsten Formen im Menschen, die Vollkommenheit der edelsten Organe, in denen die Psyche fast den Stoff zu durchbrechen und sich hinter den leichtesten Schleiern zu bewegen scheint, ist für sie nur das Maximum einer solchen Maschine. Sie macht den Schädel zu einem künstlichen Gewölbe mit Strebepfeilern, bestimmt, seinen Bewohner, das Gehirn, zu schützen, – Wangen und Lippen zu einem Kau- und Respirationsapparat, – das Auge zu einem komplizierten Glase, – die Augenlider und Wimpern zu dessen Vorhängen; – ja die Träne ist nur der Wassertropfen, welcher es feucht erhält. Man sieht, es ist ein weiter Sprung von da bis zu dem Enthusiasmus, mit dem Lavater sich glücklich preist, daß er von so was Göttlichem wie den Lippen reden dürfe.

Die teleologische Methode bewegt sich in einem ewigen Zirkel, indem sie die Wirkungen der Organe als Zwecke voraussetzt. Sie sagt zum Beispiel: Soll das Auge seine Funktion versehen, so muß die Hornhaut feucht erhalten werden, und somit ist eine Tränendrüse nötig. Diese ist also vorhanden, damit das Auge feucht erhalten werde, und somit ist das Auftreten dieses Organs erklärt; es gibt nichts weiter zu fragen. Die entgegengesetzte Ansicht sagt dagegen: die Tränendrüse ist nicht da, damit das Auge feucht werde, sondern das Auge wird feucht, weil eine Tränendrüse da ist, oder, um ein anderes Beispiel zu geben, wir haben nicht Hände, damit wir greifen können, sondern wir greifen, weil wir Hände haben. Die größtmöglichste Zweckmäßigkeit ist das einzige Gesetz der teleologischen Methode;

nun fragt man aber natürlich nach dem Zwecke dieses Zweckes, und so macht sie auch ebenso natürlich bei jeder Frage einen progressus in infinitum.

Die Natur handelt nicht nach Zwecken, sie reibt sich nicht in einer unendlichen Reihe von Zwecken auf, von denen der eine den anderen bedingt; sondern sie ist in allen ihren Äußerungen sich unmittelbar selbst genug. Alles, was ist, ist um seiner selbst willen da. Das Gesetz dieses Seins zu suchen, ist das Ziel der der teleologischen gegenüberstehenden Ansicht, die ich die *philosophische* nennen will. Alles, was für *jene* Zweck ist, wird für *diese* Wirkung. Wo die teleologische Schule mit ihrer Antwort fertig ist, fängt die Frage für die philosophische an. Diese Frage, die uns auf allen Punkten anredet, kann ihre Antwort nur in einem Grundgesetze für die gesamte Organisation finden, und so wird für die philosophische Methode das ganze körperliche Dasein des Individuums nicht zu seiner eigenen Erhaltung aufgebracht, sondern es wird die Manifestation eines Urgesetzes, eines Gesetzes der Schönheit, das nach den einfachsten Rissen und Linien die höchsten und reinsten Formen hervorbringt. Alles, Form und Stoff, ist für sie an dies Gesetz gebunden. Alle Funktionen sind Wirkungen desselben; sie werden durch keine äußeren Zwecke bestimmt, und ihr sogenanntes zweckmäßiges Aufeinander- und Zusammenwirken ist nichts weiter als die notwendige Harmonie in den Äußerungen eines und desselben Gesetzes, dessen Wirkungen sich natürlich nicht gegenseitig zerstören.

Die Frage nach einem solchen Gesetze führte von selbst zu den Quellen der Erkenntnis, aus denen der Enthusiasmus des absoluten Wissens sich von je berauscht hat, der Anschauung des Mystikers und dem Dogmatismus der Vernunftphilosophen. Daß es bis jetzt gelungen sei, zwischen letzterem und dem Naturleben, das wir unmittelbar wahrnehmen, eine Brücke zu schlagen, muß die Kritik verneinen. Die Philosophie a priori sitzt noch in einer trostlosen Wüste; sie hat einen weiten Weg zwischen sich und dem frischen grünen Leben, und es ist eine große Frage, ob sie ihn je zurücklegen wird. Bei den geistreichen Versuchen, die sie gemacht hat, weiter zu kommen, muß sie sich mit der Resignation begnügen, bei dem Streben handle es sich nicht um die Erreichung des Ziels, sondern um das Streben selbst.

War nun auch nichts absolut Befriedigendes erreicht, so genügte doch der Sinn dieser Bestrebungen, dem Naturstudium eine andere Gestalt zu geben; und hatte man auch die Quelle nicht gefunden, so hörte man doch an vielen Stellen den Strom in der Tiefe rauschen, und an manchen Orten sprang das Wasser frisch und hell auf. Namentlich erfreuten sich die Botanik und Zoologie, die Physiologie und vergleichende Anatomie eines bedeutenden Fortschritts. In einem ungeheuren, durch den Fleiß von Jahrhunderten zusammengeschleppten Material, das kaum unter die Ordnung eines Kataloges gebracht war, bildeten sich einfache, natürliche Gruppen; ein Gewirr seltsamer Formen unter den abenteuerlichsten Namen löste sich im schönsten Ebenmaß auf; eine Masse Dinge, die sonst nur als getrennte, weit auseinander liegende Facta das Gedächtnis beschwerten, rückten zusammen, entwickelten sich auseinander oder stellten sich in Gegensätzen gegenüber. Hat man auch nichts Ganzes erreicht, so kamen doch zusammenhängende Strecken zum Vorschein, und das Auge, das an einer Unzahl von Tatsachen ermüdet, ruht mit Wohlgefallen auf so schönen Stellen wie die Metamorphose der Pflanze aus dem Blatt, die Ableitung des Skeletts aus der Wirbelform, die Metamorphose, ja die Metempsychose des Fötus während des Fruchtlebens, die Repräsentationsidee Okens in der Klassifikation des Tierreichs u. dgl. m. In der vergleichenden Anatomie strebte alles nach einer gewissen Einheit, nach dem Zurückführen aller Formen auf den einfachsten primitiven Typus. [Klar war man sich über die Be]deutung der Gebilde des vegetativen [Nervensystems für die Ausbildung] des Skeletts; nur für das [Gehirn ließ sich bis] jetzt kein so glückliches Resultat zeigen. [Wenn Oken] gesagt hatte: der Schädel ist eine Wirbelsäule, so mußte man auch sagen: das Hirn ist ein metamorphosiertes Rückenmark, und die Hirnnerven sind Spinalnerven. Wie aber dies im einzelnen nachzuweisen sei, bleibt bis jetzt ein schweres Rätsel. Wie können die Massen des Gehirns auf die einfache Form des Rückenmarks zurückgeführt werden? Wie kann man die in ihrem Ursprung und Verlauf so verwickelten Nerven des Gehirns mit den so gleichmäßig mit ihrer doppelten Wurzelreihe längs des Rückenmarks entspringenden und im ganzen so einfach und regelmäßig verlaufenden Spinalnerven vergleichen, und wie endlich ihr Verhältnis zu den Schädelwirbeln dartun? Mancherlei Antworten wurden auf diese Fragen versucht. Eine besondere Mühe verwendete Carus darauf. Hier die Art, wie er die Hirnnerven in seinem Werke ›Von den Urteilen des Knochen- und Schalengerüstes‹ ordnet. Das Gehirn hat nach ihm drei Hauptanschwellungen: die Hemisphären, die Vierhügel und das kleine Gehirn. Diesen entsprechen drei Paar Schädelnerven. Jeder Schädelnerv entspringt gleich den Spinalnerven mit zwei Wurzeln, einer hinteren und einer vorderen, die sich aber nicht zu einem gemeinschaftlichen Stamm vereinigen, sondern jede für sich einen eigentümlichen Nerven bilden. Die drei hinteren Wurzeln sind nun der Riech-, Seh- und Hörnerv, die vorderen dagegen das fünfte Paar, entsprechend dem Sehnerven, und das zehnte Paar, entsprechend dem Hörnerven, während die vordere Wurzel des [Riechnerven durch das infundibulum] nur rudimentär angedeutet ist. [Die übrigen Hirnnerven erweisen] sich als Unterabteilungen dieser [Hauptstämme. So zerfällt die hintere] Wurzel des zweiten Schädelnerven [in den opticus und patheticus] und die vordere in den facialis, oculomotorius [abducens und den] eigentlichen trigeminus, und so zerfällt die vordere Wurzel des dritten Schädelnerven in den glossopharyngeus, hypoglossus, accessorius Willis und eigentlichen vagus. Man braucht nur aufmerksam zu machen, wie unpassend es sei, zwei so deutliche Empfindungsnerven wie den vagus und trigeminus zu isolierten motorischen Wurzeln zu machen, um das Ungenügende dieser Anordnung nachzuweisen. Der bedeutendste Versuch ist wohl der, welchen Arnold machte. Er zählt zwei Schädelwirbel; daraus ergeben sich zwei Intervertebrallöcher und somit zwei Paar Schädelnerven. Die vordere oder die motorische Wurzel des ersten Schädelnerven bildet die drei Muskelnerven des Auges und die kleine Portion des trigeminus; die hintere dagegen die große Portion dieses Nerven. Was den zweiten Schädelnerven betrifft, so geht seine vordere Wurzel in den hypoglossus und den Beinerven und seine hintere in den vagus über. Die Knoten des vagus und trigeminus entsprechen den Spinalknoten. Der facialis wird zum vorderen, der glossopharyngeus zum hinteren Schädelnerven gerechnet, ohne daß sie jedoch einer von beiden Wurzeln beigezählt würden; sondern sie werden als gemischte, aus Bewegungs- und Empfindungsfäden zusammengesetzte Nerven betrachtet. Die obere Augenhöhlenspalte und das zerrissene Loch bilden die zwei Intervertebrallöcher; das ovale und runde Loch werden als zu der ersteren, das Gelenkhügelloch als zu dem letzteren gehörig [betrachtet. Die Nerven des Gesichts], Geruchs und Gehörs machen [eine besondere Gruppe aus; sie] werden nicht als eigentliche [Hirnnerven, sondern] als Ausstülpungen des Gehirns betrachtet, [eine Anschauung, die] auf ihre Entwicklung beim Fötus, ihren Mangel an Knoten, die den Spinalknoten entsprächen, und auf ihr Unvermögen, eine andere Empfindung als die ihres eigentümlichen Sinnes zur Erkenntnis zu bringen, basiert wird. Gegen diese Einteilung, welche sich, wie man auf den ersten Blick sieht, im höchsten Grade durch ihre Einfachheit empfiehlt, erheben sich jedoch mehrere bedeutende Gründe, namentlich macht das Absondern der drei höheren Sinnesnerven Schwierigkeiten. Die passive Seite des Nervenlebens erscheint unter der allgemeinen Form der Sensibilität; die sogenannten einzelnen Sinne sind nichts als Modifikationen dieses allgemeinen Sinnes, Sehen, Hören, Riechen, Schmecken sind nur die feineren Blüten desselben. So ergibt es sich aus der stufenweisen Betrachtung der Organismen. Man kann Schritt für Schritt verfolgen, wie von dem einfachsten Organismus an, wo alle Nerventätigkeit in einem dumpfen Gemeingefühl besteht, nach und nach besondere Sinnesorgane sich abgliedern und ausbilden. Ihre Sinne sind nichts neu Hinzugefügtes, sie sind nur Modifikationen in einer höheren Potenz. Das nämliche gilt natürlich von den Nerven, welche ihre Funktionen vermitteln; sie erscheinen unter einer vollkommneren Form als die übrigen Empfindungsnerven, ohne deswegen ihren ursprünglichen Typus zu verlieren. Jeder Empfindungsnerv charakterisiert sich aber bei den Wirbeltieren als ein aus den hinteren Marksträngen entspringendes Wurzelbündel, und somit sind die drei höheren Sinnesnerven nichts weiter als isoliert gebliebne sensible Wurzeln. Bei den Fischen wird dies Verhalten ziemlich deutlich, und bei den Cyprinen glaube ich ihren Ursprung von den hinteren Marksträngen oder den oberen Pyramiden gleich den übrigen Empfindungsnerven nachgewiesen zu haben. Übrigens würde mich die weitere Diskussion dieser Frage, über die noch vieles zu sagen wäre, zu weit führen.

... Es dürfte wohl immer verg[eblich sein, die Lösung des Problems in der] verwickeltsten Form, nämlich bei dem [Menschen zu versuchen.] Die einfachsten Formen leiten immer am sichersten, [weil in] ihnen sich nur das Ursprüngliche, absolut Notwendige zeigt. Diese einfache Form bietet uns nun die Natur für dieses Problem entweder vorübergehend im Fötus oder stehen geblieben, selbständig geworden, in den niedern Wirbeltieren dar. Die Formen wechseln jedoch beim Fötus so rasch und sind oft nur so flüchtig angedeutet, daß man nur mit der größten Schwierigkeit zu einigermaßen genügenden Resultaten gelangen kann, während sie bei den niedrigen Wirbeltieren zu einer vollständigen Ausbildung gelangen und uns so die Zeit lassen, sie in ihrem einfachsten und bestimmtesten Typus zu studieren. Es frägt sich also in unserem Falle: Welche Schädelnerven treten bei den niedrigsten Wirbeltieren zuerst auf? wie verhalten sie sich zu den Hirnmassen und den Schädelwirbeln? und nach welchen Gesetzen wird, die Reihe der Wirbeltiere durch bis zum Menschen, ihre Zahl vermehrt oder vermindert, ihr Verlauf einfacher oder verwickelter? Faßt man nun die Tatsachen, welche die Wissenschaft uns bis jetzt an die Hand gibt, zusammen, so findet man neun Paar Schädelnerven, nämlich den olfactivus, opticus, die drei Muskelnerven des Auges, den trigeminus, acusticus, vagus und hypoglossus bei allen Klassen der Wirbeltiere, während die drei [übrigen Schädelnerven, nämlich der facialis, glossopharyngeus] und accessorius Willisii, bald [als selbständige Nerven ausgebildet sind, bald] nur als Äste des vagus [oder des trigeminus auftreten,] oder gänzlich verschwinden. [So tr]itt bei den Fischen der facialis als der Deckelast des 5. Paares auf, verschwindet dann bei der Mehrzahl der Reptilien und Vögel, und zeigt sich wieder bei den Säugetieren in dem Maße, als die Physiognomie mehr Ausdruck bekommt und die Nasenrespiration bedeutender wird. So tritt der glossopharyngeus bei den Fischen zwar als ein selbständiger Stamm auf, verhält sich jedoch durch seine Verteilung an die erste Kieme ganz wie ein Ast des vagus, verschmilzt dann bei den Batrachiern und Ophidiern mit dem vagus, dessen ramus lingualis er bildet, isoliert sich wieder bei den Cheloniern und bleibt endlich bei den Vögeln und Säugetieren ein selbständiger Nerv. So zeigt sich bei den Fischen und Batrachiern keine Spur von einem Beinerven, indem der vagus selbst die motorischen Fäden abgibt; erst bei den Sauriern, Cheloniern und Vögeln fängt er an, sich zu isolieren, und selbst bei den Säugetieren ist er im allgemeinen eigentlich nicht von dem vagus getrennt. Ich nenne diese drei Nervenpaare abgeleitete Nerven und betrachte sie, wo sie selbständig auftreten, als isolierte Zweige des vagus und trigeminus, deren Isolation von der mehr oder weniger gesteigerten Funktion ihres Primitivnervenstammes abhängt. Damit wird das Problem viel einfacher, und [es erhebt sich nun die Frage: Wie lassen] sich die übrigen Paare auf den [Typus der Spinalnerven] zurückführen? – Jeder Spinalnerv entspringt, [wenn er den Rückenmarkkanal verläßt,] zwei Wurzelbündeln, einem vorderen, die Bewegung, [und einem] hinteren, die Empfindung vermittelnden. Beide Wurzeln vereinigen sich in einer gewissen Distanz vom Mark zu einem gemeinschaftlichen Nervenstamm. Je zwei Spinalnerven bilden durch ihre Insertion einen Markabschnitt, dem ein Wirbel entspricht. Dies das einfachste Verhältnis. Auf welche Weise kann nun dasselbe modifiziert werden?

1. Beide Wurzeln vereinigen sich nicht mehr zu einem gemeinschaftlichen Stamm, sondern jede bleibt isoliert und bildet einen eignen, rein motorischen oder rein sensibeln Nerven.

2. Beide Wurzeln vereinigen sich zwar, doch tritt eine partielle Trennung in ihren Fäden ein, so daß in den Ästen, welche der von ihnen zusammengesetzte Nerv abgibt, die motorischen und sensibeln Fäden nicht mehr gleichmäßig verteilt sind. Dies Verhalten bildet den Übergang zu dem vorhergehenden.

3. Eine von den Wurzeln avortiert, so daß sich nur die andere entwickelt.

4. So wie von den zwei Wurzeln jede einen besonderen Nerven bilden kann, so kann dieser Nerv selbst wieder in mehrere isolierte Stämme zerfallen.

Auf diese vier Modifikationen nun lassen sich, wie ich sogleich nachweisen werde, die Unterschiede zwischen den Schädel- [und Spinalnerven zurückführen. Mit ihrer] Hülfe lassen sich sechs [Hirnnervenpaare unterscheiden,] denen entsprechend ich sechs Schädelwirbel [annehme, wie ich sie speziell bei den Fischen] gefunden zu haben glaube. [Die sechs] Paar Schädelnerven sind: der Zungenfleischnerv, der vagus, der Hörnerv, das 5. Paar, der Sehnerv mit dem Muskelnerv des Auges und der Riechnerv.

Nichts ist leichter, als nachzuweisen, daß der hypoglossus ursprünglich mit einer hinteren Wurzel und einem Spinalknoten versehen sei, und somit so gut als jeder andre Spinalnerv als ein selbständiger Nervenstamm betrachtet werden müsse. Bei den Fischen entspringt der letzte Schädelnerv mit einer vorderen breiten und einer hinteren feinen, mit einem Knoten versehenen Wurzel. Er tritt durch ein eigenes Loch aus der Schädelhöhle und teilt sich darauf in zwei Äste, einen vorderen und einen hinteren. Der vordere läuft, indem er einen Bogen bildet, nach vorn zu den Muskeln des Zungenbeins, der hintere vereinigt sich mit dem ersten Spinalnerven und geht zur vorderen Extremität. Die Bedeutung dieses Nerven als hypoglossus ergibt sich fast auf den ersten Blick, indem der vordere Ast dem Bogen, der hintere der ansa entspricht. Der Frosch liefert übrigens den direkten Beweis. Zwischen dem vagus und dem ersten Spinalnerven entspringt ein Nerv mit zwei Wurzeln, gerade wie bei den Fischen; er teilt sich ebenfalls in zwei Äste, einen [vorderen, der sich an die Muskulatur der] Zunge verteilt und [einen hinteren, der bei den Fischen und den höheren Wirbeltieren] zur vorderen Extremität geht. [Es ist ohne weiters klar, daß dieser] Nerv dem hypoglossus der höheren Tiere entspricht, und [eben]so evident, daß er mit dem fraglichen Nerven der Fische identisch ist. Bei den Fischen und Fröschen erscheint also der hypoglossus als ein selbständiger Nerv [und zeigt] auf das deutlichste den Typus eines Spinalnerven. [Ja, noch] mehr, bei dem Frosch ist er eigentlich der erste Spinalnerv, indem der ihm entsprechende Schädelwirbel [sich] wieder in einen Rückenwirbel verwandelt hat und somit der vagus der letzte Gehirnnerv ist. Außerdem hat Mayer selbst bei verschiednen Säugetieren, und einmal sogar bei dem Menschen, eine feinere, hintere, mit einem Knötchen versehene Wurzel des hypoglossus gefunden. – Bei dem hypoglossus des Menschen tritt also die dritte der erwähnten Modifikationen ein: die Empfindungswurzel ist avortiert und nur die motorische hat sich entwickelt, ein Verhältnis, das übrigens schon bei dem Fisch und Frosch durch das Überwiegen der vorderen Wurzel über die hintere angedeutet ist.

Was den trigeminus anbelangt, so ist selbst bei dem Menschen, aus dem eigentümlichen Verhältnisse seiner portio major und minor, seine Analogie mit dem Spinalnerven unverkennbar und längst anerkannt.

[Ähnlich liegen die Verhältnisse bei den] Fischen, wo außerdem [eine enge Beziehung zwischen dem trigeminus und dem facialis besteht, und wo die eigen]artigen Gebilde des [ramus opercularis vorhanden sind, der als hauptsächlich motorischer Ast der vorderen Wurzel der] Spinalnerven entspricht.

[Mit dem] vagus hat die Sache bei den höheren Tieren mehr Schwier[igkeit], doch helfen auch hier die niederen Formen. So entspringt bei dem Hecht z. B. der vagus aufs deutlichste mit zwei Wurzeln, einer vorderen und hinteren, die sich erst nach ziemlich langem Verlauf bei ihrem Austritt aus der Schädelhöhle [vereinigen] und daselbst einen Knoten zeigen. Dieser Spinalknoten [des] vagus ist bei vielen Fischen von enormer Größe und findet sich, wie bekannt, noch bei dem Menschen. Vagus und trige[minus] bieten die zweite Modifikation dar, nämlich die partielle Trennung der motorischen und sensibeln Fäden in den Stämmen, in welche diese Nerven sich teilen, nämlich den facialis, glossopharyngeus und accessorius Willisii, wie ich bereits gezeigt habe. Im vagus wird diese Trennung vollständiger als beim trigeminus, wenigstens scheint dies aus dem Verhältnis des Beinerven zum vagus hervorzugehen, indem letzterer wirklich ohne alle motorische Fäden zu sein scheint. – Das 10. und 5. Paar zeigen in der ganzen Reihe der Wirbeltiere eine auffallende Symmetrie. Der vagus verhält sich zur Brust- und Bauchhöhle wie der trigeminus zur Wiederholung dieser Höhlen am Kopf, nämlich der Mund- und Nasenhöhle. Kurz, der trigeminus ist ein vagus in einer höheren Potenz. Dies Verhältnis wird bei den Säugetieren besonders deutlich. Das 10. Paar teilt sich in drei Nervenstämme, den accessorius Willisii, den eigentlichen vagus und den glossopharyngeus; das 5. Paar ebenfalls in drei, den facialis, den [eigentlichen trigeminus und den Zungenast des trigeminus, den] man ebensogut als [vollständig selbständigen Nerven auffassen kann.] Wie der accessorius Willisii Atemnerv [des Halses und eines Teiles der Brusthöhle ist, so ist] der facialis Respirationsnerv des Kopfes; wie der [Vagusstamm der Empfindungsnerv des] Darmkanals ist, so ist der Zungenast des trigeminus [der sensible Nerv der Zunge,] diesem vollkommensten Teile des Darmkanals, diesem Organe [des Eingeweidesinnes,] wie Oken so sinnreich den Geschmack nennt. Endlich wie [der vagus den] glossopharyngeus als

[Geschmacks]nerven zur Zunge, so schickt der trigeminus den [getrennt verlaufenden ophthalmicus] als Hülfsnerven [zur Nase] und dem Auge.

Es bleibt mir jetzt noch die Analogie der drei höheren Sinnesnerven mit den Spinalnerven nachzuweisen. Der acusticus und olfactivus sind als hintere Wurzeln zu betrachten, deren vordere avortiert ist. Die Analogie, woraus ich dies schließe, liefert der hypoglossus, dessen hintere bei den Fischen, Fröschen und manchen Säugetieren vorkommende Wurzel bei dem Menschen avortiert, während nur die vordere sich entwickelte. Das Umgekehrte ist bei dem acusticus und olfactivus der Fall; nur die hintere Wurzel entwickelt sich und die vordere avortiert. Für beide wird die motorische Wurzel durch den facialis ersetzt. Für den acusticus erklärt sich dies leicht, wenn man bedenkt, in welchem Verhältnis der dem facialis entsprechende Deckelast der Fische zu der Kiemenhöhle steht. Oken hat nämlich nachgewiesen, das Ohr mit Ausnahme des Labyrinths sei nur eine metamorphosierte Kiemenhöhle, und so sieht man leicht, daß die Fäden, welche der facialis bei Vögeln und Säugetieren dem äußeren und inneren Ohr gibt, das Verhältnis des Deckelastes zur Kiemenhöhle wiederholen.

In dem Sehnerven und den Muskelnerven des Auges treten endlich beide Wurzeln als isolierte Nerven auf, die hintere als 2., die vordere als 3., 4. und 6. Paar, indem diese letzteren der vierten Modifikation, [wo eine Wurzel wieder in besondere isolierte Nervenstämme zerfällt, entspricht.] Das 3. und 6. Paar [entspringen ganz nahe beieinander und ungefähr auf gleicher Höhe,] das eine vor dem [andern, und bilden so zwei Fäden einer gemeinsamen Wurzel,] von denen der eine [etwas früher als der andere aus dem] Mark tritt. Das 4. Paar macht dagegen [größere Schwierigkeiten,] doch sein Verhalten bei manchen Fischen hebt sie größtenteils. [Es entspringt bei] den Cyprinen und dem Hecht vom äußeren Rand der vorderen Pyrami[denstränge,] folglich vom nämlichen Markstrang wie das 3. und 6.

In dem [Augen]muskelnerv erreicht der Nerv als solcher seine höchste Entfaltung; [er verhält] sich, um ein Beispiel zu geben, zu den übrigen Nerven wie der Huf [des Pferdes] zu der Hand des Menschen. Was in dem ersteren noch verbunden liegt, glie[dert] sich in der letzteren im schönsten Verhältnis ab. Diese Entwicklung fällt mit der Bedeutung des Auges zusammen, von dem Oken wahrhaftig mit Recht [sagt,] es sei das höchste Organ, die Blüte oder vielmehr die Frucht aller organischen Reiche.

So wären denn sechs Paar Schädelnerven gefunden: 1. der Riechnerv, 2. der Sehnerv, mit dem 3., 4. und 6. Paar, 3. der trigeminus, 4. der acusticus, 5. der vagus, 6. der hypoglossus.

Ihre rechte Begründung kann übrigens diese Einteilung der Schädelnerven erst durch ihre Vergleichung mit den Schädelknochen erhalten. Diese jedoch auszuführen und nachzuweisen, wie ich diesen sechs Paaren sechs Schädelwirbel entsprechend gefunden zu haben glaube, erlaubt die Zeit nicht.

Vergleicht man endlich die Schädelnerven untereinander, so findet man, daß sie sich in zwei Gruppen teilen. Die eine, gebildet vom acusticus und opticus, diesen Nerven des Schalls und des Lichts, ist der reinste Ausdruck des animalen Lebens; die andere, bestehend aus dem hypoglossus, vagus, trigeminus und olfactivus, erhöht das vegetative zum animalen Leben. So werden wir uns des Aktes der Verdauung und der Respi [ration durch den vagus bewußt, so wird die Zunge als] ein wesent[licher Bestandteil des Verdauungskanals durch den Einfluß] des hypoglossus dem Willen [unterworfen und dadurch ein] wahres Glied des Kopfes; so entwickeln sich [Geschmack und Geruch] als die Sinne des Darm- und des Atemsystems [unter dem] Einflusse des trigeminus und des olfac[tivus. Die Nerven] dieser letzteren Gruppe unterscheiden sich jedoch dadurch [nicht] wesentlicher von den übrigen Spinalnerven als die Lendennerven, welche zu den Organen der Zeugung gehn. Die ersteren verhalten sich zur Verdauung und Respiration wie die letzteren zu den Geschlechtsverrichtungen. Außerdem sind ja alle Spinalnerven durch ihren Einfluß auf die Respirationsbewegungen ebenfalls an das vegetative Leben geknüpft . . .

BRIEFE

STRASSBURG
1831–1833

An die Familie

Straßburg, nach 4. Dezember 1831.

Als sich das Gerücht verbreitete, daß Ramorino durch Straßburg reisen würde, eröffneten die Studenten sogleich eine Subskription und beschlossen, ihm mit einer schwarzen Fahne entgegenzuziehen. Endlich traf die Nachricht hier ein, daß Ramorino den Nachmittag mit den Generälen Schneider und Langermann ankommen würde. Wir versammelten uns sogleich in der Akademie; als wir aber durch das Tor ziehen wollten, ließ der Offizier, der von der Regierung Befehl erhalten hatte, uns mit der Fahne nicht passieren zu lassen, die Wache unter das Gewehr treten, um uns den Durchgang zu wehren. Doch wir brachen mit Gewalt durch und stellten uns drei- bis vierhundert Mann stark an der großen Rheinbrücke auf. An uns schloß sich die Nationalgarde an. Endlich erschien Ramorino, begleitet von einer Menge Reiter. Ein Student hält eine Anrede, die er beantwortet, ebenso ein Nationalgardist. Die Nationalgarden umgeben den Wagen und ziehen ihn; wir stellen uns mit der Fahne an die Spitze des Zugs, dem ein großes Musikkorps voranmarschiert. So ziehen wir in die Stadt, begleitet von einer ungeheuren Volksmenge unter Absingung der Marseillaise und der Carmagnole; überall erschallt der Ruf: Vive la liberté! vive Ramorino! à bas les ministres! à bas le juste milieu! Die Stadt selbst illuminiert, an den Fenstern schwenken die Damen ihre Tücher, und Ramorino wird im Triumph bis zum Gasthof gezogen, wo ihm unser Fahnenträger die Fahne mit dem Wunsch überreicht, daß diese Trauerfahne sich bald in Polens Freiheitsfahne verwandeln möge. Darauf erscheint Ramorino auf dem Balkon, dankt, man ruft Vivat – und die Komödie ist fertig.

An die Familie

Straßburg, im Dezember 1831.

Es sieht verzweifelt kriegerisch aus; kommt es zum Kriege, dann gibt es in Deutschland vornehmlich eine babylonische Verwirrung, und der Himmel weiß, was das Ende vom Liede sein wird. Es kann alles gewonnen und alles verloren werden; wenn aber die Russen über die

Oder gehn, dann nehme ich den Schießprügel, und sollte ich's in Frankreich tun. Gott mag den allerdurchlauchtigsten und gesalbten Schafsköpfen gnädig sein; auf der Erde werden sie hoffentlich keine Gnade mehr finden.

An die Familie

Straßburg, vor 16. Mai 1832.

Das einzige Interessante in politischer Beziehung ist, daß die hiesigen republikanischen Zierbengel mit roten Hüten herumlaufen, und daß Herr Périer die Cholera hatte, die Cholera aber leider nicht ihn.

An August Stöber

Darmstadt, d. 24. August 1832.

Liebes Brüderpaar! Obgleich die Adresse nur an einen von Euch lautet, so gilt sie doch Euch beiden; doch seht vorerst nach der zweiten, denn mein Brief ist nur die Schale und figuriert nur als Käspapier. Habt Ihr das andre Papier gelesen, so werdet Ihr wissen, daß es sich um nichts Geringeres handelt als um die Muse der teutschen Dichtkunst; ob Ihr dabei als Accoucheurs oder als Totengräber auftreten sollt, wird der Erfolg lehren. Ihr seid gebeten, mit Eurer poetischen Haus- und Feld-Apotheke bei der Wiederbelebung des Kadavers tätige Hilfe zu leisten; am besten wäre es, man suchte ihn in einem Backofen zu erwärmen, denn dies ist noch das einzige Kunstwerk, welches das liebe Teutsche Volk zu bauen und zu genießen versteht! Doch, Spaß beiseite! ich lege Euch die Sache ernstlich ans Herz: Wenn die Männer, welche ihre Beihilfe versprochen haben, Wort halten, so kann etwas Tüchtiges geleistet werden; daß Ihr viel dazu beitragen könnt, weiß ich, ohne Euch schmeicheln zu wollen. Die Herausgeber kenne ich persönlich: Künzel ist Kandidat der Theologie, Metz steht einer Buchhandlung vor, beide sehr gebildete junge Leute; die Zimmermänner sind Zwillinge und studieren in Heidelberg, sie gehören zu meinen ältesten und besten Freunden, namentlich hat der eine von ihnen ausgezeichnete poetische Anlagen.

Eure Antwort seid Ihr gebeten an mich zu adressieren, ich hoffe dabei auch einige herzliche Worte an mich zu finden; heute sind es zuerst drei Wochen, daß ich Euch verlassen, und doch könnte ich Euch schon manche epistolas ex ponto schreiben! Ach säße ich doch wieder einmal unter Euch im Drescher! Herzliche Grüße an die edlen Eugeniden, namentlich an Boeckel und Baum.

Lebt wohl! Euer G. Büchner

An die Familie

Straßburg, im Dezember 1832.

Ich hätte beinahe vergessen zu erzählen, daß der Platz in Belagerungszustand gesetzt wird (wegen der holländischen Wirren). Unter meinem Fenster rasseln beständig die Kanonen vorbei, auf den öffentlichen Plätzen exerzieren die Truppen, und das Geschütz wird auf den Wällen aufgefahren. Für eine politische Abhandlung habe ich keine Zeit mehr, es wäre auch nicht der Mühe wert, das Ganze ist doch nur eine Komödie. Der König und die Kammern regieren, und das Volk klatscht und bezahlt.

An die Familie

Straßburg, im Januar 1833.

Auf Weihnachten ging ich morgens um vier Uhr in die Frühmette ins Münster. Das düstere Gewölbe mit seinen Säulen, die Rose und die farbigen Scheiben und die knieende Menge waren nur halb vom Lampenschein erleuchtet. Der Gesang des unsichtbaren Chores schien über dem Chor und dem Altare zu schweben und den vollen Tönen der gewaltigen Orgel zu antworten. Ich bin kein Katholik und kümmerte mich wenig um das Schellen und Knieen der buntscheckigen Pfaffen, aber der Gesang allein machte mehr Eindruck auf mich als die faden, ewig wiederkehrenden Phrasen unserer meisten Geistlichen, die jahraus, jahrein an jedem Weihnachtstag meist nichts Gescheiteres zu sagen wissen als: der liebe Herrgott sei doch ein gescheiter Mann gewesen, daß er Christus grade um diese Zeit auf die Welt habe kommen lassen.

An die Familie

Straßburg, den 5. April 1833.

Heute erhielt ich Euren Brief mit den Erzählungen aus Frankfurt. Meine Meinung ist die: Wenn in unserer Zeit etwas helfen soll, so ist es Gewalt. Wir wissen, was wir von unseren Fürsten zu erwarten haben. Alles, was sie bewilligten, wurde ihnen durch die Notwendigkeit abgezwungen. Und selbst das Bewilligte wurde uns hingeworfen wie eine erbettelte Gnade und ein elendes Kinderspielzeug, um dem ewigen Maulaffen *Volk* seine zu eng geschnürte Wickelschnur vergessen zu machen. Es ist eine blecherne Flinte und ein hölzerner Säbel, womit nur ein Deutscher die Abgeschmacktheit begehen konnte, Soldatchens zu spielen. Unsere Landstände sind eine Satire auf die gesunde Vernunft, wir können noch ein Säkulum damit herumziehen, und wenn wir die Resultate dann zusammennehmen, so hat das Volk die schönen Reden seiner Vertreter noch immer teurer bezahlt als der römische Kaiser, der seinem Hofpoeten für zwei gebrochene Verse 20000 Gulden geben ließ. Man wirft den jungen Leuten den Gebrauch der Gewalt vor. Sind wir denn aber nicht in einem ewigen Gewaltzustand? Weil wir im Kerker geboren und großgezogen sind, merken wir nicht mehr, daß wir im Loch stecken mit angeschmiedeten Händen und Füßen und einem Knebel im Munde. Was nennt Ihr denn gesetzlichen Zustand? Ein Gesetz, das die große Masse der Staatsbürger zum fronenden Vieh macht, um die unnatürlichen Bedürfnisse einer unbedeutenden und verdorbenen Minderzahl zu befriedigen? Und dies Gesetz, unterstützt durch eine rohe Militärgewalt und durch die dumme Pfiffigkeit seiner Agenten, dies Gesetz ist eine ewige, rohe Gewalt, angetan dem Recht und der gesunden Vernunft, und ich werde mit Mund und Hand dagegen kämpfen, wo ich kann. Wenn ich an dem, was geschehen, keinen Teil genommen und an dem, was vielleicht geschieht, keinen Teil nehmen werde, so geschieht es weder aus Mißbilligung noch aus Furcht, sondern nur weil ich im gegenwärtigen Zeitpunkt jede revolutionäre Bewegung als eine vergebliche Unternehmung betrachte und nicht die Verblendung derer teile, welche in den Deutschen ein zum Kampf für sein Recht bereites Volk sehen. Diese tolle Meinung führte die Frankfurter Vorfälle herbei, und der Irrtum büßte sich schwer. Irren ist übrigens keine Sünde, und die deutsche Indifferenz ist wirklich von der Art, daß sie alle Berechnungen zuschanden macht. Ich bedaure die Unglücklichen von Herzen. Sollte keiner von meinen Freunden in die Sache verwickelt sein?

An die Familie

Straßburg, April oder Mai 1833.

Wegen mir könnt Ihr ganz ruhig sein; ich werde nicht nach Freiburg gehen und ebensowenig wie im vorigen Jahre an einer Versammlung teilnehmen.

An die Familie

Straßburg, nach 27. Mai 1833.

Soeben erhalten wir die Nachricht, daß in Neustadt die Soldateska über eine friedliche und unbewaffnete Versammlung hergefallen sei und ohne Unterschied mehrere Personen niedergemacht habe. Ähnliche Dinge sollen sich im übrigen Rheinbayern zugetragen haben. Die liberale Partei kann sich darüber grade nicht beklagen; man vergilt Gleiches mit Gleichem, Gewalt mit Gewalt. Es wird sich finden, wer der Stärkere ist.

Wenn Ihr neulich bei hellem Wetter bis auf das Münster hättet sehen können, so hättet Ihr mich bei einem langhaarigen, bärtigen jungen Mann sitzend gefunden. Besagter hatte ein rotes Barett auf dem Kopf, um den Hals einen Kaschmir-Schal, um den Kadaver einen kurzen deutschen Rock, auf die Weste war der Name ›Rousseau‹ gestickt, an den Beinen enge Hosen mit Stegen, in der Hand ein modisches Stöckchen. Ihr seht, die Karikatur ist aus mehreren Jahrhunderten und Weltteilen zusammengesetzt: Asien um den Hals, Deutschland um den Leib, Frankreich an den Beinen, 1400 auf dem Kopf und 1833 in der Hand. Er ist ein Kosmopolit – nein, er ist mehr, er ist St. Simonist! Ihr denkt nun, ich hätte mit einem Narren gesprochen, und Ihr irrt. Es ist ein liebenswürdiger junger Mann, viel gereist. – Ohne sein fatales Kostüm hätte ich nie den St. Simonisten verspürt, wenn er nicht von der femme in Deutschland gesprochen hätte. Bei den Simonisten sind Mann und Frau gleich, sie haben gleiche politische Rechte. Sie haben nun ihren père, der ist St. Simon, ihr Stifter; aber billigerweise müßten sie auch eine mère haben. Die ist aber noch zu suchen, und da haben sie sich denn auf den Weg gemacht, wie Saul nach seines Vaters Eseln, mit dem Unterschied, daß – denn im neunzehnten Jahrhundert ist die Welt gar weit vorangeschritten – daß die Esel diesmal den Saul suchen. Rousseau mit noch einem Gefährten (beide verstehen kein Wort Deutsch) wollten die femme in Deutschland suchen; man beging aber die intolerante Dummheit, sie zurückzuweisen. Ich sagte ihm, er hätte nicht viel an den Weibern, die Weiber aber viel an ihm verloren; bei den einen hätte er sich ennuyiert und über die anderen gelacht. Er bleibt jetzt in Straßburg, steckt die Hände in die Taschen und predigt dem Volke die Arbeit, wird für seine Kapazität gut bezahlt und marche vers les femmes, wie er sich ausdrückt. Er ist übrigens beneidenswert, führt das bequemste Leben unter der Sonne, und ich möchte aus purer Faulheit St. Simonist werden, denn man müßte mir meine Kapazität gehörig honorieren.

An die Familie

Straßburg, im Juni 1833.

Ich werde zwar immer meinen Grundsätzen gemäß handeln, habe aber in neuerer Zeit gelernt, daß nur das notwendige Bedürfnis der großen Masse Umänderungen herbeiführen kann, daß alles Bewegen und Schreien der einzelnen vergebliches Torenwerk ist. Sie schreiben – man liest sie nicht; sie schreien – man hört sie nicht; sie handeln – man hilft ihnen nicht ... Ihr könnt voraussehen, daß ich mich in die Gießener Winkelpolitik und revolutionären Kinderstreiche nicht einlassen werde.

An die Familie

Wanderung durch die Vogesen.

Straßburg, den 8. Juli 1833.

Bald im Tal, bald auf den Höhen zogen wir durch das liebliche Land. Am zweiten Tage gelangten wir auf einer über 3000 Fuß hohen Fläche zum sogenannten weißen und schwarzen See. Es sind zwei finstere Lachen in tiefer Schlucht, unter etwa 500 Fuß hohen Felswänden. Der weiße See liegt auf dem Gipfel der Höhe. Zu unseren Füßen lag still das dunkle Wasser. Über die nächsten Höhen hinaus sahen wir im Osten die Rheinebene und den Schwarzwald, nach West und Nordwest das Lothringer Hochland; im Süden hingen düstere Wetterwolken, die Luft war still. Plötzlich trieb der Sturm das Gewölke die Rheinebene herauf; zu unserer Linken zuckten die Blitze, und unter dem zerrissenen Gewölk über dem dunklen Jura glänzten die Alpengletscher in der Abendsonne. Der dritte Tag gewährte uns den nämlichen herrlichen Anblick; wir bestiegen nämlich den höchsten Punkt der Vogesen, den an 5000 Fuß hohen Bölgen. Man übersieht den Rhein von Basel bis Straßburg, die Fläche hinter Lothringen bis zu den Bergen der Champagne, den Anfang der ehemaligen Franche Comté, den Jura und die Schweizergebirge vom Rigi bis zu den entferntesten Savoyischen Alpen. Es war gegen Sonnenuntergang, die Alpen wie blasses Abendrot über der dunkel gewordenen Erde. Die Nacht brachten wir in einer geringen Entfernung vom Gipfel in einer Sennerhütte zu. Die Hirten haben hundert Kühe und bei neunzig Farren und Stiere auf der Höhe. Bei Sonnenaufgang war der Himmel etwas dunstig, die Sonne warf einen roten Schein über die Landschaft. Über den Schwarzwald und den Jura schien das Gewölk wie ein schäumender Wasserfall zu stürzen, nur die Alpen standen hell darüber, wie eine blitzende Milchstraße. Denkt Euch über der dunklen Kette des Jura und über dem Gewölk im Süden, so weit der Blick reicht, eine ungeheure, schimmernde Eiswand, nur noch oben durch die Zacken und Spitzen der einzelnen Berge unterbrochen. – Vom Bölgen stiegen wir rechts herab in das sogenannte Amarinental, das letzte Haupttal der Vogesen. Wir gingen talaufwärts. Das Tal schließt sich mit einem schönen Wiesengrund im wilden Gebirg. Über die Berge führte uns eine gut erhaltene Bergstraße nach Lothringen zu den Quellen der Mosel. Wir folgten eine Zeit lang dem Laufe des

Wassers, wandten uns dann nördlich und kehrten über mehrere interessante Punkte nach Straßburg zurück.

Hier ging es seit einigen Tagen etwas unruhig zu. Ein ministerieller Deputierter, Herr Saglio, kam vor einigen Tagen aus Paris zurück. Es kümmerte sich niemand um ihn. Eine bankerotte Ehrlichkeit ist heutzutage etwas zu Gemeines, als daß ein Volksvertreter, der seinen Frack wie einen Schandpfahl auf dem Rücken trägt, noch jemand interessieren könnte. Die Polizei war aber entgegengesetzter Meinung und stellte deshalb eine bedeutende Anzahl Soldaten auf dem Paradeplatz und vor dem Hause des Herrn Saglio auf. Dies lockte dann endlich am zweiten oder dritten Tage die Menge herbei, gestern und vorgestern abend wurde etwas vor dem Hause gelärmt. Präfekt und Maire hielten es für die beste Gelegenheit, einen Orden zu erwischen: sie ließen die Truppen ausrücken, die Straßen räumen, Bajonett- und Kolbenstöße austeilen, Verhaftungen vornehmen, Proklamationen anschlagen ...

GIESSEN UND DARMSTADT
1833–1835

An die Familie

Gießen, den 1. November 1833.

Gestern wurden wieder zwei Studenten verhaftet, der kleine Stamm und Groß.

An die Familie

Gießen, den 19. November 1833.

Gestern war ich bei dem Bankett zu Ehren der zurückgekehrten Deputierten. An zweihundert Personen, unter ihnen Balser und Vogt. Einige loyale Toaste, bis man sich Courage getrunken und dann das Polenlied, die Marseillaise gesungen und den in Friedberg Verhafteten ein Vivat gebracht! Die Leute gehen ins Feuer, wenn's von einer brennenden Punschbowle kommt!

An die Braut

[Gießen, November 1833?]

Hier ist kein Berg, wo die Aussicht frei sei. Hügel hinter Hügel und breite Täler, eine hohle Mittelmäßigkeit in allem; ich kann mich nicht an diese Natur gewöhnen, und die Stadt ist abscheulich.

Bei uns ist Frühling, ich kann Deinen Veilchenstrauß immer ersetzen, er ist unsterblich wie der Lama. Lieb Kind, was macht denn die gute Stadt Straßburg? Es geht dort allerlei vor, und Du sagst kein Wort davon. Je baise les petites mains, en goûtant les souvenirs doux de Strasbourg. – ›Prouve-moi que tu m'aimes encore beaucoup en me donnant bientôt des nouvelles.‹ Und ich ließ Dich warten! Schon seit einigen Tagen nehme ich jeden Augenblick die Feder in die Hand, aber es war mir unmöglich, nur ein Wort zu schreiben. Ich studierte die Geschichte der Revolution. Ich fühlte mich wie zernichtet unter dem gräßlichen Fatalismus der Geschichte. Ich finde in der Menschennatur eine entsetzliche Gleichheit, in den menschlichen Verhältnissen eine unabwendbare Gewalt, allen und keinem verliehen. Der einzelne nur Schaum auf der Welle, die Größe ein bloßer Zufall, die Herrschaft des Genies ein Puppenspiel, ein lächerliches Ringen gegen ein ehernes Gesetz, es zu erkennen das Höchste, es zu beherrschen unmöglich. Es fällt mir nicht mehr ein, vor den Paradegäulen und Eckstehern der Geschichte mich zu bücken. Ich gewöhnte mein Auge ans Blut. Aber ich bin kein Guillotinenmesser. Das *Muß* ist eins von den Verdammungsworten, womit der Mensch getauft worden. Der Ausspruch: es muß ja Ärgernis kommen, aber wehe dem, durch den es kommt – ist schauderhaft. Was ist das, was in uns lügt, mordet, stiehlt? Ich mag dem Gedanken nicht weiter nachgehen. Könnte ich aber dies kalte und gemarterte Herz an Deine Brust legen!

B[oeckel] wird Dich über mein Befinden beruhigt haben, ich schrieb ihm. Ich verwünsche meine Gesundheit. Ich glühte, das Fieber bedeckte mich mit Küssen und umschlang mich wie der Arm der Geliebten. Die Finsternis wogte über mir, mein Herz schwoll in unendlicher Sehnsucht; es drangen Sterne durch das Dunkel, und Hände und Lippen bückten sich nieder. Und jetzt? Und sonst? Ich habe nicht einmal die Wollust des Schmerzes und des Sehnens. Seit ich über die Rheinbrücke ging, bin ich wie in mir vernichtet, ein einzelnes Gefühl taucht nicht in mir auf. Ich bin ein Automat; die Seele ist mir genommen. Ostern ist noch mein einziger Trost; ich habe Verwandte bei Landau, ihre Einladung und die Erlaubnis, sie zu besuchen. Ich habe die Reise schon tausendmal gemacht und werde nicht müde.

Du frägst mich: sehnst Du Dich nach mir? Nennst Du's Sehnen, wenn man nur in *einem* Punkt leben kann, und wenn man davon gerissen ist und dann nur noch das Gefühl seines Elendes hat? Gib mir doch Antwort. Sind meine Lippen so kalt? . . . Dieser Brief ist ein Charivari: ich tröste Dich mit einem andern.

An August Stöber

Darmstadt, 9. Dezember 1833.

Lieber August! Ich schreibe in Ungewißheit, wo Dich dieser Brief treffen wird. Ich müßte mich sehr irren, wenn mir nicht Lambossy geschrieben hätte, daß Du Dich gewöhnlich in Oberbrunn aufhieltest. Das nämliche sagte mir Künzel, der von Deinem Vater auf einen an Dich gerichteten Brief Antwort erhalten hatte. Du erhältst am spätesten einen Brief, weil ich Dich am letzten mit einem finsteren Gesicht quälen wollte, denn wenigstens Eurer Teilnahme halte ich mich immer versichert. Ich schrieb mehrmals, vielleicht sahst Du meine Briefe; ich klagte über mich und spottete über andere; beides kann Dir zeigen, wie übel ich mich befand. Ich wollte Dich nicht auch ins Lazarett führen, und so schwieg ich.

Du magst entscheiden, ob die Erinnerung an zwei glückliche Jahre und die Sehnsucht nach all dem, was sie glücklich machte, oder ob die widrigen Verhältnisse, unter denen ich hier lebe, mich in die unglückselige Stimmung setzen. Ich glaube, 's ist beides. Manchmal fühle ich ein wahres Heimweh nach Euren Bergen. Hier ist alles so eng und klein. Natur und Menschen, die kleinlichsten Umgebungen, denen ich auch keinen Augenblick Interesse abgewinnen kann. Zu Ende Oktobers ging ich von hier nach Gießen. Fünf Wochen brachte ich daselbst halb im Dreck und halb im Bett zu. Ich bekam einen Anfall von Hirnhautentzündung; die Krankheit wurde im Entstehen unterdrückt, ich wurde aber gleichwohl gezwungen, nach Darmstadt zurückzukehren, um mich daselbst völlig zu erholen. Ich denke, noch bis Neujahr hier zu bleiben und den 5. oder 6. Januar wieder nach Gießen abzureisen.

Ein Brief von Dir würde mir große Freude machen, und nicht wahr, Christ, einem Rekonvaleszenten schlägt man nichts ab? Seit ich Euch am Mittwoch abend vor fünf Monaten zum letzten Mal die Hände zum Kutschenschlag hinausstreckte, ist's mir, als wären sie mir abgebrochen, und ich denke, wir drücken uns die Hände um so fester, je seltner wir sie uns reichen. Drei treffliche Freunde habe ich in Gießen gelassen und bin jetzt ganz allein.

H. Dr. H. K. . . ist freilich noch da, aber das ästhetische Geschlapp steht mir am Hals, er hat schon alle möglichen poetischen Accouchierstühle probiert, ich glaube, er kann höchstens noch an eine kritische Nottaufe in der Abendzeitung appellieren.

Ich werfe mich mit aller Gewalt in die Philosophie. Die Kunstsprache ist abscheulich, ich meine, für menschliche Dinge müßte man auch menschliche Ausdrücke finden; doch das stört mich nicht, ich lache über meine Narrheit und meine, es gäbe im Grund genommen doch nichts als taube Nüsse zu knacken. Man muß aber unter der Sonne doch auf irgendeinem Esel reiten, und so sattle ich in Gottes Namen den meinigen; fürs Futter ist mir nicht bang, an Distelköpfen wird's nicht fehlen, solang die Buchdruckerkunst nicht verloren geht. Lebe wohl, Bester. Grüße die Freunde, es geschieht dann doppelt, ich habe auch Boeckel drum gebeten.

Die politischen Verhältnisse könnten mich rasend machen. Das arme Volk schleppt geduldig den Karren, worauf die Fürsten und Liberalen ihre Affenkomödie spielen. Ich bete jeden Abend zum Hanf und zu den Laternen.

Was schreiben Viktor und Scherb?

Und Adolph, ist er wieder in Metz? Ich schicke Dir nächstens einige Zeilen an ihn.

An die Familie

Gießen, im Februar 1834.

Ich verachte niemanden, am wenigsten wegen seines Verstandes oder seiner Bildung, weil es in niemands Gewalt liegt, kein Dummkopf oder kein Verbrecher zu werden – weil wir durch gleiche Umstände wohl alle gleich würden und weil die Umstände außer uns liegen. Der Verstand nun gar ist nur eine sehr geringe Seite unsers geistigen Wesens und die Bildung nur eine sehr zufällige Form desselben. Wer mir eine solche Verachtung vorwirft, behauptet, daß ich einen Menschen mit Füßen träte, weil er einen schlechten Rock anhätte. Es heißt dies, eine Roheit, die man einem im Körperlichen nimmer zutrauen würde, ins Geistige übertragen, wo sie noch gemeiner ist. Ich kann jemanden einen Dummkopf nennen, ohne ihn deshalb zu verachten; die Dummheit gehört zu den allgemeinen Eigenschaften der menschlichen Dinge; für ihre Existenz kann ich nichts, es kann mir aber niemand wehren, alles, was existiert, bei seinem Namen zu nennen und dem, was mir unangenehm ist, aus dem Wege zu gehn. Jemanden kränken, ist eine Grausamkeit; ihn aber zu suchen oder zu meiden, bleibt meinem Gutdünken überlassen. *Daher* erklärt sich mein Betragen gegen alte Bekannte: ich kränkte keinen und sparte mir viel Langeweile; halten sie mich für hochmütig, wenn ich an ihren Vergnügungen oder Beschäftigungen keinen Geschmack finde, so ist es eine Ungerechtigkeit; mir würde es nie einfallen, einem andern aus dem nämlichen Grunde einen ähnlichen Vorwurf zu machen. Man nennt mich einen Spötter. Es ist wahr, ich lache oft; aber ich lache nicht darüber, *wie* jemand ein Mensch, sondern nur darüber, *daß* er ein Mensch ist, wofür er ohnehin nichts kann, und lache dabei über mich selbst, der ich sein

Schicksal teile. Die Leute nennen das Spott, sie vertragen es nicht, daß man sich als Narr produziert und sie duzt; sie sind Verächter, Spötter und Hochmütige, weil sie die Narrheit nur *außer sich* suchen. Ich habe freilich noch eine Art von Spott, es ist aber nicht der der Verachtung, sondern der des Hasses. Der Haß ist so gut erlaubt als die Liebe, und ich hege ihn im vollsten Maße gegen die, welche verachten. Es ist deren eine große Zahl, die, im Besitz einer lächerlichen Äußerlichkeit, die man Bildung, oder eines toten Krams, den man Gelehrsamkeit heißt, die große Masse ihrer Brüder ihrem verachtenden Egoismus opfern. Der Aristokratismus ist die schändlichste Verachtung des Heiligen Geistes im Menschen; gegen ihn kehre ich seine eigenen Waffen: Hochmut gegen Hochmut, Spott gegen Spott.

Ihr würdet Euch besser bei meinem Stiefelputzer nach mir umsehn; mein Hochmut und Verachtung Geistesarmer und Ungelehrter fände dort wohl ihr bestes Objekt. Ich bitte, fragt ihn einmal . . . Die Lächerlichkeit des Herablassens werdet Ihr mir doch wohl nicht zutrauen. Ich hoffe noch immer, daß ich leidenden, gedrückten Gestalten mehr mitleidige Blicke zugeworfen als kalten, vornehmen Herzen bittere Worte gesagt habe.

An die Braut

[Gießen, Februar 1834.]

Ich dürste nach einem Briefe. Ich bin allein, wie im Grabe; wann erweckt mich Deine Hand? Meine Freunde verlassen mich, wir schreien uns wie Taube einander in die Ohren; ich wollte, wir wären stumm, dann könnten wir uns doch nur ansehen, und in neuen Zeiten kann ich kaum jemand starr anblicken, ohne daß mir die Tränen kämen. Es ist dies eine Augenwassersucht, die auch beim Starrsehen oft vorkommt. Sie sagen, ich sei verrückt, weil ich gesagt habe, in sechs Wochen würde ich auferstehen, zuerst aber Himmelfahrt halten, in der Diligence nämlich. Lebe wohl, liebe Seele, und verlaß mich nicht. Der Gram macht mich Dir streitig, ich lieg ihm den ganzen Tag im Schoß; armes Herz, ich glaube, du vergiltst mit Gleichem.

An die Braut

[Gießen, März 1834.]

Der erste helle Augenblick seit acht Tagen. Unaufhörliches Kopfweh und Fieber, die Nacht kaum einige Stunden dürftiger Ruhe. Vor zwei Uhr komme ich in kein Bett, und dann ein beständiges Auffahren aus dem Schlaf und ein Meer von Gedanken, in denen mir die Sinne vergehen. Mein Schweigen quält Dich wie mich, doch vermochte ich nichts über mich. Liebe, liebe Seele, vergibst Du? – Eben komme ich von draußen herein. Ein einziger, forthallender Ton aus tausend Lerchenkehlen schlägt durch die brütende Sommerluft, ein schweres Gewölk wandelt über die Erde, der tief brausende Wind klingt wie sein melodischer Schritt. Die Frühlingsluft löste mich aus meinem Starrkrampf. Ich erschrak vor mir selbst. Das Gefühl des Gestorbenseins war immer über mir. Alle Menschen machten mir das hippokratische Gesicht, die Augen verglast, die Wangen wie von Wachs, und wenn dann die ganze Maschinerie zu leiern anfing, die Gelenke zuckten, die Stimme herausknarrte und ich das ewige Orgellied herumtrillern hörte und die Wälzchen und Stiftchen im Orgelkasten hüpfen und drehen sah – ich verfluchte das Konzert, den Kasten, die Melodie und – ach, wir armen schreienden Musikanten! das Stöhnen auf unsrer Folter, wäre es nur da, damit es durch die Wolkenritzen dringend und weiter, weiter klingend wie ein melodischer Hauch in himmlischen Ohren stirbt? Wären wir das Opfer im glühenden Bauch des Perillusstiers, dessen Todesschrei wie das Aufjauchzen des in den Flammen sich aufzehrenden Gottstiers klingt? Ich lästre nicht. Aber die Menschen lästern. Und doch bin ich gestraft, ich fürchte mich vor meiner Stimme und – vor meinem Spiegel. Ich hätte Herrn Callot-Hoffmann sitzen können, nicht wahr, meine Liebe? Für das Modellieren hätte ich Reisegeld bekommen. Ich spüre, ich fange an, interessant zu werden. –

Die Ferien fangen morgen in vierzehn Tagen an; verweigert man die Erlaubnis, so gehe ich heimlich, ich bin mir selbst schuldig, einem unerträglichen Zustande ein Ende zu machen. Meine geistigen Kräfte sind gänzlich zerrüttet. Arbeiten ist mir unmöglich; ein dumpfes Brüten hat sich meiner bemeistert, in dem mir kaum ein Gedanke noch hell wird. Alles verzehrt sich in mir selbst; hätte ich einen Weg für mein Inneres –, aber ich habe keinen Schrei für den Schmerz, kein Jauchzen für die Freude, keine Harmonie für die Seligkeit. Dies Stummsein ist meine Verdammnis. Ich habe Dir's schon tausendmal gesagt: Lies meine Briefe nicht – kalte, träge Worte! Könnte ich nur über Dich einen vollen Ton ausgießen – so schleppe ich Dich in meine wüsten Irrgänge. Du sitzest jetzt im dunkeln Zimmer in Deinen Tränen, allein bald trete ich zu Dir. Seit vierzehn Tagen steht Dein Bild beständig vor mir, ich sehe Dich in jedem Traum. Dein Schatten schwebt immer vor mir, wie das Lichtzittern, wenn man in die Sonne gesehen. Ich lechze nach einer seligen Empfindung; die wird mir bald, bald, bei Dir.

An die Familie

Gießen, den 19. März 1834.

Wichtiger ist die Untersuchung wegen der Verbindungen; die Relegation steht wenigstens dreißig Studenten bevor. Ich wollte die Unschädlichkeit dieser Verschwörer eidlich bekräftigen. Die Regierung muß aber doch etwas zu tun haben! Sie dankt ihrem Himmel, wenn ein paar Kinder schleifen oder Ketten schaukeln! – Die in Friedberg Verhafteten sind frei, mit Ausnahme von vieren ...

An die Braut

Gießen, März 1834.

Ich wäre untröstlich, mein armes Kind, wüßte ich nicht, was Dich heilte. Ich schreibe jetzt täglich, schon gestern hatte ich einen Brief angefangen. Fast hätte ich Lust, statt nach Darmstadt gleich nach Straßburg zu gehen. Nimmt Dein Unwohlsein eine ernste Wendung – ich bin dann im Augenblick da. Doch was sollen dergleichen Gedanken? Sie sind mir Unbegreiflichkeiten. – Mein Gesicht ist wie ein Osterei, über das die Freude rote Flecken laufen läßt. Doch ich schreibe abscheulich; es greift Deine Augen an, das vermehrt das Fieber. Aber nein, ich glaube nichts, es sind nur die Nachwehen des alten nagenden Schmerzes; die linde Frühlingsluft küßt alte Leute und hektische tot; Dein Schmerz ist alt und abgezehrt, er stirbt, das ist alles, und Du meinst, Dein Leben ginge mit. Siehst Du denn nicht den neuen lichten Tag? Hörst Du meine Tritte nicht, die sich wieder rückwärts zu Dir wenden? Sieh, ich schicke Dir Küsse, Schneeglöckchen, Schlüsselblumen, Veilchen, der Erde erste schüchterne Blicke ins flammende Auge des Sonnenjünglings. Den halben Tag sitze ich eingeschlossen mit Deinem Bild und spreche mit Dir. Gestern morgen versprach ich Dir Blumen; da sind sie. Was gibst Du mir dafür? Wie gefällt Dir mein Bedlam? Will ich etwas Ernstes tun, so komme ich mir vor wie Larifari in der Komödie: will er das Schwert ziehen, so ist's ein Hasenschwanz ...

Ich wollte, ich hätte geschwiegen. Es überfällt mich eine unsägliche Angst. Du schreibst gleich; doch um 's Himmels willen nicht, wenn es Dich Anstrengung kostet. Du sprachst mir von einem Heilmittel; lieb Herz, schon lange schwebt es mir auf der Zunge, ich liebte aber so unser stilles Geheimnis –. Doch sage Deinem Vater alles –, doch zwei Bedingungen: Schweigen, selbst bei den nächsten Verwandten; ich mag nicht hinter jedem Kusse die Kochtöpfe rasseln hören und bei den verschiedenen Tanten das Familienvatergesicht ziehen. Dann: nicht eher an meine Eltern zu schreiben, als bis ich selbst geschrieben. Ich überlasse Dir alles, tue, was Dich beruhigen kann. Was kann ich sagen, als daß ich Dich liebe; was versprechen, als was in dem Worte Liebe schon liegt, Treue? Aber die sogenannte Versorgung? Student noch zwei Jahre; die gewisse Aussicht auf ein stürmisches Leben, vielleicht bald auf fremdem Boden!

Zum Schlusse trete ich zu Dir und singe Dir einen alten Wiegengesang:

War nicht umsonst so still und schwach,
Verlaßne Liebe trug sie nach.
In ihrer kleinen Kammer hoch
Sie stets an der Erinnrung sog;
An ihrem Brotschrank an der Wand
Er immer, immer vor ihr stand,
Und wenn ein Schlaf sie übernahm,
Im Traum er immer wiederkam.

Und dann:

Denn immer, immer, immer doch
Schwebt ihr das Bild an Wänden noch
Von einem Menschen, welcher kam
Und ihr als Kind das Herze nahm.
Fast ausgelöscht ist sein Gesicht,
Doch seiner Worte Kraft noch nicht,
Und jener Stunden Seligkeit,
Ach jener Träume Wirklichkeit,
Die, angeboren jedermann,
Kein Mensch sich wirklich machen kann.

An die Braut

Gießen, März 1834.

Ich werde gleich von hier nach Straßburg gehen, ohne Darmstadt zu berühren; ich hätte dort auf Schwierigkeiten gestoßen, und meine Reise wäre vielleicht bis zu Ende der Vakanzen verschoben worden. Ich schreibe Dir jedoch vorher noch einmal, sonst ertrag ich's nicht vor Ungeduld; dieser Brief ist ohnedies so langweilig wie ein Anmelden in einem vornehmen Hause: Herr Studiosus Büchner. Das ist alles! Wie ich hier zusammenschrumpfe, ich erliege fast unter diesem Bewußtsein. Ja, sonst wäre es ziemlich gleichgültig, wie man nun einen Betäubten oder Blödsinnigen beklagen mag: aber Du, was sagst Du zu dem Invaliden? Ich wenigstens kann die Leute auf halbem Sold nicht ausstehen. Nous ferons un peu de romantique, pour nous tenir à la hauteur du siècle; et puis me faudra-t-il du fer à cheval pour faire de l'impression à un cœur de femme? Aujourd'hui on a le système nerveux un peu robuste. Adieu.

An die Familie

Straßburg, im April 1834.

Ich war [in Gießen] im Äußeren ruhig, doch war ich in tiefe Schwermut verfallen; dabei engten mich die politischen Verhältnisse ein, ich schämte mich, ein Knecht mit Knechten zu sein, einem vermoderten Fürstengeschlecht und einem kriechenden Staatsdiener-Aristokratismus zu Gefallen. Ich kam nach Gießen in die widrigsten Verhältnisse, Kummer und Widerwillen machten mich krank.

An die Familie

Gießen, den 25. Mai 1834.

Das Treiben des ›Burschen‹ kümmert mich wenig. Gestern abend hat er von dem Philister Schläge bekommen. Man schrie: ›Bursch heraus!‹ Es kam aber niemand als die Mitglieder zweier Verbindungen, die aber den Universitätsrichter rufen mußten, um sich vor den Schuster- und Schneiderbuben zu retten. Der Universitätsrichter war betrunken und schimpfte die Bürger; es wundert mich, daß er keine Schläge bekam. Das Possierlichste ist, daß die Buben liberal sind und sich daher an die loyal gesinnten Verbindungen machten. Die Sache soll sich heute abend wiederholen, man munkelt sogar von einem Auszug; ich hoffe, daß der Bursche wieder Schläge bekommt; wir halten zu den Bürgern und bleiben in der Stadt.

An die Familie

Gießen, den 2. Juli 1834.

Was sagt man zu der Verurteilung von Schulz? – Mich wundert es nicht, es riecht nach Kommisbrot.

Apropos, wißt Ihr die hübsche Geschichte vom Herrn Kommissär ...? Der gute Kolumbus sollte in Butzbach bei einem Schreiner eine geheime Presse entdecken. Er besetzt das Haus, dringt ein. ›Guter Mann, es ist alles aus, führ Er mich nur an die Presse!‹ – Der Mann führt ihn an die Kelter. – ›Nein, Mann! Die Presse! Die Presse!‹ – Der Mann versteht ihn nicht, und der Kommissär wagt sich in den Keller. Es ist dunkel. ›Ein Licht, Mann!‹ – ›Das müssen Sie kaufen, wenn Sie eins haben wollen.‹ – Aber der Herr Kommissär spart dem Lande überflüssige Ausgaben. Er rennt, wie Münchhausen, an einen

Balken, er schlägt Feuer aus seinem Nasenbein, das Blut fließt, er achtet nichts und findet nichts. Unser lieber Großherzog wird ihm aus einem Zivilverdienstorden ein Nasenfutteral machen.

An die Familie

Frankfurt, den 3. August 1834.

Ich benutze jeden Vorwand, um mich von meiner Kette loszumachen. Freitag abends ging ich von Gießen weg; ich wählte die Nacht der gewaltigen Hitze wegen, und so wanderte ich in der lieblichsten Kühle unter hellem Sternenhimmel, an dessen fernstem Horizonte ein beständiges Blitzen leuchtete. Teils zu Fuß, teils fahrend mit Postillonen und sonstigem Gesindel, legte ich während der Nacht den größten Teil des Wegs zurück. Ich ruhte mehrmals unterwegs. Gegen Mittag war ich in Offenbach. Den kleinen Umweg machte ich, weil es von dieser Seite leichter ist, in die Stadt zu kommen, ohne angehalten zu werden. Die Zeit erlaubte mir nicht, mich mit den nötigen Papieren zu versehen.

An die Familie

Gießen, den 5. August 1834.

Ich meine, ich hätte Euch erzählt, daß Minnigerode eine halbe Stunde vor meiner Abreise arretiert wurde; man hat ihn nach Friedberg abgeführt. Ich begreife den Grund seiner Verhaftung nicht. Unserem scharfsinnigen Universitätsrichter fiel es ein, in meiner Reise, wie es scheint, einen Zusammenhang mit der Verhaftung Minnigerodes zu finden. Als ich hier ankam, fand ich meinen Schrank versiegelt, und man sagte mir, meine Papiere seien durchsucht worden. Auf mein Verlangen wurden die Siegel sogleich abgenommen, auch gab man mir meine Papiere (nichts als Briefe von Euch und meinen Freunden) zurück; nur einige französische Briefe von W[ilhelmine?], Muston, L[ambossy] und B[oeckel] wurden zurückbehalten, wahrscheinlich weil die Leute sich erst einen Sprachlehrer müssen kommen lassen, um sie zu lesen. Ich bin empört über ein solches Benehmen; es wird mir übel, wenn ich meine heiligsten Geheimnisse in den Händen dieser schmutzigen Menschen denke. Und das alles – wißt Ihr auch, warum? Weil ich an dem nämlichen Tag abgereist, an dem Minnigerode verhaftet wurde. Auf einen vagen Verdacht hin verletzte man die heiligsten Rechte und verlangte dann weiter nichts, als daß ich mich über meine Reise ausweisen sollte!!! Das konnte ich natürlich mit der größten Leichtigkeit; ich habe Briefe von B[oeckel], die jedes

Wort bestätigen, das ich gesprochen, und unter meinen Papieren befindet sich keine Zeile, die mich kompromittieren könnte. Ihr könnt über die Sache ganz unbesorgt sein. Ich bin auf freiem Fuß, und es ist unmöglich, daß man einen Grund zur Verhaftung finde. Nur im tiefsten bin ich über das Verfahren der Gerichte empört, auf den Verdacht eines möglichen Verdachts in die heiligsten Familiengeheimnisse einzubrechen. Man hat mich auf dem Universitätsgericht bloß gefragt, wo ich mich während der drei letzten Tage aufgehalten, und um sich darüber Aufschluß zu verschaffen, erbricht man schon am zweiten Tag in meiner Abwesenheit meinen Pult und bemächtigt sich meiner Papiere! Ich werde mit einigen Rechtskundigen sprechen und sehen, ob die Gesetze für eine solche Verletzung Genugtuung schaffen!

An die Familie

Gießen, den 8. August 1834.

Ich gehe meinen Beschäftigungen wie gewöhnlich nach, vernommen bin ich nicht weiter geworden. Verdächtiges hat man nicht gefunden, nur die französischen Briefe scheinen noch nicht entziffert zu sein; der Herr Universitätsrichter muß sich wohl erst Unterricht im Französischen nehmen. Man hat mir sie noch nicht zurückgegeben ... Übrigens habe ich mich bereits an das Disziplinargericht gewendet und es um Schutz gegen die Willkür des Universitätsrichters gebeten. Ich bin auf die Antwort begierig. Ich kann mich nicht entschließen, auf die mir gebührende Genugtuung zu verzichten. Das Verletzen meiner heiligsten Rechte und das Einbrechen in alle meine Geheimnisse, das Berühren von Papieren, die mir Heiligtümer sind, empörten mich zu tief, als daß ich nicht jedes Mittel ergreifen sollte, um mich an dem Urheber dieser Gewalttat zu rächen. Den Universitätsrichter habe ich mittelst des höflichsten Spottes fast ums Leben gebracht. Wie ich zurückkam, mein Zimmer mir verboten und meinen Pult versiegelt fand, lief ich zu ihm und sagte ihm ganz kaltblütig mit der größten Höflichkeit, in Gegenwart mehrerer Personen: wie ich vernommen, habe er in meiner Abwesenheit mein Zimmer mit seinem Besuche beehrt; ich komme, um ihn um den Grund seines gütigen Besuches zu fragen etc. – Es ist schade, daß ich nicht nach dem Mittagessen gekommen, aber auch so barst er fast und mußte diese beißende Ironie mit der größten Höflichkeit beantworten. Das Gesetz sagt, nur in Fällen sehr dringenden Verdachts, ja nur eines Verdachtes, der statt halben Beweises gelten könne, dürfe eine Haussuchung vorgenommen werden. Ihr seht, wie man das Gesetz auslegt. Verdacht, am wenigsten ein dringender, kann nicht gegen mich vorliegen, sonst müßte ich verhaftet sein; in der Zeit, wo ich hier bin, könnte ich ja jede Untersuchung durch Verabreden gleichlautender Aussagen und dergleichen unmöglich machen. Es geht hieraus hervor, daß ich durch nichts kompromittiert bin und daß die Haussuchung nur vorgenommen worden, weil ich nicht liederlich und nicht sklavisch genug aussehe, um für keinen Demagogen gehalten zu werden. Eine solche Gewalttat stillschweigend ertragen, hieße die Regierung zur Mitschuldigen machen; hieße aussprechen, daß es keine gesetzliche Garantie mehr gäbe; hieße erklären, daß das verletzte Recht keine Genugtuung mehr erhalte. Ich will unserer Regierung diese grobe Beleidigung nicht antun.

Wir wissen nichts von Minnigerode, das Gerücht mit Offenbach ist jedenfalls reine Erfindung; daß ich auch schon dagewesen, kann mich nicht mehr kompromittieren als jeden anderen Reisenden ... Sollte man, so wie man ohne die gesetzlich notwendige Ursache meine Papiere durchsuchte, mich auch ohne dieselbe festnehmen, in Gottes Namen! ich kann so wenig darüber hinaus, und es ist dies so wenig meine Schuld, als wenn eine Herde Banditen mich anhielte, plünderte oder mordete. Es ist Gewalt, der man sich fügen muß, wenn man nicht stark genug ist, ihr zu widerstehen; aus der Schwäche kann einem kein Vorwurf gemacht werden.

An die Familie

Gießen, Ende August 1834.

Es sind jetzt fast drei Wochen seit der Haussuchung verflossen, und man hat mir in bezug darauf noch nicht die mindeste Eröffnung gemacht. Die Vernehmung bei dem Universitätsrichter am ersten Tage kann nicht in Anschlag gebracht werden, sie steht damit in keinem gesetzlichen Zusammenhang; der Herr Georgi verlangt nur als *Universitätsrichter* von mir als *Studenten*, ich solle mich wegen meiner Reise ausweisen, während er die Haussuchung als *Regierungskommissär* vornahm. Ihr sehet also, wie weit man es in der gesetzlichen Anarchie gebracht hat. Ich vergaß, wenn ich nicht irre, den wichtigen Umstand anzuführen, daß die Haussuchung sogar ohne die drei, durch das Gesetz vorgeschriebenen Urkundspersonen vorgenommen wurde und so um so mehr den Charakter eines Einbruchs an sich trägt. Das Verletzen unserer Familiengeheimnisse ist ohnehin ein bedeutenderer Diebstahl als das Wegnehmen einiger Geldstücke. Das Einbrechen in meiner Abwesenheit ist ebenfalls ungesetzlich; man war nur berechtigt, meine Türe zu versiegeln, und erst dann in meiner Abwesenheit zur Haussuchung zu schreiten, wenn ich mich auf erfolgte Vorladung nicht gestellt hätte. Es sind also drei Verletzungen des Gesetzes vorgefallen: Haussuchung ohne dringenden Verdacht (ich bin, wie gesagt, noch nicht vernommen worden, und es sind drei Wochen verflossen), Haussuchung ohne Urkundspersonen, und endlich Haussuchung am dritten Tage meiner Abwesenheit ohne vorher erfolgte Vorladung.

Die Vorstellung an das Disziplinargericht war im Grund genommen überflüssig, weil der Universitätsrichter als Regierungskommissär nicht unter ihm steht. Ich tat diesen Schritt nur vorerst, um nicht mit der Türe ins Haus zu fallen; ich stellte mich unter seinen Schutz, ich überließ ihm meine Klage. Seiner Stellung gemäß *mußte* es meine Sache zu der seinigen machen, aber die Leute sind etwas furchtsamer Natur; ich bin überzeugt, daß sie mich an eine andere Behörde verweisen. Ich erwarte ihre Resolution ... Der Vorfall ist so einfach und liegt so klar am Tage, daß man mir entweder volle Genugtuung schaffen oder öffentlich erklären muß, das Gesetz sei aufgehoben und eine Gewalt an seine Stelle getreten, gegen die es keine Appellation als Sturmglocken und Pflastersteine gebe.

An Sauerländer

Darmstadt, den 21. Februar 1835.

Geehrtester Herr! Ich gebe mir die Ehre, Ihnen mit diesen Zeilen ein Manuskript zu überschicken. Es ist ein dramatischer Versuch und behandelt einen Stoff der neueren Geschichte. Sollten Sie geneigt sein, das Verlag desselben zu übernehmen, so ersuche ich Sie, mich so bald als möglich davon zu benachrichtigen, im entgegengesetzten Falle aber das Manuskript an die Heyerische Buchhandlung dahier zurückgehn zu lassen.

Sie würden mich sehr verbinden, wenn Sie dem Herrn Carl Gutzkow den beigeschlossenen Brief überschicken und ihm das Drama zur Einsicht mitteilen wollten.

Haben Sie die Güte, eine etwaige Antwort in einer Couverte mit der Adresse: an Frau Regierungsrat Reuß zu Darmstadt, an mich gelangen zu lassen. Verschiedene Umstände lassen mich dringend wünschen, daß dies in möglichster Kürze der Fall sei.

Hochachtungsvoll verbleibe ich Ihr ergebenster Diener

G. Büchner.

An Gutzkow

[Darmstadt, den 21. Februar 1835.]

Mein Herr! Vielleicht hat es Ihnen die Beobachtung, vielleicht, im unglücklicheren Fall, die eigene Erfahrung schon gesagt, daß es einen

Grad von Elend gibt, welcher jede Rücksicht vergessen und jedes Gefühl verstummen macht. Es gibt zwar Leute, welche behaupten, man solle sich in einem solchen Falle lieber zur Welt hinaushungern, aber ich könnte die Widerlegung in einem seit kurzem erblindeten Hauptmann von der Gasse aufgreifen, welcher erklärt, er würde sich totschießen, wenn er nicht gezwungen sei, seiner Familie durch sein Leben seine Besoldung zu erhalten. Das ist entsetzlich. Sie werden wohl einsehen, daß es ähnliche Verhältnisse geben kann, die einen verhindern, seinen Leib zum Notanker zu machen, um ihn von dem Wrack dieser Welt in das Wasser zu werfen, und werden sich also nicht wundern, wie ich Ihre Türe aufreiße, in Ihr Zimmer trete, Ihnen ein Manuskript auf die Brust setze und ein Almosen abfordere. Ich bitte Sie nämlich, das Manuskript so schnell wie möglich zu durchlesen, es, im Fall Ihnen Ihr Gewissen als Kritiker dies erlauben sollte, dem Herrn Sauerländer zu empfehlen, und sogleich zu antworten.

Über das Werk selbst kann ich Ihnen nichts weiter sagen, als daß unglückliche Verhältnisse mich zwangen, es in höchstens fünf Wochen zu schreiben. Ich sage dies, um Ihr Urteil über den Verfasser, nicht über das Drama an und für sich zu motivieren. Was ich daraus machen soll, weiß ich selbst nicht, nur das weiß ich, daß ich alle Ursache habe, der Geschichte gegenüber rot zu werden; doch tröste ich mich mit dem Gedanken, daß, Shakespeare ausgenommen, alle Dichter vor ihr und der Natur wie Schulknaben dastehen.

Ich wiederhole meine Bitte um schnelle Antwort; im Falle eines günstigen Erfolges können einige Zeilen von Ihrer Hand, wenn sie noch vor nächstem Mittwoch hier eintreffen, einen Unglücklichen vor einer sehr traurigen Lage bewahren.

Sollte Sie vielleicht der Ton dieses Briefes befremden, so bedenken Sie, daß es mir leichter fällt, in Lumpen zu betteln, als im Frack eine Supplik zu überreichen, und fast leichter, die Pistole in der Hand: la bourse ou la vie! zu sagen, als mit bebenden Lippen ein: Gott lohn es! zu flüstern.

G. Büchner

STRASSBURG
1835–1836

An die Familie

Weißenburg, den 9. März 1835.

Eben lange ich wohlbehalten hier an. Die Reise ging schnell und bequem vor sich. Ihr könnt, was meine persönliche Sicherheit anlangt, völlig ruhig sein. Sicheren Nachrichten gemäß bezweifle ich auch nicht, daß mir der Aufenthalt in Straßburg gestattet werden wird ... Nur die dringendsten Gründe konnten mich zwingen, Vaterland und Vaterhaus in *der* Art zu verlassen ... Ich konnte mich unserer politischen Inquisition stellen; von dem Resultat einer Untersuchung hatte ich nichts zu befürchten, aber alles von der Untersuchung selbst ... Ich bin überzeugt, daß nach einem Verlaufe von zwei bis drei Jahren meiner Rückkehr nichts mehr im Wege stehen wird. Diese Zeit hätte ich im Falle des Bleibens in einem Kerker zu Friedberg versessen; körperlich und geistig zerrüttet wäre ich dann entlassen worden. Dies stand mir so deutlich vor Augen, dessen war ich so gewiß, daß ich das große Übel einer freiwilligen Verbannung wählte. Jetzt habe ich Hände und Kopf frei ... Es liegt jetzt alles in meiner Hand. Ich werde das Studium der medizinisch-philosophischen Wissenschaften mit der größten Anstrengung betreiben, und auf *dem* Felde ist noch Raum genug, um etwas Tüchtiges zu leisten, und unsere Zeit ist grade dazu gemacht, dergleichen anzuerkennen. Seit ich über der Grenze bin, habe ich frischen Lebensmut; ich stehe jetzt ganz allein, aber gerade das steigert meine Kräfte. Der beständigen geheimen Angst vor Verhaftung und sonstigen Verfolgungen, die mich in Darmstadt beständig peinigte, enthoben zu sein, ist eine große Wohltat.

An Gutzkow

Straßburg, März 1835.

Verehrtester! Vielleicht haben Sie durch einen Steckbrief im ›Frankfurter Journal‹ meine Abreise von Darmstadt erfahren. Seit einigen Tagen bin ich hier; ob ich bleiben werde, weiß ich nicht, das hängt von verschiedenen Umständen ab. Mein Manuskript wird unter der Hand seinen Kurs durchgemacht haben.

Meine Zukunft ist so problematisch, daß sie mich selbst zu interessieren anfängt, was viel heißen will. Zu dem subtilen Selbstmord durch Arbeit kann ich mich nicht leicht entschließen; ich hoffe, meine Faulheit wenigstens ein Vierteljahr lang fristen zu können, und nehme dann Handgeld entweder von den Jesuiten für den Dienst der Maria oder von den St. Simonisten für die femme libre oder sterbe mit meiner Geliebten. Wir werden sehen. Vielleicht bin ich auch dabei, wenn noch einmal das Münster eine Jakobinermütze aufsetzen sollte. Was sagen Sie dazu? Es ist nur mein Spaß. Aber Sie sollen noch erleben, zu was ein Deutscher nicht fähig ist, wenn er Hunger hat. Ich wollte, es ginge der ganzen Nation wie mir. Wenn es einmal ein Mißjahr gibt, worin nur der Hanf gerät! Das sollte lustig gehen, wir wollten schon eine Boa Constrictor zusammen flechten. Mein Danton ist vorläufig ein seidenes Schnürchen und meine Muse ein verkleideter Samson.

An die Familie

Straßburg, den 27. März 1835.

Ich fürchte sehr, daß das Resultat der Untersuchung den Schritt, welchen ich getan, hinlänglich rechtfertigen wird; es sind wieder Verhaftungen erfolgt, und man erwartet nächstens deren noch mehr. Minnigerode ist in flagranti crimine ertappt worden. Man betrachtet ihn als den Weg, der zur Entdeckung aller bisherigen revolutionären Umtriebe führen soll: man sucht ihm um jeden Preis sein Geheimnis zu entreißen; wie sollte seine schwache Konstitution der langsamen Folter, auf die man ihn spannt, widerstehen können?... Ist in den deutschen Zeitungen die Hinrichtung des Leutnant Koseritz auf dem Hohenasperg in Württemberg bekannt gemacht worden? Er war Mitwisser um das Frankfurter Komplott und wurde vor einiger Zeit erschossen. Der Buchhändler Frankh aus Stuttgart ist mit noch mehreren anderen aus der nämlichen Ursache zum Tode verurteilt worden, und man glaubt, daß das Urteil vollstreckt wird.

An die Familie

Straßburg, den 20. April 1835.

Heute morgen erhielt ich eine traurige Nachricht. – Ein Flüchtling aus der Gegend von Gießen ist hier angekommen; er erzählte mir, in der Gegend von Marburg seien mehrere Personen verhaftet und bei einem von ihnen eine Presse gefunden worden, außerdem sind meine Freunde A. Becker und Klemm eingezogen worden, und Rektor Weidig von Butzbach wird verfolgt. Ich begreife unter solchen Umständen die Freilassung von P. . . . . nicht.

Jetzt erst bin ich froh, daß ich weg bin, man würde mich auf keinen Fall verschont haben ... Ich sehe meiner Zukunft sehr ruhig entgegen. Jedenfalls könnte ich von meinen schriftstellerischen Arbeiten leben ... Man hat mich auch aufgefordert, Kritiken über die neu erscheinenden französischen Werke in das Literaturblatt zu schicken; sie werden gut bezahlt. Ich würde mir noch weit mehr verdienen können, wenn ich mehr Zeit darauf verwenden wollte; aber ich bin entschlossen, meinen Studienplan nicht aufzugeben.

An die Familie

Straßburg, den 5. Mai 1835.

Schulz und seine Frau gefallen mir sehr gut; ich habe schon seit längerer Zeit Bekanntschaft mit ihnen gemacht und besuche sie öfters. Schulz namentlich ist nichts weniger als die unruhige Kanzleibürste, die ich mir unter ihm vorstellte; er ist ein ziemlich ruhiger und sehr anspruchsloser Mann. Er beabsichtigt, in aller Nähe mit seiner Frau nach Nancy und in Zeit von einem Jahr ungefähr nach Zürich zu gehen, um dort zu dozieren ... Die Verhältnisse der politischen Flüchtlinge sind in der Schweiz keineswegs so schlecht, als man sich einbildet; die strengen Maßregeln erstrecken sich nur auf diejenigen, welche durch ihre fortgesetzten Tollheiten die Schweiz in die unangenehmsten Verhältnisse mit dem Auslande gebracht und schon beinahe in einen Krieg mit demselben verwickelt haben ...

Boeckel und Baum sind fortwährend meine intimsten Freunde; letzterer will seine Abhandlung über die Methodisten, wofür er einen Preis von 3000 Francs erhalten hat und öffentlich gekrönt worden ist, drucken lassen. Ich habe mich in seinem Namen an Gutzkow gewendet, mit dem ich fortwährend in Korrespondenz stehe. Er ist im Augenblick in Berlin, muß aber bald wieder zurückkommen. Er scheint viel auf mich zu halten; ich bin froh darüber, sein Literaturblatt steht in großem Ansehn ... Im Juni wird er hierher kommen, wie er mir schreibt. Daß mehreres aus meinem Drama im ›Phönix‹ erschienen ist, hatte ich durch ihn erfahren; er versicherte mich auch, daß das Blatt viel Ehre damit eingelegt habe. Das Ganze muß bald erscheinen. Im Fall es Euch zu Gesicht kommt, bitte ich Euch, bei Eurer Beurteilung vorerst zu bedenken, daß ich der Geschichte treu bleiben und die Männer der Revolution geben mußte, wie sie waren: blutig, liederlich, energisch und zynisch. Ich betrachte mein Drama wie ein geschichtliches Gemälde, das seinem Original gleichen muß ... Gutzkow hat mich um Kritiken wie um eine besondere Gefälligkeit gebeten; ich konnte es nicht abschlagen, ich gebe mich ja doch in meinen freien Stunden mit Lektüre ab, und wenn ich dann manchmal die Feder in die Hand nehme und schreibe über das Gelesene etwas nieder, so ist dies keine so große Mühe und nimmt wenig Zeit weg ...

Der Geburtstag des Königs ging sehr still vorüber. Niemand fragt nach dergleichen, selbst die Republikaner sind ruhig; sie wollen keine Emeuten mehr, aber ihre Grundsätze finden von Tag zu Tag, namentlich bei der jungen Generation, mehr Anhang, und so wird wohl die Regierung nach und nach, ohne gewaltsame Umwälzung, von selbst zusammenfallen ...

Sartorius ist verhaftet, sowie auch Becker. Heute habe ich auch die Verhaftung des Herrn Weidig und des Pfarrers Flick zu Petterweil erfahren.

An die Familie

Straßburg, Mittwoch nach Pfingsten 1835.

Was Ihr mir von dem in Darmstadt verbreiteten Gerüchte hinsichtlich einer in Straßburg bestehenden Verbindung sagt, beunruhigt mich sehr. Es sind höchstens acht bis neun deutsche Flüchtlinge hier; ich komme fast in keine Berührung mit ihnen, und an eine politische Verbindung ist nicht zu denken. Sie sehen so gut wie ich ein, daß unter den jetzigen Umständen dergleichen im ganzen unnütz und dem, der daran teilnimmt, höchst verderblich ist. Sie haben nur einen Zweck, nämlich durch Arbeiten, Fleiß und gute Sitten das sehr gesunkene Ansehn der deutschen Flüchtlinge wieder zu heben, und ich finde das sehr lobenswert. Straßburg schien übrigens unserer Regierung höchst verdächtig und sehr gefährlich; es wundern mich daher die umgehenden Gerüchte nicht im geringsten, nur macht es mich besorgt, daß unsere Regierung die Ausweisung der Schuldigen verlangen will. Wir stehen hier unter keinem gesetzlichen Schutz, halten uns eigentlich gegen das Gesetz hier auf, sind nur geduldet und somit ganz der Willkür des Präfekten überlassen. Sollte ein derartiges Verlangen von unserer Regierung gestellt werden, so würde man nicht fragen: existiert eine solche Verbindung oder nicht? sondern man würde ausweisen, was da ist. Ich kann zwar auf Protektion genug zählen, um mich hier halten zu können; aber das geht nur so lange, als die hessische Regierung nicht *besonders* meine Ausweisung verlangt, denn in diesem Falle spricht das Gesetz zu deutlich, als daß die Behörde ihm nicht nachkommen müßte. Doch hoffe ich, das alles ist übertrieben. Uns berührt auch folgende Tatsache: Dr. Schulz hat nämlich vor einigen Tagen den Befehl erhalten, Straßburg zu verlassen; er hatte hier ganz zurückgezogen gelebt, sich ganz ruhig verhalten – und dennoch! Ich hoffe, daß unsere Regierung mich für zu unbedeutend hält, um auch gegen mich ähnliche Maßregeln zu ergreifen, und daß ich somit ungestört bleiben werde. Sagt, ich sei in die Schweiz gegangen. –

Heumann sprach ich gestern. – Auch sind in der letzten Zeit wieder fünf Flüchtlinge aus Darmstadt und Gießen hier eingetroffen und bereits in die Schweiz weiter gereist. Rosenstiel, Wiener und Stamm sind unter ihnen.

An Wilhelm Büchner

Straßburg, im Juli 1835.

Ich würde Dir das nicht sagen, wenn ich im entferntesten jetzt an die Möglichkeit einer politischen Umwälzung glauben könnte. Ich habe mich seit einem halben Jahre vollkommen überzeugt, daß nichts zu tun ist und daß jeder, der im Augenblicke sich aufopfert, seine Haut wie ein Narr zu Markte trägt. Ich kann Dir nichts Näheres sagen, aber ich kenne die Verhältnisse; ich weiß, wie schwach, wie unbedeutend, wie zerstückelt die liberale Partei ist, ich weiß, daß ein zweckmäßiges, übereinstimmendes Handeln unmöglich ist und daß jeder Versuch auch nicht zum geringsten Resultate führt . . .

Eine genaue Bekanntschaft mit dem Treiben der deutschen Revolutionärs im Auslande hat mich überzeugt, daß auch von dieser Seite nicht das geringste zu hoffen ist. Es herrscht unter ihnen eine babylonische Verwirrung, die nie gelöst werden wird. Hoffen wir auf die Zeit!

An Gutzkow

Straßburg, 1835[?].

Die ganze Revolution hat sich schon in Liberale und Absolutisten geteilt und muß von der ungebildeten und armen Klasse aufgefressen werden. Das Verhältnis zwischen Armen und Reichen ist das einzige revolutionäre Element in der Welt; der Hunger allein kann die Freiheitsgöttin, und nur ein Moses, der uns die sieben ägyptischen Plagen auf den Hals schickte, könnte ein Messias werden. Mästen Sie die Bauern, und die Revolution bekommt die Apoplexie. Ein Huhn im Topfe jedes Bauern macht den gallischen Hahn verenden.

An die Familie

Straßburg, im Juli 1835.

Ich habe hier noch mündlich viel Unangenehmes aus Darmstadt erfahren. Koch, Walloth, Geilfuß und einer meiner Gießener Freunde, mit Namen Becker, sind vor kurzem hier angekommen, auch ist der junge Stamm hier. Es sind sonst noch mehrere angekommen, sie gehen aber sämtlich weiter in die Schweiz oder in das Innere von Frankreich. Ich habe von Glück zu sagen und fühle mich manchmal recht frei und leicht, wenn ich den weiten, freien Raum um mich überblicke und mich dann in das Darmstädter Arresthaus zurückversetze. Die Unglücklichen! Minnigerode sitzt jetzt fast ein Jahr; er soll körperlich fast aufgerieben sein, aber zeigt er nicht eine heroische Standhaftigkeit? Es heißt, er sei schon mehrmals geschlagen worden – ich kann und mag es nicht glauben. A. Becker wird wohl von Gott und der Welt verlassen sein: seine Mutter starb, während er in Gießen im Gefängnis saß; vierzehn Tage darnach eröffnete man es ihm!!! Klemm ist ein Verräter, das ist gewiß; aber es ist mir doch immer, als ob ich träumte, wenn ich daran denke. Wißt Ihr denn, daß seine Schwester und seine Schwägerin ebenfalls verhaftet und nach Darmstadt gebracht worden sind, und zwar höchstwahrscheinlich auf seine eigne Aussage hin? Übrigens gräbt er sich sein eignes Grab; seinen Zweck, die Heirat mit Fräulein v. . . [Grolmann] in Gießen, wird er doch nicht erreichen, und die öffentliche Verachtung, die ihn unfehlbar trifft, wird ihn töten. Ich fürchte nur sehr, daß die bisherigen Verhaftungen nur das Vorspiel sind; es wird noch bunt hergehen. Die Regierung weiß sich nicht zu mäßigen; die Vorteile, welche ihr die Zeitumstände in die Hand geben, wird sie aufs äußerste mißbrauchen, und das ist sehr unklug und für uns sehr vorteilhaft. Auch der junge v. Biegeleben, Weidenbusch, Floret sind in eine Untersuchung verwickelt; das wird noch ins Unendliche gehen. Drei Pfarrer, Flick, Weidig und Thudichum, sind unter den Verhafteten. Ich fürchte nur sehr, daß unsere Regierung uns hier nicht in Ruhe läßt; doch bin ich der Verwendung der Professoren Lauth, Duvernoy und des Doktor Boeckels gewiß, die sämtlich mit dem Präfekten gut stehen. –

Mit meiner Übersetzung bin ich längst fertig; wie es mit meinem Drama geht, weiß ich nicht; es mögen wohl fünf bis sechs Wochen sein, daß mir Gutzkow schrieb, es werde daran gedruckt, seit der Zeit habe ich nichts mehr darüber gehört. Ich denke, es muß erschienen sein, und man schickt es mir erst, wenn die Rezensionen erschienen sind, zugleich mit diesen zu; anders weiß ich mir die Verzögerung nicht zu erklären. Nur fürchte ich zuweilen für Gutzkow; er ist ein Preuße und hat sich neuerdings durch eine Vorrede zu einem in Berlin erschienenen Werke das Mißfallen seiner Regierung zugezogen. Die Preußen machen kurzen Prozeß; er sitzt vielleicht jetzt auf einer preußischen Festung; doch wir wollen das Beste hoffen.

An die Familie

Straßburg, den 16. Juli 1835.

Ich lebe hier ganz unangefochten; es ist zwar vor einiger Zeit ein Reskript von Gießen gekommen, die Polizei scheint aber keine Notiz davon genommen zu haben . . . Es liegt schwer auf mir, wenn ich mir Darmstadt vorstelle; ich sehe unser Haus und den Garten und dann unwillkürlich das abscheuliche Arresthaus. Die Unglücklichen! Wie wird das enden? Wohl wie in Frankfurt, wo einer nach dem andern stirbt und in der Stille begraben wird. Ein Todesurteil, ein Schafott, was ist das? Man stirbt für seine Sache. Aber so im Gefängnis auf eine langsame Weise aufgerieben zu werden! Das ist entsetzlich! Könntet Ihr mir nicht sagen, wer in Darmstadt sitzt? Ich habe hier vieles untereinander gehört, werde aber nicht klug daraus. Klemm scheint eine schändliche Rolle zu spielen. Ich hatte den Jungen sehr gern, er war grenzenlos leidenschaftlich, aber offen, lebhaft, mutig und aufgeweckt. Hört man nichts von Minnigerode? Sollte er wirklich Schläge erhalten? Es ist mir undenkbar. Seine heroische Standhaftigkeit sollte auch dem verstocktesten Aristokraten Ehrfurcht einflößen.

An die Familie

Straßburg, den 28. Juli 1835.

Über mein Drama muß ich einige Worte sagen. Erst muß ich bemerken, daß die Erlaubnis, einige Änderungen machen zu dürfen, allzusehr benutzt worden ist. Fast auf jeder Seite weggelassen, zugesetzt, und fast immer auf die dem Ganzen nachteiligste Weise. Manchmal ist der Sinn ganz entstellt oder ganz und gar weg, und fast platter Unsinn steht an der Stelle. Außerdem wimmelt das Buch von den abscheulichsten Druckfehlern. Man hat mir keinen Korrekturbogen zugeschickt. Der Titel ist abgeschmackt, und mein Name steht darauf, was ich ausdrücklich verboten hatte; er steht außerdem nicht auf dem Titel meines Manuskripts. Außerdem hat mir der Korrektor einige Gemeinheiten in den Mund gelegt, die ich in meinem Leben nicht gesagt haben würde. Gutzkows glänzende Kritiken habe ich gelesen und zu meiner Freude dabei bemerkt, daß ich keine Anlagen zur Eitelkeit habe. Was übrigens die sogenannte Unsittlichkeit meines Buchs angeht, so habe ich folgendes zu antworten: Der dramatische Dichter ist in meinen Augen nichts als ein Geschichtschreiber, steht aber *über* letzterem dadurch, daß er uns die Geschichte zum zweiten Mal erschafft und uns gleich unmittelbar, statt eine trockene Erzählung zu geben, in das Leben einer Zeit hinein versetzt, uns statt Charakteristiken Charaktere und statt Beschreibungen Gestalten gibt. Seine höchste Aufgabe ist, der Geschichte, wie sie sich wirklich begeben, so nahe als möglich zu kommen. Sein Buch darf weder sittlicher noch unsittlicher sein als die Geschichte selbst; aber die Geschichte ist vom lieben Herrgott nicht zu einer Lektüre für junge Frauenzimmer geschaffen worden, und da ist es mir auch nicht übel zu nehmen, wenn mein Drama ebensowenig dazu geeignet ist. Ich kann doch aus einem Danton und den Banditen der Revolution nicht Tugendhelden machen! Wenn ich ihre Liederlichkeit schildern wollte, so mußte ich sie eben liederlich sein, wenn ich ihre Gottlosigkeit zeigen wollte, so mußte ich sie eben wie Atheisten sprechen lassen. Wenn einige unanständige Ausdrücke vorkommen, so denke man an die weltbekannte, obszöne Sprache der damaligen Zeit, wovon das, was ich meine Leute sagen lasse, nur ein schwacher Abriß ist. Man könnte mir nun noch vorwerfen, daß ich einen solchen Stoff gewählt hätte. Aber der Einwurf ist längst widerlegt. Wollte man ihn gelten lassen, so müßten die größten Meisterwerke der Poesie verworfen werden. Der Dichter ist kein Lehrer der Moral, er erfindet und schafft Gestalten, er macht vergangene Zeiten wieder aufleben, und die Leute mögen dann daraus lernen, so gut wie aus dem Studium der Geschichte und der Beobachtung dessen, was im menschlichen Leben um sie herum vorgeht. Wenn man *so* wollte, dürfte man keine Geschichte studieren, weil sehr viele unmoralische Dinge darin erzählt werden, müßte mit verbundenen Augen über die Gasse gehen, weil man sonst Unanständigkeiten sehen könnte, und müßte über einen Gott Zeter schreien, der eine Welt erschaffen, worauf so viele Liederlichkeiten vorfallen. Wenn man mir übrigens noch sagen wollte, der Dichter müsse die Welt nicht zeigen, wie sie ist, sondern wie sie sein solle, so antworte ich, daß ich es nicht besser machen will als der liebe Gott, der die Welt gewiß gemacht hat, wie sie sein soll. Was noch die sogenannten Idealdichter anbetrifft, so finde ich, daß sie fast nichts als Marionetten mit himmelblauen Nasen und affektiertem Pathos, aber nicht Menschen von Fleisch und Blut gegeben haben, deren Leid und Freude mich mitempfinden macht und deren Tun und Handeln mir Abscheu oder Bewunderung einflößt. Mit einem Wort, ich halte viel auf Goethe oder Shakespeare, aber sehr wenig auf Schiller. Daß übrigens noch die ungünstigsten Kritiken erscheinen werden, versteht sich von selbst; denn die Regierungen müssen doch durch ihre bezahlten Schreiber beweisen lassen, daß ihre Gegner Dummköpfe oder unsittliche Menschen sind. Ich halte übrigens mein Werk keineswegs für vollkommen und werde jede wahrhaft ästhetische Kritik mit Dank annehmen. –

Habt Ihr von dem gewaltigen Blitzstrahl gehört, der vor einigen Tagen das Münster getroffen hat? Nie habe ich einen solchen Feuerglanz gesehen und einen solchen Schlag gehört; ich war einige Augenblicke wie betäubt. Der Schade ist der größte seit Wächtersgedenken. Die Steine wurden mit ungeheurer Gewalt zerschmettert und weit weg geschleudert; auf hundert Schritt im Umkreis wurden die Dächer der benachbarten Häuser von den herabfallenden Steinen durchgeschlagen. –

Es sind wieder drei Flüchtlinge hier eingetroffen, Nievergelder ist darunter; es sind in Gießen neuerdings zwei Studenten verhaftet worden. Ich bin äußerst vorsichtig. Wir wissen hier von niemand, der auf der Grenze verhaftet worden sei. Die Geschichte muß ein Märchen sein.

An die Familie

Straßburg, Anfangs August 1835.

Vor allem muß ich Euch sagen, daß man mir auf besondere Verwendung eine Sicherheitskarte versprochen hat, im Fall ich einen *Geburts*-(nicht Heimats-)schein vorweisen könnte. Es ist dies nur als eine vom Gesetze vorgeschriebene Förmlichkeit zu betrachten; ich muß ein Papier vorweisen können, so unbedeutend es auch sei ... Doch lebe ich ganz unangefochten; es ist nur eine prophylaktische Maßregel, die ich für die Zukunft nehme. Sprengt übrigens immerhin aus, ich sei nach Zürich gegangen; da Ihr seit längerer Zeit keine Briefe von mir durch die Post erhalten habt, so kann die Polizei unmöglich mit Bestimmtheit wissen, wo ich mich aufhalte, zumal da ich meinen Freunden geschrieben, ich sei nach Zürich gegangen.

Es sind wieder einige Flüchtlinge hier angekommen, ein Sohn des Professor Vogt ist darunter. Sie bringen die Nachricht von neuen Verhaftungen dreier Familienväter! Der eine in Rödelheim, der andere in Frankfurt, der dritte in Offenbach. Auch ist eine Schwester des unglücklichen Neuhof, ein schönes und liebenswürdiges Mädchen, wie man sagt, verhaftet worden. Daß ein Frauenzimmer aus Gießen in das Darmstädter Arresthaus gebracht wurde, ist gewiß; man behauptet, sie sei die ... Die Regierung muß die Sache sehr geheim halten, denn Ihr scheint in Darmstadt sehr schlecht unterrichtet zu sein. Wir erfahren alles durch die Flüchtlinge, welche es am besten wissen, da sie meistens zuvor in die Untersuchung verwickelt waren. Daß Minnigerode in Friedberg eine Zeit lang Ketten an den Händen hatte, weiß ich gewiß; ich weiß es von einem, der mit ihm saß. Er soll tödlich krank sein; wolle der Himmel, daß seine Leiden ein Ende hätten! Daß die Gefangenen die Gefangenkost bekommen und weder Licht noch Bücher erhalten, ist ausgemacht. Ich danke dem Himmel, daß ich voraussah, was kommen würde; ich wäre in so einem Loch verrückt geworden ...

In der Politik fängt es hier wieder an, lebendig zu werden. Die Höllenmaschine in Paris und die der Kammer vorgelegten Gesetzentwürfe über die Presse machen viel Aufsehn. Die Regierung zeigt sich sehr unmoralisch, denn obgleich es gerichtlich erwiesen ist, daß der Täter ein verschmitzter Schurke ist, der schon allen Parteien gedient hat und wahrscheinlich durch Geld zu der Tat getrieben wurde, so sucht sie doch das Verbrechen den Republikanern und Carlisten auf den Hals zu laden und durch den momentanen Eindruck die unleidlichsten Beschränkungen der Presse zu erlangen. Man glaubt, daß das Gesetz in der Kammer durchgehen und vielleicht noch geschärft werden wird. Die Regierung ist sehr unklug: in sechs Wochen hat man die Höllenmaschine vergessen, und dann befindet sie sich mit ihrem Gesetz einem Volke gegenüber, das seit mehreren Jahren gewohnt ist, alles, was ihm durch den Kopf kommt, öffentlich zu sagen. Die feinsten Politiker reimen die Höllenmaschine mit der Revue in Kalisch zusammen. Ich kann ihnen nicht ganz unrecht geben: die Höllenmaschine unter Bonaparte! der Rastadter Gesandtenmord!! ... Wenn man sieht, wie die absoluten Mächte alles wieder in die alte Unordnung zu bringen suchen, Polen, Italien, Deutschland wieder unter den Füßen – es fehlt nur noch Frankreich; es hängt ihnen immer wie ein Schwert über dem Kopf. So zum Zeitvertreib wirft man doch die Millionen in Kalisch nicht zum Fenster hinaus. Man hätte die auf den Tod des Königs folgende Verwirrung benutzt und hätte gerade nicht sehr viele Schritte gebraucht, um an den Rhein zu kommen. Ich kann mir das Attentat auf keine andere Weise erklären. Die Republikaner haben erstens kein Geld und sind zweitens in einer so elenden Lage, daß sie nichts hätten versuchen können, selbst wenn der König gefallen wäre. Höchstens könnten einige Legitimisten hinein verwickelt sein. Ich glaube nicht, daß die Justiz die Sache aufklären wird.

An die Familie

Straßburg, den 17. August 1835.

Von Umtrieben weiß ich nichts. Ich und meine Freunde sind sämtlich der Meinung, daß man für jetzt alles der Zeit überlassen muß; übrigens kann der Mißbrauch, welchen die Fürsten mit ihrer wiedererlangten Gewalt treiben, nur zu unserem Vorteil gereichen. Ihr müßt Euch durch die verschiedenen Gerüchte nicht irremachen lassen; so soll sogar ein Mensch Euch besucht haben, der sich für einen meiner Freunde ausgab. Ich erinnere mich gar nicht, den Menschen je gesehen zu haben; wie mir die anderen jedoch erzählten, ist er ein ausgemachter Schurke, der wahrscheinlich auch das Gerücht von einer hier bestehenden Verbindung ausgesprengt hat. Die Gegenwart des Prinzen Emil, der eben hier ist, könnte vielleicht nachteilige Folgen für uns haben, im Fall er von dem Präfekten unsere Ausweisung begehrte; doch halten wir uns für zu unbedeutend, als daß Seine Hoheit sich mit uns beschäftigen sollte. Übrigens sind fast sämtliche Flüchtlinge in die Schweiz und in das Innere abgereist, und in wenigen Tagen gehen noch mehrere, so daß höchstens fünf bis sechs hier bleiben werden.

An Gutzkow

Straßburg, September 1835.

Was Sie mir über die Zusendung aus der Schweiz sagen, macht mich lachen. Ich sehe schon, wo es herkommt. Ein Mensch, der mir einmal, es ist schon lange her, sehr lieb war, mir später zur unerträglichen Last geworden ist, den ich schon seit Jahren schleppe und der sich, ich weiß nicht aus welcher verdammten Notwendigkeit, ohne Zuneigung, ohne Liebe, ohne Zutrauen an mich anklammert und quält und den ich wie ein notwendiges Übel getragen habe! Es war mir wie einem Lahmen oder Krüppel zumut, und ich hatte mich so ziemlich in mein Leiden gefunden. Aber jetzt bin ich froh, es ist mir, als wäre ich von einer Todsünde absolviert. Ich kann ihn endlich mit guter Manier vor die Türe werfen. Ich war bisher unvernünftig gutmütig; es wäre mir leichter gefallen, ihn tot zu schlagen als zu sagen: Pack dich! Aber jetzt bin ich ihn los! Gott sei Dank! Nichts kommt einem doch in der Welt teurer zu stehen als die Humanität.

An die Familie

Straßburg, den 20. September 1835.

Mir hat sich eine Quelle geöffnet; es handelt sich um ein großes Literaturblatt, ›Deutsche Revue‹ betitelt, das mit Anfang des neuen Jahres in Wochenheften erscheinen soll. Gutzkow und Wienbarg werden das Unternehmen leiten; man hat mich zu monatlichen Beiträgen aufgefordert. Ob das gleich eine Gelegenheit gewesen wäre, mir vielleicht ein regelmäßiges Einkommen zu sichern, so habe ich doch meiner Studien halber die Verpflichtung zu regelmäßigen Beiträgen abgelehnt. Vielleicht, daß Ende des Jahres noch etwas von mir erscheint. –

Klemm also frei? Er ist mehr ein Unglücklicher als ein Verbrecher, ich bemitleide ihn eher, als ich ihn verachte; man muß doch gar pfiffig die tolle Leidenschaft des armen Teufels benützt haben. Er hatte sonst Ehrgefühl; ich glaube nicht, daß er seine Schande wird ertragen können. Seine Familie verleugnet ihn, seinen älteren Bruder ausgenommen, der eine Hauptrolle in der Sache gespielt zu haben scheint. Es sind viel Leute dadurch unglücklich geworden. Mit

Minnigerode soll es besser gehen. Hat denn Gladbach noch kein Urteil? Das heiße ich einen doch lebendig begraben. Mich schaudert, wenn ich denke, was vielleicht mein Schicksal gewesen wäre!

An die Familie

Straßburg, im Oktober 1835.

Ich habe mir hier allerhand interessante Notizen über einen Freund Goethes, einen unglücklichen Poeten namens Lenz, verschafft, der sich gleichzeitig mit Goethe hier aufhielt und halb verrückt wurde. Ich denke darüber einen Aufsatz in der Deutschen Revue erscheinen zu lassen. Auch sehe ich mich eben nach Stoff zu einer Abhandlung über einen philosophischen oder naturhistorischen Gegenstand um. Jetzt noch eine Zeit lang anhaltendes Studium, und der Weg ist gebrochen. Es gibt hier Leute, die mir eine glänzende Zukunft prophezeien. Ich habe nichts dawider.

An die Familie

Straßburg, den 2. November 1835.

Ich weiß bestimmt, daß man mir in Darmstadt die abenteuerlichsten Dinge nachsagt; man hat mich bereits dreimal an der Grenze verhaften lassen. Ich finde es natürlich; die außerordentliche Anzahl von Verhaftungen und Steckbriefen muß Aufsehen machen, und da das Publikum jedenfalls nicht weiß, um was es sich eigentlich handelt, so macht es wunderliche Hypothesen ...

Aus der Schweiz habe ich die besten Nachrichten. Es wäre möglich, daß ich noch vor Neujahr von der Züricher Fakultät den Doktorhut erhielte, in welchem Fall ich alsdann nächste Ostern anfangen würde, dort zu dozieren. In einem Alter von zweiundzwanzig Jahren wäre das alles, was man fordern kann ...

Neulich hat mein Name in der ›Allgemeinen Zeitung‹ paradiert. Es handelte sich um eine große literarische Zeitschrift, Deutsche Revue, für die ich Artikel zu liefern versprochen habe. Dies Blatt ist schon vor seinem Erscheinen angegriffen worden, worauf es denn hieß, daß man nur die Herren Heine, Börne, Mundt, Schulz, Büchner usw. zu nennen brauche, um einen Begriff von dem Erfolge zu haben, den diese Zeitschrift haben würde ...

Über die Art, wie Minnigerode mißhandelt wird, ist im ›Temps‹ ein Artikel erschienen. Er scheint mir von Darmstadt aus geschrieben; man muß wahrhaftig weit gehen, um einmal klagen zu dürfen. Meine unglücklichen Freunde!

An Gutzkow

Straßburg [1835].

Sie erhalten hierbei ein Bändchen Gedichte von meinen Freunden Stöber. Die Sagen sind schön, aber ich bin kein Verehrer der Manier à la Schwab und Uhland und der Partei, die immer rückwärts ins Mittelalter greift, weil sie in der Gegenwart keinen Platz ausfüllen kann. Doch ist mir das Büchlein lieb; sollten Sie nichts Günstiges darüber zu sagen wissen, so bitte ich Sie, lieber zu schweigen. Ich habe mich ganz hier in das Land hineingelebt; die Vogesen sind ein Gebirg, das ich liebe wie eine Mutter, ich kenne jede Bergspitze und jedes Tal, und die alten Sagen sind so originell und heimlich, und die beiden Stöber sind alte Freunde, mit denen ich zum ersten Mal das Gebirg durchstrich. Adolph hat unstreitig Talent, auch wird Ihnen sein Name durch den Musenalmanach bekannt sein. August steht ihm nach, doch ist er gewandt in der Sprache.

Die Sache ist nicht ohne Bedeutung für das Elsaß, sie ist einer von den seltenen Versuchen, die noch manche Elsässer machen, um die deutsche Nationalität Frankreich gegenüber zu wahren und wenigstens das geistige Band zwischen ihnen und dem Vaterland nicht reißen zu lassen. Es wäre traurig, wenn das Münster einmal ganz auf fremdem Boden stände. Die Absicht, welche zum Teil das Büchlein erstehen ließ, würde sehr gefördert werden, wenn das Unternehmen in Deutschland Anerkennung fände, und von der Seite empfehle ich es Ihnen besonders.

Ich werde ganz dumm in dem Studium der Philosophie, ich lerne die Armseligkeit des menschlichen Geistes wieder von einer neuen Seite kennen. Meinetwegen! Wenn man sich nur einbilden könnte, die Löcher in unsern Hosen seien Palastfenster, so könnte man schon wie ein König leben! So aber friert man erbärmlich.

An die Familie

Straßburg, den 1. Januar 1836.

Das Verbot der Deutschen Revue schadet mir nichts. Einige Artikel, die für sie bereit lagen, kann ich an den ›Phönix‹ schicken. Ich muß lachen, wie fromm und moralisch plötzlich unsere Regierungen werden. Der König von Bayern läßt unsittliche Bücher verbieten! da darf er seine Biographie nicht erscheinen lassen, denn die wäre das Schmutzigste, was je geschrieben worden! Der Großherzog von Baden, erster Ritter vom doppelten Mopsorden, macht sich zum Ritter vom Heiligen Geist und läßt Gutzkow arretieren, und der liebe deutsche Michel glaubt, es geschähe alles aus Religion und Christentum und klatscht in die Hände. Ich kenne die Bücher nicht, von denen überall die Rede ist; sie sind nicht in den Leihbibliotheken und zu teuer, als daß ich Geld daran wenden sollte. Sollte auch alles sein, wie man sagt, so könnte ich darin nur die Verirrungen eines durch philosophische Sophismen falsch geleiteten Geistes sehen. Es ist der gewöhnlichste Kunstgriff, den großen Haufen auf seine Seite zu bekommen, wenn man mit recht vollen Backen ›Unmoralisch!‹ schreit. Übrigens gehört sehr viel Mut dazu, einen Schriftsteller anzugreifen, der von einem deutschen Gefängnis aus antworten soll. Gutzkow hat bisher einen edlen, kräftigen Charakter gezeigt, er hat Proben von großem Talent abgelegt; woher denn plötzlich das Geschrei? Es kommt mir vor, als stritte man sehr um das Reich von dieser Welt, während man sich stellt, als müsse man der Heiligen Dreifaltigkeit das Leben retten. Gutzkow hat in seiner Sphäre mutig für die Freiheit gekämpft; man muß doch die wenigen, welche noch aufrecht stehn und zu sprechen wagen, verstummen machen! Übrigens gehöre ich für meine Person keineswegs zu dem sogenannten Jungen Deutschland, der literarischen Partei Gutzkows und Heines. Nur ein völliges Mißkennen unserer gesellschaftlichen Verhältnisse konnte die Leute glauben machen, daß durch die Tagesliteratur eine völlige Umgestaltung unserer religiösen und gesellschaftlichen Ideen möglich sei. Auch teile ich keineswegs ihre Meinung über die Ehe und das Christentum; aber ich ärgere mich doch, wenn Leute, die in der Praxis tausendfältig mehr gesündigt als diese in der Theorie, gleich moralische Gesichter ziehn und den Stein auf ein jugendliches, tüchtiges Talent werfen. Ich gehe meinen Weg für mich und bleibe auf dem Felde des Dramas, das mit all diesen Streitfragen nichts zu tun hat; ich zeichne meine Charaktere, wie ich sie der Natur und der Geschichte angemessen halte, und lache über die Leute, welche mich für die Moralität oder Immoralität derselben verantwortlich machen wollen. Ich habe darüber meine eignen Gedanken . . .

Ich komme vom Christkindelsmarkt: überall Haufen zerlumpter, frierender Kinder, die mit aufgerissenen Augen und traurigen Gesichtern vor den Herrlichkeiten aus Wasser und Mehl, Dreck und Goldpapier standen. Der Gedanke, daß für die meisten Menschen auch die armseligsten Genüsse und Freuden unerreichbare Kostbarkeiten sind, machte mich sehr bitter.

An Gutzkow

[Straßburg, Januar 1836.]

Mein Lieber! Ich weiß nicht, ob bei der verdächtigen Adresse diese Zeilen in Ihre Hände gelangen werden.

Haben Sie den Brief von Boulet erhalten? Ich habe ihn nach Mannheim geschickt. Ich wagte damals nicht, einige Zeilen an Sie beizulegen. Ich hielt die Sache für ernsthafter. Nach den Zeitungen müssen Sie bald frei sein. 4 Wochen, das ist bald herum. Dann habe ich noch besondere Nachrichten über Sie aus Mannheim. Ihre Haft ist leicht. Sie dürfen Besuche annehmen, sogar ausgehen. Verhält es sich so?

Haben Sie nichts *weiter zu fürchten?* Geben Sie mir Auskunft so *bald als möglich!* Die Frage ist nicht müßig. Glauben Sie, daß man Sie frei läßt, nach Verlauf der *bestimmten Frist?* Sie sitzen im Amthaus, nicht wahr?

Sobald Sie frei sind, verlassen Sie Teutschland so schnell als möglich. Sie haben von Glück zu sagen, daß es so abzulaufen *scheint*. Es sollte mich wundern.

Im Fall Sie den Weg über Straßburg nehmen, so fragen Sie nach mir bei Herrn *Schroot*, Gastwirt zum Rebstock. Ich erwarte Sie mit Ungeduld.

Ihr G.

An die Familie

Straßburg, den 15. März 1836.

Ich begreife nicht, daß man gegen Küchler etwas in Händen haben soll; ich dachte, er sei mit nichts beschäftigt, als seine Praxis und Kenntnisse zu erweitern. Wenn er auch nur kurze Zeit sitzt, so ist doch wohl seine ganze Zukunft zerstört: man setzt ihn vorläufig in Freiheit, spricht ihn von der Instanz los, läßt ihn versprechen, das Land nicht zu verlassen, und verbietet ihm seine Praxis, was man nach den neuesten Verfügungen kann. – Als sicher und gewiß kann ich Euch sagen, daß man vor kurzem in Bayern zwei junge Leute, nachdem sie seit fast vier Jahren in strenger Haft gesessen, als *unschuldig* in Freiheit gesetzt hat! Außer Küchler und Groß sind noch drei Bürger aus Gießen verhaftet worden. Zwei von ihnen haben ihr Geschäft, und der eine ist obendrein Familienvater. Auch hörten wir, Max v. Biegeleben sei verhaftet, aber gleich darauf wieder gegen Kaution in Freiheit gesetzt worden. Gladbach soll vor einiger Zeit zu acht Jahren Zuchthaus verurteilt worden sein; das Urteil sei aber wieder umgestoßen, und die Untersuchung fange von neuem an. Ihr würdet mir einen Gefallen tun, wenn Ihr mir über beides Auskunft gäbet.

Ich will Euch dafür sogleich eine sonderbare Geschichte erzählen, die Herr J. in den englischen Blättern gelesen und die, wie dazu bemerkt, in den deutschen Blättern nicht mitgeteilt werden durfte. Der

Direktor des Theaters zu Braunschweig ist der bekannte Komponist Methfessel. Er hat eine hübsche Frau, die dem Herzog gefällt, und ein Paar Augen, die er gern zudrückt, und ein Paar Hände, die er gern aufmacht. Der Herzog hat die sonderbare Manie, Madame Methfessel im Kostüm zu bewundern. Er befindet sich daher gewöhnlich vor Anfang des Schauspiels mit ihr allein auf der Bühne. Nun intrigiert Methfessel gegen einen bekannten Schauspieler, dessen Name mir entfallen ist. Der Schauspieler will sich rächen, er gewinnt den Maschinisten; der Maschinist zieht an einem schönen Abend den Vorhang ein Viertelstündchen früher auf, und der Herzog spielt mit Madame Methfessel die erste Szene. Er gerät außer sich, zieht den Degen und ersticht den Maschinisten; der Schauspieler hat sich geflüchtet.

Ich kann Euch versichern, daß nicht das geringste politische Treiben unter den Flüchtlingen hier herrscht; die vielen und guten Examina, die hier gemacht werden, beweisen hinlänglich das Gegenteil. Übrigens sind wir Flüchtigen und Verhafteten gerade nicht die Unwissendsten, Einfältigsten oder Liederlichsten! Ich sage nicht zuviel, daß bis jetzt die besten Schüler des Gymnasiums und die fleißigsten und unterrichtetsten Studenten dies Schicksal getroffen hat, die mitgerechnet, welche von Examen und Staatsdienst zurückgewiesen sind. Es ist doch im ganzen ein armseliges junges Geschlecht, was eben in Darmstadt herumläuft und sich ein Ämtchen zu erkriechen sucht!

An Gutzkow

Straßburg [1836].

Lieber Freund! War ich lange genug stumm? Was soll ich Ihnen sagen? Ich saß *auch* im Gefängnis und im langweiligsten unter der Sonne, ich habe eine Abhandlung geschrieben in die Länge, Breite und Tiefe, Tag und Nacht über der ekelhaften Geschichte, ich begreife nicht, wo ich die Geduld hergenommen. Ich habe nämlich die fixe Idee, im nächsten Semester zu Zürich einen Kurs über die Entwicklung der deutschen Philosophie seit Cartesius zu lesen; dazu muß ich mein Diplom haben, und die Leute scheinen gar nicht geneigt, meinem lieben Sohn Danton den Doktorhut aufzusetzen. Was war da zu machen?

Sie sind in Frankfurt und unangefochten? – Es ist mir leid und doch wieder lieb, daß Sie noch nicht im Rebstöckel angeklopft haben. Über den Stand der modernen Literatur in Deutschland weiß ich so gut als nichts; nur einige versprengte Broschüren, die, ich weiß nicht wie, über den Rhein gekommen, fielen mir in die Hände.

Es zeigt sich in dem Kampfe gegen Sie eine gründliche Niederträchtigkeit, eine recht gesunde Niederträchtigkeit, ich begreife gar nicht, wie wir noch so natürlich sein können! Und Menzels Hohn über die politischen Narren in den deutschen Festungen . . . und das von Leuten – mein Gott, ich könnte Ihnen übrigens erbauliche Geschichten erzählen!

Es hat mich im tiefsten empört; meine armen Freunde! Glauben Sie nicht, daß Menzel nächstens eine Professur in München erhält?

Übrigens, um aufrichtig zu sein, Sie und Ihre Freunde scheinen mir nicht grade den klügsten Weg gegangen zu sein. Die Gesellschaft mittelst der Idee, von der gebildeten Klasse aus reformieren? Unmöglich! Unsere Zeit ist rein materiell; wären Sie je direkter politisch zu Werke gegangen, so wären Sie bald auf den Punkt gekommen, wo die Reform von selbst aufgehört hätte. Sie werden nie über den Riß zwischen der gebildeten und ungebildeten Gesellschaft hinauskommen.

Ich habe mich überzeugt, die gebildete und wohlhabende Minorität, so viel Konzessionen sie auch von der Gewalt für sich begehrt, wird nie ihr spitzes Verhältnis zur großen Klasse aufgeben wollen. Und die große Klasse selbst? Für sie gibt es nur zwei Hebel: materielles Elend und religiöser Fanatismus. Jede Partei, welche diese Hebel anzusetzen versteht, wird siegen. Unsere Zeit braucht Eisen und Brot – und dann ein Kreuz oder sonst so was. Ich glaube, man muß in sozialen Dingen von einem absoluten Rechtsgrundsatz ausgehen, die Bildung eines neuen geistigen Lebens im *Volke* suchen und die abgelebte moderne Gesellschaft zum Teufel gehen lassen. Zu was soll ein Ding wie diese zwischen Himmel und Erde herumlaufen? Das ganze Leben derselben besteht nur in Versuchen, sich die entsetzlichste Langeweile zu vertreiben. Sie mag aussterben, das ist das einzig Neue, was sie noch erleben kann.

An die Familie

Straßburg, im Mai 1836.

Ich bin fest entschlossen, bis zum nächsten Herbste hier zu bleiben. Die letzten Vorfälle in Zürich geben mir einen Hauptgrund dazu. Ihr wißt vielleicht, daß man unter dem Vorwande, die deutschen Flüchtlinge beabsichtigten einen Einfall in Deutschland, Verhaftungen unter denselben vorgenommen hat. Das nämliche geschah an anderen Punkten der Schweiz. Selbst hier äußerte die einfältige Geschichte ihre Wirkung, und es war ziemlich ungewiß, ob wir hier bleiben dürften, weil man wissen wollte, daß wir (höchstens noch sieben bis acht an der Zahl) mit bewaffneter Hand über den Rhein gehen sollten! Doch hat sich alles in Güte gemacht, und wir haben keine weiteren Schwierigkeiten zu besorgen. Unsere hessische Regierung scheint unserer zuweilen mit Liebe zu gedenken.

Was an der ganzen Sache eigentlich ist, weiß ich nicht; da ich jedoch weiß, daß die Mehrzahl der Flüchtlinge jeden direkten revolutionären Versuch unter den jetzigen Verhältnissen für Unsinn hält, so konnte höchstens eine ganz unbedeutende, durch keine Erfahrung belehrte Minderzahl an dergleichen gedacht haben. Die Hauptrolle unter den Verschworenen soll ein gewisser Herr v. Eib gespielt haben. Daß dieses Individuum ein Agent des Bundestags sei, ist mehr als wahrscheinlich; die Pässe, welche die Züricher Polizei bei ihm fand, und der Umstand, daß er starke Summen von einem Frankfurter Handelshause bezog, sprechen auf das direkteste dafür. Der Kerl soll ein ehemaliger Schuster sein, und dabei zieht er mit einer liederlichen Person aus Mannheim herum, die er für eine ungarische Gräfin ausgibt. Er scheint wirklich einige Esel unter den Flüchtlingen übertölpelt zu haben. Die ganze Geschichte hatte keinen andern Zweck, als, im Falle die Flüchtlinge sich zu einem öffentlichen Schritt hätten verleiten lassen, dem Bundestag einen gegründeten Vorwand zu geben, um auf die Ausweisung aller Refugiés aus der Schweiz zu dringen. Übrigens war dieser v. Eib schon früher verdächtig, und man war schon mehrmals vor ihm gewarnt worden. Jedenfalls ist der Plan vereitelt, und die Sache wird für die Mehrzahl der Flüchtlinge ohne Folgen bleiben. Nichtsdestoweniger fände ich es nicht rätlich, im Augenblick nach Zürich zu gehen; unter solchen Umständen hält man sich besser fern. Die Züricher Regierung ist natürlich eben etwas ängstlich und mißtrauisch, und so könnte man wohl unter den jetzigen Verhältnissen meinem Aufenthalte Schwierigkeiten machen. In Zeit von zwei bis drei Monaten ist dagegen die ganze Geschichte vergessen.

An Eugen Boeckel

Straßburg, den 1. Juni [1836].

Mein lieber Eugen! Ich sitze noch hier, wie Du aus dem Datum siehst. ›Sehr unvernünftig!‹ wirst Du sagen, und ich sage: meinetwegen! Erst gestern ist meine Abhandlung vollständig fertig geworden. Sie hat sich viel weiter ausgedehnt, als ich anfangs dachte, und ich habe viel gute Zeit mit verloren; doch bilde ich mir dafür ein, sie sei gut ausgefallen – und die Société d'histoire naturelle scheint der nämlichen Meinung zu sein. Ich habe in drei verschiedenen Sitzungen drei Vorträge darüber gehalten, worauf die Gesellschaft sogleich beschloß, sie unter ihren Memoiren abdrucken zu lassen; obendrein machte sie mich zu ihrem korrespondierenden Mitglied. Du siehst, der Zufall hat mir wieder aus der Klemme geholfen, ich bin ihm überhaupt großen Dank schuldig, und mein Leichtsinn, der im Grund genommen das unbegrenzteste Gottvertrauen ist, hat dadurch wieder großen Zuwachs erhalten. Ich brauche ihn aber auch; wenn ich meinen Doktor bezahlt habe, so bleibt mir kein Heller mehr, und schreiben habe ich die Zeit nichts können. Ich muß eine Zeit lang vom lieben Kredit leben und sehen, wie ich mir in den nächsten 6 bis 8 Wochen Rock und Hosen aus meinen großen weißen Papierbogen, die ich vollschmieren soll, schneiden werde. Ich denke ›Befiehl du deine Wege‹ und lasse mich nicht stören.

Habe ich lange geschwiegen? Doch Du weißt warum und verzeihst mir. Ich war wie ein Kranker, der eine ekelhafte Arznei so schnell als möglich mit einem Schluck nimmt, ich konnte nichts weiter, als mir die fatale Arbeit vom Hals schaffen. Es ist mir unendlich wohl, seit ich das Ding aus dem Haus habe. – Ich denke den Sommer noch hier zu bleiben. Meine Mutter kommt im Herbst. Jetzt nach Zürich, im Herbst wieder zurück, Zeit und Geld verlieren, das wäre Unsinn. Jedenfalls fange ich aber nächsten Wintersemester meinen Kurs an, auf den ich mich jetzt in aller Gemächlichkeit fertig präpariere.

Du hast frohe Tage auf Deiner Reise, wie es scheint. Ich freue mich darüber. Das Leben ist überhaupt etwas recht Schönes, und jedenfalls ist es nicht so langweilig, als wenn es noch einmal so langweilig wäre. Spute Dich etwas im nächsten Herbst, komme zeitig, dann sehe ich Dich noch hier. Hast Du viel gelernt unterwegs? Ist Dir die Kranken- und Leichenschau noch nicht zur Last geworden? Ich meine, eine Tour durch die Spitäler von halb Europa müßte einem sehr melancholisch und die Tour durch die Hörsäle unserer Professoren müßte einem halb verrückt und die Tour durch unsere teutschen Staaten müßte einem ganz wütend machen. Drei Dinge, die man übrigens auch ohne die drei Touren sehr leicht werden kann, z. B. wenn es regnet und kalt ist, wie eben; wenn man Zahnweh hat, wie ich vor acht Tagen, und wenn man einen vollen Winter und ein halbes Frühjahr nicht aus seinen vier Wänden gekommen, wie ich dies Jahr.

Du siehst, ich stehe viel aus, und ehe ich mir neulich meinen hohlen Zahn ausziehen lassen, habe ich im vollständigsten Ernst überlegt, ob ich mich nicht lieber totschießen sollte, was jedenfalls weniger schmerzhaft ist.

Baum seufzt jeden Tag, bekommt dabei einen ungeheuern Bauch und macht ein so selbstmörderisches Gesicht, daß ich fürchte, er will sich auf subtile Weise durch einen Schlagfluß aus der Welt schaffen. Er ärgert sich dabei regelmäßig jeden Tag, seit ich ihn versichert habe, daß Ärger der Gesundheit sehr zuträglich sei. Das Fechten hat er eingestellt und ist dabei so entsetzlich faul, daß er zum großen Verdruß Deines Bruders noch keinen von Deinen Aufträgen ausgerichtet hat. Was ist mit dem Menschen anzufangen? Er muß Pfarrer werden, er zeigt die schönsten Dispositionen.

Die beiden Stöber sitzen noch in Oberbrunn. Leider bestätigt sich das Gerücht hinsichtlich der Frau Pfarrerin. Das arme Mädel hier ist ganz verlassen, und unten sollen die Leute über die poetische Bedeutung des Ehebruchs philosophieren. Letztes glaube ich nicht, – aber zweideutig ist die Geschichte.

Was macht unser Freund und Vetter, Zipfel? Ist ihm die Zeit nirgends weiter gezündet worden? Siehst Du meinen Vetter aus Holland zuweilen? Grüße beide vielmals von mir.

Wilhelmine war lange Zeit unwohl, sie litt an einem chronischen Friesel, ohne jedoch je bedenklich krank gewesen zu sein.

Apropos, sie hat mir Deine beiden Briefe unerbrochen gegeben; dennoch hätte ich es passender gefunden, Du hättest schicklichkeitshalber eine Couverte um Deinen Brief gemacht: konnte ein Frauenzimmer ihn nicht lesen, so war es unpassend, ihn auch an ein Frauenzimmer zu adressieren; mit einer Couverte ist es etwas anderes. Ich hoffe, Du verdenkst mir diese kleine Zurechtweisung nicht.

Jedenfalls bin ich die nächsten vier Wochen noch hier, während des Drucks meiner Abhandlung. Wirst Du mich noch mit einem Brief erfreuen, ehe Du aus Wien abreisest? Apropos, Du machst ja ganz ästhetische Studien. Dem. Peche ist eine alte Bekanntin von mir. Leb wohl! Dein G. B.

An die Familie

Straßburg, im Juni 1836.

Es ist nicht im entferntesten daran zu denken, daß im Augenblick ein Staat das Asylrecht aufgibt, weil ein solches Aufgeben ihn den Staaten gegenüber, auf deren Verlangen es geschieht, politisch annullieren würde. Die Schweiz würde durch einen solchen Schritt sich von den liberalen Staaten, zu denen sie ihrer Verfassung nach natürlich gehört, lossagen und sich an die absoluten anschließen, ein Verhältnis, woran unter den jetzigen politischen Konstellationen nicht zu denken ist. Daß man aber Flüchtlinge, welche die Sicherheit des Staates, der sie aufgenommen, und das Verhältnis desselben zu den Nachbarstaaten kompromittieren, ausweist, ist ganz natürlich und hebt das

Asylrecht nicht auf. Auch hat die Tagsatzung bereits ihren Beschluß erlassen. Es werden nur diejenigen Flüchtlinge ausgewiesen, welche als Teilnehmer an dem Savoyer Zuge schon früher waren ausgewiesen worden, und diejenigen, welche an den letzten Vorfällen teilgenommen haben. Dies ist authentisch. Die Mehrzahl der Flüchtlinge bleibt also ungefährdet, und es bleibt jedem unbenommen, sich in die Schweiz zu begeben. Nur ist man in vielen Kantonen gezwungen, eine Kaution zu stellen, was sich aber schon seit längerer Zeit so verhält. Meiner Reise nach Zürich steht also kein Hindernis im Weg. – Ihr wißt, daß unsere Regierung uns hier schikaniert und daß die Rede davon war, uns auszuweisen, weil wir mit den Narren in der Schweiz in Verbindung ständen. Der Präfekt wollte genaue Auskunft, wie wir uns hier beschäftigten. Ich gab dem Polizeikommissär mein Diplom als Mitglied der Société d'histoire naturelle nebst einem von den Professoren mir ausgestellten Zeugnisse. Der Präfekt war damit außerordentlich zufrieden, und man sagte mir, daß *ich namentlich* ganz ruhig sein könne.

An Wilhelm Büchner [*?*]

Straßburg, den 2. September 1836.

Ich bin ganz vergnügt in mir selbst, ausgenommen, wenn wir Landregen oder Nordwestwind haben, wo ich freilich einer von denjenigen werde, die abends vor dem Bettgehn, wenn sie den einen Strumpf vom Fuß haben, imstande sind, sich an ihre Stubentür zu hängen, weil es ihnen der Mühe zuviel ist, den andern ebenfalls auszuziehen ... Ich habe mich jetzt ganz auf das Studium der Naturwissenschaften und der Philosophie gelegt und werde in kurzem nach Zürich gehen, um in meiner Eigenschaft als überflüssiges Mitglied der Gesellschaft meinen Mitmenschen Vorlesungen über etwas ebenfalls höchst Überflüssiges, nämlich über die philosophischen Systeme der Deutschen seit Cartesius und Spinoza, zu halten. – Dabei bin ich gerade daran, sich einige Menschen auf dem Papier totschlagen oder verheiraten zu lassen, und bitte den lieben Gott um einen einfältigen Buchhändler und ein groß Publikum mit so wenig Geschmack als möglich. Man braucht einmal zu vielerlei Dingen unter der Sonne Mut, sogar, um Privatdozent der Philosophie zu sein.

An die Familie

Straßburg, im September 1836.

Ich habe meine zwei Dramen noch nicht aus den Händen gegeben; ich bin noch mit manchem unzufrieden und will nicht, daß es mir geht wie das erste Mal. Das sind Arbeiten, mit denen man nicht zu einer bestimmten Zeit fertig werden kann, wie der Schneider mit seinem Kleid.

An Bürgermeister Hess

[Straßburg,] 22. September 1836.

Die politischen Verhältnisse Deutschlands zwangen mich, mein Vaterland vor etwa anderthalb Jahren zu verlassen. Ich hatte mich der akademischen Laufbahn bestimmt. Ein Ziel aufzugeben, auf dessen Erreichung bisher alle meine Kräfte gerichtet waren, konnte ich mich nicht entschließen, und so setzte ich in Straßburg meine Studien fort, in der Hoffnung, in der Schweiz meine Wünsche realisieren zu können. Wirklich hatte ich vor kurzem die Ehre, von der philos. Fakultät zu Zürich einmütig zum Doctor creiert zu werden. Nach einem so günstigen Urteil über meine wissenschaftliche Befähigung konnte ich wohl hoffen, auch als Privatdozent von der Züricher Universität angenommen zu werden und im günstigen Falle im nächsten Semester meine Vorlesungen beginnen zu können. Ich suchte daher bei der hiesigen Behörde um einen Paß nach. Diese erklärte mir jedoch, es sei ihnen durch das Ministerium des Innern auf Ansuchen der Schweiz untersagt, einem Flüchtling einen Paß auszustellen, der nicht von einer Schweizer Behörde eine schriftliche Autorisation zum Aufenthalt in ihrem Bezirke vorweisen könne. In dieser Verlegenheit nun wende ich mich an Sie, hochgeehrter Herr, als die oberste Magistratsperson Zürichs, mit der Bitte um die von der hiesigen Behörde verlangte Autorisation. Das beiliegende Zeugnis kann beweisen, daß ich seit der Entfernung aus meinem Vaterlande allen politischen Umtrieben fremd geblieben bin und somit nicht unter die Kategorie derjenigen Flüchtlinge gehöre, gegen welche die Schweiz und Frankreich neuerdings die bekannten Maßregeln ergriffen haben. Ich glaube daher auf die Erfüllung meiner Bitte zählen zu dürfen, deren Verweigerung die Vernichtung meines ganzen Lebensplanes zur Folge haben würde ...

[Beilage: Zeugnis der Straßburger Polizei]
Il est certifié que
Monsieur George Buchner, Docteur en Philosophie, agé de 23 ans, natif de Darmstadt, est inscrit sur nos registres rue de la Douane

No 18 comme demeurant en cette ville depuis dixhuit mois jusqu'à ce jour et sans interruption et que pendant ce laps de temps sa conduite, sous le rapport politique que moral, n'a donné lieu à aucune plainte.

ZÜRICH
1836–1837

An die Familie

Zürich, den 26. Oktober 1836.

Wie es mit dem Streite der Schweiz mit Frankreich gehen wird, weiß der Himmel. Doch hörte ich neulich jemand sagen: ›Die Schweiz wird einen kleinen Knicks machen, und Frankreich wird sagen, es sei ein großer gewesen.‹ Ich glaube, daß er recht hat.

An die Familie

Zürich, den 20. November 1836.

Was das politische Treiben anlangt, so könnt Ihr ganz ruhig sein. Laßt Euch nur nicht durch die Ammenmärchen in unseren Zeitungen stören. Die Schweiz ist eine Republik, und weil die Leute sich gewöhnlich nicht anders zu helfen wissen, als daß sie sagen, jede Republik sei unmöglich, so erzählen sie den guten Deutschen jeden Tag von Anarchie, Mord und Totschlag. Ihr werdet überrascht sein, wenn Ihr mich besucht; schon unterwegs überall freundliche Dörfer mit schönen Häusern, und dann, je mehr Ihr Euch Zürich nähert und gar am See hin, ein durchgreifender Wohlstand; Dörfer und Städtchen haben ein Aussehen, wovon man bei uns keinen Begriff hat. Die Straßen laufen hier nicht voll Soldaten, Akzessisten und faulen Staatsdienern, man riskiert nicht, von einer adligen Kutsche überfahren zu werden; dafür überall ein gesundes, kräftiges Volk und um wenig Geld eine einfache, gute, rein republikanische Regierung, die sich durch eine Vermögenssteuer erhält, eine Art Steuer, die man bei uns überall als den Gipfel der Anarchie ausschreien würde ...

Minnigerode ist tot, wie man mir schreibt, das heißt, er ist drei Jahre lang totgequält worden. Drei Jahre! Die französischen Blutmänner brachten einen doch in ein paar Stunden um, das Urteil und dann die Guillotine! Aber drei Jahre! Wir haben eine gar menschliche Regierung, sie kann kein Blut sehen. Und so sitzen noch an vierzig Menschen, und das ist keine Anarchie, das ist Ordnung und Recht, und die Herren fühlen sich empört, wenn sie an die anarchische Schweiz denken! Bei Gott, die Leute nehmen ein großes Kapital auf, das ihnen einmal mit schweren Zinsen kann abgetragen werden, mit sehr schweren. –

An Wilhelm Büchner

Zürich, Ende November 1836.

Ich sitze am Tage mit dem Skalpell und die Nacht mit den Büchern.

An die Braut

Zürich, den 13. Januar 1837.

Mein lieb Kind! . . . Ich zähle die Wochen bis zu Ostern an den Fingern. Es wird immer öder. So im Anfange ging's: neue Umgebungen, Menschen, Verhältnisse, Beschäftigungen – aber jetzt, da ich an alles gewöhnt bin, alles mit Regelmäßigkeit vor sich geht, man vergißt sich nicht mehr. Das beste ist, meine Phantasie ist tätig, und die mechanische Beschäftigung des Präparierens läßt ihr Raum. Ich sehe Dich immer so halbdurch zwischen Fischschwänzen, Froschzehen etc. Ist das nicht rührender als die Geschichte von Abälard, wie sich ihm Héloïse immer zwischen die Lippen und das Gebet drängt? O, ich werde jeden Tag poetischer, alle meine Gedanken schwimmen in Spirtius. Gott sei Dank, ich träume wieder viel nachts, mein Schlaf ist nicht mehr so schwer.

An die Braut

Zürich, den 20. Januar 1837.

Ich habe mich verkältet und im Bett gelegen. Aber jetzt ist's besser. Wenn man so ein wenig unwohl ist, hat man ein so groß Gelüsten nach Faulheit; aber das Mühlrad dreht sich als fort ohne Rast und Ruh . . . Heute und gestern gönne ich mir jedoch ein wenig Ruhe und lese nicht; morgen geht's wieder im alten Trab, Du glaubst nicht, wie regelmäßig und ordentlich. Ich gehe fast so richtig wie eine Schwarzwälder Uhr. Doch ist's gut: auf all das aufgeregte geistige Leben Ruhe, und dabei die Freude am Schaffen meiner poetischen Produkte. Der arme Shakespeare war Schreiber den Tag über und mußte nachts dichten, und ich, der ich nicht wert bin, ihm die Schuhriemen zu lösen, hab's weit besser . . .

Lernst Du bis Ostern die Volkslieder singen, wenn's Dich nicht angreift? Man hört hier keine Stimme; das Volk singt nicht, und Du weißt, wie ich die Frauenzimmer lieb habe, die in einer Soiree oder einem Konzerte einige Töne totschreien oder winseln. Ich komme dem Volk und dem Mittelalter immer näher, jeden Tag wird mir's heller – und gelt, Du singst die Lieder? Ich bekomme halb das Heimweh, wenn ich mir eine Melodie summe . . .

Jeden Abend sitz ich eine oder zwei Stunden im Kasino; Du kennst meine Vorliebe für schöne Säle, Lichter und Menschen um mich.

An die Braut

Zürich, den 27. Januar 1837.

Mein lieb Kind, Du bist voll zärtlicher Besorgnis und willst krank werden vor Angst; ich glaube gar, Du stirbst – aber *ich* habe keine Lust zum Sterben und bin gesund wie je. Ich glaube, die Furcht vor der Pflege hier hat mich gesund gemacht; in Straßburg wäre es ganz angenehm gewesen, und ich hätte mich mit dem größten Behagen ins Bett gelegt, vierzehn Tage lang, Rue St. Guillaume Nr. 66, links eine Treppe hoch, in einem etwas überzwergen Zimmer, mit grüner Tapete! Hätt ich dort umsonst geklingelt?

Es ist mir heut einigermaßen innerlich wohl, ich zehre noch von gestern, die Sonne war groß und warm im reinsten Himmel – und dazu hab ich meine Laterne gelöscht und einen edlen Menschen an die Brust gedrückt, nämlich einen kleinen Wirt, der aussieht wie ein betrunkenes Kaninchen und mir in seinem prächtigen Hause vor der Stadt ein großes elegantes Zimmer vermietet hat. Edler Mensch! Das Haus steht nicht weit vom See, vor meinen Fenstern die Wasserfläche und von allen Seiten die Alpen wie sonnenglänzendes Gewölk. –

Du kommst bald? Mit dem Jugendmut ist's fort, ich bekomme sonst graue Haare; ich muß mich bald wieder an Deiner inneren Glückseligkeit stärken und Deiner göttlichen Unbefangenheit und Deinem lieben Leichtsinn und all Deinen bösen Eigenschaften, böses Mädchen. Addio, piccola mia! –

An die Braut

Zürich, 1837.

[Ich werde] in längstens acht Tagen ›Leonce und Lena‹ mit noch zwei anderen Dramen erscheinen lassen.

MISZELLEN

POETISCHE ANSÄTZE

[Dem Vater zugedacht]

... Augen von der Brandung verschlungen. Der Kapitän ließ nun die Jölle aussetzen, welche er mit 3 Passagieren, 4 Offizieren, 6 Matrosen und mir bestieg. Trotz der furchtbaren Wogen und der Brandung gelang es uns vom Schiffe zu stoßen, welches, da wir uns kaum eine halbe Seemeile davon entfernt hatten, von einer ungeheuren Welle zertrümmert wurde, und unter einem gräßlichen Schrei, der mir jetzt noch in den Ohren gellt, versanken fast 400 Menschen in den furchtbaren Abgrund. Trotz des wütenden Sturmes erreichten wir glücklich das Ufer. Auf den Knien und mit Freudentränen in den Augen dankten wir Gott für unsre wunderbare Rettung und verfielen hierauf in einen sanften Schlaf, aus dem wir erst spät am Tage erwachten. Beim Erwachen fanden wir uns von einem Trupp neugieriger Chinesen umgeben, welche, gerührt über unser trauriges Schicksal, das wir ihnen erzählten, uns zu unterstützen und nach Kanton zu schaffen versprachen. Wir folgten ihnen hierauf in ein nahegelegnes Dorf, wo sie uns trefflich bewirteten, und traten am folgenden Tage mit zweien von ihnen unsre Reise nach Kanton an, wo wir auch nach einigen Tagen wohlbehalten ankamen. Wir wurden von den Faktoren der Handelskompagnie sehr gut aufgenommen und aufs beste unterstützt. Die Matrosen nahmen auf andern Schiffen Dienste, und der Kapitän, die Offiziere und ich mieteten uns auf einem andern Schiffe ein, um nach England zurückzukehren und der Handelskompagnie Bericht über das traurige Schicksal des Schiffs abzustatten.

Nimm, o bester der Väter, mit willigem Geist dies Geschenk an,
Zwar ist es klein und gering; doch beweis' dir's die dankbare Liebe,
Welche mein Herz für dich hegt, geliebtester Vater.
Möge Gott noch lang dein teures Leben erhalten
Und dich mit schützender Hand vor allem Unglück behüten.
Mög' er noch lange dich im Kreise der Kinder und Freunde
Feiern lassen den Tag, an dem du die Welt erblicktest,
Und durch die sorgende Hand der treuen Gattin und Kinder
Dir das Leben versüßen, für dessen Erhaltung ich flehe.

Georg Büchner.

[Der Mutter]

Gebadet in des Meeres blauer Flut
Erhebt aus purpurrotem Osten sich
Das prächtig-strahlende Gestirn des Tags,
Erweckt, gleich einem mächt'gen Zauberwort,
Das Leben der entschlafenen Natur,
Von der der Nebel wie ein Opferrauch
Empor zum unermeßnen Äther steigt.
Der Berge Zinnen brennen in dem ersten Strahl,
Von welchem, wie vom flammenden Altar,
Der Rauch des finstren Waldgebirges wallt –
Und fernhin in des Ozeans Fluten weicht
Die Nacht. So stieg auch uns ein schöner Tag
Zum Äther, der noch oft mit frohem Strahl
Im leichten Tanz der Horen grüßen mag
Den frohen Kreis, der den Allmächt'gen heut
Mit lautem Danke preist, da gnädig er
Uns wieder feiern läßt den schönen Tag,
Der uns die beste aller Mütter gab.
Auch heute wieder in der üppigsten
Gesundheit, Jugendfülle steht sie froh
Im frohen Kreis der Kinder, denen sie
Voll zarter Mutterlieb ihr Leben weiht.
O! stieg' noch oft ihr holder Genius
An diesem schönen Tag zu uns herab,
Ihn schmückend mit dem holden Blumenpaar
Der Kindesliebe und Zufriedenheit! –

Ein kleines Weihnachtsgeschenk
von G. Büchner für seine guten Eltern.
1828

Die Nacht

Niedersinkt des Tages goldner Wagen,
Und die stille Nacht schwebt leis' herauf,
Stillt mit sanfter Hand des Herzens Klagen,
Bringt uns Ruh im schweren Lebenslauf.

Ruhe gießt sie in das Herz des Müden,
Der ermattet auf der Pilgerbahn,
Bringt ihm wieder seinen stillen Frieden,
Den des Schicksals rauhe Hand ihm nahm.

Ruhig schlummernd liegen alle Wesen,
Feiernd schließet sich das Heiligtum,
Tiefe Stille herrscht im weiten Reiche,
Alles schweigt im öden Kreis herum.

Und der Mond schwebt hoch am klaren Äther,
Geußt sein sanftes Silberlicht herab;
Und die Sternlein funkeln in der Ferne,
Schau'nd herab auf Leben und auf Grab.

Willkommen Mond, willkommen sanfter Bote
Der Ruhe in dem rauhen Erdental,
Verkündiger von Gottes Lieb und Gnade,
Des Schirmers in Gefahr und Mühesal.

Willkommen Sterne, seid gegrüßt ihr Zeugen
Der Allmacht Gottes, der die Welten lenkt,
Der unter allen Myriaden Wesen
Auch meiner voll von Lieb und Gnade denkt.

Ja, heil'ger Gott, du bist der Herr der Welten,
Du hast den Sonnenball emporgetürmt,
Hast den Planeten ihre Bahn bezeichnet,
Du bist es, der das All mit Allmacht schirmt.

Unendlicher, den keine Räume fassen,
Erhabener, den keines Geist begreift,
Allgütiger, den alle Welten preisen,
Erbarmender, der Sündern Gnade beut!

Erlöse gnädig uns von allem Übel,
Vergib uns liebend jede Missetat,
Laß wandeln uns auf deines Sohnes Wege,
Und siegen über Tod und über Grab.

—

Leise hinter düstrem Nachtgewölke
Tritt des Mondes Silberbild hervor,
Aus des Wiesentales feuchtem Grunde
Steigt der Abendnebel leicht empor.

Ruhig schlummernd liegen alle Wesen,
Feiernd schweigt des Waldes Sängerchor,
Nur aus stillem Haine, einsam klagend,
Tönet Philomeles Lied hervor.

Schweigend steht des Waldes düstre Fichte,
Süß entströmt der Nachtviole Duft,
Um die Blumen spielt des Westwinds Flügel,
Leis hinstreichend durch die Abendluft.

Doch was dämmert durch der Tannen Dunkel,
Blinkend in Selenens Silberschein?
Hoch auf hebt sich zwischen schroffen Felsen
Einsam ein verwittertes Gestein;

An der alten Mauer dunklen Zinnen
Rankt der Efeu üppig sich empor,
Aus des weiten Burghofs öder Mitte
Ragt ein rings bemooster Turm hervor.

Fest noch trotzen alte Strebepfeiler;
Aufgetürmet wie zur Ewigkeit,
Stehen sie und schaun wie ernste Geister
Nieder auf der Welt Vergänglichkeit.

Still und ruhig ist's im öden Raume,
Wie ein weites Grab streckt er sich hin;
Wo einst kräftige Geschlechter blühten,
Nagt die Zeit jetzt, die Zerstörerin.

Durch der alten Säle düstre Hallen
Flattert jetzt die scheue Fledermaus,
Durch die rings zerfallnen Bogenfenster
Streicht der Nachtwind pfeifend ein und aus.

Auf dem hohen Söller, wo die Laute
Schlagend einst die edle Jungfrau stand,

Krächzt der Uhu seine Totenlieder,
Klebt sein Nest der Rabe an die Wand.

Alles, alles hat die Zeit verändert,
Überall nagt ihr gefräßger Zahn,
Über alles schwingt sie ihre Sense,
Nichts ist, was die schnelle hemmen kann.

SCHULAUFSÄTZE, SCHULREDEN

Über die Freundschaft

Die Fähigkeit zur Freundschaft gehört zu den edelsten, welche unsere Seele überhaupt besitzt; die Freundschaft selbst ist zugleich eine der reinsten und genußreichsten unserer Gemütsstimmungen, und vielleicht die einzige Leidenschaft, deren Übermaß nichts Tadelnswertes hat. Das Gefühl der Freundschaft erwacht vornehmlich in dem Lebensalter, in welchem der Mensch mit seiner Ausbildung und Erziehung beschäftigt ist, in die Welt zu treten beginnt, sich zu Unternehmungen anschickt und überhaupt einen gewissen Lebensplan für seine Zukunft sich ansetzt. Zugleich findet sich in dieser Epoche noch ein anderes Motiv, welches das Aufkeimen der Freundschaft befördert und ihr alle Energie verleiht, deren sie fähig ist. Jene Zeit ist nämlich auch die Zeit des Vertrauens und des unwillkürlichen Triebes, der unsere Seele anregt, mit einer andern Seele in Eins sich zu verschmelzen und derselben alle Gefühle und Empfindungen mitzuteilen. Um sich zu verstärken und mehr Lebendigkeit zu gewinnen, muß die Freundschaft Hindernisse zu überwinden, Gefahren zu bestehen und durch Erprobungen sich zu bewähren suchen; es muß den Freunden alles gemeinschaftlich sein, Glück und Unglück, sowie aller Wechsel des Schicksals im menschlichen Leben. Man kennt nichts Rührenderes und zugleich nichts, was mehr das wahre Wesen der Freundschaft bezeichnete, als die Worte des sterbenden Doktors Eubreuil. Dieser ebenso kenntnisreiche als mitleidige Arzt war ein wohltätiger Gott für alle diejenigen gewesen, welche sich seiner Sorge anvertraut hatten, und der Anteil, den man allgemein an ihm nahm, hatte eine große Menge Personen jegliches Standes in sein Zimmer geführt, während die Armen in seinem Vorsaale den bevorstehenden Verlust ihres Wohltäters beweinten. »Mein Freund,« sagte er zu Techmeja, den er mit der größten Zärtlichkeit liebte, »man muß jedermann von hier entfernen; meine Krankheit ist ansteckend, und nur du sollst bei mir bleiben.« Die wahre Freundschaft ist nur diejenige, welche nichts in ihren großmütigen Ergüssen aufhält, welche den Menschen in allen Lagen und Zuständen, worin ihn ein Schicksal versetzt, begleitet, welche sich durch keine Rücksicht erschüttern läßt und sich unveränderlich auch im Unglücke ausspricht und bewährt.

Heldentod der vierhundert Pforzheimer

Für Tugend, Menschenrecht und Menschen-Freiheit sterben
Ist höchsterhabner Mut, ist Welterlöser-Tod,
Denn nur die Göttlichsten der Helden-Menschen färben
Dafür den Panzerrock mit ihrem Herzblut rot. Bürger

Erhaben ist es, den Menschen im Kampfe mit der Natur zu sehen wenn er mit gewaltiger Kraft sich stemmt gegen die Wut der entfesselten Elemente und, vertrauend der Kraft seines Geistes, nach seinem Willen die Kräfte der Natur zügelt.

Aber noch erhabner ist es, den Menschen zu sehen im Kampfe mit seinem Schicksale, wenn er es wagt mit kühner Hand in die Speichen des Zeitrades zu greifen, wenn er an die Erreichung seines Zweckes sein Höchstes und sein Alles setzt. Wer nur einen Zweck und kein Ziel bei der Verfolgung desselben sich gesetzt hat, sondern das Höchste, das Leben daran wagt, gibt den Widerstand nie auf, er siegt oder stirbt. Solche Männer waren es, die, wenn die ganze Welt feige ihren Nacken dem mächtig über sie hinrollenden Zeitrade beugte, kühn in die Speichen desselben griffen und es entweder in seinem Umschwunge mit gewaltiger Hand zurückschnellten oder von seinem Gewichte zermalmt einen rühmlichen Tod fanden, d.h. mit dem kleinen Reste des Lebens sich Unsterblichkeit erkauften. Solche Männer waren es, die ganze Nationen in ihrem Fluge mit sich fortrissen und aus ihrem Schlafe rüttelten, zu deren Füßen die Welt zitterte, vor welchen die Tyrannen bebten. Solche Männer, welche unter den Millionen, die gleich Würmern aus dem Schoß der Erde kriechen, ewig am Staube kleben und wie Staub vergehn und vergessen werden, sich zu erheben, sich Unvergänglichkeit zu erkämpfen wagten, solche Männer sind es, die wie Meteore in der Geschichte aus dem Dunkel des menschlichen Elends und Verderbens hervorstrahlen. Solche Männer zeugte Sparta, solche Rom. Doch wir haben nicht nötig, die Vorwelt um sie zu beneiden, wir haben nicht nötig, sie wie die Wunder einer längstvergangnen Heldenzeit zu betrachten, nein, auch unsre Zeit kann mit der Vorwelt in die Schranken treten, auch sie zeugte Männer, die mit einem Leonidas, Cocles, Scävola und Brutus um den Lorbeer ringen können. Ich habe nicht nötig, um solche Männer anzuführen, auf die Zeiten Karls des Großen, oder der Hohenstaufen, oder der Freiheitskämpfe der Schweizer zurückzugehen, ich brauche mein Augenmerk nur auf den Kampf zu richten, der noch vor wenig Jahren die Welt erschütterte, der die [Menschheit] in ihrer Entwickelung um mehr denn ein Jahrhundert in gewaltigem Schwunge vorwärtsbrachte, der in blutigem aber gerechtem Vertilgungskampfe die Greuel rächte, die Jahrhunderte hindurch schändliche Despoten an der leidenden Menschheit verübten, der mit dem Sonnenblicke der Freiheit den Nebel erhellte, der schwer über Jugendvölkern lag, und ihnen zeigte, daß die Vorsehung sie nicht zum Spiel der Willkür von Despoten bestimmt habe. Ich meine den Freiheitskampf der Franken; Tugenden entwickelten sich in ihm, wie sie Rom und Sparta kaum aufzuweisen haben, und Taten geschahen, die nach Jahrhunderten noch Tausende zur Nachahmung begeistern können. Tausende solcher Helden könnte ich nennen, doch es genügt allein der Name eines L'Atour d'Auvergne, der wie ein Riesenbild in unsrer Zeit dasteht; Hunderte solcher Taten könnte ich anführen, doch nur eine, und die Thermopylen hören auf die einzigen Zeugen einer großen Tat zu sein.

Als die Franken unter Dumouriez den größten Teil von Holland mit der Republik vereinigt hatten, lief die vereinigte Flotte der Holländer und Franzosen gegen die Engländer aus, die mit einer bedeutenden Seemacht die Küsten Hollands blockierten. An der Küste von Nordholland treffen die feindlichen Flotten aufeinander, ein verzweifelter Kampf beginnt, die Franken und die Holländer kämpfen wie Helden, endlich unterliegen sie der Übermacht und der Geschicklichkeit ihrer Feinde. In dießem Augenblick wird der Vainqueur, eines der holländischen Schiffe, von drei feindlichen zugleich angegriffen und zur Übergabe aufgefordert. Stolz weist die kühne Mannschaft, obgleich das Schiff schon sehr beschädigt ist, den Antrag ab und rüstet sich zum Kampf auf Leben und Tod. Mit erneuter Wut beginnt das Gefecht, das Feuer der Engländer bringt bald das der Franken zum Schweigen. Noch einmal wird der Vainqueur zur Übergabe aufgefordert, doch den Franken ist ein freier Tod lieber als ein sklavisches Leben: sie wollen nicht Leben, sie wollen Unsterblichkeit. Mit letztem Ruck feuern sie auf die Feinde, schwenken noch einmal die Banner der Republik und versenken sich mit dem Ruf: »Es lebe die Freiheit!« in den unermeßlichen Abgrund des Meeres. Kein Denkmal bezeichnet den Ort, wo sie starben, ihre Gebeine modern auf dem Grunde des Meeres, sie hat kein Dichter besungen, kein Redner gefeiert; doch der Genius der Freiheit weint über ihrem Grabe, und die Nachwelt staunt ob ihrer Größe.

Doch warum greife ich denn nach außen, um solche Männer zu suchen, warum brachte ich denn nur das Entfernte, warum nicht das, was mir am nächsten liegt? Sollte denn mein Vaterland, sollte denn Teutschland allein nicht Helden zeugen? Nein, mein Vaterland, ich habe nicht nötig, mich deiner zu schämen, mit Stolz kann ich rufen: ich bin Teutscher! ich kann mit dem Franken, dem Römer und Sparter in die Schranken treten, mit freudigem Selbstbewußtsein kann ich die Reihe meiner Ahnen überblicken und ihnen zujauchzen: seht, wer ist größer denn sie? Die Griechen kämpften ihren Heldenkampf gegen die Gesamtmacht Asiens, die Römer triumphierten über den Trümmern Karthagos, die Franken erkämpften Europas politische Freiheit; aber die Teutschen kämpften den schönsten Kampf, sie kämpften für Glaubensfreiheit, sie kämpften für das Licht Aufklärung, sie kämpften für das, was dem Menschen das Höchste und Heiligste ist. Dießer Kampf war der erste Akt des großen Kampfes, den die Menschheit gegen ihre Unterdrücker kämpft, so wie die französische Revolution der zweite war; sowie einmal der Gedanke in keine Fesseln mehr geschlagen war, erkannte die Menschheit ihre Rechte und ihren Wert, und alle Verbesserungen, die wir jetzt genießen, sind die Folgen der Reformation, ohne welche die Welt eine ganz andre Gestalt würde erhalten haben, ohne welche, wo jetzt das Licht der Aufklärung strahlt, ewiges Dunkel herrschen würde, ohne welche das Menschengeschlecht, das sich jetzt zu immer freieren, zu immer erhabneren Gedanken erhebt, dann gleich seiner Menschenwürde verlustig sein würde.

Auf dießen Kampf kann ich mit Stolz blicken, von Teutschland ging durch ihn das Heil der Menschheit aus, er zeugte Helden, von deren Taten eine allein alle Taten des Altertums aufwiegt und der nur ein tausendjähriges Alter fehlt, um von allen Zungen gepriesen zu werden.

In den ersten Jahren des Dreißigjährigen Krieges, als nach der Schlacht am Weißen Berge bei Prag alle mächtigen teutschen Fürsten, besorgt für ihre Existenz, treulos die Sache der Protestanten verließen, waren es nur noch die kleineren Fürsten Teutschlands, die von einem höheren Gefühle geleitet ihr Leben und ihre Länder opferten, um für Glauben und Freiheit ihr Blut zu versprützen. Unter ihnen ragt als das Muster eines Fürsten Markgraf Friedrich von Baden hervor; gehorsam dem Rufe der Ehre und Pflicht riß er sich aus den Armen der Ruhe, übergab die Regierung seines Landes seinem Sohne und vereinigte sich an der Spitze von 20000 Badensern mit dem Heerhaufen des Grafen von Mansfeld. Ohne zu zaudern rückte das vereinigte Heer den Liguistischen entgegen, die unter Tilly in der Oberpfalz standen. Bei Wimpfen treffen sich die feindlichen Heere, die Badenser werfen sich, obgleich sie in wiederholten Gefechten einige Tage zuvor schon bedeutenden Verlust erlitten haben, mutig auf den ihnen weit überlegnen Feind. Ein blutiges Treffen beginnt; hier kämpft Fanatismus, dort die geläuterte Begeistrung für die heiligsten Rechte der Menschheit, Wut ringt mit Tapferkeit, Taktik mit Heldenmut. Doch was vermag die Übermacht, was Feldherrnkunst, was vermögen feile Söldner und wahnsinnige Fanatiker gegen Männer, die mit ihren Leibern ihr Vaterland decken, die entschlossen sind zu siegen oder zu sterben? An einem solchen Bollwerk brechen sich Tillys mordgewohnte Banden, ihre Schlachtreihn wanken und sinken unter dem Schwerte ihrer erbitterten Gegner. Schon lächelt der Sieg den kühnen Helden des Glaubens und der Freiheit, schon wähnt sich Friedrich die Heldenschläfe mit dem blutigen dem Sieger von mehr denn zwanzig Schlachten entrissenen Lorbeer schmücken zu können. Doch einem Größeren war dießer Lorbeer aufbehalten, ein Größerer sollte Teutschland befreien, sollte die Menschheit rächen; noch sollte die Furie des Fanatismus Teutschlands blühende Gauen verwüsten, noch einmal sollte Tillys finstrer Dämon siegen. Ein furchtbarer Donnerschlag vernichtet mit einmal die schönsten Hoffnungen, verfinstert wieder den rosigen Schimmer von Freiheit, der über Teutschlands Gefilden aufzublühen schien, und zersplittert in den Händen der Sieger das blutige Rachschwert. Wie vom Blitzstrahl getroffen entzünden sich Friedrichs Pulverwagen, der Himmel verfinstert sich, die Erde bebt, und von der furchtbaren Kraft des entfesselten Elementes zerschmettert brechen sich die Schlachtreihn der Badenser. In die Lücken stürzt sich der ermutigte Feind, er glaubt, der Himmel streite für ihn, er glaubt, ein Strafgericht Gottes zu sehen, und würgt in fanatischer Wut die zerstreuten und fliehenden Haufen der Feinde. Vergebens sucht Friedrich die Seinigen wieder zu sammeln, vergebens erfüllt er zu gleicher Zeit die Pflichten des Feldherren und des Soldaten, vergebens stürzt er sich selbst dem andringenden Feinde entgegen. Von der Übermacht gedrängt, muß er endlich weichen und das blutige Schlachtfeld seinem glücklichen Gegner überlassen. Doch wohin soll er sich wenden? Schon ist er von allen Seiten umringt, schon überwältigt der Feind den letzten schwachen Widerstand, den ihm die Überreste des fliehenden Heeres entgegenstellen, und sein Untergang scheint unvermeidlich. Da werfen sich vierhundert Pforzheimer, an der Spitze ihren Bürgermeister *Deimling*, dem Feinde entgegen; mit ihren Leibern decken sie, ein unerschütterliches Bollwerk, ihren Fürsten und ihre Landsleute. Vergebens bietet ihnen Tilly, betroffen von solcher Kühnheit und Seelengröße, eine ehrenvolle Kapitulation an. Tausende, stürmt der erbitterte Feind gegen das heldenkühne Häuflein, doch Tausende brechen sich an der ehernen Mauer. Unerschütterlich stehen die Pforzheimer; keine Wut, keine Verzweiflung, nur hohe Begeisterung und Todesverachtung malt sich in ihren Zügen. Unablässig stürmt der Feind seine Schlachthaufen heran: doch das Vaterland steht auf dem Spiele, Freiheit oder Knechtschaft ist die große Wahl, keiner weicht, keiner wankt, wie Löwen streiten sie von ihren Leichenhügeln herab, Mauern sind ihre Reihen, ein Turm jeder Mann, ein Bollwerk von Leichen umgibt sie. Endlich von allen Seiten angegriffen, erdrückt von der Übermacht, sinken sie Mann an Mann unter Hügeln erschlagner Feinde nieder und winden sich sterbend die unvergängliche Lorbeerkrone des Siegers und die unsterbliche Palme des Märtyrers um die Heldenschläfe.

Wollen wir eine solche Tat beurteilen, wollen wir sie gehörig würdigen und auffassen, so dürfen wir nicht die Wirkung allein, nicht die bloße Tat berücksichtigen, sondern wir müssen hauptsächlich unser Augenmerk auf die Motive und die Umstände richten, welche eine solche Tat bewirkten, begleiteten und bestimmten. Sie sind die einzige Richtschnur, nach der man die Handlungen der Menschen messen und wägen kann. Nach der Wirkung aber und nach den Folgen kann man nichts beurteilen, denn jene ist oft die nämliche, dieße sind oft zufällig. Wenn man nun von dießem Gesichtspunkte aus die Aufopferung der Pforzheimer betrachtet, so wird man finden, daß es sehr wenige, vielleicht auch gar keine Tat gibt, welche sich mit der der Pforzheimer messen könnte. Tausende bluteten freilich schon für ihr Vaterland, Tausende opferten schon freudig das Leben für Rechte und Menschenfreiheit, aber keinen wird man unter dießen Tausenden finden, dessen Aufopferung an und für sich selbst so groß, so erhaben sei als die der Pforzheimer. Sie trieb nicht Wut, nicht Verzweiflung zum Kampf auf Leben [und] Tod (dieß sind zwei Motive, die den Menschen, statt ihn zu erheben, zum Tiere erniedrigen); sie wußten, was sie taten, sie kannten das Los, dem sie entgegengingen, und sie nahmen es hin wie Männer und starben kalt und ruhig den Heldentod. Doch dieß ist das geringste, was ihre Tat so sehr von allen übrigen hervorhebt; die vierhundert Römer, die dreihundert Sparter opferten sich ebenso kalt und ruhig. Aber die Römer, die Sparter waren von Helden gezeugt, waren zu Helden erzogen, kannten nur einen Zweck, nur ein Ziel – ihr Vaterland, ihre ganze Erziehung war nur die Vorbereitung zu einer solchen Tat. Doch wer waren die Pforzheimer?

Einfache ruhige Bürger, eilten sie aus den Armen der Ruhe auf das blutige Schlachtfeld, nicht gewohnt, dem Tod in das Auge zu sehen, noch nicht vertraut mit dem hohen Gedanken der Aufopferung für das Vaterland. Ihre Tapferkeit war nicht Gewohnheit, ihre Aufopferung war nicht die Frucht des Gehorsams, sie war die Frucht der höchsten Begeisterung für das, was sie als wahr und heilig erkannt hatten. Ihnen drohte nicht Schmach nicht Schande, wenn sie sich dem Tode entzogen, ihnen traten nicht die strafenden Gesetze des Vaterlandes entgegen. Sie hatten freie Wahl, und sie wählten den Tod.

Dieß ist das Große, dieß das Erhabene an ihrer Tat; dieß zeugt von einem Adel der Gesinnung, der weit erhaben ist über die niedrige Sphäre des Alltagsmenschen, dem sein Selbst das Höchste ist, sein Wohlsein der einzige Zweck; der, jedes höheren Gefühls unfähig und verlustig der wahren Menschenwürde, [seine] Vernunft nur gebraucht, um tierischer als das Tier zu sein. Dießer schändliche Egoismus ist eins der charakteristischen Kennzeichen der damaligen Zeit. Um so mehr sind daher die Pforzheimer zu bewundern, denn sie erhoben sich, indem der Gedanke und die Idee einer solchen Tat ganz eigentümlich aus ihnen selbst entsprang, zugleich über ihre Nation und über ihr Zeitalter. Wie groß, wie erhaben sind aber noch überdieß die Zwecke, für welche sie starben; sie allein könnten schon, auch ohne die angeführten Umstände, dießer Tat das Siegel der Unsterblichkeit aufdrücken. Dem Vaterland gaben sie den Vater wieder, mit ihrem Blute erkauften sie sein Leben: dieße Tat war groß, doch nicht beispiellos; sie warfen sich gleich einer ehernen Mauer zwischen den Feind und ihre Landsleute und deckten mit ihren Leibern ihren Rückzug: dieße Tat zeugt von hohem Seelenadel, aber schon Tausende taten dasselbe; sie opferten sich für Glaubensfreiheit, das heiligste Recht der Menschheit, der Himmel war es und, nach ihrer Meinung, die ewige Glückseligkeit, für welche sie willig starben: aber welche irdische Gewalt hätte denn auch in das innere Heiligtum ihres Gemütes eindringen und den Glauben, der ihnen ja einmal aufgegangen war und auf den allein sie ihrer Seligkeit Hoffnung gründeten, darin austilgen können? Also auch ihre Seligkeit war es nicht, für die sie kämpften, dießer waren sie schon versichert. Die Seligkeit ihrer Kinder, ihrer noch ungebornen Enkel und Nachkommen war es: auch dieße sollten auferzogen werden in derselben Lehre, die ihnen als allein heilbringend erschienen war; auch dieße sollten teilhaftig werden des Heils, das für sie angebrochen war. Dieße Hoffnung allein war es, welche durch den Feind bedroht wurde; für sie, für eine Ordnung der Dinge, die lange nach ihrem Tode über ihren Gräbern blühen sollte, versprützten sie mit Freudigkeit ihr Blut. Bekennen wir auch gerne, daß ihr Glaubensbekenntnis nicht das einzige und ausschließliche Mittel war, des Himmels jenseits des Grabes teilhaftig zu werden, so ist doch dieß ewig wahr, daß mehr Himmel diesseits des Grabes, ein mutigeres und fröhlicheres Emporblicken von der Erde und eine freiere Regung des Geistes durch ihre Aufopferung in alles Leben der Folgezeit gekommen ist und die Nachkommen ihrer Gegner sowohl als wir selbst, ihre Nachkommen, die Früchte ihrer Mühen bis auf dießen Tag genießen. So also starben sie nicht einmal für ihren eignen Glauben, nicht für sich selbst, sondern sie bluteten für die Nachwelt. Dieß ist der erhabenste Gedanke, für den man sich opfern kann, dieß ist Welterlöser-Tod. Ja ihr *Deimling*, ihr *Mayer*, ihr *Schober*, ihr Helden, ein unvergängliches Denkmal habt ihr euch im Herzen aller Edlen erbaut, ein Denkmal, das über Tod und Verwesung triumphiert, das unbewegt steht im flutenden Strome der Ewigkeit. Eure Gebeine deckt nicht Marmor, nicht Erz, kein Denkmal bezeichnet den Ort, wo ihr starbt, vergessen hat euch euer undankbares Vaterland, die Gegenwart kennt euch nicht, aber die Bewundrung der Nachwelt wird euch rächen. Zu eurem Grabe rufe ich alle Völker des Erdbodens, rufe ich Vorwelt und Gegenwart, herzutreten und [zu] zeigen eine Tat, die größer, die erhabner ist, und sie müssen verstummen, und Teutschland wird es allein sein, das solche Männer zeugte, und einzig, unerreicht prangt eure Tat mit unauslöschlichen Zügen in den Büchern der Weltgeschichte. –

Doch nicht dießer freudige Stolz auf meine Ahnen allein bewegt mich an ihrem Grabe, auch ein tiefer Schmerz erfaßt mich bei ihrem Andenken. Nicht ihnen gilt dießer Schmerz – es wäre ja Torheit, über solchen Tod zu klagen; nur glücklich sind die zu preißen, welchen ein solches Los zuteil ward, denn sie haben sich das Höchste, haben sich Unsterblichkeit erkämpft. Ich kann nicht weinen an ihrem Grabe, ich kann sie nur beneiden. Nicht ihnen gilt mein Schmerz, mein Schmerz gilt meinem Vaterlande.

O über euch Teutsche! In euren Gauen geschah die schönste, die herrlichste Tat, eine Tat, welche die ganze Nation adelt, eine Tat, deren Früchte ihr noch genießt, und vergessen habt ihr die Helden, die solches ausführten, die sich für euch dem Tode weihten. Das Fremde staunt ihr an in kalter Bewunderung, während ihr aus dem Busen eures Vaterlandes glühende Begeisterung für alles Edle saugen könntet. Am toten Buchstaben der Fremden klebt ihr, doch ihr Geist ist ferne von euch; denn sonst würdet ihr wissen, was ihr eurem Vaterlande schuldig seid. Eine Nation seid ihr, an der sich noch Jahrhunderte die Völker bilden könnten, und ihr werft eure Nationalbildung, d. h. eure geistige Selbständigkeit hin, um kindisch zu werden. O

Teutschland, Teutschland, den Stab wirfst du von dir, der dich stützen und leiten könnte, für fremden Tand, an den Brüsten der fremden Buhlerin nährst du dich und ziehst schleichendes Gift in deine Adern, während du frische, kräftige Lebensmilch saugen könntest aus deinem Busen. Du hast nicht mehr gegen außen zu streiten, deine Freiheit ist gegen alle Anforderungen gesichert. Keines von jenen reißenden Raubtieren, die brüllend in der Welt umherirren, um die anerschaffnen Rechtsame eines freien Volkes zu verschlingen, droht dir. Aber, Teutschland, darum bist du doch nicht frei; dein Geist liegt in Fesseln, du verlierst deine Nationalität, und so wie du jetzt Sklavin des Fremden bist, so wirst du auch bald Sklavin der Fremden werden.

Doch ich höre schon antworten: Wie? sieh doch hin, in einer schönen Ordnung stehn alle Staaten, gleichmäßig sind alle Rechte abgewogen, Friede und Wohlstand blüht in unsren Gefilden; sind wir nicht glücklich? O ihr Toren, trägen Herzens den Ruf von vierthalbtausend Jahren zu fassen! Blickt doch in das große Buch der Weltgeschichte, das offen vor euch liegt, blickt doch hin und antwortet noch einmal: sind wir nicht glücklich. Was ist denn das, was die Staaten vom Gipfel ihrer Größe herabwirft? Der Verlust ihrer geistigen Selbständigkeit ist es. Denn so wie ein Volk sich einmal über dem Fremden vergißt, so wie es seinen Nationalcharakter, das Band, das es knüpft und zusammenhält, [aufgibt,] so wie es einmal in geistiger Bildung der Sklav eines andern wird, so geht auch leicht die politische Freiheit unter, auf die ihr stolz jetzt pocht, so trägt es den Keim des Verderbens in sich und wird, ein leeres Schattenbild, die Beute jedes feindlichen Zufalls; versunken und vergessen geht es unter und steht mit Verachtung gebrandmarkt vor den Augen der strengrichtenden Nachwelt. Dieß, Teutsche, dieß wird euer Los sein; wenn ihr euch jetzt [nicht] zu neuem kräftigen Leben wieder erhebt, wenn ihr nicht bald wieder anfangt, Teutsche zu werden, wenn ihr euch [nicht] eure Nationalität, rein und geläutert von allem Fremden, wieder erwerbt, werden eure Nachkommen sich eures gebrandmarkten Namens schämen, und untergehen werdet ihr, ein Spott der Nachwelt und der Gegenwart. –

Denket, daß in meine Stimme sich mischen die Stimmen eurer Ahnen aus der grauen Vorwelt, die mit ihren Leibern sich entgegengestemmt haben der heranströmenden römischen Weltherrschaft, die mit ihrem Blute erkauft haben die Unabhängigkeit der Berge, Ebenen und Ströme. Sie rufen euch zu: Vertretet und überliefert unser Andenken ebenso ehrenvoll und unbescholten der Nachwelt, wie es auf euch gekommen und wie ihr euch dessen und der Abstammung von uns gerühmt habt. Auch mischen sich in ihre Stimmen die Geister eurer spätern Vorfahren, die da fielen im heiligen Kampfe für Religions- und Glaubensfreiheit. Rettet auch unsre Ehre, rufen sie euch zu, laßt unsre Kämpfe nicht zu eitlen vorüberrauschenden Possenspielen werden, zeigt, daß das Blut, was wir für euch versprützten, in euern Adern wallt. Es mischen sich in dieße Stimmen die Stimmen eurer noch ungebornen Nachkommen. Wollt ihr die Kette zerreißen lassen, rufen sie euch zu, die euch an eure Ahnen bindet, wollt ihr das Andenken eurer Vorfahren, das ihr rein und makellos erhalten habt, besudelt und befleckt uns überliefern, wollt ihr uns, die Nachkommen freier Männer, zu Sklaven werden lassen? Teutsche! Die Wage hängt, in jener Schale liegt, was eure Vorfahren an dem Römer verachtet und an seinen Cäsaren gehaßt, in dießer das ehrwürdige Kleinod eurer biedern Voreltern, die durch so mancher Helden Blut im Laufe achtzehn stürmischer Jahrhunderte gegründete, behauptete, befestigte Nationalität und Selbständigkeit. Dort liegt Gold neben Fesseln, hier der seltne Ruhm, zugleich die stärkste und beste Nation zu sein. Wählet. –

Über den Traum eines Arkadiers

Durch die ganze Geschichte finden wir im Leben jedes Volkes die deutlichsten Spuren von einem Wunderglauben, der, noch jetzt nicht erloschen, den gebildeten Europäer und den rohen Wilden befängt. Wollten wir dießes innere Gefühl uns als Aberglauben darstellen, wollten wir es nur als ein leeres Spiel der Phantasie abschütteln, so würden wir frech ein geistiges Band zerreißen, das uns gemeinsam mit allen Erdbewohnern umschlingt, ein Gefühl, das uns alle an die Mutterbrust der Natur drückt.

Der rohe Mensch sieht Wunder in den ewigen Phänomen[en] der Natur, er sieht aber auch Wunder in außergewöhnlichen Fällen des Alltaglebens; für beide schafft er sich seine Götter. Der Gebildete sieht in den Wundern erstrer Art nur die Wirkungen der unerforschten, unbegriffnen Naturkräfte; aber auch sie sind ihm Wunder, solange das blöde Auge der Sterblichen nicht hinter den Vorhang blikken kann, der das Geistige vom Körperlichen scheidet, auch sie weisen ihn zurück auf ein Urprinzip, ein[en] Inbegriff alles Bestehenden, auf die Natur. – Von diesem Standpunkte aus will ich jetzt, so weit es in meinen Kräften steht, eine Tatsache zu beurteilen suchen, die vom grauen Altertum an bis jetzt noch niemand ganz erklärt, ganz aufgehellt hat und niemand vielleicht ganz aufhellen wird.

Zwei durch wechselseitige Liebe aufs innigste verbundene Arkadier, so erzählt man, machten eine Reise. Bei ihrer Ankunft [in] Megara kehrte der eine bei einer Herberge, der andre bei einem Gastfreunde ein. Im Traum nun erschien dem letzteren sein Freund, der ihn um Hülfe flehte, weil sein Wirt ihn ermorden wolle. Erschreckt sprang er auf, sammelte sich aber, und da er das Ganze für eine Täuschung des Traumes hielt, schlief er wieder ein. Da erschien ihm sein Freund zum zweiten Male, mit Blut bedeckt machte er ihm Vorwürfe und erzählte ihm, sein Wirt habe ihn ermordet, auf einen mit Mist beladnen Wagen geworfen, um die Leiche auf diese Art aus der Stadt zu schaffen. . .

[Kritik an einem Aufsatz über den Selbstmord]

Ohne gleich im Anfange ein entscheidendes Urteil über den Wert und den Inhalt vorliegender Arbeit fällen zu wollen, werde ich mich anfangs darauf einschränken, einige von den in dießer Arbeit ausgesprochnen Gedanken und Meinungen in der von dem Verfasser befolgten Reihenfolge zu beleuchten und sie entweder zu verteidigen oder zu widerlegen versuchen. Dießen, vielleicht etwas sonderbar Scheinenden, Weg einzuschlagen zwingt mich die eigentümliche Beschaffenheit des Themas selbst, bei welchem von einem *allgemein durchgreifenden Grundsatz* die Rede nicht sein kann, sondern nur von einer sachgemäßen Zusammenstellung einzelner Gedanken und Ansichten.

Dießer Verfahrungsart gemäß möchte ich behaupten, daß der gleich im Anfang (p. 1) ausgesprochne *Grundsatz, daß von einem durchgängig anwendbaren Urteil die Rede nicht sein könne*, so richtig er auch an und für sich selbst ist, uns zuerst am *Schlusse*, als ein *Hauptresultat* dießer Arbeit, hätte entgegenkommen dürfen.

Im Weitergehen bemerkte ich, daß der Verfasser bei Anführung der Behauptung, der Selbstmörder handle *unklug* (p. 3), den so oft angeführten Grund, weil derselbe einen *sichren* Zustand mit einem *unsichren* vertausche, ganz überging, ich werde deshalb hier einige Worte hierüber anführen. Es kommt mir immer sonderbar vor, wenn man dem Selbstmörder aus dem schon angeführten Grunde den Vorwurf der Unklugheit machen will. Es liegt ganz in der Natur des Menschen, daß er einen ihm *unerträglich* gewordnen Zustand mit einem andern, wenn auch noch so unsichern, zu vertauschen sucht, es ereignet sich dieß täglich, und niemand nimmt einen Anstoß daran. Wer will nun den, welchem sein irdischer Zustand *unerträglich* geworden ist, *unklug* nennen, weil er eine *hoffnungslose Sicherheit* aufopfert, um zu einem Zustand, von dem er noch hoffen darf und der auf keinen Fall schlechter sein kann als der verlaßne, zu gelangen? Es wäre ja eher *Unklugheit*, in einer *rettungslosen* Lage zu verharren, wenn man noch ein, wenn auch *unsichres*, Mittel übrig hat, sich zu retten. Ich behaupte also, daß man in *dießer Hinsicht* keineswegs den Selbstmörder *unklug* nennen könne.

Bei der (p. 6) aufgestellten *sehr richtigen* Behauptung, daß der Selbstmord gegen unsre *Bestimmung* handle, erlaube man mir eine kleine auf den (p. 2) angeführten Einwurf, daß der *Selbstmord unnatürlich* sei, weil er einen *natürlichen* Trieb unterdrücke, bezügliche Bemerkung. Ich möchte nämlich eigentlich behaupten, der Selbstmord handle gegen unsre *Natur*, denn in ihr liegt unsre *Bestimmung*. Man könnte also in *dießer Hinsicht* den Selbstmord eine der *Natur* widerstrebende oder *unnatürliche* Handlung nennen, jedoch in einem von dem schon angeführten, sehr schwachen Einwurf ganz verschiedenen Sinne.

Die Behauptung, der Selbstmord sei *in allen Fällen irreligiös*, klingt gar eigen. Das *irreligiös* bedeutet in unserm Sinn so viel als *unchristlich*. Dießes *unchristlich* wird aber als Einwurf gegen den Selbstmord *oft* gar sehr gemißbraucht, indem man gewöhnlich damit angezogen kommt, wenn man *keinen* andern mehr machen kann, wie bei *Kato* und *Lukretia*. Ich will mich, um dieß zu beweisen, an vorliegendes Beispiel halten. *Kato* ist, vom wahren Standpunkte aus betrachtet, in jeder Hinsicht zu rechtfertigen; dieß gibt man zu, kommt aber mit dem schalen Anhängsel hinten nach, *subjektiv* ist dieß wohl wahr, *objektiv* aber unrichtig. Dießes *Subjektive* ist aber das *einzig* Richtige, widerspricht dießem das *Objektive*, so ist dasselbe falsch. Nun ist, wie schon gesagt, *Kato* nach allen Gesetzen *menschlicher* Einsicht zu rechtfertigen; widerspricht dießem alsdann wirklich das *Christentum*, so müssen die Lehren desselben *in dießer Hinsicht* unrichtig sein, denn unsre Religion kann uns nie verbieten, irgendeine *Wahrheit*, *Größe*, *Güte* und *Schönheit* anzuerkennen und zu verehren außer ihr und uns *nie* erlauben, eine *anerkannt sittliche* Handlung zu mißbilligen, weil sie mit einer ihrer Lehren nicht übereinstimmt. Was sittlich ist, muß von *jedem* Standpunkte, von *jeder* Lehre aus betrachtet *sittlich* bleiben. Ob man aber *wirklich* beweisen könne, daß ein Selbstmord *wie* der des *Kato* dem Christentum widerstrebe, ist eine *andre* Frage. Denn es wäre doch sonderbar, ja es wäre *unmöglich*, daß eine Religion, *welche ganz auf das Prinzip der Sittlichkeit gegründet ist*, einer *sittlichen* Handlung widerstreben sollte. Es trifft also dieser Vorwurf *keineswegs* das Christentum selbst, sondern nur diejenigen, welche den Sinn desselben falsch auffassen.

Mit dem Seite 10 ausgesprochnen Gedanken kann ich nicht recht übereinstimmen; denn ich glaube, daß der *echte* Sensualist nie in den beschriebnen Zustand geraten wird. Über *Roland* (p. 11) ist zu hart geurteilt; ihn brachte nicht die Furcht vor dem Blutgerüst zu dem Entschluß, sich selbst zu ermorden, sondern der Schmerz, welcher ihn bei der Nachricht von der Hinrichtung seiner Gattin übermannte. Überhaupt weiß ich nicht, was die letzte Phrase *hier* bedeuten soll, denn wer sich selbst ermordet, wagt es doch wahrlich, dem Tod in das Auge zu sehen.

Nicht mit Unrecht hat der Verfasser bei seinem Urteile über die Tat des *Kato* (p. 15) *Osiandern* erwähnt. Aber wahrlich, die Vergleichung mit dem Schwan und den Krähen ist noch zu erhaben für einen solchen Menschen, welcher den Kato einen Monolog halten läßt, worin derselbe ungefähr sagt, daß Cäsar doch bös mit ihm umgehen würde, es sei also geratner, sich bei Zeit auf dem kürzesten Wege davon zu machen, zumal da die Narren der Nachwelt wahrscheinlich ein großes Mirakel aus dießer Tat machen würden. Es fehlt nur wenig, daß der Herr Professor in seinem heiligen Eifer über die blinden Heiden eine Sektion des Kato vornähme und bewieße, daß derselbe einige Lot Gehirn zu wenig gehabt hätte. Wahrhaftig, wenn ich ein solches Buch in die Hände bekomme, möchte ich mit *Göthe* über unser tintenklecksendes Säkulum ausrufen: *Römerpatriotismus! Davor bewahre uns der Himmel, wie vor einer Riesengestalt. Wir würden keinen Stuhl finden, darauf zu sitzen, und kein Bett, drinnen zu liegen.*

In der wahrhaft vortrefflichen Stelle, wo von dem letzten und erhabensten Motiv zum Selbstmord gesprochen wird (p. 16), fand ich einen Ausdruck, dessen Erläuterung zwar nicht hierher zu gehören scheint, der aber doch bei näherer Beachtung einigen Bezug auf dießes Thema hat. Die Erde wird nämlich hier ein *Prüfungsland* genannt; dießer Gedanke war mir immer sehr anstößig, denn ihm gemäß wird das Leben nur als *Mittel* betrachtet; ich glaube aber, daß das Leben *selbst Zweck* sei, denn: *Entwicklung* ist der Zweck des Lebens, das *Leben selbst* ist Entwicklung, also ist das Leben selbst *Zweck*. Von dießem Gesichtspunkte aus kann man auch den *einzigen, fast allgemein gültigen* Vorwurf dem Selbstmord machen, weil derselbe unserm *Zwecke* und somit der *Natur* widerspricht, indem er die von der Natur uns gegebene, unserm Zweck angemeßne *Form* des Lebens vor der Zeit zerstört.

Bei der aus *Göthes Faust* entnommenen Stelle vermißte ich die Worte des verschwindenden Erdgeistes: *Du gleichst dem Geist, den du begreifst, nicht mir;* sie sind es, welche *Faust* von seiner Höhe in den Abgrund der Verzweiflung hinabstürzen.

Ich kann nicht umhin, den am Schluß ausgesprochnen Gedanken über den Selbstmord aus *Patriotismus* oder aus *physischen* und *psychischen* Leiden einige Worte hinzuzufügen, ob ich gleich wohl sehe, daß dieß eigentlich in die Form einer Rezension nicht paßt. Die Behauptung, daß der, welcher dem Vorteile seines Vaterlandes das Leben aufopfert, kein eigentlicher Selbstmörder sei, ist klar und bestimmt ausgesprochen und deutlich bewiesen, das übrige jedoch ist etwas dunkler ohne bestimmtes Resultat: ich will also das, was ich für das eigentliche Resultat halte, hier zufügen. *Der Selbstmörder aus physischen und psychischen Leiden ist kein Selbstmörder, er ist nur ein an Krankheit Gestorbner.*

Ich verstehe nämlich darunter einen solchen, welcher durch geistiges oder körperliches unheilbares Leiden allmählich in jene Seelenstimmung verfällt, die man mit dem Namen der *Melancholie* bezeichnet, und so zum Selbstmord getrieben wird, keineswegs aber den, welcher, um einem Leiden zu *entgehen*, sich bei *freiem Sinn* und *Verstand* selbst tötet. Der erstere ist *krank*, der andre *schwach*. Der erstere ist an seiner Krankheit gestorben, denn ob dießes Leiden ihm allmählig das Leben raubt oder ihn durch den störenden Einfluß auf sein Gemüt zum Selbstmord bringt, ist gleichgültig. Die *Form* ist nur verschieden, die *Wirkung* ist die nämliche: sie ist der *Tod*, seine Ursache lag in einer Krankheit, die eine Neigung zum Selbstmorde zur Folge hatte, was ich aus Beispielen zur Genüge beweisen könnte. So wenig man nun von einem an der Auszehrung Gestorbnen sagen kann: der Narr oder der Sünder, warum ist er gestorben? ebensowenig darf man einem Selbstmörder aus *dießer Ursache* wegen seiner Tat einen Vorwurf machen wollen; er ist, wie schon gesagt, nicht als Selbstmörder zu betrachten.

Dasselbe läßt sich nun, und zwar in noch viel höherem Grade, auf den anwenden, welcher sich aus *psychischen* Leiden den Tod gibt. *Psychische* Leiden sind, so wie *physische* Krankheit des Körpers, Krankheit des Geistes; letztere kann, wenn sie einmal feste Wurzeln geschlagen hat, noch viel weniger gehoben werden als erstere. Wen also eine solche *geistige* Krankheit zum Tode treibt, der ist ebensowenig ein Selbstmörder, er ist nur ein an *geistiger Krankheit* Gestorbner. Das geistige Leiden selbst vermag den Körper nicht *unmittelbar* zu töten, es tut dieß also *mittelbar;* dieß ist der ganze Unterschied zwischen dem, welcher am hitzigen Fieber oder in einem Anfall von Wahnsinn stirbt.

Fasse ich hier nun ein allgemeines und bestimmtes Urteil über die ganze Arbeit zusammen.

Die Frage ist trotz der schwierigen Aufgabe zur Genüge gelöst.

Der Verfasser umfaßt in seiner Arbeit bis auf weniges alle Einwürfe und alle Motive, dargestellt in einer bestimmten und sachgemäßen Ordnung; ohne es jedoch bei einer bloßen Zusammenstellung bewenden zu lassen, gibt er uns über jeden Gegenstand eine Menge schätzenswerter, vorurteilsfreier Gedanken, die, wenn sie auch nicht alle gleich richtig sind, doch zeigen, daß der Verfasser sich fern gehalten von aller Einseitigkeit, daß er alles nicht von einem fremden, sondern von einem eignen, selbständigen Standpunkte aus betrachtet und beurteilt und durch eignes Nachdenken schon einen tiefern Blick in die In- und Außenwelt des Menschen getan habe. Noch anziehender werden dieße Gedanken durch eine klare, schöne und kräftige Sprache. Überdieß wird das Ganze durch ein schönes und edles Gefühl wie durch einen warmen Frühlingshauch belebt und erwärmt; es erhebt uns über den gewöhnlichen Standpunkt durch eine reine, glühende Begeisterung für das Edle und Große, es gibt uns, nicht in abgedroschnen Redensarten von Bruderliebe u. dgl. m., den Begriff echter und wahrer Menschenliebe, indem es uns überall, dem schönen Gedanken gemäß, daß der Selbstmörder nur *Verirrter*, nicht *Verbrecher* sei, die Gebrechen und Mängel des armen Sterblichen in der mildesten Form sehen läßt.

Einen würdigen Schluß zu der ganzen Arbeit bildet überdieß der letzte erhabne Gedanke; er ist es, welcher dem Menschen allein im Schlamme des Lebens die wahre Würde bewahren kann.

[Kato von Utika]
[29. Sept. 1830]

Groß und erhaben ist es, den Menschen im Kampfe mit der Natur zu sehen, wenn er gewaltig sich stemmt gegen die Wut der entfesselten Elemente und, vertrauend der Kraft seines Geistes, nach seinem Willen die rohen Kräfte der Natur zügelt. Aber noch erhabner ist es, den Menschen zu sehen im Kampfe mit seinem Schicksale, wenn er es wagt einzugreifen in den Gang der Weltgeschichte, wenn er an die Erreichung seines Zwecks sein Höchstes, sein Alles setzt. Wer nur *einen* Zweck und kein Ziel bei der Verfolgung desselben sich vorgesteckt, gibt den Widerstand nie auf, er siegt – oder stirbt. Solche Männer waren es, welche, wenn die ganze Welt feige ihren Nacken dem mächtig über sie hinrollenden Zeitrade beugte, kühn in die Speichen desselben griffen, und es entweder in seinem Umschwunge mit gewaltiger Hand zurückschnellten oder von seinem Gewichte zermalmt einen rühmlichen Tod fanden, d. h. sich mit dem Reste des Lebens *Unsterblichkeit* erkauften. Solche Männer, die unter den Millionen, welche auch aus dem Schoß der Erde kriechen, ewig am Staube kleben und wie Staub vergehn und vergessen werden, sich zu erheben, sich Unvergänglichkeit zu erkämpfen wagten, solche Männer sind es, die gleich Meteoren aus dem Dunkel des menschlichen Elends und Verderbens hervorstrahlen. Sie durchkreuzen wie Kometen die Bahn der Jahrhunderte; so wenig die Sternkunde den Einfluß der einen, ebensowenig kann die Politik den der andern berechnen. In ihrem exzentrischen Laufe scheinen sie nur Irrbahnen zu beschreiben, bis die großen Wirkungen dießer Phänomene beweisen, daß ihre Erscheinung lange vorher durch jene Vorsehung angeordnet war, deren Gesetze ebenso unerforschlich als unabänderlich sind. –

Jedes Zeitalter kann uns Beispiele solcher Männer aufweisen, doch alle waren von jeher der verschiedenartigsten Beurteilung unterworfen. Die Ursache hiervon ist, daß jede Zeit *ihren* Maßstab an die Helden der Gegenwart oder Vergangenheit legt, daß sie nicht richtet nach dem eigentlichen Werte dieser Männer, sondern daß ihre Auffassung und Beurteilung derselben stets bestimmt und unterschieden ist durch die Stufe, auf der *sie selbst* steht. Wie fehlerhaft eine solche Beurteilung sei, wird niemandem entgehen: für einen Riesen paßt nicht das Maß eines Zwergs; eine kleine Zeit darf nicht einen Mann beurteilen wollen, von dem sie nicht *einen* Gedanken fassen und ertragen könnte. Wer will dem Adler die Bahn vorschreiben, wenn er die Schwingen entfaltet und stürmischen Flugs sich zu den Sternen erhebt? Wer will die zerknickten Blumen zählen, wenn der Sturm über die Erde braust und die Nebel zerreißt, die dumpfbrütend über dem Leben liegen? Wer will nach den Meinungen und Motiven eines Kindes wägen und verdammen, wenn Ungeheures geschieht, wo es sich um Ungeheures handelt? Die Lehre dieser Beobachtung ist: man darf die Ereignisse und ihre Wirkungen nicht beurteilen, wie sie *äußerlich* sich darstellen, sondern man muß ihren *inneren tiefen* Sinn zu ergründen suchen, und dann wird man das *Wahre* finden. –

Ich glaube erst dießes vorausschicken zu müssen, um bei der Behandlung eines so schwierigen Themas zu zeigen, von welchem Standpunkte man bei der Beurteilung eines Mannes, man bei der Beurteilung eines alten Römers ausgehen müsse, um zu beweisen, daß man an einem Kato nicht den Maßstab unsrer Zeit anlegen, daß man seine Tat nicht nach neueren Grundsätzen und Ansichten beurteilen könne.

Man hört nämlich so oft behaupten: *subjektiv* ist Kato zu rechtfertigen, *objektiv* zu verdammen, d. h. von unserm, vom christlichen Standpunkte aus ist Kato ein Verbrecher, von seinem eigenen aus ein Held. Wie man aber diesen christlichen Standpunkt hier anwenden könne, ist mir immer ein Rätsel geblieben. Es ist ja doch ein ganz eigner Gedanke, einen alten Römer nach dem Katechismus kritisieren zu wollen! Denn da man die Handlungen eines Mannes nur dann zu beurteilen vermag, wenn man sie mit seinem Charakter, seinen Grundsätzen und seiner Zeit zusammenstellt, so ist nur *ein* Standpunkt, und zwar der *subjektive*, zu billigen und jeder andre, zumal in diesem Falle der christliche, gänzlich zu verwerfen. So wenig als Kato Christ war, ebensowenig kann man die christlichen Grundsätze auf ihn anwenden wollen; er ist nur als *Römer* und *Stoiker* zu betrachten. Diesem Grundsatze gemäß werde ich alle Einwürfe, wie z. B. ›Es ist nicht erlaubt, sich das Leben zu nehmen, das man sich nicht selbst gegeben‹ oder ›Der Selbstmord ist ein Eingriff in die Rechte Gottes‹ ganz und gar nicht berücksichtigen und nur die zu widerlegen suchen, welche man Kato vom Standpunkte des Römers aus machen könnte, wobei es unumgänglich notwendig ist, vorerst eine kurze, aber getreue Schilderung seines Charakters und seiner Grundsätze zu entwerfen. –

Kato war einer der untadelhaftesten Männer, den die Geschichte uns zeigt. Er war streng, aber nicht grausam; er war bereit, andern viel größere Fehler zu verzeihen als sich selbst. Sein Stolz und seine Härte waren mehr die Wirkung seiner Grundsätze als seines Temperaments. Voll unerschütterlicher Tugend, wollte er lieber tugendhaft *sein* als *scheinen*. Gerecht gegen Fremde, begeistert für sein Vaterland, nur das *Wohl* seiner Mitbürger, nicht ihre *Gunst* beachtend, erwarb er sich um so größeren Ruhm, je weniger er ihn begehrte. Seine große Seele faßte ganz die großen Gedanken: *Vaterland*, *Ehre* und *Freiheit*. Sein verzweifelter Kampf gegen Cäsar war die Folge seiner reinsten Überzeugung, sein Leben und sein Tod den Grundsätzen der Stoiker gemäß, die da behaupteten: ›Die Tugend sei die wahre, von Lohn und Strafe ganz unabhängige Harmonie des Menschen mit sich selbst, die durch die Herrschaft über die Leidenschaften erlangt werde; diese Tugend setze die höchste innre Ruhe und Erhabenheit über die Affektionen sinnlicher Lust und Unlust voraus; sie mache den Weisen nicht gefühllos, aber unverwundbar und gebe ihm eine Herrschaft über sein Leben, die auch den Selbstmord erlaube.‹

Solche Gefühle und Grundsätze in der Brust, stand Kato da, wie ein Gigant unter Pygmäen, wie der Heros einer untergegangnen Heldenzeit, wie ein ungeheurer, unbegreiflicher Riesenbau, erhaben über seine Zeit, erhaben selbst über menschliche Größe. Nur *ein* Mann stand ihm gegenüber. Er war *Julius Cäsar*. Beide waren gleich an Geisteskräften, gleich an Macht und Ansehn, aber beide ganz verschiednen Charakters. *Kato* der letzte Römer, *Cäsar* nichts mehr als ein glücklicher Katilina; *Kato* groß durch sich selbst, *Cäsar* groß durch sein Glück, mit dem größten Verbrechen geadelt durch den Preis seines Verbrechens. Für zwei solcher Männer war der Erdkreis zu eng. Einer mußte fallen, und *Kato* fiel, nicht als ein Opfer der Überlegenheit *Cäsars*, sondern seiner verdorbnen Zeit. Anderthalbe hundert Jahre zuvor hätte kein Cäsar gesiegt. –

Nach Cäsars Siege bei *Thapsus* hatte Kato die Hoffnung seines Lebens verloren; nur von wenigen Freunden begleitet, begab er sich nach Utika, wo er noch die letzten Anstrengungen machte, die Bürger für die Sache der Freiheit zu gewinnen. Doch als er sah, daß in ihnen nur Sklavenseelen wohnten, als Rom von seinem Herzen sich losriß, als er nirgends mehr ein Asyl fand für die Göttin seines Lebens, da hielt er es für das einzig Würdige, durch einen besonnenen Tod seine freie Seele zu retten. Voll der zärtlichsten Liebe sorgte er für seine Freunde, kalt und ruhig überlegte er seinen Entschluß, und als alle Bande zerrissen, die ihn an das Leben fesselten, gab er sich mit sichrer Hand den Todesstoß und starb, durch seinen Tod einen würdigen Schlußstein auf den Riesenbau seines Lebens setzend. Solch ein Ende konnte allein einer so großen Tugend in einer so heillosen Zeit geziemen!

So verschieden nun die Beurteilungen dieser Handlung sind, ebenso verschieden sind auch die Motive, die man ihr zum Grunde legt. Doch ich denke, ich habe nicht nötig, hier die zurückzuweisen, welche von Eitelkeit, Ruhmsucht, Halsstarrigkeit und dergleichen kleinlichen Gründen mehr reden (solche Gefühle hatten keinen Raum in der Brust eines Kato!) oder gar die zurückzuweisen, welche mit dem Gemeinplatz der Feigheit angezogen kommen. Ihre Widerlegung liegt schon in der bloßen Schilderung seines Charakters, der nach dem einstimmigen Zeugnis aller alten Schriftsteller so groß war, daß selbst *Vellejus Paterculus* von ihm sagt: *homo virtuti simillimus et per omnia ingenio diis, quam hominibus, propior*.

Andre, die der Wahrheit schon etwas näher kamen und auch [die] meisten Anhänger fanden, behaupteten, der Beweggrund zum Selbstmord sei ein unbeugsamer Stolz gewesen, der nur vom Tode sich habe wollen besiegen lassen. Wahrlich, wäre dieß das wahre Motiv, so liegt schon etwas Großes und Erhabnes in dem Gedanken, mit dem Tode die Gerechtigkeit der Sache, für die man streitet, besiegeln zu wollen. Es gehört ein großer Charakter dazu, sich zu einem solchen Entschluß erheben zu können. Aber auch nicht einmal dieser Beweggrund war es – es war ein höherer. Katos große Seele war ganz erfüllt von einem unendlichen Gefühle für *Vaterland* und *Freiheit*, das sein ganzes Leben durchglühte. Diese beiden Gedanken waren die Zentralsonne, um die sich alle seine Gedanken und Handlungen drehten. Den Fall seines Vaterlandes hätte Kato überleben können, wenn er ein Asyl für die andre Göttin seines Lebens, für die *Freiheit*, gefunden hätte. *Er fand es nicht.* Der Weltball lag in Roms Banden, alle Völker waren Sklaven, frei allein der Römer. Doch als auch dieser endlich seinem Geschicke erlag, als das Heiligtum der Gesetze zerrissen, als der Altar der Freiheit zerstört war, da war Kato der *einzige* unter Millionen, der *einzige* unter den Bewohnern einer Welt, der sich das Schwert in die Brust stieß, um unter Sklaven nicht leben zu müssen; denn Sklaven waren die Römer, sie mochten in goldnen oder ehernen Fesseln liegen – sie waren *gefesselt.* Der Römer kannte nur *eine* Freiheit, sie war das Gesetz, dem er sich aus *freier* Überzeugung als *notwendig* fügte; diese Freiheit hatte Cäsar zerstört, Kato war Sklave, wenn er sich dem Gesetz der Willkür beugte. *Und war auch Rom der Freiheit nicht wert, so war doch die Freiheit selbst wert, daß Kato für sie lebte und starb.* Nimmt man diesen Beweggrund an, so ist Kato gerechtfertigt; ich sehe nicht ein, warum man sich so sehr bemüht, einen niedrigern hervorzuheben; ich kann nicht begreifen, warum man einem Manne, dessen Leben und Charakter makellos sind, das Ende seines Lebens schänden will. Der Beweggrund, den ich seiner Handlung zugrunde lege, stimmt mit seinem ganzen Charakter überein, ist seines ganzen Lebens würdig, und also der wahre. –

Diese Tat läßt sich jedoch noch von einem andern Standpunkte aus beurteilen, nämlich von dem der *Klugheit* und der *Pflicht.* Man kann nämlich sagen: Handelte Kato auch *klug?* hätte er nicht versuchen können, die Freiheit, deren Verlust ihn tötete, seinem Volke wieder zu erkämpfen? Und hätte er, wenn auch dieses nicht der Fall gewesen wäre, sich nicht dennoch seinen Mitbürgern, seinen Freunden, seiner Familie erhalten *müssen?*

Der erste Einwurf läßt sich widerlegen durch die *Geschichte.* Kato mußte bei einigem Blick in sie wissen und wußte es, daß Rom sich nicht mehr erheben könne, daß es einen Tyrannen nötig habe, und daß für einen despotisch beherrschten Staat nur Rettung in dem Untergang sei. Wäre es ihm auch gelungen, selbst Cäsarn zu besiegen, Rom blieb dennoch Sklavin; aus dem Rumpfe der Hyder wären nur neue Rachen hervorgewachsen. Die Geschichte bestätigt diese Behauptung. Die Tat eines *Brutus* war nur ein leeres Schattenbild einer untergegangnen Zeit. Was hätte es also Kato genützt, wenn er noch länger die Flamme des Bürgerkrieges entzündet, wenn er auch Roms Schicksal noch um einige Jahre aufgehalten hätte? *Er sah, Rom und mit ihm die Freiheit war nicht mehr zu retten.* –

Noch leichter läßt sich [der] andre Einwurf, als hätte Kato sich seinem, wenn auch unterjochten Vaterlande dennoch erhalten müssen, beseitigen. Es gibt Menschen, die ihrem größeren Charakter gemäß mehr zu allgemeinen großen Diensten für das Vaterland als zu besondern Hülfsleistungen gegen einzelne Notleidende verpflichtet sind. Ein solcher war Kato. Sein großer Wirkungskreis war ihm genommen, seinen Grundsätzen gemäß konnte er nicht mehr handeln. Kato war zu groß, als daß er die freie Stirne dem Sklavenjoche des Usurpators hätte beugen, als daß er, um seinen Mitbürgern eine Gnade zu erbetteln, vor einem Cäsar hätte kriechen können. Kleineren Seelen überließ er dieß; doch wie wenig durch Nachgeben und Fügsamkeit erreicht wurde, kann *Ciceros* Beispiel lehren. Kato hatte einen andern Weg eingeschlagen, noch den letzten großen Dienst seinem Vaterlande zu erweisen; ja sein Selbstmord war eine Aufopferung für dasselbe! Wäre Kato leben geblieben, hätte er sich mit Verleugnung aller seiner Grundsätze dem Usurpator unterworfen, so hätte dieses Leben die Billigung Cäsars enthalten; hätte er dieß nicht gewollt, so hätte er in offnem Kampf auftreten und unnützes Blut vergießen müssen. Hier gab es *nur einen* Ausweg, er war der *Selbstmord.* Er war die Apologie des Kato, war die furchtbarste Anklage des Cäsar. Kato hätte nichts Größres für sein Vaterland tun können denn diese Tat, dieses Beispiel hätte alle Lebensgeister der entschlafnen Roma wecken müssen. Daß sie ihren Zweck verfehlte, daran ist nur *Rom*, nicht *Kato* schuld. –

Dasselbe läßt sich auch auf den Einwurf erwidern, als hätte Kato sich seiner Familie erhalten müssen. Kato war der Mann nicht, der sich im engen Kreise des Familienlebens hätte bewegen können; auch sehe ich nicht ein, warum er es hätte tun sollen: seinen Freunden nützte sein Tod mehr als sein Leben, seine *Porcia* hatte einen *Brutus* gefunden, sein Sohn war erzogen; der Schluß dieser Erziehung war der Selbstmord des Vaters, er war die letzte große Lehre für den Sohn. Daß derselbe sie verstand, lehrte die Schlacht bei *Philippi.* –

Das Resultat dieser Untersuchung liegt in *Ludens* Worten: ›*Wer fragen kann, ob Kato durch seine Tugend nicht Rom mehr geschadet habe als genützt, der hat weder Roms Art erkannt noch Katos Seele noch den Sinn des menschlichen Lebens.*‹

Nimmt man nun alle diese angeführten Gründe und Umstände zusammen, so wird man leicht einsehen, daß Kato seinem Charakter und seinen Grundsätzen gemäß so handeln *konnte* und *mußte*, daß nur *dieser eine* Ausweg der Würde seines Lebens geziemte und daß jede andre Handlungsart seinem ganzen Leben widersprochen [haben] würde. –

Obgleich hierdurch nun Kato nicht allein entschuldigt, sondern auch gerechtfertigt wird, so hat man doch noch einen andern, keineswegs leicht zu beseitigenden Einwurf gemacht; er heißt nämlich: ›Eine Handlung läßt sich nicht dadurch rechtfertigen, daß sie dem besondern Charakter eines Menschen gemäß gewesen ist. Wenn der *Charakter* selbst *fehlerhaft* war, so ist es die *Handlung* auch. Dieß ist bei

Kato der Fall. Er hatte nämlich nur eine sehr einseitige Entwicklung der Natur. Die Ursache, warum mit seinem Charakter die Handlung des Selbstmords übereinstimmte, lag nicht in seiner Vollkommenheit, sondern in seinen Fehlern. Es war nicht seine *Stärke* und sein *Mut*, sondern sein *Unvermögen*, sich in einer ungewohnten Lebensweise schicklich zu bewegen, welches ihm das Schwert in die Hand gab.‹ –

So wahr auch diese Behauptung klingt, so hört [sie] bei näherer Betrachtung doch ganz auf, einen Flecken auf Katos Handlung zu werfen. Diesem Einwurf gemäß wird gefordert, daß Kato sich nicht allein in die Rolle des *Republikaners*, sondern auch in die des *Dieners* hätte fügen sollen. Daß er dieß nicht *konnte* und *wollte*, schreibt man der Unvollkommenheit seines Charakters zu. Daß aber dieses Schikken in alle Umstände eine Vollkommenheit sei, kann ich nicht einsehen, denn ich glaube, daß das große Erbteil des Mannes sei, nur *eine* Rolle spielen, nur in *einer* Gestalt sich zeigen, nur in das, was er als wahr und recht erkannt hat, sich fügen zu können. Ich behaupte also im Gegenteil, daß grade dieses Unvermögen, sich in eine seinen heiligsten Rechten, seinen heiligsten Grundsätzen widersprechende Lage zu finden, von der *Größe*, nicht von der *Einseitigkeit* und *Unvollkommenheit* des Kato zeugt.

Wie groß aber seine Beharrlichkeit bei dem war, was er als wahr und recht erkannt hatte, kann uns sein *Tod selbst* lehren. Wenig Menschen werden je gefunden worden sein, die den Entschluß zu sterben mit so viel Ruhe haben fassen, mit so viel Beharrlichkeit haben ausführen können. Sagt auch *Herder* verächtlich: ›*jener Römer, der im Zorne sich die Wunden aufriß!*‹, so ist doch dieß ewig und sicher wahr, daß grade der Umstand, daß Kato leben blieb und doch nicht zurückzog, daß *grade* der Umstand die Tat nur noch *großartiger* macht.

So handelte, *so* lebte, *so* starb Kato. Er selbst der Repräsentant römischer Größe, der Letzte eines untergesunknen Heldenstamms, der Größte seiner Zeit! Sein Tod der Schlußstein für den ersten Gedanken seines Lebens, seine Tat ein Denkmal im Herzen aller Edlen, das über Tod und Verwesung triumphiert, das unbewegt steht im flutenden Strome der Ewigkeit! Rom, die Riesin, stürzte, Jahrhunderte gingen an seinem Grabe vorüber, die Weltgeschichte schüttelte über ihm ihre Lose, und noch steht Katos Namen neben der Tugend und *wird* neben ihr stehn, solange das große Urgefühl für *Vaterland* und *Freiheit* in der Brust des Menschen glüht! –

Von dem Nutzen der Münzkunde

Ich bin so fest von ihrem Nutzen überzeugt, daß ich es für höchst überflüssig halte, auch nur einen Grund hier aufzuschreiben, die Symptome, die ich zufolge dießes Studiums an mir selbst bemerkt, sind unleugbar, und die *Langeweile* und *Abspannung*, die eine Folge dießer höchst zu · Wissenschaft waren, genügen schon hinlänglich in den Augen jedes tiefer in den Geist der Philologie eingedrungenen *Philologen* als der schlagendste Beweis für den Nutzen dießes Studiums. Ich muß daher wirklich den H. Dr. ersuchen, mich mit allen fernren Erläuterungen zu verschonen. *Scharfsinn, Verstand, gesunde Vernunft!* lauter leere Namen; eine Dung-Kaktee[?] von Gelehrsamkeit das allein würdige Ziel alles menschlichen Strebens!!! *Es ist vollbracht!*

Der Trödel, der mit tausendfachem Tand
In dießer Mottenwelt mich dränget![1]

Endresultat dießes gepriеßen Studiums!
G. Büchner

Zur Geschichte der Hieroglyphen

[Dem zugehörigen Text folgen hingekritzelte Stoßseufzer Büchners, von denen sich diese entziffern lassen:]
o 's ist grausig wichtig, wenn's nur nicht so · langweilig wär. Philolog. Schandvolk · · · 's tut mir leid · · · Donner u. Doria · · · · · Hilf Teufel mir die Zeit d. Angst [?] verkürzen! – Vier Uhr! Gottheit – o mon dieu! will denn die Zeit nicht verrinnen? –, die Welt ist stehn geblieben · · ·
[Darunter malt Büchner seinen Namen, ermannt sich dann zur neuen Kapitelüberschrift VON DER GRIECHISCHEN PALÄOGRAPHIE, *bricht aber sogleich danach in erneute Klagen aus:]*
Gelehrte Dungkaktee [?], wie ich mir all das Zeug in den Hirnkasten jagen wollt · · · · · · · · Dunnerwetterkiel nochmal. Pelasgische Buchstaben!
[Die nächste Seite des Heftes bringt solch Gekritzel, daß man an den irren Lenz erinnert wird, der ›Hieroglyphen! Hieroglyphen!‹ an die Wand

[1] Faust, Vers 658f.

schreibt[1]*; aus dem wirren Gekritzel heben sich nur einzelne Worte hier und da lesbar ab, aus Ophelias Wahnsinnssang z. B.*[2]*; im übrigen ist auf dieser Seite nur am Rand entzifferbar:]*

Zu Lauterbach hast du dein Strumpf verlorn,
Ohne Strumpf du kommst heim,
Drum geh nur wieder nach Lauterbach,
Kauf dir zu dem ein' noch ein'.

[Die letzte beschriebene Seite bringt nur noch Büchnerische Ergüsse:]

O du gelehrte Bestie, lambe me in podice.
's ist scheußlich, horribile dictu.
O schaudervoll! höchst schaudervoll!
Gott sei gelobt, es ist das letztemal.

Hier ruht ein junges Öchselein,
Dem Schreiner Ochs sein Söhnelein,
Der liebe Gott hat nicht gewollt,
Daß es ein Ochse werden sollt.
Drum nahm er es aus dießer Welt
Zu sich ins schöne Himmelszelt;
Der Vater hat mit Vorbedacht
Kind, Sarg und Grabschrift selbst gemacht.

Andere Randnotizen

In jungen Tagen ich lieben tät,
Das däuchte mir so süß,
Vom Morgen bis zum Abend spät
Behagte mir nichts wie dieß.[3]

Und oh eine Grube gar tief und hohl
Für solchen Gast muß sein.[3]

[Nach fünf gestrichnen Zeilen:]
Er ist lange tot und hin,
Tot und hin, Fräulein –
Ihm zu Häupten ein Rasen grün,
Ihm zu Füßen ein Stein.

[1] Vgl. S. 81 und S. 83. – [2] ›Hamlet‹ IV 5. – [3] ›Hamlet‹ V 1; vgl. S. 304

Wie erkenn ich dein Treulieb
Vor den andern nun?
An dem Muschelhut und Stab
und den Sandelschuhn.[1]

[Am Schluß einer andern Seite:]
Doch es singen die Zungen
Frisch, fröhlich und frei,
Die mutigen Söhne der Turner[ei]
Sternaugen funkeln, die Schwerter sind bloß,
Laut schallet der Freiheit Trompetenstoß.
Auf, die Posaunen erklingen,
Gräber und Särge zerspringen,
Freiheit steht auf.

[Noch folgen, aber gestrichen:]
Und Freiheit, Freiheit sei mein . .
Wenn die in meinem Vaterland verkümmert[?],
So sei mein Blut noch deine letzte Ölung,
Dann greif ich freudig in den Kranz der Dörner,
Hell klingen mir die ewigen Siegeshörner.

MÜNDLICHE ÄUSSERUNGEN

Erinnerung eines Jugendfreundes (nach Franzos, S. XXXV).
Im Sommer 1831 begegnete ich Georg Büchner einmal in der Dämmerung am Jägertor. Er sah sehr ermüdet aus, aber seine Augen glänzten. Auf meine Frage, wo er gewesen, flüsterte er mir ins Ohr: »Ich will's dir verraten: den ganzen Tag am Herzen der Geliebten!« – »Unmöglich!« rief ich. – »Doch,« lachte er, »vom Morgen bis zum Abend in Einsiedel und dann in der Fasanerie!«

Zu demselben Freunde, der Theologe werden sollte (a.a.O., S. XXXVI).
»Wie fühle ich mich glücklich! Ich darf werden, wozu ich einzig tauge. Ich bin nie, auch nur eine Sekunde lang, im Zweifel über meinen Beruf gewesen.«

Mitteilung eines andern Jugendfreundes (a.a.O., S. XXXI).
»Das Christentum gefällt mir nicht – es ist mir zu sanft, es macht lammfromm.«

[1] Wieder ›Hamlet‹ IV 5 (Ophelias Sang).

L. W. Luck an Franzos, 11. September 1878.
Einmal apostrophierte er mich lakonisch: »Luck, wieviel Götter glaubst du?« – Antwort: »Nur einen.« – »Wieviel Staaten müßten wir da in Deutschland haben und wieviel Fürsten?« – Pause des Schweigens von beiden Seiten.

Mitteilung Marie-Joseph Bopps aus den Protokollen der ›Eugenia‹.
Unter den sehr zahlreichen hospitibus perpetuis [der Studentenverbindung Eugenia] finden wir einen Namen von Klang: Georg Büchner aus Darmstadt, studiosus medicinae, der seit November 1831 ein gern gesehener Gast der Eugenia ist. Er spricht in der Sitzung vom 24. Mai 1832 »in etwas zu grellen Farben von der Verderbtheit der deutschen Regierungen und der Roheit der Studenten auf vielen Universitäten, namentlich in Gießen und auch in Heidelberg«.

Nach Aug. Beckers gerichtlichen Angaben 1835/36 (Nöllner, S. 420ff.).
Die Versuche, welche man bis jetzt gemacht hat, um die Verhältnisse Deutschlands umzustoßen, beruhen auf einer durchaus knabenhaften Berechnung, indem man, wenn es wirklich zu einem Kampf, auf den man sich doch gefaßt machen müßte, gekommen wäre, den deutschen Regierungen und ihren zahlreichen Armeen nichts hätte entgegenstellen können als eine Handvoll undisziplinierte Liberale. Soll jemals die Revolution auf eine durchgreifende Art ausgeführt werden, so kann und darf das bloß durch die große Masse des Volkes geschehen, durch deren Überzahl und Gewicht die Soldaten gleichsam erdrückt werden müssen. Es handelt sich also darum, diese große Masse zu gewinnen, was vorderhand nur durch Flugschriften geschehen kann.

Die früheren Flugschriften, welche zu diesem Zweck etwa erschienen sind, entsprachen demselben nicht. Es war darin die Rede vom Wiener Kongreß, Preßfreiheit, Bundestagsordonnanzen u. dgl., lauter Dinge, um welche sich die Bauern nicht kümmern, solange sie noch mit ihrer materiellen Not beschäftigt sind. Denn diese Leute haben aus sehr nahe liegenden Ursachen durchaus keinen Sinn für die Ehre und Freiheit ihrer Nation, keinen Begriff von den Rechten des Menschen, sie sind gegen all das gleichgültig, und in dieser Gleichgültigkeit allein beruht ihre angebliche Treue gegen die Fürsten und ihre Teilnahmlosigkeit an dem liberalen Treiben der Zeit. Gleichwohl scheinen sie unzufrieden zu sein, und sie haben Ursache dazu, weil man den dürftigen Gewinn, welchen sie aus ihrer sauren Arbeit ziehen und der ihnen zur Verbesserung ihrer Lage so notwendig wäre, als Steuer von ihnen in Anspruch nimmt. So ist es gekommen, daß man bei aller parteiischen Vorliebe für sie doch sagen muß, daß sie eine ziemlich niederträchtige Gesinnung angenommen haben, und daß sie, es ist traurig genug, fast an keiner Seite mehr zugänglich sind als gerade am Geldsack. Dies muß man benutzen, wenn man sie aus ihrer Erniedrigung hervorziehen will; man muß ihnen zeigen und vorrechnen, daß sie einem Staate angehören, dessen Lasten sie größtenteils tragen müssen, während andere den Vorteil davon beziehen; daß man von ihrem Grundeigentum, das ihnen ohnedem so sauer wird, noch den größten Teil der Steuern erhebt, während die Kapitalisten leer ausgehen; daß die Gesetze, welche über ihr Leben und Eigentum verfügen, in den Händen des Adels, der Reichen und der Staatsdiener sich befinden usw. Dieses Mittel, die Masse des Volkes zu gewinnen, muß man benutzen, solange es noch Zeit ist. Sollte es den Fürsten einfallen, den materiellen Zustand des Volkes zu verbessern, sollten sie ihren Hofstaat, der ihnen fast ohnedem unbequem sein muß, sollten sie die kostspieligen stehenden Heere, die ihnen unter Umständen entbehrlich sein können, vermindern, sollten sie den künstlichen Organismus der Staatsmaschine, deren Unterhaltung so große Summen kostet, auf einfachere Prinzipien zurückführen, dann ist die Sache der Revolution, wenn sich der Himmel nicht erbarmt, in Deutschland auf immer verloren. Seht die Östreicher, sie sind wohlgenährt und zufrieden! Fürst Metternich, der geschickteste unter allen, hat allen revolutionären Geist, der jemals unter ihnen aufkommen könnte, für immer in ihrem eigenen Fett erstickt.

Nach demselben (Nöllner, S. 423).

Es ist keine Kunst, ein ehrlicher Mann zu sein, wenn man täglich Suppe, Gemüse und Fleisch zu essen hat.

Nach demselben (Nöllner, S. 422).

Der materielle Druck, unter welchem ein großer Teil Deutschlands liegt, ist ebenso traurig und schimpflich als der geistige; und es ist in meinen Augen bei weitem nicht so betrübend, daß dieser oder jener Liberale seine Gedanken nicht drucken lassen darf, als daß viele tausend Familien nicht imstande sind, ihre Kartoffeln zu schmälzen.

Nach demselben (Nöllner, S. 425).

Von den Konstitutionellen sagte er oft: Sollte es diesen Leuten gelingen, die deutschen Regierungen zu stürzen und eine allgemeine Monarchie oder auch Republik einzuführen, so bekommen wir hier einen Geldaristokratismus wie in Frankreich, und lieber soll es bleiben, wie es jetzt ist.

Nach demselben (Nöllner, S. 425).
Büchner meinte, in einer gerechten Republik, wie in den meisten nordamerikanischen Staaten, müsse jeder ohne Rücksicht auf Vermögensverhältnisse eine Stimme haben, und behauptete, daß Weidig, welcher glaubte, daß dann eine Pöbelherrschaft wie in Frankreich entstehen werde, die Verhältnisse des deutschen Volks und unsere Zeit verkenne.

Zum Bruder Wilhelm (nach Franzos, S. CLVIII).
»Ich schreibe im Fieber, aber das schadet dem Werke nicht – im Gegenteil! Übrigens habe ich keine Wahl, ich kann mir keine Ruhe gönnen, bis ich nicht den Danton unter der Guillotine habe, und obendrein brauche ich Geld, Geld!«

Nach Franzos, S. CLX.
Mit gräßlich entstellten Zügen trat er in das Stübchen Wilhelms, der eben seinen Koffer packte, weil er am Nachmittage nach Butzbach abreisen sollte, um als Praktikant in die dortige Apotheke einzutreten. »Sieh her,« sagte er, »das ist mein Todesurteil!«

Nach Franzos, S. CLXI.
So schieden beide am Nachmittag des 27. Februar [1835] in düsterster Stimmung. »Wir sehen uns nie wieder«, sagte Georg, und die traurige Ahnung hat sich erfüllt.

Nachgelassene Schriften, S. 33.
Seine Mutter und Schwester, die ihn Sommer 1836 in seinem Exil besuchten, fanden ihn zwar gesund, aber doch in einer großen nervösen Aufgeregtheit und ermattet von den anhaltenden geistigen Anstrengungen. Er äußerte damals oft: »Ich werde nicht alt werden.«

Nach Franzos, S. CLXII.
Auch hatte er niemals die Absicht, seine materielle Existenz durch literarische Tätigkeit zu begründen. »Ruhm will ich davon haben, nicht Brot«, pflegte er später zu sagen.

ANHANG

PARALIPOMENA ZU DEN DICHTUNGEN

Zum ›Lenz‹

[Ausfüllung der Lücke Seite 84 aus Büchners Quelle, dem tagebuchartigen Bericht Oberlins]

Die Kindsmagd kam todblaß und am ganzen Leibe zitternd zu meiner Frau: Herr L. hätte sich zum Fenster hinausgestürzt. Meine Frau rief mir mit verwirrter Stimme – ich sprang heraus, und da war Herr L. schon wieder in seinem Zimmer.

Ich hatte nur einen Augenblick Gelegenheit, einer Magd zu sagen: »Vite, chez l'homme juré, qu'il me donne deux hommes«, und hierauf zu Herrn Lenz.

Ich führte ihn mit freundlichen Worten auf mein Zimmer; er zitterte vor Frost am ganzen Leibe. Am Oberleib hatte er nichts an als das Hemd, welches zerrissen und samt der Unterkleidung über und über kotig war. Wir wärmten ihm ein Hemd und Schlafrock und trockneten die seinigen. Wir fanden, daß er in der kurzen Zeit, die er ausgegangen war, wieder mußte versucht haben sich zu ertränken, aber Gott hatte auch da wieder gesorgt. Seine Kleidung war durch und durch naß.

Nun, dachte ich, hast du mich genug betrogen, nun mußt du betrogen, nun ist's aus, nun mußt du bewacht sein. Ich wartete mit großer Ungeduld auf die zwei begehrten Mann. Ich schrieb indessen an meiner Predigt fort und hatte Herrn L. am Ofen, einen Schritt weit von mir, sitzen. Keinen Augenblick traute ich [mich] von ihm, ich mußte harren. Meine Frau, die um mich besorgt war, blieb auch. Ich hätte so gerne wieder nach den begehrten Männern geschickt, konnte aber durchaus nicht mit meiner Frau oder sonst jemand davon reden: laut, hätte er's verstanden; heimlich, das wollten wir nicht, weil die geringste Gelegenheit zu Argwohn auf solche Personen allzu heftig Eindruck macht. Um halb neun gingen wir zum Essen; es wurde, wie natürlich, wenig geredet; meine Frau zitterte vor Schrecken und Herr L. vor Frost und Verwirrung.

Nach kaum viertelstündigem Beisammensitzen fragte er mich, ob er nicht hinauf in mein Zimmer dürfte. – »Was wollen Sie machen, mein Lieber?« – »Etwas lesen.« – »Gehen Sie in Gottes Namen.« – Er ging, und ich, mich stellend, als ob ich genug gegessen, folgte ihm.

Wir saßen; ich schrieb, er durchblätterte meine französische Bibel mit furchtbarer Schnelle und ward endlich stille. Ich ging einen Augenblick in die Stubenkammer, ohne im allergeringsten mich aufzuhalten, nur etwas zu nehmen, was in dem Pult lag. Meine Frau stand inwendig in der Kammer an der Tür und beobachtete Herrn L.; ich faßte den Schritt wieder herauszugehen, da schrie meine Frau mit gräßlicher, hohler Stimme: »Herr Jesus, er will sich erstechen!« In meinem Leben habe ich keinen solchen Ausdruck eines tödlichen, verzweifelten Schreckens gesehen als in dem Augenblick in den verwilderten, gräßlich verzogenen Gesichtszügen meiner Frau.

Ich war haußen. – »Was wollen Sie doch immer machen, mein Lieber?« – Er legte die Schere hin. – Er hatte mit scheußlich starren Blicken umhergeschaut, und da er niemand in der Verwirrung erblickte, die Schere still an sich gezogen, mit fest zusammengezogener Faust sie gegen das Herz gesetzt, alles dies so schnell, daß nur Gott den Stoß so lange aufhalten konnte, bis das Geschrei meiner Frau ihn erschreckte und etwas zu sich selber brachte. Nach einigen Augenblicken nahm ich die Schere, gleichsam als in Gedanken und wie ohne Absicht auf ihn, hinweg; denn, da er mich feierlich versichern wollte, daß er sich nicht damit umzubringen gedacht hätte, wollte ich nicht tun, als wenn ich ihm gar nicht glaubte.

Weil alle vorherigen Vorstellungen wider seine Entleibungsversuche nichts bei ihm gefruchtet hatten, versuchte ich's auf eine andere Art. Ich sagte ihm: »Sie waren bei uns durchaus ganz fremd, wir kannten Sie ganz und gar nicht; Ihren Namen haben wir ein einzig Mal aussprechen hören, ehe wir Sie gekannt; wir nahmen Sie mit Liebe auf, meine Frau pflegte Ihren kranken Fuß mit so großer Geduld, und Sie erzeigen uns so viel Böses, stürzen uns aus einem Schrecken in den andern.« Er war gerührt, sprang auf, wollte meine Frau um Verzeihung bitten; sie aber fürchtete sich nun noch so viel vor ihm, sprang zur Tür hinaus; er wollte nach, sie aber hielt die Türe zu. – Nun jammerte er, er hätte meine Frau umgebracht, das Kind umgebracht, so sie trage; alles, alles bring' er um, wo er hinkäme. – »Nein, mein Freund, meine Frau lebt noch, und Gott kann die schädlichen Folgen des Schreckens wohl hemmen, auch würde ihr Kind nicht davon sterben noch Schaden leiden.« Er wurde wieder ruhiger. Es schlug bald zehn Uhr. Indessen hatte meine Frau in die Nachbarschaft um schleunige Hilfe geschickt. Man war in den Betten; doch kam der Schulmeister, tat, als ob er mich etwas zu fragen hätte, erzählte mir etwas aus dem Kalender, und Herr L., der indessen wieder munter wurde, nahm auch teil am Diskurs, wie wenn durchaus nichts vorgefallen wäre.

Endlich winkte man mir, daß die zwei begehrten Männer angekommen – o wie war ich so froh! Es war Zeit. Eben begehrte Herr L., zu Bette zu gehen. Ich sagte zu ihm: »Wir lieben Sie, Sie sind davon überzeugt, und Sie lieben uns, das wissen wir ebenso gewiß. Durch Ihre Entleibung würden Sie Ihren Zustand verschlimmern, nicht verbessern, es muß uns also an Ihrer Erhaltung gelegen sein. Nun aber sind Sie, wenn Sie die Melancholie überfällt, Ihrer nicht Meister; ich habe daher zwei Männer gebeten, in Ihrem Zimmer zu schlafen (wachen, dachte ich), damit Sie Gesellschaft und, wo es nötig, Hilfe hätten.« Er ließ sich's gefallen.

Der eine seiner Wächter durchschaute ihn mit starren, erschrokkenen Augen. Um diesen etwas zu beruhigen, sagte ich dem Herrn L. nun vor den zwei Wächtern auf Französisch, was ich ihm schon auf meinem Zimmer gesagt hatte, nämlich, daß ich ihn liebte, so wie er mich; daß ich seine Erhaltung wünschte und wünschen müßte, da er selbst sähe, daß ihm die Anfälle seiner Melancholie fast keine Macht mehr über ihn ließen; ich hätte daher diese zwei Bürger gebeten, bei ihm zu schlafen, damit er Gesellschaft und, im Fall der Not, Hilfe hätte. Ich beschloß dies mit einigen Küssen, die ich dem unglücklichen Jüngling von ganzem Herzen auf den Mund drückte, und ging mit zerschlagenen zitternden Gliedern zur Ruhe.

Da er im Bett war, sagte er unter anderm zu seinen Wächtern: »Écoutez, nous ne voulons point faire de bruit, si vous avez un couteau, donnez-le moi tranquillement et sans rien craindre.« Nachdem er oft deswegen in sie gesetzt und nichts zu erhalten war, so fing er an, sich den Kopf an die Wand zu stoßen. Während dem Schlaf hörten wir ein öfteres Poltern, das uns bald zu-, bald abzunehmen schien und wovon wir endlich erwachten. Wir glaubten, es wäre auf der Bühne, konnten aber keine Ursache davon erraten. – Es schlug drei, und das Poltern währte fort; wir schellten, um ein Licht zu bekommen; unsere Leute waren alle in fürchterlichen Träumen versenkt und hatten Mühe, sich zu ermuntern. Endlich erfuhren wir, daß das Poltern von Herrn L. käme und zum Teil von den Wächtern, die, weil sie ihn nicht aus den Händen lassen durften, durch Stampfen auf den Boden Hilfe begehrten. Ich eilte auf sein Zimmer. Sobald er mich sah, hörte er auf, sich den Wärtern aus den Händen ringen zu wollen. Die Wärter ließen dann auch nach, ihn festzuhalten. Ich winkte ihnen, ihn freizulassen, redete mit ihm, und auf sein Begehren, für ihn zu beten, betete ich mit ihm. Er bewegte sich ein wenig, und einmal schmiß er seinen Kopf mit großer Gewalt an die Wand; die Wächter sprangen zu und hielten ihn wieder.

Ich ging und ließ einen dritten Wächter rufen. Da Herr L. den dritten sah, spottete er ihrer, sie würden alle drei nicht stark genug für ihn sein.

Ich befahl nun insgeheim, mein Wäglein einzurichten, zu decken, noch zwei Pferde zu suchen zu den meinigen, beschickte Seb. Scheidecker, Schullehrer von Bellefosse, und Johann David Bohy, Schullehrer von Solb, zween verständige entschlossene Männer und beide von Herrn L. geliebt. Johann Georg Claude, Kirchenpfleger von Waldersbach, kam auch; es wurde lebendig im Haus, ob es schon nicht Tag war. Herr L. merkte was, und so sehr er bald List, bald Gewalt angewendet hatte, los zu kommen, den Kopf zu zerschmettern, ein Messer zu bekommen, so ruhig schien er auf einmal.

Nachdem ich alles bestellt hatte, ging ich zu Herrn L., sagte ihm, damit er bessere Verpflegung nach seinen Umständen haben könnte, hätte ich einige Männer gebeten, ihn nach Straßburg zu begleiten, und mein Wäglein stände ihm dabei zu Diensten.

Er lag ruhig, hatte nur einen einzigen Wächter bei sich sitzen. Auf meinen Vortrag jammerte er, bat mich, nur noch acht Tage mit ihm Geduld zu haben (man mußte weinen, wenn man ihn sah). – Doch sprach er, er wolle es überlegen. Eine Viertelstunde darauf ließ er mir sagen: Ja, er wolle verreisen, stand auf, kleidete sich an, war ganz vernünftig, packte zusammen, dankte jedem insbesondere auf das zärtlichste, auch seinen Wächtern, suchte meine Frau und Mägde auf, die sich vor ihm versteckt und stille hielten, weil kurz vorher noch, sobald er nur eine Weiberstimme hörte oder zu hören glaubte, er in größere Wut geriet. Nun fragte er nach allen, dankte allen, bat alle um Vergebung, kurz, nahm von jedem so rührenden Abschied, daß aller Augen in Tränen gebadet stunden.

Und so reiste dieser bedauernswürdige Jüngling von uns ab, mit drei Begleitern und zwei Fuhrleuten. *[Bei Oberlin schließt der Bericht dann:]* Auf der Reise wandte er nirgends Gewalt an, da er sich übermannt sah; aber wohl List, besonders zu Ensisheim, wo sie über Nacht blieben. Aber die Schulmeister erwiderten seine listige Höflichkeit mit der ihrigen, und alles ging vortrefflich wohl aus.

Zu ›Leonce und Lena‹

A. [Ausführlicherer handschriftlicher Entwurf zu Seite 85–88]

Vorrede.
Alfieri: e la fama?
Gozzi: e la fame?

Personen.
[Freier Raum]

I. ACT.

—

O wär' ich doch ein Narr!
Mein Ehrgeiz geht auf eine bunte Jacke.
(Wie es Euch gefällt.)

—

I. SZENE.

EIN GARTEN.

Der Prinz, halb ruhend auf einer Bank, der Hofmeister.

PRINZ. Mein Herr, was wollen Sie von mir? Mich auf meinen Beruf vorbereiten? Ich habe alle Hände voll zu tun, ich weiß mir vor Arbeit nicht zu helfen. – Sehen Sie, erst habe ich auf den Stein hier dreihundertfünfundsechzigmal hintereinander zu spucken. Haben Sie das noch nicht probiert? Tun Sie es, es gewährt eine ganz eigne Unterhaltung. Dann – sehen Sie dieße Hand voll Sand? – *er nimmt Sand auf, wirft ihn in die Höhe und fängt ihn mit dem Rücken der Hand wieder auf* – jetzt werf' ich sie in die Höhe. Wollen wir wetten? Wieviel Körnchen hab' ich jetzt auf dem Handrücken? Grad oder ungrad? – Wie, Sie wollen nicht wetten? Sind Sie ein Heide? Glauben Sie an Gott? Ich wette gewöhnlich mit mir selbst und kann es tagelang so treiben. Wenn Sie einen Menschen aufzutreiben wissen, der Lust hätte, als mit mir zu wetten, so werden Sie mich sehr verbinden. Dann – habe ich nachzudenken, wie es wohl angehn mag, daß ich mir auf den Kopf sehe. – O wer sich einmal auf den Kopf sehen könnte! Das ist eins von meinen Idealen. Mir wäre geholfen! Und dann – und dann noch unendlich viel der Art. – Bin ich ein Müßiggänger? Habe ich jetzt keine Beschäftigung? – Ja, es ist traurig . . .

HOFMEISTER. Sehr traurig, Euer Hoheit.

PRINZ. Daß die Wolken schon seit drei Wochen von Westen nach Osten ziehen. Es macht mich ganz melancholisch.

HOFMEISTER. Eine sehr gegründete Melancholie.

PRINZ. Mensch, warum widersprechen Sie mir nicht? Sie sind pressiert, nicht wahr? Es ist mir leid, daß ich Sie so lange aufgehalten habe. *Der Hofmeister entfernt sich mit einer tiefen Verbeugung.* Mein Herr, ich gratuliere Ihnen zu der schönen Parenthese, die Ihre Beine machen, wenn Sie sich verbeugen.

PRINZ *allein, streckt sich auf der Bank aus.* Die Bienen sitzen so träg an den Blumen, und der Sonnenschein liegt so faul auf dem Boden. Es krassiert ein entsetzlicher Müßiggang. – Müßiggang ist aller Laster Anfang. – Was die Leute nicht alles aus Langeweile treiben; sie studieren aus Langeweile, sie beten aus Langeweile, sie verlieben, verheuraten und vermehren sich aus Langeweile und sterben endlich an der Langeweile und – und das ist der Humor davon – alles mit den ernsthaftesten Gesichtern, ohne zu merken warum und meinen Gott weiß was dabei. Alle dieße Helden, dieße Genies, dieße Dummköpfe, dieße Sünder, dieße Heiligen, dieße Familienväter sind im Grunde nichts als raffinierte Müßiggänger. – Warum muß ich es grade wissen? Ich bin ein elender Spaßmacher. Warum kann ich meinen Spaß nicht auch mit einem ernsthaften Gesicht vorbringen? – Der Mann, der eben von mir ging, ich beneidete ihn, ich hätte ihn aus Neid prügeln mögen. O, wer einmal jemand anders sein könnte! Nur 'ne Minute lang.

Valerio, halb trunken, kommt gelaufen.

PRINZ *faßt ihn am Arm.* Kerl, du kannst laufen? Mein Gott, wenn ich nur etwas unter der Sonne wüßte, was mich noch könnte laufend machen.

VALERIO *legt den Finger an die Nase und sieht ihn starr an.* Ja!

PRINZ *ebenso.* Richtig!

VALERIO. Haben Sie mich begriffen?

PRINZ. Vollkommen.

VALERIO. Nun so wollen wir von etwas anderm reden.[1] – Ich werde mich indessen in das Gras legen und meine Nase oben zwischen den Halmen herausblühen lassen und romantische Empfindungen beziehen, wenn die Bienen und Schmetterlinge sich darauf wiegen wie auf einer Rose.

PRINZ. Aber Bester, schnaufen Sie nicht so stark, oder die Bienen und Schmetterlinge müssen verhungern über den ungeheuren Prisen, die Sie aus den Blumen ziehen.

[1] Das Folgende bis ›in der Realität anzutreffen‹ ist am Rande nachgetragen; daher erklärt sich, daß die szenarische Bemerkung ›Er setzt sich auf den Boden‹ erst viel später kommt.

VALERIO. Ach, Herr, was ich ein Gefühl für die Natur habe. Das Gras steht so schön, daß man ein Ochs sein möchte, um es fressen zu können, und dann wieder ein Mensch, um den Ochsen zu fressen, der solches Gras gefressen.

PRINZ. Unglücklicher, Sie scheinen auch an Idealen zu laborieren.

VALERIO. O Gott! ich laufe schon seit acht Tagen einem Ideal von Rindfleisch nach, ohne es irgendwo in der Realität anzutreffen.

Er singt: Frau Wirtin hat 'ne brave Magd,
Sie sitzt im Garten Tag und Nacht.
Sie sitzt in ihrem Garten,
Bis daß das Glöcklein zwölfe schlägt,
Und paßt auf die Solda-a-ten.

Er setzt sich auf den Boden. Seht dieße Ameisen, liebe Kinder, es ist bewundernswürdig, welcher Instinkt in dießen kleinen Geschöpfen, Ordnung, Fleiß – Herr, es gibt nur drei Arten, sein Geld auf menschliche Weise zu verdienen: es finden, in der Lotterie gewinnen, erben, oder in Gottes Namen stehlen, wenn man die Geschicklichkeit hat, keine Gewissensbisse zu bekommen.

PRINZ. Du bist mit dießen Prinzipien ziemlich alt geworden, ohne vor Hunger oder am Galgen zu sterben.

VALERIO *ihn immer starr ansehend.* Ja, Herr, und das behaupte ich: wer sein Geld auf eine andere Art erwirbt, ist ein Schuft.

PRINZ. Denn wer arbeitet, ist ein subtiler Selbstmörder, und ein Selbstmörder ist ein Verbrecher, und ein Verbrecher ist ein Schuft, also, wer arbeitet ist ein Schuft.

VALERIO. Ja. – Aber dennoch sind die Ameisen ein sehr nützliches Ungeziefer; und doch sind sie wieder nicht so nützlich, als wenn sie gar keinen Schaden täten. Nichts destoweniger, wertestes Ungeziefer, kann ich mir nicht das Vergnügen versagen, einigen von Ihnen mit der Ferse auf den Hintern zu schlagen, die Nase zu putzen und die Nägel zu schneiden.

Zwei Polizeidiener treten auf.

1. P. Halt, wo ist der Kerl?

2. P. Da sind zwei.

1. P. Sieh einmal, ob keiner davon läuft.

2. P. Ich glaube, es läuft keiner.

1. P. So müssen wir sie beide inquirieren. – Meine Herren, wir suchen Jemand, ein Subjekt, ein Individuum, eine Person, einen Delinquenten, einen Inquisiten, einen Kerl. *Zu dem andern Pol.* Sieh einmal, wird keiner rot?

2. P. Es ist keiner rot geworden.

1. P. So müssen wir es anders probieren. – Wo ist der Steckbrief, das Signalement, das Certificat? *2. Pol. zieht ein Papier aus der Tasche und überreicht es ihm.* Visiere die Subjekte, ich will lesen: Ein Mensch –

2. P. Paßt nicht, es sind zwei.

1. P. Dummkopf! geht auf zwei Füßen, hat zwei Arme, ferner einen Mund, eine Nase, zwei Augen, zwei Ohren. Besondere Kennzeichen: ein höchst gefährliches Individuum.

2. P. Das paßt auf beide. Soll ich sie beide arretieren?

1. P. Zwei, das ist gefährlich, wir sind auch nur zwei. Aber ich will einen Rapport machen. Es ist ein Fall von sehr kriminalischer Verwicklung oder sehr verwickelter Kriminalität. Denn wenn ich mich betrinke und mich in mein Bett lege, so ist das meine Sache und geht niemand was an. Wenn ich aber mein Bett vertrinke, so ist das die Sache von wem, Schlingel?

2. P. Ja, ich weiß nicht.

1. P. Ja, ich auch nicht, aber das ist der Punkt. *Sie gehen ab.*

VALERIO. Da leugne einer die Vorsehung. Seht, was man nicht mit einem Floh ausrichten kann! Denn wenn es mich nicht heute Nacht überlaufen hätte, so hätte ich nicht den Morgen mein Bett an die Sonne getragen, und hätte ich es nicht an die Sonne getragen, so wäre ich nicht damit neben das Wirtshaus zum Mond geraten, und wenn Sonne und Mond es nicht beschienen hätten, so hätte ich aus meinem Strohsack keinen Wein keltern und mich daran betrinken können, und wenn das alles nicht geschehen wäre, so wäre ich jetzt nicht in Ihrer Gesellschaft, werteste Ameisen, und würde von Ihnen skelettiert und von der Sonne aufgetrocknet, sondern würde ein Stück Fleisch tranchieren und eine Bouteille Wein austrocknen – im Spital nämlich.

PRINZ. Ein erbaulicher Lebenslauf.

VALERIO. Ich habe einen läufigen Lebenslauf. Denn nur mein Laufen hat im Lauf dießes Krieges mein Leben vor einem Lauf gerettet, der ein Loch in dasselbe machen wollte. Ich bekam infolge dießer Rettung eines Menschenlebens einen trocknen Husten, welcher den Doktor annehmen ließ, daß mein Laufen ein Galoppieren geworden sei und ich die galoppierende Auszehrung hätte. Da ich nun zugleich fand, daß ich ohne Zehrung sei, so verfiel ich in oder vielmehr auf ein zehrendes Fieber, worin ich täglich, um dem Vaterland einen Verteidiger zu erhalten, gute Suppe, gutes Rindfleisch, gutes Brot essen und guten Wein trinken mußte.

PRINZ. Nun, Edelster, dein Handwerk, dein métier, deine Profession, dein Gewerbe, dein Stand, deine Kunst?

VALERIO. Herr, ich habe die große Beschäftigung, müßig zu gehen, ich habe eine ungemeine Fertigkeit im Nichtstun, ich besitze eine ungeheure Ausdauer in der Faulheit.

B. [Einzelblatt mit Szenenfetzen]
[Vorderseite; vgl. S. 96f., 102]

GOUVERNANTE *weint.* Lieber Engel, du bist ein wahres Opferlamm.

LENA. Ja wohl, und der Priester hebt schon das Messer. – O Gott, ist es denn wahr, daß wir uns selbst erlösen müssen mit unserm Schmerz? Ist es denn wahr, die Welt sei ein gekreuzigter Heiland, die Sonne seine Dornenkrone und die Sterne die Nägel und Speere in seinen Füßen und Lenden?

GOUVERNANTE. Mein Kind, mein Kind! ich kann dich nicht so sehen. – Vielleicht, wer weiß. Ich habe so etwas im Kopf. Wir wollen sehen. Komm! *sie führt die Prinzessin weg.*

II. ACT

Wie ist mir eine Stimme erklungen im tiefsten Innern,
Und hat

Steh auf in deinem weißen Kleid und schwebe durch die Nacht und sprich zur Leiche, steh auf und wandle.

LENA. Die heiligen Lippen, die so sprachen, sind längst Staub.

LEONC. O nein,

[Fast die Hälfte dieser Seite ist unbeschrieben.]

[Rückseite; vgl. S. 104]

VAL. Heiraten?

PRINZ. Das heißt Leben und Liebe eins sein lassen, daß die Liebe das Leben ist, und das Leben die Liebe. Weißt du auch, Valerio, daß auch der Geringste so groß ist, daß das menschliche Leben viel zu kurz ist, um ihn lieben zu können?[1]

VALERIO. Ja, nur ich denke, daß der Wein noch lange kein Mensch ist und daß man ihn doch sein ganzes Leben lieben kann. Aber weiß sie auch, wer Sie sind.

LEONCE. Sie weiß nur, daß sie mich liebt.

VAL. Und wissen Sie auch, wer sie ist?

*Und dann kann ich doch den Leuten das Vergnügen gönnen, die meinen, daß nichts so schön und heilig sei, daß sie es nicht noch schöner und heiliger machen müßten. Es liegt ein gewisser Genuß in d. Meinung, warum sollt' ich ihn ihnen nicht gönnen.

[1] Im Manuskript ein Stern, zum Zeichen, daß die weiterhin ebenso markierte Einschaltung angefügt werden soll.

LEONNE. Dummkopf! Sie ist so Blume, daß sie kaum getauft sein kann, eine geschlossne Knospe, noch ganz · von Morgentau u. d. Traum d. Nachtzeder.

VAL. Gut, meinetwegen. Wie soll das gehn? Prinz, bin ich Minister, wenn Sie heute vor Ihrem Vater mit d. Unaussprechlichen, Namenlosen kopuliert werden?

LEONNE. Wie ist das möglich?

VAL. Das wird sich finden, bin ich's?

LEONNE. Mein Wort.

VAL. Danke. Kommen Sie.

Zum ›Woyzeck

Nach Wilhelm Schulz' Nachruf S. 325, scheint dies Drama ›beinahe vollendet‹ gewesen zu sein, als der Dichter starb. Ein fast fertiges Manuskript ist aber nicht auf uns gekommen; vielmehr enthält der Nachlaß Büchners nur folgende handschriftlichen Fragmente:

h: *fünf Foliobogen ursprünglich grauen Konzeptpapiers mittlerer Stärke, das aber durch chemischen Eingriff stark gelitten hat (ungleiche Vergilbung). Beschrieben, und zwar ohne Rand, sind sämtliche Bogen bis auf einen, von dem nur die erste Seite zu einem Drittel noch Text enthält und der also als der letzte Bogen gelten muß. Die stark geblaßte Tinte ist auf allen Bogen dieselbe; partienweis sehr ungleich hingegen sind die Schriftzüge, die dadurch ein häufiges Unterbrechen und Wiederaufnehmen der Arbeit erkennen lassen. Daß es sich um Entwürfe handelt, geht schon aus der flüchtigen, oft bis zur Unleserlichkeit abgekürzten, anderwärts zum bloßen Gekritzel sich verkleinernden Schrift hervor; spielerische Zeichnungen mit der Feder begleiten zuweilen den Text, zwei kleine Rechnungen machen ihm auch einmal den Platz streitig. – Leider sind die Bogen nicht paginiert, und aus dem Inhalt kann nicht ohne weiteres auf die Folge bei dichterischen Entwürfen Büchners geschlossen werden, da er nicht immer der Reihe nach konzipiert. Indessen gibt es einige Kriterien, die aushelfen: 1. Da bei vier Bogen eine Szene von der zweiten auf die dritte Seite überläuft, steht fest, daß diese Foliobogen nicht paarig oder mehrfach ineinandergelegt waren, sondern einzeln nacheinander beschrieben wurden. 2. Von einem Bogen zum andern läuft nur einmal eine Szene über, und zwar läuft diese zu dem letzten, nur auf der ersten Seite noch beschriebenen Bogen über, so daß der den Anfang dieser Szene enthaltende Bogen als der vorletzte anzusehen ist. 3. Auf zwei Bogen heißt der Held* Louis *und seine Geliebte* Margreth, *auf den anderen* Franz *und* Louise: *trennen wir dementsprechend die Bogen in zwei Gruppen* h¹ *und* h², *so ergibt sich innerhalb jeder Gruppe von Szenen ein gewisser Zusammenhang fortlaufender Entwicklung, was die Vermutung rechtfertigt, daß wir es mit zwei verschiedenen Entwurfstücken zu tun haben. Da die endgültige Fassung den Namen* Franz *beibehält, wird als* h^1 *der Entwurf mit den Namen* Louis-Margreth *zu gelten haben, obwohl er überwiegend den Schlußteil des Dramas enthält, während* h^2 *der Entwurf mit den Namen* Franz-Louise *wäre, der hauptsächlich den ersten Teil des Stückes behandelt.*[1]

hH: *ein Quartblatt ursprünglich weißen, fast glatten Papiers von ziemlicher Stärke, das ebenfalls infolge chemischer Einwirkung unregelmäßig vergilbt ist. Das Blatt ist auf beiden Seiten voll beschrieben, und zwar ohne Rand, die Tinte wie bei* h *verblaßt, die Schrift etwas sorgfältiger. Keine Paginierung deutet eine Zugehörigkeit zu einem anderen Manuskript an, es mag von vornherein ein einzelnes Entwurfblatt gewesen sein. Von* H *unterscheidet es sich schon durch die Papierbeschaffenheit und das etwas größere Format; doch steht nicht fest, ob sein Inhalt vor oder erst nach* H *konzipiert ist. Da die Szene* ›Hof des Professors‹ *doch gewiß vor der Mordszene liegt und in* H *noch nicht verwertet ist, möchte man nachträgliche Konzeption annehmen, was dann auch für die andere Szene* ›Idiot. Kind. Woyzeck‹ *gilt.*

H: *sechs Quartbogen ursprünglich weißen Papiers ohne Wasserzeichen, glätter und dünner als* h *und* hH, *aber gleichfalls durch chemischen Eingriff stark in Mitleidenschaft gezogen. Beschrieben sind sämtliche Bogen, doch so, daß sie, mit Ausnahme von fünf Seiten, einen breiten freien Rand behalten haben und daß inmitten eines Bogens anderthalb Seiten für die Ausführung einer nur durch Überschrift bezeichneten Szene* (Buden; Lichter) *leergeblieben sind. Auch wo eine Szene unter der Mitte einer Seite endet, ist der restliche Teil dieser Seite freigelassen, auf einer Seite sogar mehr als die Hälfte derselben, doch ist es fraglich, ob die davor stehende Szene* (Hauptmann. Doktor.) *als abgeschlossen zu gelten hat. Neben den überwiegenden Strecken mit blasser Tinte finden sich auch solche frischerer Farbe, was aber auf die ungleiche Wirkung des chemischen Eingriffs zurückzuführen sein wird; denn der Wechsel findet sogar inmitten einzelner Sätze, ja Wörter statt. Indessen fällt auch in dem Duktus der Schrift wiederholt ein Wechsel auf, so daß man mit einem Abbrechen und Wiederaufnehmen der Arbeit auch bei diesen Blättern rechnen muß. Im übrigen sind wohl die Schriftzüge sorgfältiger als in* h, *aber noch weit entfernt davon, für einen Setzer lesbar zu sein: um ein Druckmanuskript kann es sich auch bei* H *nicht handeln. – Die Reihenfolge der Szenen ist nicht leicht erkennbar, da auch diese Quartblätter nicht paginiert sind und aus dem Inhalt allein nichts Sicheres geschlossen werden kann. Dadurch aber, daß zweimal eine Szene von der zweiten Seite eines Bogens auf die erste Seite eines andern*

[1] *Wenn am Anfang von* h^2 *ausnahmsweise gerade die letzte uns erhaltene Szene, nämlich die Gerichtsszene, steht, so läßt sich dies zwiefach erklären: entweder gehört sie noch zu* h^1, *was nur ein Beweis* dafür *wäre, daß* h^2 *tatsächlich* nach h^1 *geschrieben wurde, oder diese Szenenskizze ist nur als letztes programmatisches Ziel des Dichters aufzufassen, und dazu würde die folgende ebenfalls programmatische Charakteristik des Helden passen.*

Bogens überläuft und von der vierten Seite dieses andern Bogens wiederum eine Szene auf der dritten Seite jenes ersten Bogens endigt, liegen zwei Lagen von je zwei Bogen fest, und die Frage ist nun, wie sich die beiden anderen Bogen einordnen. Der eine davon enthält auf seiner ersten Seite die Fortsetzung jener ersten Bogenlage und ist mit seinem ersten Blatt an sie gebunden. Da auf der Rückseite dieses Blattes eine ganze Szene steht, kann man vielleicht im Zweifel sein, was auf dies erste Blatt zu folgen hat. Nun gibt aber das Äußere einen Fingerzeig: am oberen Rande jenes Blattes ist eine schlecht beschnittene Stelle, steht nämlich nach innen gefalzt ein unregelmäßiger schmaler Streifen Papier über, der von einem schlecht abgetrennten Blatte herrühren muß. Dieses abgetrennte Blatt ist das erste Blatt des noch übrigen Bogens, dessen oberer Rand an der entsprechenden Stelle allein eine Ausbuchtung hat, in die jener überstehende Streifen genau hineinpaßt; die beiden Bogen haben also ursprünglich, wie alle Doppelbogenlagen in Büchners Handschriften, einen Foliobogen gebildet, der erst von dem Dichter halbiert und dann zu Quartblättern zusammengelegt worden ist. Und so ergibt sich denn auch für die beiden letzten Bogen eine Doppellage; die Einordnung dieser Doppellage zwischen den beiden anderen ist durch den bereits erwähnten unmittelbaren Anschluß ihrer ersten Seite an die letzte jener ersten Doppellage bedingt. So äußerlich diese Bestimmungsweise auch erscheinen mag, so gibt sie doch den einzig sicheren Ausgangspunkt, von dem aus man die ursprüngliche Anordnung der Handschrift entdecken kann. – Das Verhältnis von H *zu* h *ist klar:* H *ist nicht nur die letzte, sondern auch die ausgeführteste der uns erhaltenen Handschriften. Inhaltlich baut sich* H *zum großen Teil auf der Grundlage von* h¹ *und* h² *auf; nicht weniger als elf Auftritte sind daraus verwertet. Aber* H *ist nicht völlig abhängig von* h; *es enthält auch noch sechs Szenen, die durchaus neu und zum Teil wichtige Träger der Handlung sind. Jedenfalls ist* H *der einzige uns erhaltene Versuch des Dichters, seine ersten, skizzenhaften Entwürfe zu einer fortlaufenden Handlung auszugestalten, und dementsprechend ist* H *dem Text dieser Ausgabe zugrunde gelegt worden.*

Freilich ist auch H *nur Fragment. Ein Fragment, dem nicht nur der Schlußteil mangelt, sondern dem auch die letzte dramatische Anordnung fehlt. Seine Szenenfolge ist längst und allerseits als unmöglich aufgegeben worden, und so ist auch in unserem Text eine von* H *abweichende, wenn auch aus Wortlaut und Inhalt des Geschehens selbst herzuleitende Umstellung vorgenommen worden. Der Schlußteil aber mußte nun ganz aus den Entwürfen komponiert werden, und da ohne Änderung des Dichterwortes ein Schluß nur mit Woyzecks Ende im Teich zu gewinnen war, ist diesem der Vorzug vor dem anderen, ursprünglich vorgesehenen Ausgang vor Gericht gegeben worden. Über das Wie unterrichtet eine Vergleichung des Textes vorn mit dem nachfolgend wiedergegebenen Wortlaut der Handschriften. Hierbei bedeuten:* 1. *die römischen Zahlen die Bogen oder Bogenlagen, die arabischen Zahlen die Seiten des betreffenden Bogens oder der Bogenlage vom Manuskript; 2. ein Stern hinter der Szenenangabe, daß die Szene im Manuskript als verwertet durchstrichen ist; 3. je zwei runde Klammern: Streichungen Büchners; 4. eckige Klammern: Zusatz des Herausgebers; 5. Punkte mitten im Text stehen für unlesbare Wörter.*

h[1]

BUDEN. VOLK

Marktschreier vor einer Bude

Meine Herren! Meine Herren! Sehn Sie die Kreatur, wie sie Gott gemacht, nix, gar nix. Sehn Sie jetzt die Kunst, geht aufrecht, hat Rock und Hosen, hat ein Säbel! Ho! Mach Kompliment! So, bist Baron. Gib Kuß! *Er trompetet:* Wicht ist musikalisch. Meine Herren, hier ist zu sehen das astronomische Pferd und die kleine Canaillevögele. Ist favor[it] von alle gekrönte Häupter. Die rapräsentation[en] anfangen! Es wird sogleich sein das commencement von commencement.

[LOUIS?] Willst du?

MARGRETH. Meinetwegen. Das muß schön Dings sein. Was der Mensch Quasten hat und die Frau hat Hosen!

DAS INNERE DER BUDE

– Zeig dein Talent! zeig deine viehische Vernünftigkeit! Beschäme die menschliche Societät! Meine Herren, dieß Tier, das Sie da sehn, Schwanz am Leib auf seine 4 Hufe, ist Mitglied von alle gelehrte Societät, ist Professor an unsre Universität, wo die Studente bei ihm reiten und schlagen lernen. Das war einfacher Verstand. Denk jetzt mit der doppelten raison. Was machst du, wann du mit der doppelten Raison denkst? Ist unter der gelehrten Société da ein Esel? *Der Gaul schüttelt den Kopf.* Sehn Sie jetzt die doppelte Raison? Das ist Viehsionomik. Ja, das ist kein viehdummes Individuum, das ist ein Person. Ein Mensch, ein tierischer Mensch, und doch ein Vieh, ein bête *das Pferd führt sich ungebührlich auf.* So, beschäme die Société. Sehn Sie, das Vieh ist noch Natur, unideale Natur! Lernen Sie bei ihm. Fragen Sie den Arzt, es ist [sonst] höchst schädlich! Das hat geheißen: Mensch, sei natürlich! Du bist geschaffen Staub, Sand, Dreck. Willst du mehr sein als Staub, Sand, Dreck? Sehn Sie, was Vernunft: es kann rechnen und kann doch nit an den Fingern herzählen. Warum? Kann sich nur nit ausdrücken, nur nit explizieren, ist ein verwandelter Mensch! Sag den Herren, wieviel Uhr es ist. Wer von den Herren und Damen hat ein Uhr, ein Uhr?

UNTEROFFIZIER. Eine Uhr! *Zieht großartig und gemessen eine Uhr aus der Tasche.* Da, mein Herr.

MARGRETH. Das muß ich sehn *sie klettert auf den ersten Platz. Unteroffizier hilft ihr.*

I, 2 MARGRETH ALLEIN

Der andre hat ihm befohlen, und er hat gehen müssen. Ha! ein Mann vor einem Andern!

DER KASERNENHOF*

Andres. Louis

ANDRES *singt* Frau Wirtin hat 'ne brave Magd,
Sie sitzt im Garten Tag und Nacht,
Sie sitzt in ihrem Garten,
Bis daß das Glöcklein zwölfe schlägt,
Und paßt auf die Soldaten.

LOUIS. Hör Andres, ich hab kei Ruh!

ANDRES. Narre!

LOUIS. Was meinst du? So red doch

ANDRES. Nu?

LOUIS. Was glaubst du wohl, daß ich hier bin?

ANDRES. Weil's schön Wetter ist und sie heut tanzen.

LOUIS. Ich muß fort, muß sehen

ANDRES. Was willst Du?

LOUIS. Hinaus!

ANDRES. Du Unfried, wegen des Menschs.

LOUIS. Ich muß fort.

WIRTSHAUS*

Die Fenster sind offen. Man tanzt.
Auf der Bank vor dem Haus

LOUIS *lauscht am Fenster.* Er – Sie! Teufel! *Er setzt sich zitternd nieder. Er späht von [da] ans Fenster.* Wie das geht! Ha, wälzt Euch übereinander! Und Sie: immer zu – immer zu.

DER NARR. Puh! Das riecht.
LOUIS. Ja, das riecht! Sie hat rote, rote Backen, und warum riecht sie schon? Karl, was witterst du so?
DER NARR. Ich riech, ich riech Blut.
LOUIS. Blut? Warum wird es mir so rot vor den Augen? Es ist mir, als wälzten sie sich in einem Meer von Blut, all miteinander! Ha, rotes Meer.

FREIES FELD* I, 3

LOUIS. Immer zu! – Immer zu! – Hisch! hasch! so gehn die Geigen und die Pfeifen. – Immer zu! immer zu! Was spricht da? Da unten aus dem Boden hervor, ganz leise – was, was? *Er bückt sich nieder.* Stich, stich die Woyzecke tot, stich, stich die Woyzecke tot ((und immer lauter, und jetzt brüllt es, als wär der Himmel ein Rachen, stich, stich die Woyzecke tot! stich die Woyzecke tot.)) Immer zu! Immer Woyzecke! das zischt und wimmert[?] und donnert

EIN ZIMMER*

Louis und Andres

ANDRES. He!
LOUIS. Andres! *Andres murmelt im Schlaf.* He! Andres!
ANDRES. Na, was is?
LOUIS. Ich hab kei Ruh, ich hör's immer, wie's geigt und springt, immer zu! immer zu! Und dann, wann ich die Augen zumach, da blitzt mir es immer, es ist ein großes breites Messer, und das liegt auf einem Tisch am Fenster und ist in einer engen dunkeln Gaß und ein alter Mann sitzt dahinter. Und das Messer ist mir immer zwischen den Augen.
ANDRES. Schlaf, Narr!

KASERNENHOF

LOUIS. Hast nix gehört.
ANDRES. Er ist da noch mit einem Kameraden.
LOUIS. Er hat was gesagt.
ANDRES. Woher weißt du's? Was soll ich's sagen? Nu, er lachte, und dann sagt' er: ein köstlich Weibsbild! die hat Schenkel und alles so heiß!

LOUIS *ganz kalt.* So, hat er das gesagt? Von was hat mir doch heut Nacht geträumt? War's nicht von einem Messer? Was man doch närrische Träume hat.

ANDRES. Wohin, Kamerad?

LOUIS. Meinem Offizier Wein holen. Aber, Andres, sie war doch ein einzig Mädel.

ANDRES. Wer war?

LOUIS. Nix. Adies.

I, 4 DER OFFIZIER. LOUIS

LOUIS *allein.* Was hat er gesagt? So? – Ja, es ist noch nicht aller Tag Abend.

EIN WIRTSHAUS*

Barbier. Unteroffizier

BARBIER. Ach Tochter, liebe Tochter,
Was hast du gedenkt,
Daß du dich an die Landkutscher
Und die Fuhrleut hast gehenkt. – Was kann der liebe Gott nicht, was? Das Geschehene ungeschehn machen. Hä, hä, hä. – Aber es ist einmal so, und es ist gut, daß es so ist. Aber besser ist besser. Und ein ordentlicher Mensch hat sein Leben lieb, und ein Mensch, der sein Leben lieb hat, hat keine Courage, und ein tugendhafter Mensch hat keine Courage. Wer Courage hat, ist ein Hundsfott.

UNTEROFFIZIER *mit Würde.* Sie vergessen sich, in Gegenwart eines Tapfern.

BARBIER. Ich spreche ohne Beziehungen, ich spreche nicht mit Rücksicht, wie die Franzose sprechen, und es war schön von Euch. – Aber wer Courage hat, ist ein Hundsfott.

UNTEROFFIZIER. Teufel! du zerbrochne Bartschüssel, du abgestandene Seifbrüh, du sollst mir dein Urin trinken, du sollst mir dein Rasiermesser verschlucken!

BARBIER. Herr, Er tut sich Unrecht! hab ich Ihn denn gemeint, hab ich gesagt, Er hätt Courage? Herr, laß Er mich in Ruh! Ich bin die Wissenschaft. Ich bekomme für meine Wissenschaftlichkeit alle Wochen einen halben Gulden. Schlag Er mich nicht entzwei, oder ich muß verhungern. Ich bin eine Spinosa pericyclica; ich hab einen lateinischen Rücken. Ich bin ein lebendiges Skelett. Die ganze Menschheit studiert an mir. – Was ist der Mensch? Knochen! Staub, Sand, Dreck. Was ist die Natur? Staub, Sand Dreck. Aber die dummen Menschen, die dummen Menschen! Wir müssen Freunde sein. Wenn Ihr keine Courage hättet, gäb es keine Wissenschaft. Nur Natur, keine amputation, keine articulation. Was ist das? Louis' Arm, Fleisch, Knochen, Adern. Was ist das? Dreck. Was steckt's im Dreck? Müßte ich den Arm also abschneiden? Nein, der Mensch ist egoistisch, aber haut, schießt, sticht seinesgleichen. *Er schluchzt.* Wir müssen Freunde [sein], ich bin gerührt. Seht, ich wollte, unsere Nasen wären zwei Bouteillen und wir könnten sie uns einander in den Hals gießen. Ach, was die Welt schön ist! Freund! mein Freund! Die Welt! *gerührt* seht! wie die Sonne kommt zwischen den Wolken hervor, als würd' ein potchambre ausgeschüttet *er weint.*

DAS WIRTSHAUS II, 1

Louis sitzt vor dem Wirtshaus. Leute gehn hinaus

ANDRES. Was machst du da?
LOUIS. Wieviel Uhr ist's?
ANDRES. –
LOUIS. So, noch nicht mehr? Ich meine, es müßte schneller gehn, und ich will es mir überlegen [vor] Abend.
ANDRES. Warum?
LOUIS. Dann wär's vorbei.
ANDRES. Was?
LOUIS. Jeh, das Vergn[ügen].

[1][ANDRES.] Was sitzt du da vor der Tür?
LOUIS. Ich sitze gut da, und ich weiß [es] – aber es sitzen manche Leut vor der Tür, und sie wissen es nicht: Es wird mancher mit den Füßen voran zur Tür 'nausgetragen.
[ANDRES.] Komm mit!
[LOUIS.] Ich sitz gut so und läg noch besser gut so . . .
[ANDRES.] ((Louis, du hast Blut am Kopf.))
[LOUIS.] Im Kopf . . .
Wenn alle Leut wüßten, wieviel Uhr es ist, sie würden sich ausziehn, und ein seidnes Hemd antun und sich ihr Bett vom Schrei[ner] aus Hobelspän schütteln lassen.

[1] Folgt wohl als Variante zum Vorausgehenden.

[ANDRES.] Er ist besoffen. *[Geht mit den andern ab.]*

LOUIS. Was liegt denn da drüben? Es glänzt nur so. Es zieht mir immer so zwischen den Augen herum. Wie es glitzert. Ich muß das Ding haben.[1]

FREIES FELD

LOUIS *er legt das Messer in eine Höhle.* Du sollst nicht töten. Lieg da! Fort! *Er entfernt sich eilig.*

NACHT. MONDSCHEIN

Andres und Louis in einem Bett

LOUIS *leise.* Andres!

ANDRES *er träumt.* Da. Halt! – ja.

LOUIS. He, Andres!

ANDRES. Wie?

LOUIS. Ich hab kein Ruhe! Andres

ANDRES. Drückt dich der Alp?

LOUIS. Draußen liegt was. Im Boden. Sie deuten immer drauf hin, und hörst du's jetzt, und jetzt, wie sie in den Wänden klopfen? eben hat einer zum Fenster hin[ein]geguckt. Hörst du's nicht, ich hör's den ganzen Tag. Immer zu. Stich! stich die ·

ANDRES. Leg dich, Louis. Du mußt ins Lazarett. Du mußt Schnaps trinken und Pulver drin, das schneidt das Fieber.

II, 2

VOR DER HAUSTÜR

Margreth mit Mädchen

MÄDCHEN.
Wie scheint die Sonn am Lichtmeßtag
Und steht das Korn im Blühn.
Sie gingen wohl [?] die Wieße hin,
Sie gingen zu zwei und zwein.
Die Pfeifer gingen voran,
Die Geiger hinterdrein,
Sie hatte rote Socken an · · ·

1. KIND. Das ist nit schön.

[1] Unter dieser Szene ist eine blitzende Schneide als Schlußstrich gezeichnet.

2. KIND. Was willst du auch immer!

Was hast zuerst ...

Warum?

Ich kan nit

Darum?

Es muß singen

Aber warum darum?

Margrethche, sing du uns

MARGRETH. Kommt, ihr kleinen Krabben.

Ringle, ringel Rosenkranz. König Herodes.[1]

Großmutter, erzähl.

GROSSMUTTER. Es war einmal ein arm Kind und hat kein Vater und keine Mutter, war alles tot und war niemand mehr auf der Welt. Alles tot, und es ist hingegangen und hat gesucht Tag und Nacht. Und weil auf der Erde niemand mehr war, wollt's in Himmel gehn, und der Mond guckt es so freundlich an; und wie es endlich zum Mond kam, war's ein Stück faul Holz. Und da ist es zur Sonn gangen, und wie es zur Sonn kam, war's ein verwelkt Sonneblum. Und wie's zu den Sternen kam, waren's kleine goldne Mücken, die waren angesteckt wie der Neuntöter sie auf die Schlehen steckt. Und wie's wieder auf die Erde wollt, war die Erde ein umgestürzter Hafen. Und war ganz allein, und da hat sich's hingesetzt und geweint, und da sitzt es noch und ist ganz allein.

LOUIS. Margreth!

MARGRETH *erschreckt*. Was ist?

LOUIS. Margreth, wir wollen gehn. 's ist Zeit.

MARGRETH. Wohinaus?

LOUIS. Weiß ich's?

MARGRETH UND LOUIS

MARGRETH. Also dort hinaus ist die Stadt. 's ist finster

LOUIS. Du sollst noch bleiben. Komm, setz dich.

MARGRETH. Aber ich muß fort.

LOUIS. Du wirst dir die Füß nicht wund laufen.

MARGRETH. Wie bist du nur auch!

LOUIS. Weißt du auch, wie lang es jetzt ist, Margreth?

MARGRETH. Am Pfingsten 2 Jahr.

II, 3

LOUIS. Weißt du auch, wie lang es noch sein wird?

[1] Schlagworte, die der Dichter sich nur selber für eine eventuelle Ausführung notiert.

MARGRETH. Ich muß fort das Nachtessen richten[?].

LOUIS. Friert's dich, Margreth? und doch bist du warm. Was du heiße Lippen hast! (heiß, heißen Hurenatem) und doch möcht ich den Himmel geben, sie noch einmal zu küssen...... [1]und wenn man kalt ist, so friert man nicht mehr. Du wirst vom Morgentau nicht frieren.

MARGRETH. Was sagst du?

LOUIS. Nix. *Schweigen.*

MARGRETH. Was der Mond rot aufgeht.

LOUIS. Wie ein blutig Eisen.

MARGRETH. Was hast du vor? Louis, du bist so blaß. Louis, halt ein! Um des Himmels willen, Hülfe, Hülfe!

LOUIS. Nimm das und das! Kannst du nicht sterben? So! so! Ha, sie zuckt noch; noch nicht, noch nicht? Immer noch *stößt zu* ((er läßt das Me))

Bist du tot? Tot! ((Alles aus)) Tot! *Es kommen Leute, läuft weg. Es kommen Leute*

1.P. Halt!

2.P. Hörst du? Still! Dort!

1. Uu! Da! Was ein Ton!

2. Es ist das Wasser, es ruft, schon lang ist niemand ertrunken. Fort, es ist nicht gut, es zu hören.

1. Uu! jetzt wieder wie ein Mensch, der stirbt.

2. Es ist unheimlich, so dunstig – allenthalben Nebelgrau – und das Summen der Käfer wie gesprungne Glocken. Fort!

1. Nein, zu deutlich, zu laut. Da hinauf. Komm mit!

DAS WIRTSHAUS

LOUIS. Tanzt alle, immer zu, schwitzt und stinkt, er holt Euch doch einmal alle.

singt Frau Wirtin hat 'ne brave Magd,
Sie sitzt im Garten Tag und Nacht,
Sie sitzt in ihrem Garten,
Bis daß das Glöcklein zwölfe schlägt,
Und paßt auf die Soldaten

er tanzt. So, Käthe! setz dich! Ich hab heiß, heiß *er zieht den Rock aus* es ist einmal so, der Teufel holt die eine und läßt die andre laufen. Käthe, du bist heiß! Warum denn? Käthe, du wirst auch noch kalt werden. Sei vernünftig. – Kannst du nicht singen?

[1] Die folgenden beiden Sätze wohl nur Variante des Konzepts.

[KÄTHE.] Ins Schwabenland, das mag ich nicht,
Und lange Kleider trag ich nicht,
Denn lange Kleider, spitze Schuh,
Die kommen keiner Dienstmagd zu.

II, 4

[LOUIS.] Nein, keine Schuh, man kann auch ohne Schuh in die Höll gehn.

KÄTHE *dann* O pfui, mein Schatz, das war nicht fein,
Behalt dein Taler und schlaf allein.

[LOUIS.] Ja, wahrhaftig, ich möchte mich nicht blutig machen.

KÄTHE. Aber was hast du an deiner Hand?

LOUIS. Ich? ich?

KÄTHE. Rot! Blut! *Es stellen sich Leute um sie.*

LOUIS. Blut? Blut?

WIRT. Uu – Blut!

LOUIS. Ich glaub, ich hab' mich geschnitten, da an der rechten Hand.

WIRT. Wie kommt's aber an den Ellenbogen?

LOUIS. Ich hab's abgewischt.

WIRT. Was, mit der rechten Hand an den rechten Ellenbogen? Ihr seid geschickt.

NARR. Und da hat der Ries gesagt: ich riech, ich riech Menschenfleisch. Puh, das stinkt schon!

LOUIS. Teufel, was wollt ihr? Was geht's euch an? Platz, oder der erste – Teufel! Meint ihr, ich hätt jemand umgebracht? Bin ich [ein] Mörder? Was gafft ihr? Guckt euch selbst an! Platz da! *Er läuft hinaus.*

KINDER

1. KIND. Fort [zu] Margrethln!

2. KIND. Was is?

1. KIND. Weißt du's nit? Sie sind schon alle hinaus. Drauß liegt eine!

2. KIND. Wo?

1. KIND. Links über die Loh in das Wäldchen, am roten Kreuz.

2. KIND. Kommt schnell, daß wir noch was sehen. Sie tragen's sonst hinein.

LOUIS *allein*

Das Messer? Wo ist das Messer? Ich hab' es da gelassen. Es verrät mich! Näher, noch näher! Was ist das für ein Platz? Was hör ich?

((Sie rührt)) Es rührt sich was. Still. Da in der Nähe. Margreth? Ha! Margreth! Still! Alles still! (Was bist du so bleich, Margreth? Was hast du eine rote Schnur um den Hals? Bei wem hast du das Halsband verdient, mit deinen Sünden? Du warst schwarz davon, schwarz! Hab ich dich gebleicht? Was hängen deine schwarzen Haare so wild? Hast du deine Zöpfe heut nicht geflochten?)[1] Da liegt was! Kalt, naß, still! Weg von dem Platz. Das Messer, das Messer! Hab ich's? So! – Leute dort! *Er läuft weg.*

LOUIS *an einem Teich*

So, da hinunter! *Er wirft das Messer hinein.* Es taucht in das dunkle Wasser wie ein Stein. Der Mond ist wie ein blutig Eisen! Will denn die ganze Welt es ausplaudern? Nein, es liegt zu weit vorn, wenn sie sich baden *er geht in den Teich und wirft weit* so, jetzt – aber im, Sommer, wenn sie tauchen nach Muscheln – bah, es wird rostig. Wer kann's erkennen – hätt' ich es zerbrochen. Bin ich noch blutig? Ich muß mich waschen. Da ein Fleck und da noch einer.

III, 1 h[2]

GERICHTSDIENER. BARBIER. ARZT. RICHTER

POL. Ein guter Mord, ein ächter Mord, ein schöner Mord, so schön als man ihn nur verlangen tun kann; wir haben schon lange so keinen gehabt.

BARBIER. *Dogmatischer Atheist. Lang, hager, feig, gutmütig, Wissenschaftl.*

FREIES FELD. DIE STADT IN DER FERNE

Woyzeck. Andres

Andres und Woyzeck schneiden Stöcke im Gebüsch

ANDRES *pfeift und singt.*

Da ist die schöne Jägerei,
Schießen steht jedem frei;
Da möcht ich Jäger sein,
Da möcht ich sein.

[1] Die Klammer zeigt, daß sich der Dichter über die Aufnahme dieser Rhetorik noch nicht schlüssig war.

Läuft dort ein Has vorbei,
Frägt mich, ob ich Jäger sei:
Jäger bin ich auch schon gewesen,
Schießen kann ich aber nit.

WOYZECK. Ja, Andres, das ist er, der Platz ist verflucht. Siehst du den lichten Streif da über das Gras hin, wo die Schwämme so nachwachsen? da rollt abends der Kopf; es hob ihn einmal einer auf, er meint, es sei ein Igel; drei Tage und drei Nächte···, und er war tot. *Leise* Das waren die Freimaurer, ich hab' es heraus.

ANDRES. Es wird finster, fast macht Ihr mir Angst. *Er singt.*

WOYZECK *faßt ihn an.* Hörst du's, Andres? Hörst du's? Es geht neben uns, unter uns. Fort, die Erde schwankt unter unsern Sohlen. Die Freimaurer! Wie sie wühlen! *Er reißt ihn mit sich.*

ANDRES. Laßt mich! Seid Ihr toll? Teufel!

WOYZECK *hastig.* Mensch, bist du ein Maulwurf, sind deine Ohren voll Sand? Hörst du das fürchterliche Getös am Himmel? Über der Stadt alles Glut! Sieh nicht hinter dich. Wie es heraufschießt und alles darunter stürzt

ANDRES. Du machst mir Angst.

WOYZECK. Sieh nicht hinter dich! *Sie verstecken sich im Gebüsch.*

ANDRES. Woyzeck, ich hör nichts mehr.

WOYZECK. Still, ganz still, wie der Tod.

ANDRES. Sie trommeln drin. Wir müssen fort. III, 2

DIE STADT*

Louise. Margreth (am Fenster). Der Zapfenstreich geht vorbei. Tambourmajor voraus

LOUISE. He, Bub! ··

MARGRETH. Ein schöner Mann.

LOUISE. Wie e Baum. *Tambourmajor grüßt*

MARGRETH. Ei, was freundliche Auge, Frau Nachbar, so was is man nit an ihr gewöhnt.

LOUISE. Soldaten, das sind schmucke Bursch

MARGRETH. Ihre Auge glänze ja noch.

LOUISE. Was geht sie's an! Trag sie ihre Auge zum Jud und laß sie sich putze, vielleicht glänze sie auch noch, daß man sie als zwei Knöpf verkaufe könnt.

MARGRETH. Sie! Sie! Frau Jungfer, ich bin e honette Person, aber Sie, es weiß jeder, sie guckt sieben Paar lederne Hose durch.

LOUISE. Luder *schlägt das Fenster durch.*

Komm, mei Bu, soll ich dir singe? Was die Leut wollen! Bist du auch nur e Hurenkind und machst der Mutter Freud mit deim unehrliche Gesicht!

Hansel, spann deine sechs Schimmel aus,
Gib sie zu fresse aufs neu;
Kein Haber fresse sie,
Kein Wasser saufe sie,
Lauter kühle Wein muß es sein, juchhe!
Lauter kühle Wein muß es sein.

Mädel, was fangst du jetzt an?
Hast ein klein Kind und kein Mann.
Ei, was frag ich danach;
Sing ich den ganzen Tag
Heio popeio, mei Bu, juchhe!
Gibt mir kein Mensch nix dazu.

Es klopft am Fenster Bist du's, Franz? Komm herein!

WOYZECK. Ich kann nit. Muß zum Verles.

LOUISE. Hast du Stecken geschnitten für den Major?

WOYZECK. Ja, Louisel.

III, 3

LOUISE. Was hast du, Franz? du siehst so verstört.

WOYZECK. Pst! still! Ich hab's aus! Die Freimaurer! Es war ein fürchterliches Getös am Himmel und alles in Glut! Ich bin viel auf der Spur, sehr viel.

LOUISE. Mann!

WOYZECK. Meinst? Sieh um dich! Alles starr, fest, finster; was regt sich dahinten? ((Gott weg, alles weg··)) Etwas, was wir nicht fassen, begreifen – still, was uns von Sinnen bringt, aber ich hab's aus. Ich muß fort!

LOUISE. Das Kind?

WOYZECK. Ach, Junge! Heut Abend auf die Mess. Ich hab wieder was gespart *ab.*

LOUISE. Der Mann schnappt noch über, er hat mir Angst gemacht. Wie unheimlich! ich mag, wenn es finster wird, gar nicht bleiben; ich glaub', ich bin blind[1] er steckt mich an. *Sie singt:*

Und macht die Wiege knick knack,
Schlaf wohl, mein lieber Dicksack. *Sie geht ab.*

[1] Im freien Raum der nachfolgenden Verse zugefügt: ›Sonst scheint doch als die Latern herein. Ach, wir armen Leute.‹

ÖFFENTLICHER PLATZ. BUDEN. LICHTER

Alter Mann. Kind, das tanzt: Auf der Welt ist kein Bestand. Wir müssen alle sterben, das ist uns wohlbekannt.

[WOYZECK.] Hei! Hopsa's! Armer Mann, alter Mann! Armes Kind! Junges Kind! Sorgen und Feste! Ha, Louisel, soll ich··?

LOUISEL. Mensch, sind noch die Narrn von Verstande, dann ist man selbst Narr. Komische Welt! schöne Welt!

AUSRUFER *vor einer Bude.* Meine Herren, meine Damen, hier sind zu sehn das astronomische Pferd und die kleine Canaillenvogel, sind Liebling von alle Potentate Europas und Mitglied von alle gelehrte Societät, verkündigen den Leuten alles, wie alt, wie viel Kinder, was für Krankheit. Schießt Pistol los, stellt sich auf ein Bein. Alles Erziehung, habe nur eine viehische Vernunft, oder vielmehr eine ganz vernünftige Viehigkeit, ist kein viehdummes Individuum, wie viel Personen, das verehrliche Publikum abgerechnet. Es wird gleich die rapraesentation, das commencement vom commencement wird sogleich nehmen sein Anfang.
Sehen Sie die Fortschritte der Civilisation. Alles schreitet fort: ein Pferd, ein Aff, ein Canaillenvogel! der Aff ist schon ein Soldat. 's ist noch nit viel, unterste Stuf von menschliche Geschlecht!

((FRANZ. Das will ich dir sagen, ich hatt' ein Hundele, das schnuffelte an einem großen Hut und konnt nicht drauf, und da hab ich's ihm aus Gutmütigkeit erleichtert und hab ihn drauf gesetzt. Und da standen die Leute herum und die klatschten.))

HERR[1]. Grotesk! Sehr grotesk!

[FRANZ.] Sind Sie auch ein Atheist? ich bin ein dogmatischer Atheist – Ist's grotesk? Ich bin ein Freund vom Grotesken. Sehen Sie dort? was ein grotesker Effekt.

FRANZ. Ich bin ein dogmatischer Atheist.
Grotesk

HANDWERKSBURSCHEN* III, 4

Bruder! Vergißmeinnicht! Freundschaft! Ich könnt ein Regenfaß voll greinen vor Wehmut, wenn ich noch Rum hätt. Es stinkt nur, es riecht nur. Warum ist dieße Welt so schön? Wenn ich's eine Aug zumach und über mei Nas hingucke, so is alles rosenrot. Brandwein, das ist mein Leben.

[1] Später gebraucht der Hauptmann dieselben Worte.

EIN ANDRER. Er sieht alles rosenrot, wann ihm's Kreuz über sei Nas guckt.

FRANZ. Es is kei Ordnung! Was hat der Laternputzer vergessen mir die Augen zu fegen, 's is alles finster. Hol der Teufel den lieben Herrgott. Ich lieg mir selbst im Weg: meine Füß über mich springen. Wo ist mein Schatten hingekommen? Keine Sicherheit mehr im Stall.[1] Leucht mir einmal mit dem Mond zwischen die Beine, ob ich mein Schatten noch hab.

Fraßen ab das grüne, grüne Gras,
Fraßen ab das grüne, grüne Gras
Bis auf den Ra-a-sen.

Sternschnuppe, ich muß dem Stern die Nas schneuzen. .... Gesellen, .., ..., ., .., ., .. sandige, Mauer . und empfiehlt sich mit .. Kindern.[2]

Mach kein Loch in die Natur.

Warum hat Gott die Menschen geschaffen? Das hat auch sein Nutzen. Was würde der Landmann, der Schuhmacher, der Schneider anfangen, wenn er für die Menschen keine Schuhe, keine Hosen machte? Warum hat Gott den Menschen das Gefühl der Schamhaftigkeit eingeflößt? damit der Schneider leben kann. Ja! Ja! Also – darum! auf daß! damit! Oder aber, wenn er es nicht getan hätte – aber darin sehen wir seine Weisheit, daß er den Menschen noch die Pflege und Geruch erschaffen daß auch die viehische Schöpfung das menschliche Ansehen hätte, weil die Menschlichkeit sonst das Viehische aufgefressen hätte. Dießer Säugling, dießes schwache, hülflose Geschöpf, jener Säugling, – Laßt uns jetzt über das Kreuz pissen, damit ein Jud stirbt. – Branntwein, das ist mein Leben, Branntwein gibt Courage.

UNTEROFFIZIER. TAMBOURMAJOR

[TAMBOURMAJOR.] Halt, jetzt! Siehst du sie? Was ein Weibsbild!

UNTEROFFIZIER. Teufel, zum Fortpflanzen von Kürassierregimentern.

[TAMBOURMAJOR.] Und zur Zucht von Tambourmajors.

UNTEROFFIZIER. Wie sie den Kopf trägt! man meint, das schwarze Haar müßt sie abwärts ziehn, wie ein Gewicht. Und Augen, schw

TAMBOURMAJOR. Als ob man in ein Ziehbrunnen oder zu einem Schornstein hinunter guckt. Fort, hinter drein!

LOUISEL. Was Licht, m

FRANZ. Ja,.... schwarze Katzen mit feurige Augen. Hei, was ein Abend!

[1] ›Stall‹ verschrieben für ›Staat‹?
[2] Die punktierten Stellen nicht entzifferbar.

WOYZECK. DOKTOR* IV, 1

DOKTOR. Was erleb ich, Woyzeck? Ein Mann von Wort? Er! Er! Er!
WOYZECK. Was denn, Herr Doktor?
DOKTOR. Ich es gesehn hab, Er auf die Straß gepißt hat, wie ein Hund. Geb' ich Ihm dafür alle Tag drei Groschen und Kost? Die Welt wird schlecht, sehr schlecht, schlecht, sag' ich. O! Woyzeck, das ist schlecht.
WOYZECK. Aber Herr Doktor, wenn man nit anders kann?
DOKTOR. Nit anders kann, nit anders kann. Aberglaube, abscheulicher Aberglaube. Hab ich nit nachgewiesen, daß der musculus constrictor vesicae dem Willen unterworfen ist? Woyzeck, der Mensch ist frei! im Menschen verklärt sich die Individualität zur Freiheit. Er seinen Harn nicht halten können! Es ist Betrug, Woyzeck. – Hat Er schon seine Erbsen gegessen? nichts als Erbsen, nichts als Hülsenfrüchte, cruciferae, merk Er sich's. – Die nächste Woche fangen wir dann mit Hammelfleisch an. Muß Er nicht aufs Secret? Mach Er! Ich sag's Ihm. Es gibt eine Revolution in der Wissenschaft, eine Revolution! Nach gestrigem Bericht 0,10 Harnstoff, · salzsaures Ammoniak, ··
Aber ich hab's gesehen, daß Er an die Wand pißte; ich steckt grad meinen Kopf hinaus ··· Hat Er mir Frösch gefangen? Hat Er Laich? Keinen Süßwasserpolyp? keine Hydra? Vestillen? Cristatellen? Stoß Er mir nicht ans Mikroskop, ich hab eben den dicken Backzahn von einem Infusionstier darunter. Ich sprenge sie in die Luft, alle miteinander. Woyzeck, keine Spinneneier? keine Kröteneier? Aber an die Wand gepißt! Ich hab's gesehen *tritt auf ihn los*. Nein, Woyzeck, ich ärgere mich nicht, ärgern ist ungesund, ist unwissenschaftlich. Ich bin ruhig, ganz ruhig, und ich sag's Ihm mit der größten Kaltblütigkeit. Behüte! wer wird sich über einen Menschen ärgern, einen Menschen! Wenn es noch ein Proteus wäre, der einem krepiert! Aber Er hätte doch nicht an die Wand pissen sollen.
WOYZECK. Ja die Natur, Herr Doktor, wenn die Natur aus ist.
DOKTOR. Was ist das, wenn die Natur aus ist?
WOYZECK. Wenn die Natur aus ist, das ist, wenn die Natur – aus ist. Wenn die Welt so finster wird, daß man mit den Händen an ihr herumtappen muß, daß man meint, sie verrinnt wie Spinneweb. Das ist so, wenn etwas ist und doch nicht ist, wenn alles dunkel ist und nur noch ein roter Schein im Westen, wie von einer Esse. Wenn *schreitet im Zimmer auf und ab*
DOKTOR. Kerl, Er tastet mit seinen Füßen herum wie mit Spinnfüßen.

IV, 2

WOYZECK *steht ganz starr.* Haben Sie schon die Ringe von den Schwämmen auf dem Boden gesehen, lange Linien, krumme Kreise, Figuren – da steckt's! da! Wer das lesen könnte! Wenn die Sonn im hellen Mittage steht und es ist, als müsse die Welt auflodern, – hören Sie nichts?····, und ist, als ob es einem mit fürchterlicher Stimme anredete.

DOKTOR. Woyzeck! Er kommt ins Narrenhaus; Er hat eine schöne fixe Idee, eine köstliche alienatio mentis. Seh Er mich an! Was soll Er tun? Erbsen essen, dann Hammelfleisch essen, sein Gewehr putzen, das weiß Er alles, und dazwischen die fixen Ideen . . . Das ist brav, Woyzeck, Er bekommt ein Groschen Zulage die Woche. Meine Theorie, meine neue Theorie, kühn, ewig, jugendlich [?]! Woyzeck, ich werde unsterblich. Zeig Er seinen Puls! ich muß Ihm morgens und abends den Puls fühlen.

STRASSE

Hauptmann. Doktor. Hauptmann keucht die Straße herunter, hält an, keucht, sieht sich um[1]

HAUPTMANN. Wohin so eilig, geehrtester Herr Sargnagel?

DOKTOR. Wohin so langsam, geehrtester Herr Exerzierzagel?

HAUPTMANN. Nehmen Sie sich Zeit, verehrtester Grabstein.

DOKTOR. Ich stehle meine Zeit nicht, wie Sie, wertester[2]

HAUPTMANN. Laufen Sie nicht so, Herr Doktor! ein guter Mensch geht nicht so schnell, Geehrtester, ein guter Mensch *schnauft*, ein guter Mensch – Sie hetzen sich ja hinter dem Tod drein, Sie machen mir ganz Angst.

DOKTOR. Pressiert, Herr Hauptmann, pressiert.

HAUPTMANN. Herr Sargnagel, Sie schleifen sich ja so ihre kleinen Beine ganz auf dem Pflaster ab. Reiten Sie doch nicht auf ihrem Rock[3] in der Luft.

DOKTOR. ((Gute Frau)) Sie ist in vier Wochen tot, ein collaps congestaticus im siebenten Monat; ich hab schon zwanzig solcher Patienten gehabt, in vier Wochen, richt sie sich danach

HAUPTMANN. Herr Doktor, erschrecken Sie mich nicht, es sind schon Leute am Schreck gestorben, am puren hellen Schreck

[1] A. R. Abbildung der beiden Gestalten, der Doktor mit dem Hut in der Hand in ganzer Figur.
[2] Wohl hier abgebrochen und neu begonnen.
[3] Die Abbildung zeigt lange Rockschöße.

DOKTOR. In vier Wochen, dummes Tier, sie gibt ein interessantes Präparat. Ich sag ihr, [in] vier

IV, 3

HAUPTMANN. Daß dich das Wetter, ich halt Sie beim Flügel[1], ich lasse Sie nicht! Teufel, vier Wochen? Herr Doktor, Sargnagel, Totenhemd! ich, so lang ich da bin, vier Wochen, und die Leute Citron in den Händen – aber sie werden sagen, er war ein guter Mensch, ein guter Mensch.[2]

DOKTOR. Ei guten Morgen, Herr Hauptmann *den Hut und Stock schwingend* Kikeriki! Freut mich! Freut mich! *Hält ihm den Hut hin:* was ist das, Herr Hauptmann? Das ist Hohlkopf. Hä?

HAUPTMANN *macht eine Falte:* Was ist das, Herr Doktor? Das ist ne Einfalt! Hähähä! Aber nichts für ungut. Ich bin ein guter Mensch – aber ich kann auch, wenn ich will, Herr Doktor, hähähä, wenn ich will. – He, Woyzeck, was hetzt Er sich so an uns vorbei. Bleib Er doch, Woyzeck! Er läuft ja wie ein offnes Rasiermesser durch die Welt, man schneidt sich an Ihm; Er läuft, als hätt Er ein Regiment Kastrierte zu rasieren und würde gehenkt über [?] dem längsten Haar [?] noch vorm Verschwinden [?]. Aber, über die langen Bärte, was wollt ich doch sagen? Woyzeck – die langen Bärte

DOKTOR. Ein langer Bart unter dem Kinn, schon Plinius spricht davon, man müßt es den Soldaten abgewöhnen, du, du,

HAUPTMANN *fährt fort.* Ha! über die langen Bärte? Wie is, Woyzeck, hat Er noch nicht ein Haar aus einem Bart in seiner Schüssel gefunden? He, Er versteht mich doch? ein Haar von einem Menschen, vom Bart eines Sapeurs, eines Unteroffiziers, eines – eines Tambourmajors? He, Woyzeck? Aber Er hat eine brave Frau. Geht Ihm nicht wie andern.

WOYZECK. Ja wohl! Was wollen Sie sagen, Herr Hauptmann?

HAUPTMANN. Was der Kerl ein Gesicht macht! Er steckt Alchimisten in den Himmel nein. Vielleicht nun auch nicht in der Suppe, aber wenn Er sich eilt und um die Eck geht, so kann Er vielleicht noch auf [ein] Paar Lippen eins finden, ein Paar Lippen, Woyzeck – ich habe auch das Lieben gefühlt, Woyzeck. Kerl, Er ist ja kreideweiß.

WOYZECK. Herr Hauptmann, ich bin ein armer Teufel – und hab sonst nichts auf der Welt. Herr Hauptmann, wenn Sie Spaß machen –

HAUPTMANN. Spaß ich, daß dich Spaß, Kerl!

DOKTOR. Den Puls, Woyzeck, den Puls? klein, hart, hüpfend, unregelmäßig.

[1] Sind wieder die Rockschöße gemeint.
[2] Folgt erneut neue Fassung.

WOYZECK. Herr Hauptmann, die Erd ist höllenheiß, mir eiskalt, eiskalt – die Hölle ist kalt, wollen wir wetten. – – Unmöglich! Mensch! Mensch! unmöglich!

IV, 4

HAUPTMANN. Kerl, will Er Rechenschaft, will ein Paar Kugeln vor den Kopf haben? Er ersticht mich mit seinen Augen, und ich mein es gut [mit] Ihm, weil Er ein guter Mensch ist, Woyzeck, ein guter Mensch.

DOKTOR. Gesichtsmuskeln starr, gespannt, zuweilen hüpfend. Haltung aufgeregt, gespannt.

WOYZECK. Ich geh. Es ist viel möglich. Der Mensch! es ist viel möglich. – Wir haben schön Wetter, Herr Hauptmann. Sehn Sie, so ein schöner, fester, grauer Himmel; man könnte Lust bekommen, ein Kloben hineinzuschlagen und sich daran zu hängen, nur wegen des Gedankenstrichels zwischen ja und wieder ja – und nein. Herr Hauptmann, ja und nein? Ist das Nein am Ja oder das Ja am Nein schuld? Ich will drüber nachdenken *geht mit breiten Schritten ab, erst langsam dann immer schneller.*

DOKTOR *schießt ihm nach.* Phänomen! Woyzeck, Zulage!

HAUPTMANN. Mir wird ganz schwindlich vor den Menschen. Wie schnell! der lange Schlingel greift aus, als läuft der Schatten von einem Spinnbein, und der Kurze, das zuckelt. Der lange ist der Blitz und der Kleine der Donner. Haha, hinterdrein [?]. Das hab' ich nicht gerne! ein guter Mensch ist • und hat sein Leben lieb, ein guter Mensch hat keine courage nicht! ein Hundsfott hat courage! Ich bin bloß in Krieg gegangen, um mich in meiner Liebe zum Leben zu befestigen. ··· Grotesk! grotesk!

WOYZECK. LOUISEL*

LOUISEL. Guten Tag, Franz.

FRANZ *sie betrachtend.* Ach, bist du's noch! Ei wahrhaftig! nein, man sieht nichts, man müßt's doch sehen! Louisel, du bist schön!

LOUISEL. Was siehst du so sonderbar, Franz, ich fürcht mich.

FRANZ. Was eine schöne Straße, man läuft sich Leichdörn! es ist gut auf der Gasse stehn, und in Gesellschaft auch gut.

LOUISEL. Gesellschaft?

FRANZ. Es gehn viel Leut durch die Gasse, nicht wahr? und du tust reden, mit wem du willst, was geht das mich! – Hat er da gestanden? da? da? Und so bei dir? so? Ich wollt, ich wär er gewesen.

LOUISEL. • Er? Ich kann die Leute die Straße nicht verbieten und wehren, daß sie ihr Maul mitnehmen, wenn sie durchgehn.

FRANZ. Und die Lippen nicht zu Haus lassen, es wär schade, sie sind so schön. Aber die Wespen setzen sich gern drauf.

LOUISEL. Und was ne Wesp hat dich gestochen, du siehst so verrückt wie eine Kuh, die die Hornisse jagt.

V, 1

FRANZ. Mensch! *Geht auf sie los.*

LOUISEL. Rühr mich an, Franz! Ich hätt lieber ein Messer in den Leib, als deine Hand auf meiner. Mein Vater hat mich nicht anzugreifen gewagt, wie ich zehn Jahr alt war, wenn ich ihn ansah.

WOYZECK. Weib! – Nein, es müßte was an dir sein! Jeder Mensch ist ein Abgrund; es schwindelt einem, wenn man hinabsieht. Es wäre! Sie geht wie die Unschuld. Nun, Unschuld, du hast ein Zeichen an dir. Weiß ich's? Weiß ich's? Wer weiß es?

LOUISEL ALLEIN

Gebet

((La corruption du siècle est parvenue à ce point, que pour maintenir la morale
Und ist kein Betrug in seinem Munde erfunden. Herr Gott!))

hH 1

DER HOF DES PROFESSORS[1]

Studenten unten, der Professor am Dachfenster

Meine Herren, ich bin auf dem Dach wie David, als er die Bathseba sah; aber ich sehe nichts als die culs de Paris der Mädchenpension im Garten trocknen. Meine Herren, wir sind an der wichtigen Frage über das Verhältnis des Subjects zum Object. Wenn wir nur eins von den Dingen nehmen, worin [sich] die organische Selbstaffirmation des Göttlichen, auf einem so hohen Standpunkte, manifestiert, und ihre Verhältnisse zum Raum, zur Erde, zum Planetarischen untersuchen, meine Herren, wenn ich dieße Katze zum Fenster hinauswerfe, wie wird dieße Wesenheit sich zum centrum gravitationis gemäß ihrem eigenen Instinct verhalten. He, Woyzeck, *brüllt* Woyzeck!

WOYZECK. Herr Professor, sie beißt.

[1] Der Professor und der Doktor sind dieselbe Person, z. T. offenbar eine Karikatur des Universitätsprofessors Wilbrand, der zugleich praktischer Arzt war.

PROFESSOR. Kerl, Er greift die Bestie so zärtlich an, als wär's seine Großmutter.

WOYZECK. Herr Doktor, ich hab 's Zittern.

DOKTOR *ganz erfreut.* Ei, ei! schön, Woyzeck *reibt sich die Hände. Er nimmt die Katze.* Was seh ich, meine Herren, die neue Species Hasenlaus, eine schöne Species, wesentlich verschieden ·, die Herr Doktor *er zieht eine Loupe heraus* Ricinus, meine Herren[1] – *Die Katze läuft fort* meine Herren, das Tier hat keinen wissenschaftlichen Instinkt – ···. Meine Herren, Sie können dafür was anders sehen. Sehen Sie: der Mensch, seit einem Vierteljahr ißt er nichts als Erbsen; bemerken Sie die Wirkung, fühlen Sie einmal: was ein ungleicher Puls! der und die Augen.

WOYZECK. Herr Doktor, es wird mir dunkel! *Er setzt sich.*

2

DOKTOR. Courage, Woyzeck, noch ein paar Tage, und dann ist's fertig. Fühlen Sie, meine Herren, fühlen Sie! *Sie betasten ihm Schläfe, Puls und Busen.* A propos, Woyzeck, beweg den Herren doch einmal die Ohren! ich hab es Ihnen schon zeigen wollen, zwei Muskeln sind bei ihm tätig. Allons, frisch!

WOYZECK. Ach, Herr Doktor!

DOKTOR. Bestie, soll ich dir die Ohren bewegen, willst du's machen wie die Katze? So, meine Herren, das sind so Übergänge zum Esel, häufig auch die Folge weiblicher Erziehung und die Muttersprache. Wieviel Haare hat dir die Mutter zum Andenken schon ausgerissen aus Zärtlichkeit? Sie sind dir ja ganz dünn geworden, seit ein paar Tagen. Ja, die Erbsen, meine Herren!

DER IDIOT. DAS KIND. WOYZECK

KARL *hält das Kind vor sich auf dem Schoß.* Der is ins Wasser gefallen, der is ins Wasser gefallen, mir, der is ins Wasser gefallen.

WOYZECK. Bub, Christian!

KARL *sieht ihn starr an.* Der is ins Wasser gefallen.

WOYZECK *will das Kind liebkosen, es wendet sich weg und schreit.* Herrgott!

KARL. Der is ins Wasser gefallen.

WOYZECK. Christianchen, du bekommst en Reuter, sa sa *das Kind wehrt sich; zu Karl:* da, kauf dem Bub en Reuter!

KARL *sieht ihn starr an.*

[1] Der Doktor wollte vielleicht sagen: *wesentlich verschieden von der, die Doktor Ricinus . . . fand* oder *beschrieben.*

WOYZECK. Hop! hop! Roß.
KARL *jauchzend.* Hop! hop! Roß! Roß! *läuft mit dem Kind weg.*

H

Da H unserm Text (S. 113 ff.) zugrunde gelegt ist, bedarf es hier nur der Angabe unsrer wesentlichsten Abweichungen von H, nämlich der Angabe der ursprünglichen (vorn im Text ja geänderten) Szenenfolge von H sowie der textlichen Ergänzungen aus den andern Handschriften.

1. Szenenfolge in H: ›Freies Feld‹ (vgl. S. 115), ›Die Stadt‹ (S. 115 f.), ›Buden, Lichter, Volk‹ (S. 116, in H nur Überschrift), ›Mariens Kammer‹ (S. 118 f.), ›Beim Hauptmann‹ (S. 113 f.), ›Mariens Kammer‹ (S. 120 f.), ›Mariens Kammer‹ (S. 123), ›Beim Doktor‹ (S. 119 f.), ›Straße‹: Hauptmann, Doktor, aber ohne Auftreten Woyzecks (S. 121 ff.), ›Die Wachtstube‹ (S. 123 f.), ›Wirtshaus‹ (S. 124 f.), ›Freies Feld‹ (S. 125), ›Zimmer in Kaserne‹ (S. 125 f.), ›Wirtshaus‹ (S. 127 f.), ›Kramladen‹ (S. 128), ›Mariens Kammer‹ (S. 128), ›Kaserne‹ (S. 129).
2. Noch fehlen in H: S. 115 f. ›Buden, Lichter, Volk‹ (aus h^2 S. 257, Z. 2 v. o. bis Z. 7 v. o. h^1 S. 245, Z. 9 ff., h^2 S. 258, Z. 10 v. u.; folgt Szene ›Das Innere der erleuchteten Bude‹ (S. 117 f.) aus h^1 S. 245 f. bis auf den Ausruf des Tambourmajors, der am Rande der Hs steht, S. 121 f. Woyzecks Auftreten in ›Straße‹ (ergänzt aus h^2, S. 261 f.), S. 126 f. ›Hof des Doktors‹ (aus hH, S. 263 f.), S. 127 ›Kasernenhof‹ (aus h^1, S. 247 f.). – Ferner fehlt noch der ganze Schlußteil ab S. 129 ›Straße‹. Von dessen Szenen sind, mit sinngemäßer Auswechselung der Namen, entnommen: S. 129 f. der Auftritt ›Straße‹ aus h^1 ›Margreth mit Mädchen vor der Haustür‹ (S. 250 f.), S. 130 f. ›Waldsaum am Teich‹ aus h^1 ›Margreth und Louis‹ (S. 251 f., wo aber Louis gleich nach der Tötung Margreths durch die zwei ›Leute‹ verjagt wird, die S. 132 erst am Schluß auftreten). Vorn im Text schließt sich dem ersten Weglaufen des Mörders S. 131 die Szene ›Wirtshaus‹ an aus h^1 ›Wirtshaus‹ (S. 252 f.), worauf Woyzeck S. 132 wieder ›Am Teich‹ erscheint nach h^1 ›Louis allein‹ und ›Louis an einem Teich‹ (S. 253 f.). Hier endet Woyzeck S. 132, Z. 21, und der nun erst folgende, schon erwähnte Auftritt der beiden ›Leute‹ (aus h^1 S. 252) soll, um zu einem Abschluß zu kommen, sein Ertrinken andeuten.

Wer diese Notlösung ablehnt, um bei der ursprünglichen Konzeption des Dichters zu bleiben, kann zu dem Abbruch von H aus den Entwürfen noch folgende Szenen, die freilich keinen abgerundeten Schluß ergeben, hinzufügen: nach h^1 ›Margreth und Louis‹ (S. 251 f.) anschließend ›Es kommen Leute‹ (S. 252), ›Das Wirtshaus‹ (S. 252 f.), ›Kinder‹ (S. 253), ›Louis allein‹ und ›an einem Teich‹ (S. 253 f.), dann aus hH die erschütternde Szene ›Idiot. Kind. Woyzeck‹ (S. 264 f.) und zuletzt aus h^2 die drei Zeilen ›Gerichtsdiener. Barbier. Arzt. Richter‹ (S. 254). Vgl. auch Nachwort S. 349 ff.

Von Eugen Boeckel nach Darmstadt

Niederbronn, den 7. September [1832].

Nur Geduld, mein Lieber, ich will Dir gleich erklären, warum ich Dir erst jetzt schreibe, obgleich Dein Brief vom 20. August ist. Aber um eine chronologische Ordnung beizubehalten, will ich mit einer kurzen Selbstbiographie beginnen, die von der Zeit anfängt, wo Du Straßburg verlassen; ich weiß Dir wahrhaftig nichts Interessanteres zu schreiben als von mir selbst ...

Soviel ich mich erinnere, reistest Du von Straßburg fort in den ersten Tagen des Augusts; ich blieb in Straßburg bis den 27. August, während welcher Zeit ich Deinen lieben, lang erwarteten Brief erhielt. In dieser Zeit besuchte ich meistens den Hospital und dann noch einige Kranke mit meinem Bruder. Hauptsächlich habe ich viele Rubeolas und Nervenfieber gesehen. Erstere nahmen in der letzten Zeit einen sehr bösartigen Charakter an, so daß sehr viele daran starben; denn als konsekutive Krankheit folgte oft Skorbut, Brustkrankheiten, zuweilen Hydrocephalus. Mein Bruder und ich machten die Autopsie von mehreren Kindern, welche an diesen Krankheiten starben. Einen interessanten Kranken sahe ich, welcher als Folge eines zu reichlichen Genusses von geistigen Getränken das Delirium tremens bekam, durch 20–40 gr. Tartarus stibiatus geheilt wurde, einige Wochen nachher an Brust- und Leberkrankheit starb und von uns autopsiert wurde; der untere Teil der Leber war in Fäulnis übergegangen und so weich wie ein altes Hirn, Lungen und Pleura an den Thorax ganz angewachsen etc. Requiescat in pace. – Eine Frau, die Hydrothorax und überhaupt Hydropisie hatte und mehrere Rückfälle erlitt, wurde hauptsächlich durch Digitalis und Nitrum glücklich behandelt. Von den 2 oder 3 Dutzend Schwindsüchtigen, die ich sahe, spreche ich Dir nicht ...

Zu Hause studierte ich für mich Chommel, Pathologie générale ... und einen Teil von Barbier, Matière médicale. Zuweilen oder vielmehr öfters tat ich nichts, Du kennst ja meine Natur. – Lambossy sah ich ziemlich oft, doch weniger, als ich es wünschte, weil ich sehr oft in Ittenheim war. Scherb ist nach Genf, nicht nach Ungarn abgereist, Roth nach Berlin; Adolf Stöber kommt wahrscheinlich nach Colmar. Baum ist vor einigen Tagen aufs Land.

Der Concurs im Spital hatte statt. Wie Du weißt, konkurrierte ich nicht; Hirtz wurde gleich angenommen, Lintzler zuerst zurückgeschickt, später angenommen, weil sich nur zwei präsentierten und man doch zwei surnuméraires haben mußte. Lintzler wollte nämlich nach Öffnung der Arterie aus Versehn bei dem Aderlassen die Wunde cauterisieren und den triceps zu den Muskeln des Vorderarms zählen, nämlich seinen Antworten nach, nicht daß Du Dir einbildest, er habe wirklich eine Arteriam getroffen.

Duvernoy, der gibt sich alle Mühe, ohne Concurs Physiologie-Professor zu werden ... Ich hoffe, er wird mit seinem breiten Maul abfahren wie zu Paris. Das Vieh bleibe doch bei seiner Zoologie; ich wollte lieber den Kerl dissezieren oder totschlagen, als ihn in der Physiologie hören oder sehn; Du weißt, es ist meine Antipathie. Seit drei Wochen ist er re infecta aus Paris zurückgekehrt und lauft oder tanzt in schwarzibus in den Gassen von Straßburg herum. Glücklicherweise treff ich den Intriganten noch nicht an, denn es hätte mir wahrhaftig wieder die Gelbsucht zuziehen können. Ich will auf seine Gesundheit trinken, wenn ihm sein Vorhaben mißlingt.

Mademoiselle, jolis pieds et jolies mains, machte ich erst einen Besuch, ehe ich Deinen Brief erhielt, seither nicht mehr; sie seufzt noch zwei Monate lang, lang!

Nun komme ich wieder auf die Hauptperson, das heißt auf mich zurück. Ende Augusts reiste ich mit Adolf und August Stöber nach Weißenburg; Amsler und Held erwarteten uns an der Diligence bis um Mitternacht, wo wir ankamen. Ich mußte bei Held logieren und wurde von der ganzen Familie sehr zuvorkommend und wohl empfangen. Held, Amsler, 2 Stöber und ich gingen die folgenden Tage nach Landau in das Rheinbayrische, von dort besuchten wir einige alte Burgen, Dryfels, Madenburg etc., kehrten Dienstags abend wieder nach Weißenburg zurück. – Mittwoch ging ich mit 2 Stöber nach Woerth, von dort ins Jägerthal, wo wir einige alte Burgen besuchten, und langten gestern glücklich hier an. Heute ist abscheulich Regenwetter. Ich bin allein, denn die beiden Stöber sind in Oberbronn bei ihrer Schwester, und ich hier bei meinem Cousin, welcher aber den ganzen Tag auf dem Bureau ist. Ich sitze also hier in Niederbronn in einem hübschen Kaffeehaus und schreibe an meinen lieben Büchner. Die Zeit würde mir zu fürchterlich lang werden, wenn sich nicht ein artiges, hübsches Mädchen meiner erbarmte, welche auf einige Zeit hier im Kaffeehaus ist. Sie ist aus Straßburg, klein, gut gebaut etc., doch ein wenig viel Kokette. Gestern schrieb ich an meinen Bruder, heute an Dich: Du siehst also, daß ich über dem Mädchen durchaus Dich nicht [vergesse], vielmehr wäre es mir zehnmal lieber, Dich als die Kokette hier zu haben.

Morgen, wenn es das Wetter erlaubt, ziehen wir nach Bitsch, die famose Festung; dann nach Lützelstein zu Follen, dann zu Baum, endlich nach Barr; heut über acht Tagen bin ich bestimmt wieder in Straßburg, vielleicht auch früher; ich werde dann hauptsächlich Anatomie und Physiologie studieren oder ochsen, dazu noch die Therapie von Hecker.

Lebe wohl! Ich erwarte gleich nach meiner Ankunft in Straßburg Briefe von Dir. Ich denke, Du kannst dieses Opfer mir bringen; denn Du weißt, wie mich Deine Briefe erfreuen.

[Am Rande:] Vale und komme je eher, je lieber nach Straßburg zurück. Dein Eug. Boeckel.

Von Eugen Boeckel nach Darmstadt

Straßburg, den 3. September 1833.

Endlich, mein Lieber, ergreife ich die Feder, um Dir zu schreiben. Entschuldigen will ich mich nicht, Du kennst meine Schwachheiten zu gut; ich denke: il vaut mieux tard que jamais.

Deine beiden Briefe erhielt ich richtig und ersehe daraus, daß Du mehr arbeitest als ich. Du weißt, wieviel Zeit mir das Balbieren wegnimmt, so daß ich beinah verzweifeln muß, zu einer ordentlichen wissenschaftlichen Bildung zu gelangen; indessen denke ich auch in dieser Hinsicht: il vaut mieux tard que jamais; und gründliche Studien suche ich soviel als möglich bei meiner Lage und meinem unruhigen Charakter.

Botanique habe ich während dieser Zeit ziemlich betrieben. Du wirst freilich es mir nicht glauben, wenn ich Dir sage, daß ich viele Pflanzen analysiert habe nach den Descriptions de Decandolle ...; freilich hab ich hauptsächlich den Unterschied der Familien studieren müssen, weil ich diesen noch nicht hinlänglich kannte.

In Conradi hab ich die Blut- und Bauchflüsse studiert und die Frakturen [?] von Astley Cooper, Übersetzung von Froriep. Endlich den Thiers, Histoire de la révolution geendigt. Du weißt, daß ich durch Aufzählung dieser Bücher Dir keineswegs beweisen will, daß ich viel studiert habe.

Stöber, Auguste, ist seit 3 Tagen in Oberbronn ... Ich denke, ihn in 8 oder 14 Tagen zu besuchen. Adolf Stöber ist seit 8 Tagen hier in Straßburg und wird hier bleiben bis zu Ende des Oktobers. Er ist auf dem Landgute von Herrn R. Reybel in der Ruprechtsau.

Baum arbeitet an seiner Schrift über die Methodisten, eine Preisfrage; die Arbeit muß bis Ende Oktobers abgeliefert werden. Der Preis beträgt 3000 fr. Außer ihm konkurrieren noch Ernst und Becker. Reuß [?] teilte ich Deinen Brief mit, sowie auch Lambossy, welcher wirklich in Baden ist. Louis und Mademoiselle sah ich mehrere Male während dieser Zeit.

Wie sehr alle und hauptsächlich wir Eugeniten bedauern, daß Du nicht hier bist, brauche ich Dir nicht zu sagen, besonders da jetzt Adolphe hier sich befindet.

Die These von Lauth wirst Du durch die Buchhandlung erhalten haben. Die von Goupil habe ich selbst nicht, und Lambossy konnte sie mir auch nicht verschaffen. Sein Sujet ist: La contraction musculaire . . .

Lauth wurde oft colliert, hauptsächlich über Fragen, welche auf mécanique und physique Bezug hatten. Goupil wurde von der Jury zum Professor proklamiert. Lauth soll die Anatomie-chaire erhalten und Ehrenmann die Accouchement-chaire nehmen; wenigstens wurde von dem Doyen Cailliot dieses Begehren an das Ministerium gemacht. Was geschehn wird, zeigt sich mit der Zeit. Lauth ist seit 14 Tagen in Paris. Wie sehr es ihn kränkt, den Sieg nicht davongetragen zu haben, kannst Du dir vorstellen. Alle [Einzelheiten] des Concours kann ich Dir unmöglich schreiben, es würde zu lange dauern . . .

Volpes [?] ist noch bei Reuß [?], er läßt Dich vielmal grüßen. Apostel Petrus hat seit seiner Abreise noch nicht geschrieben.

Dein Eug. Boeckel.

Grüß Gott, lieber Büchner! Ich bin wieder in der Heimat und atme Elsässer Luft. Wie sehr hätte michs gefreut, auch Deine Hand wieder zu drücken! Doch gebe ich die Hoffnung nicht auf, Dich auf diesem Erdenrund wiederzusehen: ich hoffe, nach einigen Jahren, von meinem ägyptischen Dienst erlöst, ins gelobte Land der Freiheit heimzukehren; dann will ich Deutschland durchwandern und auch an Deiner Türe anpochen. Doch vielleicht kommst Du selbst noch früher zu mir. Einstweilen bleiben wir uns jedenfalls treu. Mit warmem Bruderhandschlag – Gottbefohlen!

Dein Ad. Stöber.

Vom Onkel Reuß nach Gießen

Darmstadt, den 24. März 1834.

Lieber Georg! Ich war wirklich nicht wenig erstaunt heute morgen, einen Brief von Dir zu erhalten, worin Du noch um Geld bittest. Im größten Regen ging ich sogleich in die Heyrische Buchhandlung und ließ mir eine Anweisung von 17 fl. 30 kr. an die dortige Buchhandlung geben; diese nebst einem Briefe folgt anbei, wogegen Du

sogleich das Geld in Empfang nehmen kannst. Wenn Du Dich nun beeilst, so mußt Du bis den Mittwoch abend mit dem Gieser Briefkurier hier eintreffen; dies verlang ich vor allem von Dir: denn der Zustand, worin sich Dein Vater, insbesondere Deine leidende Mutter befindet über Dein Ausbleiben, ist der Raum zu kurz, es hier zu beschreiben; ich weiß nicht, wie Du Dich hierüber genügend verantworten willst. Dein Vater ist so aufgeregt sowie auch Deine Mutter, daß ich ihnen von Deinem Verlangen nach Geld ohnmöglich etwas sagen konnte; sinne nun auf Deiner Reise darnach, wie wir es dem Vater beibringen wollen und wie Du Dein Ausbleiben entschuldigen kannst. Wärest Du wie andere Menschen, das heißt, gäbst Du Dir Mühe, etwas Lebensklugheit Dir anzueignen, so hättest Du in Deinem ersten Brief an mich nur geschrieben, ich habe den Vater um 22 fl. gebeten, ich brauche aber außerdem noch 20 fl., so wärest Du nun schon hier; es ist recht schlimm, wenn man mit viel Kenntnissen als ein Schussel auf der Welt herumgehet. Mündlich ein mehreres.
Dein Onkel George Reuß.

Von Gutzkow nach Darmstadt

Frankfurt, den 25. Februar 1835.

Verehrtester Herr! In aller Eile einige Worte! Ihr Drama gefällt mir sehr, und ich werde es Sauerländer empfehlen: nur sind theatralische Sachen für Verleger keine lockende Artikel. Deshalb müßten Sie bescheidene Honorarforderungen machen.

Wenn diese vorläufige Anzeige dazu dienen könnte, Ihren Mut wieder etwas aufzurichten, so würd es mich freuen. In einigen Tagen mehr! Ihr ergebenster K. Gutzkow.

Von Gutzkow nach Darmstadt

Frankfurt, den 28. Februar 1835.

Verehrtester! Sie hätten mir schreiben sollen, was Ihre Forderung in betreff Dantons ist. Viel (am wenigsten aber das, was Ihre Dichtung wert ist) kann Sauerländer nicht geben. Es ist für ihn ein harter Entschluß, das Manuskript zu drucken; denn wie günstig die Kritik urteilen mag, so ist doch mit dem Absatz dramatischer Sachen bei dem gegenwärtigen Publikum die größte Not. Kaum, daß sich das Papier herausschlägt. Ich weiß das. Das sind keine Redensarten.

Rechnen Sie das Notdürftigste, was Sie im Augenblick brauchen, zusammen, resignieren Sie auf jede glänzende Erwartung und suchen

Sie sich durch weitre Arbeiten, etwa für den Phönix, zu dem ich Sie einlade, sich einige wiederkehrende Einkünfte zu verschaffen.

Ihrer Angabe seh ich also demnächst entgegen. Ihr ergebenster

K. Gutzkow.

Von Gutzkow nach Darmstadt

Frankfurt, den 3. März 1835.

Verehrtester! 10 Friedrichsdor will Ihnen Sauerländer geben unter der Bedingung, daß er mehres aus dem Drama für den Phönix benutzen darf, und daß Sie sich bereitwillig finden lassen, die Quecksilberblumen Ihrer Phantasie, und alles, was zu offenbar in die Frankfurter Brunnengasse und die Berlinische Königsmauer ablenkt, halb und halb zu kassieren. Mir freilich ist das so ganz recht, wie Sie es gegeben haben; aber Sauerländer ist ein Familienvater, der 7 rechtmäßige Kinder im Ehebett gezeugt hat und dem ich schon mit meinen Zweideutigkeiten ein Alp bin: wieviel mehr Sie mit Ihren ganz grellen und nur auf Eines bezüglichen Eindeutigkeiten! Also dies ist sehr notwendig.

Nun scheint es aber, als hätten Sie große Eile. Wo wollen Sie hin? brennt es Ihnen wirklich an den Sohlen? Ich kann alles hören, nur nicht, daß Sie nach Amerika gehen. Sie müssen sich in der Nähe halten (Schweiz, Frankreich), wo Sie Ihre herrlichen Gaben in die deutsche Literatur hineinflechten können; denn Ihr Danton verrät einen tiefen Fond, in den viel hineingeht, und viel heraus, und das sollten Sie ernstlich bedenken. Solche versteckte Genies wie Sie kommen mir grade recht; denn ich möchte, daß meine Prophezeiung für die Zukunft nicht ohne Belege bliebe, und Sie haben ganz das Zeug dazu, mitzumachen. Ich hoffe, daß Sie mir hierauf keine Antwort schuldig bleiben.

Wollen Sie Folgendes: Ich komme zu Ihnen hinüber nach Darmstadt, bring Ihnen das Geld und fange mit Ihnen gemeinschaftlich an, aus Ihrem Danton die Veneria herauszutreiben, nicht durch Metall, sondern linde, durch Vegetabilien und etwas sentimentale Tisane. Es ist verflucht, aber es geht nicht anders, und ich vergebe Ihnen nicht, daß Sie mich bei dieser Dolmetscherei und Vermittlerschaft zwingen, die Partie der Prüderie zu führen. Können Sie sich aber noch halten in Darmstadt, so bekommen Sie das Geld und Manuskript durch Heyer, worauf Sie aber letzteres unfehlbar einen Tag später wieder abliefern müssen. Ihr Gutzkow.

Von Gutzkow nach Darmstadt

Frankfurt, den 5. März 1835.

Liebster! Sauerländer widerrät mir, nach Darmstadt zu gehen, weil ihm freilich daran gelegen sein muß, daß ich mich so kauscher als möglich verhalte. Doch möcht ich Sie gern sprechen; und ich erwarte deshalb bestimmt von Ihnen (Sie können direkt an mich adressieren: *Wolfseck*) genauere Angabe Ihrer Lage, ob Sie nicht ausgehen dürfen und es dann nicht möglich wäre, daß wir uns in irgendeinem Gasthofe ein Rendezvous gäben. Um 10 Uhr morgens geht hier ein Postwagen ab: da wär ich zu Mittag drüben, spräche einige Stunden mit Ihnen und wäre abends wieder in meiner Behausung. Was dabei so Gefährliches ist, sehe ich nicht: es sei denn, daß Sie als Pech in Darmstadt herumwandeln und jeden wieder ins Pech brächten, der einige Worte mit Ihnen spricht. Oder gehen Sie gar nicht aus; dann such ich Sie in Ihrem Versteck. Vor allen Dingen vertilgen Sie meine Briefe!

Daß Sie nach Frankreich gehen: ist gut. So bleiben Sie doch in der Nähe und können für Deutschland etwas tun. Arbeiten Sie ja für den Phönix: wenn Sie keine Quellen in Frankreich haben, müssen Sie solche Verbindungen nicht abweisen. – Wenn Sie mir über ihre Lage einige Aufklärungen geben, komm ich sogleich: ich bin so einer Erholung bedürftig, da ich in einigen Tagen meine Tragödie *Nero* fertig habe.

Ihr Gutzkow.

P.S. Überschicken Sie mit Ihrem Briefe auch die Quittung!

Von Gutzkow nach Straßburg

Frankfurt, 17. März 1835.

Lieber, ich habe vor länger als acht Tagen, beinahe vierzehn Tagen schon 10 fr. an die Darmstädter Adresse gesandt und von Ihrem *Vater* darauf die Anzeige erhalten, Sie wären nach Friedberg, und das Geld würde Ihnen eingehändigt werden. Ihr Vater schien von der Herkunft dieses Geldes nichts zu wissen.

Werden Sie in Straßburg bleiben? Ich halte es für ratsam, da Sie wie Enghien wohl keine Aufhebung durch Dragoner zu fürchten haben. Sie sollten meine Ermunterung, in der Teilnahme an deutscher Literatur fortzufahren, nicht in den französischen Wind schlagen. Was Sie leisten können, zeigt Ihr Danton, den ich heute zu säubern angefangen habe, und der des Vortrefflichsten so viel enthält. Glauben Sie denn, daß sich irgend etwas Positives für Deutschlands Politik tun läßt? Ich glaube, Sie taugen zu mehr als zu einer Erbse, welche die offne Wunde der deutschen Revolution in der Eiterung hält. Treiben Sie wie ich den Schmuggelhandel der Freiheit: Wein verhüllt in Novellenstroh, nichts in seinem natürlichen Gewande: ich glaube, man nützt so mehr, als wenn man blind in Gewehre läuft, die keineswegs blindgeladen sind. Wär es nicht, so hätt ich mich in der Rechnung meines Lebens betrogen und müßte dann selbst meinen Untergang beschleunigen.

Noch drückt Sie Mangel. Hoffentlich haben Sie jetzt das, was Sie zehnmal verdient haben. Das beste Mittel der Existenz bleibt die Autorschaft, d. h. nicht die geächtete, sondern die noch etwas geachtete, wenigstens honorierte bei den Philistern, welche das Geld haben. Spekulieren Sie auf Ideen, Poesie, was Ihnen der Genius bringt. Ich will Kanal sein, oder Trödler, der Ihnen klingend antwortet. Bessern Rat weiß ich nicht, und ich möchte Ihnen doch welchen geben, und recht altklug Ihnen zurufen: Gehen Sie in sich, werden Sie praktisch, und regeln Sie Ihr Leben. Aber ich tu es zagend, denn unsre Zeit hat eine ganz besondre Art Scham erfunden, nämlich die, *nicht unglücklich zu sein*.

Vergessen Sie nicht, von sich hören zu lassen. Ihr G.

Von Gutzkow nach Straßburg

Frankfurt, den 7. April 1835.

Mein nach Darmstadt geschickter Brief enthält nichts Wesentliches. Ich freue mich, daß Sie sich zu arrondieren anfangen und sich wohl fühlen. Vom Danton hat der Phönix sein Teil schon abgedruckt und damit viel Ehre eingelegt. Was ich Ihnen über Ihre Fähigkeit schon sagte, muß ich wiederholen. Es ist mir, als hätten Sie eine literarische Prädestination. Ich warte nur den Druck und die Ausgabe Ihres Buches ab, um Sie beim Publikum einzuführen. Aber warten Sie das nicht ab (denn Sauerländers Pressen schwitzen Tag und Nacht, und für Danton könnte sich der Termin noch etwas hinausschieben), reißen Sie selbst die Flügeltüren auf und stürzen Sie aufs Parkett. Man wird erst spröde sein, dann horchen und zuletzt sich hingeben. Das Selbstgefühl wird schon kommen. Meine Muse bäumte sich auch erst wie ein scheues Pferd vor der Autorschaft; ich hatte sogar schon ein Buch geschrieben, als ich noch immer daran zweifelte, ob ich's könnte; als ich aber Hunger bekam und mir in meiner Heimat, in Preußen, der Brotkorb hochgehangen wurde, da schrieb ich aus Desperation und freue mich nun, daß das Ding flott geht.

Die Übersetzung lassen Sie unterweges, an Originale machen Sie sich. Sie haben selbst viel Ähnlichkeit mit Ihrem Danton: genial und träge. Mich feuerte vor vier Jahren ein Brief Menzels zur Schriftstellerei an; wenn ich auch nicht so viel auf Sie vermag, wie *der* auf mich, so ist doch meine Aufforderung gewiß aus reiner Freude über Sie entstanden. Ich wiege mich in dem Gedanken, Sie entdeckt zu haben und Sie recht als einschlagendes Beispiel, als Armidaschild der Menge, mit der ich mich zu balgen habe, gegenüberhalten zu können. Soll ich noch mehr loben? Nein, Sie sollen sich Ihren eignen Stolz machen.

Ich weiß nicht, ob Sie den Phönix gelesen haben, d. h. mein Literaturblatt, und noch lesen. Bei Levrault, der ihn für die Revue germanique bezieht, können Sie ihn einsehen. Mir wär es willkommen, wenn Sie einige Aufmerksamkeit auf das, was an mir ist und was ich will, verwendeten. Sind Sie überhaupt wegen unsrer laufenden literarischen Verhältnisse au fait? Sie brauchen es nicht zu sein: Sie scheinen ganz positiver Natur. Schreiben Sie mir, was Sie arbeiten wollen. Ich bringe alles unter; aber bald; denn in vierzehn Tagen reis ich auf kurze Zeit nach Berlin; daß ich Sie sehe, könnte sich im Juni ereignen. Ich freue mich sehr darauf: Ich stelle mir in Ihnen einen nicht über 5 Fuß hohen Kerl oder Menschen oder Mann, wie Sie wollen, vor, und zwar fröhlicher Laune; doch haben Sie dunkles Haar.

Jen. theologischen Antrag kann zwar Sauerl., der viel Verlag für das Jahr schon auf den Schultern hat, nicht annehmen; doch hab' ich schon andre Verbindungen deshalb eingeleitet, u. erwart' ich nun Angabe des *Umfangs* der Schrift in ungefährem Druck, nebst der Erklärung, ob bei der Sache auch verdient werden soll? Ihr G.

Apropos! Wollen Sie mir Kritiken über *neueste* franz. Literatur schicken für mein Blatt, so sind mir die willkommen; aber schneller Entschluß! Eine Zusage, um mir Freude zu machen!

Von Gutzkow nach Straßburg

Mannheim, den 12. Mai 1835.

Mein Lieber! Statt daß Sie mich um tausend Parasangen weiter von sich denken, bin ich Ihnen um hundert näher gerückt. Meine Paßverhältnisse sind etwas in Unordnung, sonst käm ich schon zu Ihnen. Ich spare das auf. Die Berliner Reise ist mit Gefahren verknüpft. Durch eine Vorrede zu Schleiermachers Briefen über Schlegels ›Luzinde‹ hab ich die Geistlichkeit und den Hof gegen mich empört: ich fürchte ein Autodafé und halte mich am Rheingeländer, das bald übersprungen ist. Adressieren Sie recht bald eine Nachricht hieher an mich, wohnhaft bei Herrn Reitz. Ihre Äußerungen über neure Literatur vermag ich nicht aufzunehmen, weil mir jetzt die Muße fehlt. Nur glauben Sie nicht, daß ich z. B. durch meine Besorgung einer Übersetzung Victor Hugos eine große Verehrung vor der romantischen Konfusion in Paris an den Tag legen will: dies ist nur eine Gefälligkeit für einen Buchhändler, der auf mein Anraten auch Sie ins Interesse gezogen hat. Danton wird nun gedruckt.

Ihre Novelle Lenz soll jedenfalls, weil Straßburg dazu anregt, den gestrandeten Poeten zum Vorwurf haben? Ich freue mich, wenn Sie schaffen. Einen Verleger geb ich Ihnen sogleich. Auch sagen Sie Ihrem theologischen Freunde, daß er für seine Schrift einen Abnehmer hat, falls Matter in Straßburg sich dazu entschließen könnte, sie zu bevorworten.

Wer war der Freund, der mich in Frankfurt treffen wollte?

Vergelten Sie mir diese Abbreviatur von einem Briefe nicht, sondern seien Sie mitteilsam und vollständig! Ihr Gutzkow.

Von Gutzkow nach Straßburg

Poststempel: Wiesbaden, den 23. Juli 1835.

Mein lieber Freund; ich habe länger geschwiegen, als verziehen werden kann. Heidelberg und Mannheim nahmen mich sehr in Anspruch, dann eine Rheinreise, Frankfurt mit all seinen Verbindungen, die wieder aufgefrischt werden mußten, nun gar Wiesbaden, wohin ich gegangen bin, um zu schwitzen – das alles hat mich in ewige Unruhe gebracht. Zuletzt noch hab ich in der Hast von drei Wochen (schnelle Arbeiten sind die besten) einen Roman geschrieben: *Wally, die Zweiflerin.* Auch jetzt bin ich nur erst in der Stimmung, ein Billett statt eines Briefes zu schreiben und Ihnen in der Eile zu sagen, daß ich viel und herzlich an Sie denke. Sie haben mehr Zeit als ich. Regen Sie mich durch einen langen Brief zu einem längern auf! – Sauerländer trödelte lange mit dem Druck Ihres Danton. Für den Schreckenstitel kann ich nicht: das ist eine der buchhändlerischen Dreistigkeiten, die man sich bei seinem zweiten Buche nicht mehr gefallen läßt. Sie werden jetzt Exemplare haben, und meine von der Zensur verstümmelte Anzeige. Ich trug Sauerländer auf, Ihnen den Korrekturabzug zu schicken; denn ich habe ein böses Gewissen. Ich fühle, daß ich mich nicht erschöpfend genug über Sie ausgedrückt habe, wenigstens viel zu allgemein; und da ist mir jeder verlorne Buchstabe wichtig, wenn Sie ihn nicht sehen sollten. Geben Sie bald ein zweites Buch: Ihren Lenz (für den ich schon einen bessern Verleger habe), dann will ich das Versäumte nachholen.

Auf die theol. Schrift Ihres Freundes kann man nur eingehen, wenn *Matter* auf dem Titel steht. Matter hat Renommée in Deutschland, der von Ihnen genannte Name nicht.

Schreiben Sie nach Frankfurt: der Brief trifft mich sicherer. Mit bestem Gruß Ihr Gutzkow.

Von Gutzkow nach Straßburg

Stuttgart, den 28. August 1835.

Jetzt werd ich klagen, mein lieber Freund, daß Sie sich in ein nebelhaftes Schweigen hüllen. Wie leben Sie? Ich bin in Ihrer Nähe; aber leider werd ich die Muße nicht haben, Straßburg besuchen zu können. Zwar bin ich jetzt ungebundener als je, weil ich mein Literaturblatt am Phönix preisgegeben habe; aber es drücken mich doch mancherlei Geschäfte, weil ich gesonnen bin, noch vor dem neuen Jahre selbst ein Journal mit meinem Freunde L. Wienbarg zu edieren. Der Titel wird sein: *Deutsche Revue;* die Form, wöchentlich ein Heft. Ich gestehe aufrichtig, daß ich mich bei diesem Unternehmen ernstlich auf Sie verlassen möchte. Schreiben Sie mir, sobald Sie können, *nach Frankfurt im Wolfseck*, ob ich monatlich wenigstens einen Artikel (spekulativ, poetisch, kritisch, quidquid fert animus) von Ihnen erwarten darf? Mit den buchhändlerischen Bedingungen werden Sie zufrieden sein.

Mein Frankfurter Lit. Bl. ennuyierte mich, der Dullerschen Sozietät wegen. Die Deutschen, welche sehr viel auf Hörensagen, wenig auf Autopsie geben, pflegen gern nach dem Grundsatz zu urteilen: Nenne mir, mit wem du umgehst, und ich will dir sagen, wer du bist! Diesen Dullerschen Maßstab somit an mich legen zu lassen, bin ich zu hoffärtig. Eine Sauerländische Stumpfheit (Sauerl. ist kein Buchhändler, sondern ein Frankforter Borjär) gab mir Rechtsvorwand, abzubrechen.

Über Ihren Danton hör ich sonst noch nichts. Wienbarg hat ihn mit Vergnügen gelesen. Von Grabbe sind zwei Dramen erschienen. Wenn man diese aufgesteifte, forcierte, knöcherne Manier betrachtet, so muß man Ihrer frischen, sprudelnden Naturkraft das günstigste Horoskop stellen.

Haben Sie Freunde in der Schweiz? nämlich Freunde, die Sie dafür halten? Man hat mir von dort anonyme Zusendungen gemacht, um Ihr Talent zu verdächtigen und namentlich mich von der Hingebung, die ich öffentlich gegen Sie gezeigt habe, zurückzubringen. Mehr mag ich nicht sagen. Es scheinen Knaben zu sein, die mit Ihnen auf der Schulbank saßen, und sich ärgerten, wenn Sie [treffende] Antworten gaben.

Schreiben Sie nach Frankfurt. Ihr Gutzkow.

Von Gutzkow nach Straßburg

Poststempel: Frankfurt, 28. Sept. 35.

Mein lieber Freund, Sie erbauen weder mich noch meinen Plan durch Ihren jüngsten, doch so willkommnen Brief. Ich hatte sicher auf Sie gerechnet, ich spekulierte auf lauter Jungfernerzeugnisse, Gedankenblitze aus erster Hand, Lenziana, subjektiv und objektiv: Sie können auch Ihre abschlägige Antwort nicht so rund gemeint haben und werden schon darauf eingehen, folgenden Kalkül mit sich anzustellen: Du hast ein Buch mit deinem Namen geschrieben. Ein Enthusiast hat es unbedingt gelobt. Ja, du hast dich sogar herabgelassen, zwei wahrscheinlich sehr elende Dramen von Victor Hugo zu übersetzen; du stehst nun mitten drinnen und mußt dich entweder behaupten oder avancieren. Die Deutsche Revue wird großartig verbreitet, sie zahlt für den 8°bogen 2 Friedrichsdor. Sie hat einige glänzende Aushängeschilde von Namen, welche sogar das alte und besorgliche Publikum locken. In der Tat, lieber Büchner, häuten Sie sich zum zweiten Male: geben Sie uns, wenn weiter nichts im Anfang, *Erinnerungen an Lenz:* da scheinen Sie Tatsachen zu haben, die leicht aufgezeichnet sind. Ihr Name ist einmal heraus, jetzt fangen Sie an, geniale Beweise für denselben zu führen.

Das Brockhaussche Repertorium kanzelt Sie mit zwei Worten ab. Die Abend-Zeitung, wie ich aus einem Briefe von Th. Hell an einen Dritten sehe, wird desgleichen tun. Basenhaft genug schreibt dieser Hofrat Hell genannt Winckler: Wer ist dieser Büchner? Antworten Sie ihm darauf!

W. Schulz hat an mich geschrieben. Er scheint recht gedrückt zu sein; was ich für ihn ausrichten kann, will ich sehen. Er solle sich noch einige Tage gedulden.

Von Menzels elendem Angriffe auf meine Person werden Sie gehört haben. Ich mußte ihn für seine Schamlosigkeit fordern; er schlug diesen Weg aus und zwingt mich nun, ihm öffentlich zu dienen. Menzeln wär es eine Freude gewesen, wenn ich bei ihm noch immer die zweite Violine gespielt hätte und einmal Exekutor seines Testaments geworden wäre. Prinzipien hat er für keine größere Fehde mehr, seine letzten Patronen hat er gegen Göthe verschossen: nun muß die Religion, die Moral und mein Leben herhalten, um mich zu stürzen. In einigen Tagen erscheinen von mir und Wienbarg Broschüren. Ich kann nichts Besseres tun, als aus seiner Infamie eine literarische Streitfrage machen. Zeit ist's, endlich einmal die Menzelsche Stellung zu revidieren und die kritischen Annalen zu kontrollieren, welche er seit beinahe zehn Jahren geschrieben hat.

Am 1. Dezember erscheint das erste Heft der Revue. Benimmt sich

Menzel nicht, als woll er sagen: ›O Herr Zebaoth, siehe, sie wollen herausgeben ein Blatt, das da heißet: Deutsche Revue, und soll es erscheinen wöchentlich einmal! spricht der Herr: Sela.‹

Adressieren Sie nicht an Sauerländer, sondern kurzweg an meinen Namen. Ihr Gutzkow.

Von Gutzkow nach Straßburg

Poststempel: Mannheim, den 4. Dezember 1835.

Mein Lieber! Ich sitz im Gefängnis – wie und wodurch das kam, ein ander Mal – wenn ich mich in mein Schicksal zu finden weiß. Zunächst dies, daß ich des Angriffes auf die Religion beschuldigt bin.

Erst wollt ich fliehen und schrieb an Mr. Boulet in Paris, für mich zu sorgen. Wahrscheinlich ist unter Ihrer Adresse von da ein Brief an mich gekommen. Schicken Sie ihn mir hieher mit besonderm Kuvert an den Dr. Löwenthal.

Wie glücklich sind Sie in der Freiheit! Ich sehe voraus, daß ich lange werde geplagt werden. Menzel hat mich so weit gebracht. Ich bin zusammenhängender Ideen nicht fähig. Ein ander Mal mehr, wenn es sich aus den Eisenstäben schmuggeln läßt. Ihr G.

Von Eugen Boeckel nach Straßburg

Göttingen, den 16. Januar 1836.

Mademoiselle Wilhelmine Jägle!

Entschuldigen Sie gütigst die Freiheit, die ich mir nehme, den Brief an Sie zu adressieren; ich tue es, um mir das Vergnügen zu machen, mich meiner Freundin ins Gedächtnis zurückzurufen, und um unserm George Unannehmlichkeiten zu ersparen.

Ihr Freund Eugène.

NB. Da in dem Brief medizinische Gegenstände zur Sprache kommen, muß ich Sie bitten, zu tun, was Ihnen gefällt.

Mein lieber George, wahrscheinlich wirst Du schon einiges von meiner Reise erfahren haben durch meinen Bruder und Deine Eltern, bei denen ich gerne länger geweilt hätte, wenn es die Jahreszeit und die übrigen Umstände gelitten hätten. Es war mir auf jeden Fall angenehm und interessant, die Familie meines lieben Freundes kennen zu lernen. Deine Mutter ist übrigens eine der angenehmsten und unterhaltendsten Personen, welche ich jemalen gesehn habe; ich werde mich sehr freuen, Deine Mutter und Deine Schwester in Straßburg nächsten Ostern zu sehn, wenn es möglich wäre. – Dein

Vater ist billig, aber mit Recht etwas ungehalten über Dich. – Deine Großmutter ist besonders gut konserviert, Dein kleiner Bruder Louis gleicht Dir außerordentlich. Du kannst leicht denken, daß wir sehr viel von Dir und Demoiselle Wilhelmine sprachen.

In Heidelberg wurden wir sehr gut von Nägele empfangen. Ich logierte daselbst auf Kosten des Großherzogs in der Geburtshülflichen Anstalt mit 36 andern, schwangern Weibern; ich konnte, ohne Übertreibung, kaum einen Schritt im Hausgang machen, ohne an eine wohlbeleibte Person zu stoßen. Übrigens bewohnte ich ein großes hübsches Zimmer, wo gewöhnlich die vornehmen Sünderinnen sich ihrer Last und Sünde zu entledigen pflegen. Von Heidelberg bis Frankfurt hatten wir einige Aventuren, deren Erzählung Du mir ersparen wirst, da ich von Kassel aus schon einen ziemlich detaillierten Brief hierüber an meine Familie geschrieben habe. In Kassel hielten wir uns einen Tag auf und bestiegen daselbst die Wilhelmshöhe. Die Gegend um Kassel herum ist eine der schönsten und anziehendsten in der schönen Jahreszeit, aber wir treffen leider überall Schnee, Regen, Nässe und Kälte an, so daß wir eigentlich die Schönheiten einer Gegend nicht beurteilen können; dies sah ich namentlich bei Heidelberg, das ein sehr tristes Aussehen hatte in dieser Winterzeit. Durch Gießen fuhren wir nachts, so daß ich Deine liebe Musen-Stadt nicht recht genießen konnte. In Marburg hielten wir uns eine halbe Stunde auf; ich sah doch so viel davon, um mich zu überzeugen, daß es viel hübscher gelegen ist als Gießen. Wirklich sitze ich in Göttingen, wo ich den 15ten ankam; den 20sten dieses Monats reisen wir nach Berlin, den 22sten werde ich in Berlin ankommen, si diis placet. Wir hatten zuerst beschlossen, über Braunschweig und Magdeburg durch den Harz zu reisen. Allein das geht nicht bei dieser Jahreszeit. Zu Fuß können wir nicht gehn wegen des Kotes und der kurzen Tage, und zu Wagen geht es langsam, unbequem und teuer. Reisen wir mit Eilwagen über Braunschweig und Magdeburg, so müssen wir entweder bloß durch diese Städte fahren, ohne etwas zu sehn, oder an jedem Ort mehrere Tage liegen bleiben. Also sind wir entschlossen, den kürzesten Weg über Halle zu nehmen. Dafür bleiben wir fünf Tage in Göttingen; denn ich denke, es ist besser, wenig Universitäten recht zu sehn, als bloß sich einen Tag aufhalten, damit man sagen kann, ich bin dort gewesen.

Studiert habe ich nicht viel während meiner Reise; ich glaube auch, es wäre sehr deplaziert gewesen. Bloß in Heidelberg habe ich während acht Tagen einen Teil von Siebold, Frauenzimmerkrankheiten, und Cooper über Blasenkrankheiten studiert; ich hatte daselbst beinahe Hausarrest wegen meines Podagras. In Heidelberg habe ich das

Klinikum von Chelius und Nägele besucht, und hauptsächlich mich im Touchieren geübt, weil die Gelegenheit dazu vortrefflich war bei meinen 36 Hausgenossen. In Göttingen besuchte ich diesen Morgen Langenbeck, Siebold und Conradi; von beiden letzteren wurden wir besonders gut empfangen und hauptsächlich von Dr. Conradi, Sohn des Professors, welcher den ganzen Tag mit uns herumlief und uns alle möglichen Renseignements über die hiesige Universität gab. Morgen werden wir bei Conradi den Café trinken. Auf der ganzen Reise mußten wir unsere Pässe bloß in Kehl und Frankfurt vorweisen, an keinem andern Ort kümmerte sich irgendein Polizeidiener um uns.

Wie geht es Dir, mein Lieber? ist die Dissertation geschrieben? werden wir Dich in Zürich treffen? Kommst Du oft zu Baum? – Deine Mutter [läßt] Dir sagen, Du sollst nicht oft nachts arbeiten, und ich füge meine Bitte und meinen wohlmeinenden ärztlichen Rat bei, allein, ich fürchte: vergebens. Ferner sollst Du die Fechtstunde fortsetzen, und dies tue mir, Deiner Mutter und Deiner Gesundheit zu gefallen.

Frage meinen Bruder, ob der Doktor den Brief erhielt, den ich ihm von Heidelberg aus schrieb; ferner, ob Dr. Schützenberger meinen Brief erhielt, und endlich, ob die Epistel angelangt, die ich von Kassel aus an Me. Marie Boeckel schrieb – diese Aufträge vergiß nicht. Sage auch meinem Bruder, daß ich den 22. Januar in Berlin anlange, meiner Berechnung nach, und man soll mir dorthin schreiben, poste restante, was Tante Schneegans macht. Sobald ich am Ziel meiner Reise bin, schreibe ich an Baum meine Adresse, wenn ich ihm nicht noch diese Tage von Göttingen aus schreibe; es ist meine Lieblingsbeschäftigung, mich abends mit meinen Freunden und Freundinnen schriftlich zu unterhalten, weil es mir unmöglich ist, mich mündlich zu unterhalten mit ihnen.

Mit meinem Reise-Kompagnon Dr. Schwebel bin ich complet zufrieden. Er läßt Dir einen freundlichen Gruß entbieten; er sitzt in diesem Augenblick bei mir und schreibt an seine Eltern. Die Aufträge an Hoffmann habe ich ausgerichtet, darüber ausführlicher an Baum.

Ich habe die chronologische Ordnung in meinem Briefe nicht befolgt, weil ich meine Reise in dieser Ordnung an meine Familie beschrieb und weil ich mich nicht entschließen kann, zweimal dasselbe zu schreiben. Grüße mir Baum, Deinen Schwager und Gustav Schneegans; wenn Du mit ihm Schach spielst, so denke an mich.

Dein Freund Eugène.

[Am Rande:] Sage meiner Familie, ich sei immer lustig und immer bei Gelde; depensiert habe ich in den 14 Tagen 160 fr. circiter . . ., freilich auf der Reise muß man an table d'hôte essen, Wein und Café trinken, sich nichts abgehn lassen.

Von Gutzkow nach Straßburg

Mannheim, den 6. Februar 1836.

Mein lieber Freund! In kurzer Zeit drei Briefe von Ihnen: zwei, die ziemlich gleich lauteten, und einer, der den Alsabildern beilag. Ihre Ratschläge sind entschieden; aber ich möchte sie noch nicht befolgen. Eine Entfernung aus Deutschland brächte mich um die Voraussetzung eines guten Gewissens, auf das ich mich dreist berufe. Wenn auch von Menzel als strikter Republikaner denunziert, so tritt doch die politische Seite meiner Anschuldigungen ziemlich in den Hintergrund, und sogar in Preußen scheint man ein andres und milderes Benehmen einleiten zu wollen. Meine Taktik muß die sein, Preußen (ich bin aus Berlin gebürtig) so lange zu vermeiden, bis ich das entschiedene Wort des Ministeriums hab, daß meiner Freiheit nichts in den Weg tritt. Da Laube und Mundt frei passieren, würde man vielleicht auch Anstand nehmen, gegen mich persönlich einzuschreiten. Solange ich kann, halt ich mich um Frankfurt herum; denn ich bin daselbst verlobt; aber die elenden Krämer werden mich unsanft empfangen, und das *binnen vierundzwanzig Stunden* hör ich schon, wie natürlich. Diese Menschen wissen nun alle, daß mich nichts nach Frankfurt zieht als meine Braut; und doch sind sie spitzbübisch genug, mir andre Zwecke unterzuschieben. Kurz, ich sehe Not und Plage voraus und werde so viel gehänselt werden, daß ich zuletzt doch im ›Rebstöckel‹ nachfragen könnte. Aber die Freude, Sie zu sehen, müßt ich dann teuer erkaufen, da mir schwerlich der Rückweg dann offen bliebe.

Die gegen mich bereits erhobene Appellation ist zurückgenommen durch die Minister in Karlsruhe. Ich danke Gott, von dieser Ungewißheit befreit zu sein. Am 10. Februar bin ich nun frei: mit der Weisung, Baden zu verlassen. Ich saß dann 2½ Monate, und zwar, wie Sie richtig annahmen, im Amtshause oder Kaufhause, wie der ganze Arkadenwürfel heißt. Behandlung war erst massiv; dann milderte sie sich und endete zuletzt in entschied. Höflichkeit. Erst wollte man mich steinigen, und jetzt bin ich ziemlich populär. Die Deutschen sind wenigstens gutmütig und können niemanden lange leiden sehen.

Können Sie denn in Straßburg vollkommen die deutschen Affären seit einem halb. Jahre übersehen? Eine Kette von Nichtswürdigkeiten und Dummheiten: die gänzliche innre Auflösung Deutschlands charakterisierend. Ich will mich nicht in Schutz nehmen, ich weiß, daß ich outriert habe; aber was erlaubte man sich nicht dagegen! Vieles ist sehr versteckt, und Sie erfahren es noch einmal mündlich.

Ich höre gern von Ihren Beschäftigungen. Eine Novelle Lenz war einmal beabsichtigt. Schrieben Sie mir nicht, daß Lenz Göthes Stelle bei Friederiken vertrat. Was Göthe von ihm in Straßburg erzählt, die Art, wie er eine ihm in Kommission gegebene Geliebte zu schützen suchte, ist an sich schon ein sehr geeigneter Stoff.

Sie studieren Medizin und sind, wie ich höre, an eine junge Dame in Straßburg gefesselt, von früher her, wo Ihnen die Flucht dorthin sehr willkommen war. So sagte man mir wenigstens in Rödelheim.

Wenn Sie mir schreiben, so adressieren Sie: Generalkonsul Freinsheim in Frankfurt a.M., Wolfseck. Freundlich grüßend

Ihr Gutzkow.

Von Eugen Boeckel nach Straßburg

Sonntag, den 15. Mai 1836.

Ma Demoiselle Wien, an den Ufern der Donau.

Erlauben Sie, daß ich noch einmal meine Zuflucht zu Ihnen nehme, um einen Brief an Büchner gelangen zu lassen; ich weiß durchaus nicht, ob er noch in Straßburg oder Zürich ist. Seit vier Monaten erhielt ich gestern die erste Kunde von ihm. Ich ersuche Sie auch, die Gefälligkeit zu haben, meinem Bruder dem Doktor melden zu lassen, daß ich seinen Brief vom ersten Mai empfangen habe. Verzeihen Sie, George zu Gefallen, die Freiheit, die ich mir nehme, an Sie zu schreiben, und seien Sie versichert, daß ich die aufrichtigsten Wünsche hege zum Glücke von Ihnen beiden. – Ich danke Ihnen wegen des Grußes, den Sie durch Büchner an mich sandten, und verbleibe Ihr Freund Eug. Boeckel.

P.S. Ich erneuere meine Bemerkung, daß in dem Brief zuweilen medizinische Gegenstände verhandelt werden – Sie werden tun, was Ihnen beliebt.

Mein lieber Freund. Gestern erhielt ich durch Deinen Vetter einen Brief von Dir, adressiert von dem 18. März; dazumalen konntest Du natürlich meine Adresse nicht wissen, denn ich wußte sie selbst nicht. Von meinem Aufenthalt in Berlin wirst Du Nachricht erhalten haben durch Baum, welchem ich von Dresden und zuletzt von hier aus schrieb. Freund Baum hat sich wie immer sehr nachlässig gezeigt und mir ein einziges Mal geschrieben. Von Dir, mein Lieber, erwartete ich auch nichts Besseres und habe mich in meiner Prognose auch nicht getäuscht.

Ende des Monats März zogen wir von Berlin weg über Leipzig nach Dresden. In beiden Städten hielten wir uns mehrere Tage auf, um die medizinischen Anstalten und die übrigen Merkwürdigkeiten der Stadt zu sehn. An Abenteuern aller Art, und beinahe noch ärger als Dir, hat es uns durchaus nicht gefehlt; wenn Du noch in Straßburg bist, so kann Dir Baum etwas davon erzählen. Dresden ist überaus hübsch gelegen an den Ufern der Elbe.

Von Dresden gingen wir nach Teplitz und Prag durch die böhmischen Wälder in tiefem Schnee. In Prag, wo wir während vier Tagen das abscheulichste Wetter hatten, mußten wir größtenteils auf die Besuchung der Umgegend Verzicht leisten. Den ersten Tag gleich besuchten wir Charles X. et sa chère famille auf dem Hradschin. Das Theater in Prag ist vortrefflich.

Von Prag nach Wien hatten wir wieder eine abenteuerliche winterliche Reise in den böhmischen und mährischen Wäldern und den schlechten böhmischen Kneipen. In Wien befinde ich mich seit dem 17. April.

In medizinischer Rücksicht gewährt diese Stadt einem jungen Arzt sehr viele Vorteile; aber Berlin für ein Winter-Semester noch mehr. Die Maternité hier ist sehr groß. Täglich sind 6–8 accouchements, aber Fremde haben Mühe, zum Touchieren zugelassen zu werden; doch geht es, wenn man sich recht darum bewirbt. Was hier vorzüglich gut ist, das ist die Augenheilkunde bei Rosas und Jäger; bei dem letztern nehme ich hierüber ein Privatissimum, und ebenfalls eines bei Koletschka über Anatomie pathologique, welche man hier sehr gut studieren kann wegen der großen Anzahl von Autopsieen in einem Hospital, wo mehrere tausend Kranke sich befinden. Was mich hier speziell interessierte, ist die Cholera, welche sich wieder hier gezeigt hat. Wir hatten einen Bestand von 20 Cholerakranken, täglich 2 Tote; jetzt hat die Cholera wieder abgenommen, die Anzahl der Kranken im Hospital ist auf zehne heruntergekommen. An Intensität hat die Krankheit nicht abgenommen, und ich sah mehrere in 6–8 Stunden sterben. Ich habe hierüber ausführlicher an meinen Bruder geschrieben . . .

Was Annehmlichkeiten anbelangt, so bietet Wien alles dar, was sich ein Fremder nur wünschen kann. Die Gegend um Wien ist herrlich. Zwei, drei Stunden von der Stadt befindet man sich mitten in dem Gebirge, in den herrlichsten Tälern; gewöhnlich machen wir sonntags unsere Exkursion, heute hindert uns das schlechte Wetter daran. Die Boulevards und Glacis um Wien selbst herum bieten schon die angenehmsten Spaziergänge mit einer herrlichen Aussicht. Die Bekanntschaften mit den vielen jungen Ärzten aus allen Ländern, Holland, Schweden, Rußland, Preußen etc. etc., ist sehr interessant, angenehm und instruktiv, wenn man es zu benutzen weiß.

Der Aufenthalt hier ist angenehmer, als man es sich in Frankreich denkt. Es herrschen viele Vorurteile wider Östreich, welche man ablegt, wenn man in das Land selbst kommt. Die Weine hier sind sehr wohlfeil und gut, hauptsächlich die ungarischen. Theater haben wir fünfe, drei sind ziemlich schlecht, zwei sind vorzüglich gut: die italienische Oper am Kärntner Tor und das Burgtheater; dieses letzte ist wohl das beste für Schauspiel. Seit ich in Teutschland bin, bin ich ein Liebhaber vom Theater, ich gehe wöchentlich 2–4mal hinein. Löwe, La Roche, Costenoble, Anschütz, die anmutige M.e Rettich, M.elle Peche und M.elle Müller sind ausgezeichnet.

Wirklich gastiert auch hier Devrient aus Dresden, welcher gestern die Rolle Ferdinand in ›Kabale und Liebe‹ hatte. ›Hamlet‹, der ›Ring‹ und mehrere andern pièces wurden ausgezeichnet gut gegeben. In Dresden ist das Lustspiel sehr gut, in Prag die Oper . . ., in Berlin die Oper und das Ballett. In Prag hat mir D.elle Lutzer am besten gefallen; ich weiß nicht, ob sie am besten singt, aber sie ist hübsch, anmutig und hat eine liebliche Stimme, viel Angenehmes in ihrem Betragen.

Dein Cousin lief hier 12 Tage herum, ohne mich zu finden; er scheint ein solider junger Mann zu sein. Du wirst praeceps, d. h. über Hals und Kopf an Deiner These arbeiten; ich zweifle nicht daran, daß sie gut ausfallen wird. Sie auf diese Art drucken zu lassen, ist sehr bequem. – Du wirst durch Baum wahrscheinlich erfahren haben, daß ich nicht durch die Schweiz nach Paris gehe, sondern über Würzburg, wo ich mich bei Professor D'Outrepont September und Oktober noch speziell mit Accouchieren beschäftigen werde. Also werden wir uns so bald nicht sehn, deswegen müssen wir uns durch schriftliche Unterhaltung trösten, wenn es Dir möglich ist. Wo Du auch sein magst, kannst Du bis zum 1. Juli inklus. Briefe an mich nach Wien adressieren; Du wirst wissen, daß alle Briefe bis an die östreichische Grenze frankiert sein müssen, und ebenso muß ich alle Briefe bis an die Grenze frankieren, denn die östreichische Regierung steht in dieser Beziehung in Rechnung mit keinem andern Gouvernement . . .

Wenn Dich dieser Brief noch in Straßburg trifft, so frage Baum, ob er meinen Brief erhielt, von hier aus adressiert den 4. Mai. Schreibe mir auch von Lambossy und Held; diese beiden werden wahrscheinlich in Paris sein, wo ich sie nächsten Winter zu treffen gedenke. Ich bin jetzt bald fünf Monate in Teutschland und denke noch fünfe zu bleiben; Ende Juli gehe ich über Linz, Salzburg, Innspruck nach München. Grüße d. Schwager Louis und meine übrigen Freunde.

Dein Dich liebender Freund Eugène.

Von Gutzkow nach Straßburg

Poststempel: Frankfurt, den 10. Juni 1836.

Mein lieber Freund! Sie geben mir ein Lebenszeichen und wollen eines haben. Allmählich kehr ich auch wieder unter die Menschen zurück und lerne vor erträglicher Gegenwart die Vergangenheit vergessen. Es geht mir gut, und es würde noch besser gehen, wenn mir in meiner Resignation nicht die Zeit lang würde.

Sie scheinen die Arzeneikunst verlassen zu wollen, womit Sie, wie ich höre, Ihrem Vater keine Freude machen. Seien Sie nicht ungerecht gegen dies Studium; denn diesem scheinen Sie mir Ihre hauptsächliche Force zu verdanken, ich meine, Ihre seltene Unbefangenheit, fast möcht ich sagen, Ihre Autopsie, die aus allem spricht, was Sie schreiben. Wenn Sie mit dieser Ungeniertheit unter die deutschen Philosophen treten, muß es einen neuen Effekt geben. Wann werden Sie nach Zürich abgehen?

Die Flüchtigen in der Schweiz spielen nun auch mit dem Jungen Deutschland Komödie. Dadurch wird der Name, hoff ich, von mir und meinen Freunden mit der Zeit abgewälzt, wie fatal es mir auch im Augenblick ist, daß der wunderliche Titel auf diese neue Weise adoptiert wurde. Mit der Zeit wird es ein pappener Begriff werden und sich abnutzen, was immer gut ist unter Umständen, wie die heutigen, wo die Massen schwach sind und das Tüchtige nur aus runden und vollkommenen Individualitäten geboren werden kann. So werden auch Sie gewiß die Berührungen vermeiden, welche sich in der Schweiz genug darbieten, und meinem Ihnen schon früher oft genug gegebenen Zurufe folgen, daß Sie Ihre ungeschwächte Kraft der Literatur opfern.

Von Ihren ›Ferkeldramen‹ erwarte ich mehr als Ferkelhaftes. Ihr Danton zog nicht: vielleicht wissen Sie den Grund nicht? Weil Sie die Geschichte nicht betrogen haben: weil einige der bekannten heroice Dicta in Ihre Komödie hineinliefen und von den Leuten drin gesprochen wurden, als käme der Witz von Ihnen. Darüber vergaß man, daß in der Tat doch mehr von Ihnen gekommen ist als von der Geschichte, und machte aus dem Ganzen ein dramatisiertes Kapitel des Thiers. *Schicken Sie mir, was Sie haben;* ich will sehen, was sich tun läßt. Von mir ist soeben eine Schrift erschienen: Über Göthe im

Wendepunkte zweier Jahrhunderte. Hätt' ich schon meine Frei-exempl., würd' ich Ihnen eines schicken. Also künftig!

Frkft a/M 10/6 36 Ihr Gutzkow.

Von Eugen Boeckel nach Straßburg

Wien, den 18. Juni 1836.

Wie sehr mich Dein lang erwartetes liebes Schreiben freute, kannst Du aus meiner schnellen Antwort sehn: Ich rechne es Dir doppelt hoch an, wenn Du einmal Dich hinsetzest und mir einen ordentlichen Brief schreibst; denn Du weißt, wie wenig ich mir in dieser Hinsicht von Dir verspreche.

Mit dem wohlbeleibten, lustig-, fidelgrämlichen Pädagogen ist also gar nichts zu machen, wie ich aus Deinem Brief ersehe. Sage ihm doch, daß ich seinen Brief vom 2. Juni empfangen; ich werde ihm nächstens antworten. Was Du von der Couverte und der Adresse meines Briefes sagtest, darin hast Du vollkommen recht, peccavi; ich wollte Dir übrigens das Briefporto nicht verteuern. Was das Lesen des Briefes anbetrifft, traue ich es nicht jedem Frauenzimmer zu, der Neugierde zu widerstehn, aber in diesem speziellen Fall hat mich doch nicht meine Menschenkenntnis verlassen. Es soll Dir Freude machen, durch meinen Fehler diese Eigenschaft erkannt zu haben.

Was Du von Deiner These mir schreibst, freut mich; ich hoffe, Du läßt mir ein Exemplar davon in Straßburg. Zu Deinem Beitritt zur Société d'histoire naturelle gratuliere ich. Du hast also die Ehre, der Kollege des Prof. Duvernoy zu sein. Ist Lauth bald Professor der Physiologie? Wie steht es im übrigen mit unserer medizinischen Fakultät in Straßburg?

Was Du mir von Stöber schreibst, ist sehr betrübend und für mich bis jetzt unglaublich; ich traue Christ. [?] mehr Gefühl zu. Wenn übrigens eine Erkältung eingetreten, so frägt es sich, ob nicht die Erkältung durch gegenseitige Entfernung und Entfremdung kam. – Was macht Apostel Petrus? Er wird mit 1100 fr. in Weißenburg heiraten, und er hat recht, wenn es ihm Vergnügen macht.

Dein Cousin ist ein liebenswürdiger, artiger, vernünftiger, naiver Holländer. Er hat Anatomie und Physiologie gut los, und dabei hat er die praktische Medizin nicht vernachlässigt. Er macht uns vielen Spaß, und es tut mir leid, daß ich mich auf ewig von ihm trennen muß. Er spricht originell, naiv holländisch Teutsch.

Die Tournée durch die teutschen Hospitäler und Hörsäle ist für mich nicht so unangenehm, wie Du glaubst. Was die Hörsäle betrifft, d. h. die theoretischen Kollegs, so gehe ich nicht oder äußerst selten hinein, also fällt dieses weg. Zwei Privatissima habe ich, das eine bei Jäger: ophthalmologische Operationen mit Übungen ..., das andere bei Koletschka: Anatomie pathologique. Hier ist nur ein Hospital, Du kannst also denken, welche unzähligen Leichen sich da vorfinden, so daß man in zwei Monaten alle möglichen Fälle der Anatomie pathologique und viele Fälle Medicinae forensis [?] sehn kann. Diese Privatissima dauern von 3–6–7 Uhr. Morgens besuche ich den Hospital, da gibt es viele Variationen [?] und interessante Gegenstände. Abends gehe ich öfters in das treffliche Burgtheater, oder auf die superben Promenaden rings um die Stadt herum. Sonntags mache ich in Gesellschaft Exkursionen in die Gebirge in den schönsten Gegenden: Baden, Schönbrunn, Laxenburg, Dornbach etc. etc. Dabei habe ich hier eine angenehme interessante Gesellschaft, die ungarischen Weine sind sehr gut, die Cotelettes, Schnitzel etc. etc. ebenfalls; es wird einem hier so behaglich zu Mute, daß es selbst Dir und sogar dem Pädagogen recht gefallen würde. Freilich würde dieser letztere mit einem bedeutenden Bauch, so groß wie der eines schwangeren Frauenzimmers, zurückkehren. Nennst Du dies ein unangenehm Leben?

Was die politischen Verhältnisse anbelangt, so kümmere ich mich wenig darum, oder vielmehr sie genieren mich nicht; denn Fremde können sich in dieser Rücksicht nicht beklagen, sie sind in sehr vieler Hinsicht hier so frei wie in Frankreich. Wenn Du übrigens Dich einige Zeit in Östreich aufhalten würdest, so könntest Du Dich überzeugen, daß die hiesige Regierung unter ihrer jetzigen Form notwendig und wohltätig für das Land ist, gänzlich den Bedürfnissen und Begriffen der Untertanen angemessen, denn sie ist durch die öffentliche Meinung sanktioniert. Es wäre lächerlich und unsinnig, einem Volk, das sich glücklich fühlt und zufrieden ist, eine Form aufzuzwingen, die ihm zuwider ist und nicht für dasselbe paßt.

Sed absint politica. – Mit der Cholera hier geht es schlecht, sie macht Progresse. Noch niemalen seit meinem hiesigen Aufenthalt war sie so heftig wie jetzt, und hauptsächlich in der Vorstadt, wo ich wohne, und den zwei zunächst gelegenen. Es ist aber nicht nötig, mein Lieber, daß Du dieses meiner Familie mitteilst; da man in Straßburg noch nicht an die Cholera gewohnt ist, so ist es noch daselbst ein rechtes Schreckbild. Hier sind die Leute vernünftiger in dieser Beziehung. Heute beläuft sich die Anzahl der Cholera-Kranken im Hospital auf 60–70; 30 darunter sind übrigens mehr oder minder leichte Fälle. Nur Cholerine, die nicht charakteristischen Exemplare, sind in geringerer Anzahl.

Ich bleibe hier bis Mitte Julis. Wo ich Juli und August zubringe, weiß ich noch nicht bestimmt, wahrscheinlich in Triest, Venedig und Mailand, September und Oktober in Würzburg. Wenn Du von Straßburg weg bist, so schicke Deine Adresse an meinen Bruder. Schreibe ich Dir unterdessen, so schreibe ich Dir über Straßburg mit einer Couverte.

Bis jetzt bin ich keineswegs gesonnen, so bald definitivement ins Elsaß zurückzukehren. Ich werde später womöglich von Paris aus suchen, weiter zu kommen. Ich bin [des Reisens] noch keineswegs müde, auch wäre es noch zu frühe, denn es sind kaum sechs Monate, [daß] ich von zu Haus weg bin.

Lambossy hat souteniert, wie ich von Baum erfahren; er wird hoffentlich nächsten Winter in Paris sein, wo ich ihn zu treffen hoffe. Von meinen hiesigen Bekannten werde ich 6–8 wieder in Paris sehn, einige gehn nach Berlin, mehrere davon siehst Du vielleicht in Zürich. Dieses Jahr gehe ich bestimmt nicht nach der Schweiz, vielleicht später von Paris aus, si diis placet. Vor dem November dieses Jahres komme ich auch nicht nach Straßburg, wenn ich überhaupt hinkomme; also muß ich darauf Verzicht leisten, Dich dieses Jahr zu sehn. – Ist Baum nicht zu bewegen, nächsten Winter nach Paris zu kommen? er hat freilich eine Kette am Fuß, und dies ist verflucht unangenehm.

Was Du mir über den Leichtsinn schreibst, darin hast Du vollkommen recht: wer nicht leichtsinnig ist, soll sich Mühe geben, es zu werden, es trägt viel zu den Annehmlichkeiten dieses Lebens bei; ich habe mir ziemlich Mühe gegeben, diesen Grundsätzen gemäß zu denken, und es ist mir auch so ziemlich gelungen. Was die Identität des Leichtsinnes und des Gottvertrauens betrifft, so ist es bloß wahr für einige Menschen; die größere Anzahl sind eben bloß leichtsinnig, wenigstens kommt es mir so vor, und ich glaube, der Pädagog wird hierin meiner Meinung sein. Die Anspielung des letztern in Beziehung der Geschichte Lambossy auf Wien ist sehr verzeihlich, aber vielleicht nicht gegründet.

Meinen Bruder Charles kannst Du gelegentlich fragen, ob er den Brief erhielt, den ich ihm den 17. Juni schrieb. Grüße Freund Lambossy und Heidenreich. Ich muß enden, um ins Josephinum zu gehn, die superben italienischen Wachspräparaten (Anatomia) zu sehn. Sonntags ist das Cabinet offen, und ich habe bis jetzt noch keinen versäumt, hinzugehn.

Lebe wohl! Wenn Du Deine Mutter früher oder später siehst, so grüße sie vielmal von mir, so wie die übrigen Mitglieder Deiner Familie, Demoiselle Wilhelmine nicht zu vergessen.

Dein Eugène.

Von Eugen Boeckel nach Straßburg

Würzburg, den 4. September 1836.

Mein lieber Büchner, wo Du bist, weiß ich nicht gewiß, und darum muß ich aufs neue mich an Deine Geliebte wenden (sans enveloppe), um Dir den Brief zukommen zu lassen. Ich ließ zwar Deine Adresse bei M.elle Jägle begehren, allein ich erhielt sie nicht, wie mein Bruder versichert, durch die Nachlässigkeit von Mademoiselle.

Du wirst hoffentlich den Brief erhalten haben, welchen ich Dir den 18. Juni von Wien aus schrieb, mit der Adresse bei Herrn Siegfried etc. Meine jetzige Adresse ist bis Ende Oktobers Würzburg, E. B. bei Herrn Broili, erstes Distrikt No. 262. Bist Du noch in Straßburg, so gebe meine Adresse unserm vielgeliebten dickbauchigen Pädagogen. Vielleicht hat er wieder einmal Lust zu schreiben. Was freilich äußerst selten vorkommt. Zweimal seit meiner Abreise von Straßburg. Ich habe ihm viermal geschrieben. Jetzt mache ich es aber wie der Pädagog und schreibe nicht mehr. – Mit Dir, mein Lieber, bin ich umso mehr zufrieden, da ich aus der Kenntnis Deines Charakters kaum einen Brief zu hoffen wagte. Ich habe mich gänzlich geirrt, dies ist mir sehr lieb und angenehm.

Ich denke, Du weißt, daß ich den 10. Juli von Wien wegreisete, über Graz nach Triest, eine angenehme, gebirgige, interessante Gegend. Von Triest nach Venedig, dann Verona, Mantua, Mailand und über den Gardasee, Roveredo, Trient und Bozen nach Innspruck, von Innspruck nach Salzburg, dann München und endlich Würzburg. Diese Reise wenigstens wirst Du nicht für langweilig und trocken halten, wie die Tournée durch die Hörsäle der teutschen Professoren. Ich würde Dir eine detaillierte Reisebeschreibung machen, allein ich habe schon so viel davon geschrieben, daß ich mich nicht dazu entschließen kann. An Baum schrieb ich von Triest, an meinen Schwager von Trient, an meinen Bruder von München und an meine Schwester von hier aus.

In Teutschland befinde ich mich sehr wohl; es ist nicht halb so schlimm, wie Du glaubst. Ich glaube, es gibt keinen besser organisierten Staat in Europa wie Preußen, beinahe in aller Beziehung. Die Regierung herrscht nach den bestehenden Gesetzen kraftvoll und energisch, und von eigentlichem Despotismus habe ich wenig oder gar nichts gesehn. Über Politik darf man sich, und hauptsächlich Fremde, ziemlich freimütig äußern, nur nicht gegen die bestehende Regierungsverfassung. Was ich hauptsächlich in Preußen bewundere, das sind die militärischen Institutionen. Es ist nicht zu leugnen, daß Preußen der erste und bestorganisierte Militärstaat der Erde ist, und das heißt viel.

Ich wünschte, daß das preußische Militärsystem nach Frankreich verpflanzt würde. Man unterscheidet in Preußen die Nationalgarde nicht von den Linientruppen. Die Garde nationale bei uns wählt ihre Offiziere selbst; ich wollte gern auf dieses Privilegium Verzicht leisten und von der Regierung tüchtige Offiziere ernannt sehn. Denn mit unsern Wahlen werden wir nie tüchtige Offiziere bekommen. – Nikolaus, der russische Fürst, wird wohl einer der trefflichsten und besten Fürsten sein. Er hat viel gegen den hohen Adel zu kämpfen und sucht einen eigentlichen Bürgerstand zu gründen. Wirklich arbeitet er an der Aufhebung der Leibeigenschaft. Was Polen betrifft, so weißt Du, wie sehr ich wünsche, in aller Beziehung und hauptsächlich als Franzose, daß die Polen den Sieg davongetragen hätten. Aber an Nikolaus' Stelle als Kaiser von Rußland hätte ich mir wahrhaftig auch nicht Polen entreißen lassen. Was er tat, war er dem Ruhme Rußlands und seinem Throne schuldig.

Die Östreicher sind zufrieden und glücklich. Sie verehren ihren Kaiser als ein von Gott eingesetztes Oberhaupt, was brauchen sie mehr. Zudem wäre eine andere Verfassung als die absolute der Ruin der östreichischen Monarchie; bei diesen heterogenen Massen ist es eine Unmöglichkeit, eine konstitutionelle Verfassung zu bilden. Die Italiener verdienen in aller Beziehung ihr Los. Jetzt wünschen sie, daß die Franzosen sie von der östreichischen Herrschaft befreien: wenn die Franzosen ein Jahr daselbst wären, würden sie die Östreicher wieder zurückrufen; denn die Italiener taten niemalen selbst etwas, sie schauten zu, wie sich die Teutschen und Franzosen um Italien schlugen. Meiner Ansicht nach ist die östreichische Regierung eine wahre Wohltat für Italien; wo Östreich herrscht, kann man wenigstens mit Sicherheit reisen. – Du siehst, daß ich meine politischen Ansichten in mancher Rücksicht erweitert und geläutert habe.

Ich wünschte die Adresse Deines Cousins zu haben; also sobald Du dieselbe erfährst, schreibe mir. Bis Ende Oktobers hieher; wenn Du später meine Adresse nicht kennst, so kannst Du die Briefe immer Eug. Boeckel, librairie Treuttel et Würz à Strasbourg adressieren. Ich reise von hier aus nach Paris über Straßburg. Vielleicht komme ich auch nach Darmstadt, ich wünsche also zu wissen, ob ich anfangs November Deine Familie in Darmstadt antreffe. Dich werde ich leider in keinem Fall weder in Darmstadt noch in Straßburg treffen, aber im August und September 37 werden wir uns aller Wahrscheinlichkeit nach sehn.

In München hat es mir sehr gut gefallen. Ich finde, diese Stadt verdient in aller Beziehung den Namen des neuen Athens; auch ist der Zudrang der Fremden so groß, daß man viele Mühe hat, in einem ordentlichen Gasthof unterzukommen. Ich wäre sehr gerne acht Tage in München geblieben und hätte auch noch [für mehr Tage] Zeit und Geld dazu gehabt, aber von Salzburg aus reisete ich mit einer [Dame, einer] interessanten, schönen, liebenswürdigen Dame; diese blieb nur drei Tage in München und reisete dann über Würzburg nach Frankfurt. Sie redete mir zu mitzureisen, und schönen jungen Damen kann ich nichts abschlagen, also blieb ich auch nur drei Tage in München. Hier mußte ich mich leider von meiner angenehmen Reisegefährtin trennen.

Das Privatissimum bei D'Outrepont hat seit sechs Tagen angefangen, ich bin ganz damit zufrieden; an Gelegenheiten aller Art, etwas zu lernen, fehlt es nicht. Ich habe hier eigentlich nur einen Bekannten und lebe viel zurückgezogener und regelmäßiger als in Wien, auch hat man durchaus diese vielen Zerstreuungen nicht wie in Wien. Ich studiere hier M.e Lachapelle, einzelne Abhandlungen von D'Outrepont über Geburtshülfe, Wiegand etc.; dann einige Schriften über Cholera.

In Straßburg hoffe ich Deine Dissertation vorzufinden. Held war einige Tage hier; ich wurde allenthalben gefragt, ob ich diesen jungen Windbeutel kenne. Er soll sich oft geäußert haben, die hiesigen Institutionen mögen gut sein für die Studierenden, aber er, docteur en médecine, wisse hier nichts zu lernen. Lambossy ist in Paris. Schwebel wird nächstens auch dort eintreffen.

In Hoffnung, bald einen Brief von Dir zu erhalten, schließe ich den meinigen. Dein Freund Eugène.

Von der Mutter nach Zürich

Darmstadt, den 30. Oktober [1836].

Lieber Georg! Welche Freude, als Dein Brief vom 26. Oktober, das Postzeichen Zürich darauf, ankam. Ich jubelte laut; denn obgleich wir uns gegenseitig nichts sagten, so hatten wir alle große Angst, und wir glaubten kaum, daß Du glücklich über die Grenze kommen würdest. Die Sache hat mir vielen heimlichen Kummer gemacht – nun gottlob, auch dies ging glücklich vorüber. –

Wir waren die Zeit sehr beschäftiget, Mittwochs legte ich große Wäsche ein, und Montags zuvor kamen Beckers aus Frankfurt und blieben bis Donnerstag; sie erkundigten sich sehr nach Dir und freuten sich recht über Deine guten Aussichten – wir hatten einige sehr vergnügte Tage. Auf Deinen Geburtstag tranken wir alle zusammen Deine Gesundheit. –

Wie Dein Brief ankam den 27., biegelte ich gerade das letzte Stück,

Vater war im Theater; ich kann Dir gar nicht sagen, wie sehr er sich freute, als er nach Hauße kam. Er stimmt ganz mit Becker überein und ermahnt Dich dringend, ja über vergleichende Anatomie Vorlesungen zu halten; er glaubt sicher, daß Du darin am ersten einen festen Fuß fassen und Dich am ehrenvollsten emporhelfen könntest. –

Willhelm war ohngefähr 14 Tage hier, und nun ist er seit Mittwoch nach Heidelberg mit Schenk abgereist. Mit Giesen war es für diesen Winter nichts. Ich kann Dir gar nicht sagen, wie ich mich über diesen Jungen beunruhige; es ist noch ein gar zu großer Kindskopf, hat gar keinen Begrief vom Schaden, hat einen falschen Ehrgeiz, und ist hinter seinem Receptiertisch gar zu schro geworden. Wie wir Briefe von ihm erhalten, werde ich ihm schreiben, ihm Deine Adresse schicken, damit er auch an Dich schreiben kann. Antworte ihm nur gleich und ermahne ihn recht. Mathilde wird selbsten an Dich schreiben. Sonsten ist alles bei uns beim alten. Den 25. Okt. war Alexanders Geburtstag, er wurde 9 Jahre alt; heute wird er solenn gefeiert, er hat sich zehn Jungens gebeten, der Chokolade ist bereits gekocht – könnte ich Dir doch auch eine Tasse einschenken. Onkel Georg ist bei seinem Leutnant auch noch so ein Stück Stallmeister geworden. Der bekannte Stall-Schenk, zeither Stallmeister bei Prinz Louis, ist am Nervenfieber gestorben, und nun reitet Onkel die Pferde vom Prinzen; er hofft auch die vom Prinzen Karl zu bekommen, und dann trägt es ihm rund 200 fl. ein. Das Reiten ist seine Liebhaberei, er ist sehr vergnügt darüber. –

Wenn Du hörst, daß hier das Nervenfieber grasierte, so ängstige Dich nicht: es ist nicht so arg, als es die Leute machen; es sind zwar schon viele Menschen daran gestorben. Kürzlich starben aus einer Familie drei jungen Leute, zwei Söhne und eine Tochter; sie wurden an einem Tage begraben, und gestern soll auch die Mutter gestorben sein. Der Vater ist Hoboist. – Leider wurde kürzlich ein Mörder hingerichtet. Die Kinder sahen ihm auf dem Markt den Stab brechen, und Louis ging mit Vater auf die Richtstätte; er hatte vor zwei Jahren einen Förster erschlagen. –

Wie es hier mit den Gefangenen geht, weiß Gott; es ist alles still. –

Der junge Baron von Bechtold ist Leutnant geworden und wurde nach Butzbach versetzt, und heute hörten wir, daß Herr Regierungs[rat] von Bechtold Ministerialrat geworden sei. Dies unsere Neuigkeiten. –

Ich kann nun gar nicht erwarten, bis Dein nächster Brief kommt, lasse uns nur nicht lange warten; gehe nur recht unter Menschen und suche Dich zu zerstreuen. Doch hoffe ich, daß ich Dich nicht mehr zu ermahnen brauche, Dich von allem politischen Treiben entfernt zu halten; Du bist nun mitten darin. Du wirst Dich, denke ich, nicht anstecken lassen; es wird mir doch manchmal himmelangst. – Morgen schreiben ich und Mathilde an Mina, sie dauert mich gar zu sehr; ich kann das Frühjahr kaum erwarten, dann hoffe ich fest, sie bei uns zu sehen. Mathilde läßt Dich tausendmal grüßen; wie sie *endlich* anfing zu schreiben, bekam sie Besuch; sie will es also aufsparen, bis ich wieder schreibe. –

Vater schickt Dir hier ein Rezept für Deine Nase; er bittet Dich sehr, es einmal recht ernstlich und anhaltend zu gebrauchen und ihm über den Erfolg zu berichten. Wie hast Du die Straßburger nacheinander verlassen? Hast Du die Tante Reuß noch gesprochen, warst Du bi's Himly's? Wenn Du wieder schreibst, so gib mir Nachricht. Deine Kost und Logie finden wir sehr billig; freilich eine Kost wie bei Fräulein Jäkele wirst Du nicht leicht wieder finden – nun man muß sich an alles gewöhnen. Schreibe uns nur immer recht ausführlich; ich meine, seit Du von Straßburg weg bist, nun seist Du erst in der Fremde, in Straßburg glaubte ich Dich immer in meiner Nähe. Wirst Du denn mein Geschmier lesen können? Ich schreibe aber in einem solchen Tumult, daß ich gar nicht weiß, wo mir der Kopf steht. Großmutter grüßt Dich vielmals; schreibe ihr bald, weil es ihr Freude macht. Sie ist immer sehr niedergeschlagen, denn sie sieht fast gar nichts mehr; es ist sehr betrübt, und für uns alle traurige Aussichten. Alles grüßt Dich, jung und alt, auch Ema, die eben da ist, auch die träge Mathilde. Nun lebe wohl und schreibe bald wieder Deiner treuen Mutter L. Büchner.

Vom Vater nach Zürich

Darmstadt, den 18. Dezember 1836.

Lieber Georg! Es ist schon lange her, daß ich nicht persönlich an Dich geschrieben habe. Um Dich einigermaßen dafür zu entschädigen, soll Dir das Christkindlein diese Zeilen bescheren, und ich zweifele nicht daran, daß sie Dir eine angenehme Erscheinung sein werden. Meine Besorgnis um Dein künftiges Wohl war bisher noch zu groß, und mein Gemüt war noch zu tief erschüttert durch die Unannehmlichkeiten alle, welche Du uns durch Dein unvorsichtiges Verhalten bereitet und gar viele trübe Stunden verursacht hast, als daß ich mich hätte entschließen können, in herzliche Relation mit Dir zu treten; wobei ich jedoch nicht ermangelt habe, Dir pünktlich die nötigen Geldmittel, bis zu der Dir bekannten Summe, welche ich zu Deiner Ausbildung für hinreichend erachtete, zufließen zu lassen. –

Nachdem Du nun aber mir den Beweis geliefert, daß Du diese Mittel nicht mutwillig oder leichtsinnig vergeudet, sondern wirklich zu Deinem wahren Besten angewendet und ein gewisses Ziel erreicht hast, von welchem Standpunkte aus Du weiter vorwärtsschreiten wirst, und ich mit Dir über Dein ferneres Gedeihen der Zukunft beruhigt entgegensehen darf, sollst Du auch sogleich wieder den gütigen und besorgten Vater um das Glück seiner Kinder in mir erkennen.

Um Dir hiervon sogleich einen Beweis zu geben, habe ich Deinem Wunsche, ›v. Frorieps Notizen‹ von mir zu erhalten, alsbald entsprochen, welche längstens bis zum 21. d. M. per Kiste und ganz *franco* bei Dir eintreffen werden. Dieselben sind als eine kleine Bibliothek zu betrachten und werden Dir vielen Nutzen gewähren. Bis jetzt ist der 50ste Band im Erscheinen. Ich besaß nur 26 Bände, welche mich, ohne Einband, 93 fl. 36 kr. kosteten, und diese mache ich Dir zum Weihnachtsgeschenk. Die Bände 29–46, welche Du ebenfalls jetzt erhältst, habe ich für Deine dereinstige Rechnung mit Deinen Geschwistern um 20 fl. 52 kr. erkauft, und um diesen 3teil Preis sollst Du durch mich die Fortsetzung und ebenso die fehlenden Bände 27 und 28 erhalten. Sollten Dir meine anatomischen Tafeln von Weber, welche Dir schon genau bekannt sind und die ich jetzt vollständig habe, nötig sein, so will ich Dir auch diese schicken, oder wenn Du sonst Bücher nötig hast, so mache mir solche namhaft und bemerke mir genau den Ladenpreis, um welchen Du solche in Zürich würdest erhalten können. Auch findest Du in der Kiste unter anderem zwei Exemplare meiner Nadelgeschichte, die mir beim Packen als altes Papier in die Hände fielen. Vielleicht kannst Du Deinen Schülern gelegentlich eine Erzählung davon machen. Sodann legte ich auch eine Beilage zu unsrer Zeitung in die Kiste, worin eine Konkurrenzeröffnung von Zürich aus bekannt gemacht wird. Hättest Du früher meinen so wohlgemeinten Rat befolgt und Dich mehr mit Mathematik beschäftigt, so könntest Du vielleicht jetzt mit konkurrieren. Doch dies sei bloß nebenher bemerkt. Deine Abhandlung hat mir recht viel Freude gemacht, und nicht weniger war ich erfreut über Deine Kreierung zum Doktor der Philosophie, sowie überhaupt über Deine gute Aufnahme in Zürich. Sei nur recht [vorsichtig] in Deinem Benehmen und in Deinen Äußerungen gegen und über jedermann. Bedenke stets, daß man Freunde nötig hat und daß auch der geringste Feind schaden kann. Ich bin recht begierig zu hören, wie es Dir bisher mit Deinen Vorlesungen ergangen und worauf besonders Dein weiterer Plan gerichtet ist. Zoologie und vergleichende Anatomie sind Felder, worin noch viel zu lernen ist, und wer

Fleiß darauf verwendet, dem kann es nirgends fehlen, *merk's tibi.* Auch Kaups systematische Beschreibung des Tierreichs, wovon das 10. Heft erschienen ist, könnte ich Dir schicken.

Bei uns ist alles wohl, und es werden die nötigen Vorbereitungen zu Weihnachten gemacht. Deine weitere Bescherung findest Du ebenfalls in der Kiste. In Reinheim ist kürzlich Oheims jüngstes Kind, ein schöner Knabe von 1½ Jahren, gestorben. Deine Mutter wollte meinem Brief noch einige Zeilen beilegen, bei dem teuren Porto aber wollen wir es unterlassen, zumal Du per Kiste Briefe erhältst. Mutter und Tante Helene sitzen oben bei der Großmutter, welche jetzt beinahe völlig blind ist. Im Frühling soll das eine Auge operiert werden. Mathilde und Louise sind in der Oper ›Die Stumme‹. Louis ist wahrscheinlich mit Anfertigung von Weihnachtsgeschenken beschäftigt, und Alexander liest wie gewöhnlich sehr emsig die Geschichte. Dieser wird ein *ruhiger* Gelehrter werden in allem Ernste. Endlich ich sitze am Schreibtische und schreibe in diesem Augenblicke am Ende meines Briefes meinen Namen.

E. Büchner.

Von Eugen Boeckel nach Zürich

Paris, den 11. Januar 1837.

Mein Lieber, il vaut mieux tard que jamais; allein es ist zu bemerken, daß ich Deine Adresse erst vor 14 Tagen erhielt. Diejenige, welche mir M.elle Jägle gab, verlor ich auf der Reise hieher. Seit meinem Aufenthalt in Straßburg hab ich nichts mehr von Dir erfahren, Du kannst Dir also denken, wie begierig ich bin, von Dir Nachricht zu erhalten. Ich hoffe, Du wirst mit gutem Erfolg in Zürich aufgetreten sein und so Deinem Ziele nähergekommen. Schreibe mir doch, wenn Du dieses Jahres nach Straßburg kommst, weil ich meine Reise darnach einrichten will. Wenn Deine Vakanzen, wie ich glaube, im Mai statthaben, so kann ich Dich auf jeden Fall sehn, aber früher werde ich wahrscheinlich nicht von hier fortgehn können. Ob ich durch die Schweiz nach Straßburg gehe, ist noch ungewiß.

Mit meinem Aufenthalt hier bin ich zufrieden; Du weißt übrigens, daß ich ungefähr überall zufrieden bin. Im ganzen genommen hat es mir weit besser in Teutschland als in Frankreich gefallen. Ich gebe mich hier mit Syphilis, Auskultation und Chirurgie ab, dies wären anziehende Studien für Dich. Die Auskultation seh ich als eine sehr wichtige Entdeckung an. Übrigens ist es hier ziemlich leicht, viele Übung im Auskultieren zu erlangen. Die syphilitischen Krankheiten werden besonders gut von Ricord behandelt. Für médecine opératoire sind gute Privatissima und viele Kadavers vorhanden. Von der übrigen medizinischen Fakultät schreibe ich Dir nichts, weil Dich die praktische Medizin nicht interessiert und ich mich hier ausschließlich mit abgebe.

Paris ist in Vergleich der andern Städte, welche ich gesehn, immens, grandios und reich. Es wundert mich nicht mehr, daß man von Paris den hyperbolischen Ausdruck braucht la capitale du monde, denn es ist hier auch so außerordentlich vieles vereinigt. Für Naturgeschichte, Physiologie und Anatomie simple et comparée wäre ein Aufenthalt hier sehr interessant für Dich. Die Gemälde-Galerie würde Dich auch größtenteils interessieren; übrigens weißt Du, wie wenig ich davon verstehe. Unterdessen bin ich jedoch ein außerordentlicher Liebhaber der italienischen Oper. Lablache, Tamburini und D.elle Guri sind unübertrefflich und müssen durch ihren Gesang selbst einen Laien ergreifen. Du würdest hier gewiß öfters in die Oper gehn ... Die französische Oper ist ziemlich gut. Im Théâtre français tritt die D.elle Mars zuweilen auf. Die große Masse der übrigen Theater ist mittelmäßig oder schlecht und gemein, zuweilen unerträglich. Die berühmte D.elle Ferrand, jetzt M.e Roy, sah ich in der Opéra comique. Du wirst die tragische Geschichte dieser edlen Dame kennen; ich denke que les poils auront repoussé. Seit meinem Aufenthalt in Wien bin ich wider meine früheren Gewohnheiten ein ziemlich fleißiger Theaterbesucher worden. Aber freilich, ein Theater wie das Burgtheater in Wien hab ich nicht wieder gefunden. Nirgends ist es angenehmer, sich ohne Zweck in den Straßen herumzutreiben, flaner, als hier: von der Pracht und dem Reichtum der superben Buden, Bazars, hauptsächlich derjenigen im Palais royal, hat man in andern Städten kaum eine Idee. An Spaziergängen hier fehlt es auch nicht: hauptsächlich die Boulevards, der Jardin des tuileries, Luxembourg, Jardin du roi und dann noch einige breite schöne Straßen, wie z. B. Rue de Rivoli, Castiglione, Place Vendôme etc.

Viele Exkursionen habe ich noch nicht gemacht, teils weil ich viel zu tun habe, teils wegen des schlechten Wetters; ich verspare die weiten Ausflüge auf das Frühjahr. In Paris selbsten kann man für 6 sous überall in den omnibus, hirondelles, Orléanaises etc. herumfahren, ein wohlfeiles und zuweilen angenehmes Vergnügen. Den Arc de triomphe, den Obelisken, die Colonne Vendôme, den Place de Bastille und mehrere andere Merkwürdigkeiten habe ich öfters besucht. In den Salons des Palais royal haben mich die historischen Gemälde aus der Revolution am meisten interessiert. Lese-Cabinets sind hier unzählige, in einigen hat man auch die Allgemeine Zeitung.

In den Cafés wird nicht geraucht. Dies ist etwas für Dich. Dagegen gibt es viele Estaminets, in welchen geraucht wird.

Lambossy ist schon lang von hier weg. Es hat ihm hier nicht gefallen, wahrscheinlich weil er sich in der ungeheuren Masse verlor. Held und Schwebel sind noch hier; letzterer wird in einigen Wochen von hier absegeln, um sich in Barr als Arzt zu etablieren. Sonstige Bekannte habe ich hier viele getroffen. Der dickbauchige Pädagog liegt . . . in Straßburg, sauft café, streicht sich den Bauch und schneidet Gesichter. Ich habe zweimal an ihn geschrieben; natürlich ohne jemalen eine Zeile von ihm zu erhalten. Von einem Theologen muß man nicht zu viel begehren. Müntz, welcher einige Zeit hier war, ist leider [bereits] abgereiset. Er hat eine Stelle als Professeur du collège Schlettstadt. Delectat!

Ich denke, mich nächsten Sommer irgendwo zu etablieren; ich weiß nicht, ob ich in Straßburg bleibe oder ob ich in den Oberrhein gehe; geschieht letzteres, so sind wir ganz nahe beieinander.

Sehr teuer ist der Aufenthalt in Paris nicht. Wenn man keine besondern Auslagen für Bücher oder Kollegien oder sonstige Dinge hat, so kann man mit 200 fr. monatlich leben. Die Zimmer sind etwas teuer. Das Mittagessen nicht so sehr, wie man glaubt; für 20 sous ißt man erträglich, für 30 ziemlich gut.

Die Kleider sind hier sehr teuer, für einen schwarzen Frack zahlte ich 100 fr., und es gibt auch zu 150–200 fr. Im ganzen habe ich im Laufe des vorigen Jahres 4000 fr. gebraucht. Dies ist auch ein Beweggrund, weswegen ich dieses Jahr dem Reisen ein Ende machen will; denn mein kleines Kapital geht zu Grunde, und einige tausend Franken will ich für mein Etablissement reservieren.

Lange wird sich nächstens verheuraten. Stöber hat seine fiancée, definitiv, aufgegeben, wie man mir sagte. Das arme Mädchen dauert mich; sie wird schwer eine andere Partie machen können. Ich bin, Dieu merci, noch frei, teils weil ich es aus Grundsatz bleiben will, teils weil ich nicht weiß, ob mich andere Leute wollen.

Dein Eugène.

Geburts- und Taufprotokoll der Pfarrei Goddelau

Im Jahre Christi 1813, am 17. Oktober früh um halb 6 Uhr, wurde dem Herrn Ernst Karl Büchner, Doctor und Amtschirurgus dahier zu Goddelau, und seiner Ehefrau Louise Caroline geb. Reuß das erste Kind, der erste Sohn geboren und am 28. Oktober getauft, wobei er den Namen Karl Georg erhielt.

Pate war 1) Johann Georg Reuß, Hofrat und Hospitalmeister zu Hofheim, des Kindes Großvater mütterlicherseits,
2) Jakob Karl Büchner, Doctor und Amtschirurgus zu Reinheim, des Kindes Großvater väterlicherseits,
3) Wilhelm Georg Reuß, der Mutter lediger Bruder. Stellvertreter der Taufpaten zu No 2) und 3) Johann Heinrich Schober, Pfarrer.

Der taufende Pfarrer, Jakob Wiener, zu Goddelau.

Georg Büchners Reifezeugnis

Der bisherige Gymnasiast Carl Georg Büchner aus Goddelau, Sohn des Herrn Medicinalraths Büchner hierselbst, lutherischer Confession, hat 6½ Jahre lang das hiesige Gymnasium besucht, welches er jetzt, 17½ Jahre alt, von der ersten Ordnung in Selecta verläßt, um sich dem academischen Studium der Medicin zu widmen, zu welchem Endzweck ihm gegenwärtiges Zeugnis ausgestellt wird. Im Griechischen hat er sich gute Kenntnisse erworben und vermag bei gehöriger Vorbereitung mit Geläufigkeit zu übersetzen und lobenswerthe Arbeiten zu liefern. Im Erklären und Übersetzen der lateinischen Prosaiker zeigt er viele Gewandtheit, im Verstehen und Interpretieren der Dichter hinlänglichen Scharfsinn, der schriftliche Ausdruck im Lateinischen ist verständlich, ziemlich correct und fließend und zuweilen bis zur Fülle des oratorischen Numerus gesteigert. Das Studium der italienischen Sprache hat er mit glücklichem Erfolg in der letzten Zeit betrieben. Vorzügliches Interesse bezeigte er für die teutschen Lectionen, in denen er sich theils durch einen verständigen mündlichen Vortrag, theils durch einzelne, von vorzüglicher Auffassungs- und Darstellungsgabe zeugende schriftliche Arbeiten auszeichnete. Den Religionsstunden hat er mit Aufmerksamkeit beigewohnt und in denselben manche treffliche Beweise von selbständigem Nachdenken gegeben. In der Archäologie hat er mehr als gewöhnliche Schulkenntnisse, besonders in der Geschichte der

Bildhauerkunst. In der Geschichte sind die Kenntnisse bedeutend. In der Mathematik war es wegen mangelnder Vorkenntnisse und kurzen Gesichts nicht möglich, mit den meisten Mitschülern gleichen Schritt zu halten, doch hat es am vielfachen Bestreben nicht gefehlt, noch manches nachzuholen. Bei guten Anlagen läßt sich auch in seinem künftigen Berufsstudium etwas Ausgezeichnetes von ihm erwarten, und von seinem klaren und durchdringenden Verstande hegen wir eine viel zu vorteilhafte Ansicht, als daß wir glauben könnten, er würde jemals durch Erschlaffung, Versäumnis oder voreilig absprechende Urtheile seinem eigenen Lebensglück im Wege stehen. Vielmehr berechtigt uns sein bisheriges Benehmen zu der Hoffnung, daß er nicht blos durch seinen Kopf sondern auch durch Herz und Gesinnung das Gute zu fördern, sich angelegentlichst bestreben werde.

Darmstadt am 30. Maerz 1831. C. Dilthey
Gymnasialdirector.

Schulerinnerungen Friedr. Zimmermanns
[13. Okt. 1877 an Franzos]

Die Bekanntschaft mit Georg Büchner, diesem hochsinnigen, genialen und kraftvollen Menschen, machte ich im Lauf des Jahres 1829, und wir schlossen herzliche Freundschaft. Wir verkehrten sehr häufig zusammen bis Herbst 1831, wo er nach Straßburg, ich nach Heidelberg studienhalber abgingen (ohne Maturitätszeugnis, dergleichen damals nur in Ausnahmefällen erfordert ward). Wir arbeiteten gemeinsam an unserer Geistesbildung, besonders in philosophierenden Gesprächen auf Spaziergängen (Wirtshäuser besuchten wir nicht). Wir vertieften uns in die Lektüre großer Dichterwerke. Büchner liebte vorzüglich Shakespeare, Homer, Goethe, alle Volkspoesie, die wir auftreiben konnten, Äschylos und Sophokles; Jean Paul und die Hauptromantiker wurden fleißig gelesen. Bei der Verehrung Schillers hatte Büchner doch vieles gegen das Rhetorische in seinem Dichten einzuwenden. Übrigens erstreckte sich der Bereich des Schönliterarischen, das er las, sehr weit; auch Calderon war dabei. Für Unterhaltungslektüre hatte er keinen Sinn; er mußte beim Lesen zu denken haben. Sein Geschmack war elastisch. Während er Herders ›Stimmen der Völker‹ und ›Des Knaben Wunderhorn‹ verschlang, schätzte er auch Werke der französischen Literatur. Er warf sich frühzeitig auf religiöse Fragen, auf metaphysische und ethische Probleme, in einem inneren Zusammenhang mit Angelegenheiten der Naturwissenschaften, für deren Studium er sich frühe entschied. Gedichtet hat er, meines Wissens, damals nichts; aber für echte

Poesie war seine Liebe groß, sein Verständnis fein und sicher. Für die Antike und für das Seelenbezwingende in der Dichtung neuerer Zeiten hatte er gleiche Empfänglichkeit, übrigens so, daß er sich dem einfach Menschlichen mit Vorliebe zuwandte. Sein mächtig strebender Geist machte sich eigne Wege; in der Schule befriedigte er durch recht mäßige Anstrengung. Sein sittlicher Wandel war durchaus unbescholten; nur für edlere Genüsse des Geistes und Gemütes hatte er Sinn, das Gemeine stieß er unwillig von sich. Die Natur liebte er mit Schwärmerei, die oft in Andacht gesammelt war. Kein Werk der deutschen Poesie machte darum auf ihn einen so mächtigen Eindruck wie der Faust. – Den ehemaligen Lehrern des hiesigen Obergymnasiums muß ich viel Gutes nachrühmen; unter den Schülern befand sich eine erhebliche Zahl von Talenten und Emporstrebenden. Die Grundfärbung des Unterrichts war Griechisch-Lateinisch; in den exakten Wissenschaften verlangte man vom Schüler sehr wenig, der Besuch des Französischen, Englischen, Italienischen war fakultativ. Der Ordinarius der ehemaligen Prima, Karl Weber, der Herausgeber des Lucan, später Gymnasialdirektor zu Kassel, gestorben als Universitätsprofessor der klassischen Philologie in Marburg, war ein sehr gelehrter Kenner des Griechischen, ein redlich bemühter, energischer, charaktervoller Lehrer; der Führer der Selekta war Gymnasialdirektor Karl Dilthey (gestorben 1857), ein geistreicher, Lust und Liebe zum interpretierten Autor erweckender Lehrer, von humanem und feinem Benehmen bei einer gewissen Zugeknöpftheit. Ein Hauptgegenstand der Pflege war ihm der lateinische Aufsatz; die ungeduldig vorwärtsstrebende Seele Büchners hatte kein Herz für Grammatik und Stillehre, auch nicht für die lateinischen Versübungen und das lateinische Nachinterpretieren, was doch alles von Nutzen gewesen ist. Im Deutschen verdanken die beiden jungen Freunde sehr viele Anregung und Förderung dem noch lebenden, fast neunzigjährigen Professor Karl Baur. – Ich bin überzeugt, daß mein unvergeßlicher Jugendfreund und commilito in literis mehr zum Philosophen als zum Dichter geboren war; auch den Beruf zum bedeutenden Naturforscher scheint er mir schon damals entschieden angekündigt zu haben ...

[16. Okt. 1877:] Als Mitschüler hatte ich mit Georg Büchner viele Unterredungen, welche die Religion betrafen. Davon habe ich natürlich nur allgemeine Erinnerung. Ihr folgend, bin ich fest überzeugt, daß er damals zwar ein kühner Skeptiker, aber nicht Atheist war. – Das fromme Wort, auf dem Todesbett gesprochen (aus dem Tagebuch der Frau Schulz), halte ich äußerlich und innerlich für sicher beglaubigt.

Mitteilungen Ludwig Wilhelm Lucks aus Schul- und Universitätszeit

[11. Sept. 1878 an Franzos]

In der untersten Abteilung der Prima des Gymnasiums in Darmstadt kam im Frühjahr 1828 eine zu schönen Hoffnungen berechtigende Zahl von Schülern aus Stadt und Land von sehr verschiedenartiger Vorbildung und unleugbaren Kontrasten zusammen, die gerade dadurch zu desto interessanterem und anregenderem Geistesverkehr führten ...

In meiner Ordnung fand ich zwei nur wenig jüngere Zwillingsbrüder [Friedrich und Georg Zimmermann] von tüchtigen Schulkenntnissen und relativ umfassender und eingehender ästhetischer Vorbildung und großer Empfänglichkeit für alles höhere geistige Leben. Sie wurden meine intimen Freunde. Sie machten mich mit Shakespeare bekannt, in welchem sie in jugendlicher Überschwenglichkeit eine neue und mehr als bloß poetische Offenbarung begrüßten. Natürlich waren sie nicht frei von Einseitigkeit, aber ihr Streben war ein ernstliches, ganzes und warmes. Ich fing an zu glauben, daß nur in unserm Meister Shakespeare eine neue, wahre und tiefere Weltoffenbarung vor uns trete und den Schlüssel zu den wichtigsten Rätseln des Menschenlebens biete.

Aber der nach seiner ganzen Beanlagung, namentlich hinsichtlich des Charakters vielleicht bedeutendste, selbständigste und tatkräftigste in unserm Kreise war der mir gleichaltrige Georg Büchner. Es war jedoch nicht seine Art, sich andern ungeprüft und voreilig hinzugeben, er war vielmehr ein ruhiger, gründlicher, mehr zurückhaltender Beobachter. Wo er aber fand, daß jemand wirklich wahres Leben suchte, da konnte er auch warm, ja enthusiastisch werden. – Ich glaube, daß die erwähnten beiden Brüder ihm sympathischer waren als ich. Sie waren in den ihnen früher als mir entgegentretenden modernen Geistesströmungen mehr au fait und hatten überdies den residenzlichen Kulturboden mit ihm gemeinsam, der ihnen ergötzlichen Stoff zu allerlei kritischem und humoristischem Wetteifer in Beurteilung der Zustände bot, für den ich zu ernst und zu schwer war.

Auch ein junger, geschichtlich wohl begründeter und poetisch beanlagter Altersgenosse, der hernach eine juristisch schriftstellerische Zelebrität geworden [Karl Neuner], ebenso ein sehr radikaler, enthusiastischer Freund Büchners, welcher sich sehr an politischen Angelegenheiten beteiligte und noch radikaler erschien als Georg Büchner [Karl Minnigerode], gehörten auch diesem Kreise an. Auch Exoteriker wurden von dem darin herrschenden Geiste angeweht und bis zu einem gewissen Grade angezogen. Unter uns allen bestand jedoch – und das war gut – ein solches Verhältnis, wodurch zwar der Kontakt erhalten, jedem aber nach seinem Bedürfnis die Freiheit seiner Richtung gelassen wurde.

Ich glaube, es ist von den erwähnten beiden Brüdern, die uns andere mit ihrer Begeisterung für Shakespeare ansteckten, ausgegangen, daß wir uns verabredeten, in dem schönen Buchwald bei Darmstadt an Sonntagnachmittagen im Sommer die Dramen des großen Briten zu lesen, die uns die anregendsten und teuersten waren, als den ›Kaufmann von Venedig‹, ›Othello‹, ›Romeo und Julia‹, ›Hamlet‹, ›König Richard III.‹ usw. Wir hatten Momente innigster und wahrster Hingerissenheit und Erhebung, z. B. beim Lesen der Stelle: »Wie süß das Mondlicht auf dem Hügel schläft . . .« und »Der Mann, der nicht Musik hat in sich selbst – trau keinem solchen«. Diese gemeinsamen wahren Geistesgenüsse bei jugendlicher Empfänglichkeit bewahrten uns allerdings vor Trivialität und Roheit und brachten uns tiefere Offenbarungen und Aufschlüsse über unsere Jahre. Es erstarkte das Bedürfnis, in das Wesen der Dinge einzudringen, uns demgemäß auszubilden und zu handeln. Allerdings, für die Gewissenhaftigkeit der Gymnasiasten war dergleichen nicht förderlich und den Lehrern nichts weniger als angenehm . . .

Georg Büchner ging schon frühe und allezeit gradaus auf das los, was er als das Wesen und den Kern der Dinge erkannte, auch in der Wissenschaft, besonders der Philosophie, sowie hinsichtlich der politischen Volksbedürfnisse, wie er sie ansah, und in allem war sein Prinzip die Freiheit, die er meinte. Er war nicht gewillt, daß die Unwissenheit des Volks benützt werde, es zu betrügen oder zum Werkzeug zu machen, oder gar mit seinem Talent lukrative Spekulationen zu machen. – Es wurde damals schon erzählt, daß er und jener in Exzentrizität mit ihm Wetteifernde [Minnigerode], dessen ich oben gedacht, sich in der letzten Gymnasialzeit nur mit den Worten zu grüßen pflegten: Bon jour, citoyen . . .

In seinem Denken und Tun durch das Streben nach Wesenhaftigkeit und Wahrhaftigkeit frühe durchaus selbständig, vermochte ihm keine äußerliche Autorität noch nichtiger Schein zu imponieren. Das Bewußtsein des erworbenen geistigen Fonds drängte ihn fortwährend zu einer unerbittlichen Kritik dessen, was in der menschlichen Gesellschaft oder Philosophie und Kunst Alleinberechtigung beanspruchte oder erlistete. – Daher sein vernichtender, manchmal übermütiger Hohn über Taschenspielerkünste Hegelischer Dialektik und Begriffsformulationen, z. B.: »Alles, was wirklich, ist auch vernünftig, und was vernünftig, auch wirklich.« Aufs tiefste verachtete er, die sich und andere mit wesenlosen Formeln abspeisten, anstatt für sich selbst das Lebensbrot der Wahrheit zu erwerben und es andern zu geben . . . Man sah ihm an, an Stirne, Augen und Lippen, daß er auch, wenn er schwieg, diese Kritik in seinem in sich verschloßnen Denken übte. Ich weiß nicht, ob ein gutes Bild von ihm existiert. Aber ich sehe im Geist sein Angesicht, ähnlich einem alten Bilde Shakespeares, von bürgerlich gediegnem, tatkräftigem, aber auch liebenswürdig übermütigem Ausdruck. Es lag darin Zurückhaltung, Entschlossenheit, skeptische Verachtung alles Nichtigen und Niederträchtigen. Die zuckenden Lippen verrieten, wie oft er mit der Welt im Widerspruch und Streit lag . . .

Nachdem Büchner seine zwei ersten akademischen Jahre in Straßburg zugebracht, kehrte er im Herbst 1833 auf die Landesuniversität Gießen zurück, um den bestehenden Gesetzen zu genügen. Auch meine beiden Freunde waren, soviel ich weiß, schon früher und ich im Herbst 1833 von Heidelberg dahin zurückgekehrt.

Mein Verkehr mit Georg Büchner war da nur ein gelegentlicher. Er lebte zurückgezogen. Ich glaubte wahrzunehmen, daß sich seiner eine leidenschaftliche Unruhe bemächtigt habe und daß er vieles verschlossen in sich herumwälze. Er klagte über seinen ganzen körperlichen und geistigen Zustand, daß er die Nächte zu Tagen und die Tage zu Nächten mache, und schien mit der Philosophie, mit sich und der Welt zerfallen. Einmal im Zimmer des Freundes [Friedrich Zimmermann] apostrophierte er mich lakonisch: »Luck, wieviel Götter glaubst du?« Antwort: »Nur einen.« – »Wieviel Staaten müßten wir in Deutschland haben und wieviel Fürsten?« – Pause des Schweigens von beiden Seiten . . .

Ein Gläubiger im kirchlichen Sinn ist Georg Büchner nicht gewesen. Aber selbständig und objektiv in seinem Denken, ist er später, als Reiferer, auch gerechter gegen die geschichtlichen Mächte der Kirche geworden sowie gegen den Glauben des einzelnen, der auf einem andern Standpunkt stand als er. Namentlich war er von aller Aufdringlichkeit und Propaganda seiner Anschauung, von Ansichts- und Parteifabrikationskünsten für die zu dirigierende Menge weit entfernt. – Das bestätigte er schon in früheren Jahren. Trotz des jugendlichen Übermuts, womit er mit andern während des Gymnasialgottesdienstes statt des jedesmal zu singenden Liederverses halblaut die Worte des Totengräbers im Hamlet sang: ›Und o eine Grube gar tief und hohl für solchen Gast muß sein‹, indem er damit gegen den ihm ungenügenden Vortrag des Predigers als Hohlheit demonstrierte –, sagte er über mich zu andern, die mich Mucker oder Mystiker nannten: »Laßt mir den Luck gehn, der meint es ernst und ehrlich!« Er hat lebenslang aus wirklichem Durst nach Wahrheit gesucht und gerungen und deshalb, wie ich glaube, nie mit sich abgeschlossen ...

[Über Georgs Mutter:] Sie war eine ehrenwerte, charakterfeste deutsche Hausfrau. Des Gegensatzes zu ihrem Gatten vollbewußt, war sie ohne alle Prätension auf außergewöhnliche Bildung und gehörte nicht zu den fühligen Frauen, die sich selbst genießen und geltend machen. Diesen Eindruck haben mir die wenigen anfänglichen Besuche in Georg Büchners Elternhaus hinterlassen.

[Über Büchners Braut, 16. Okt. 1878 an Franzos:] Was den Einfluß der im allgemeinen gläubigen Braut Georg Büchners auf ihn betrifft, so versichert mich Georg Zimmermann, sie – Minna Jegle – als eine religiöse, stilltiefe Natur persönlich kennen gelernt zu haben, die jedoch nur auf dem Boden der ihr mitgeteilten rationalistischen Auffassung gestanden habe. Es sei ihm sehr wahrscheinlich und natürlich, daß sie eine beruhigende, mildernde Einwirkung auf ihn ausgeübt und religiöser gestimmt habe.

Karl Vogts Eindruck
von dem Gießener Studenten Büchner

[›Aus meinem Leben‹. Stuttgart. 1896]

Offen gestanden, dieser Georg Büchner war uns nicht sympathisch. Er trug einen hohen Zylinderhut, der ihm immer tief unten im Nakken saß, machte beständig ein Gesicht wie eine Katze, wenn's donnert, hielt sich gänzlich abseits, verkehrte nur mit einem etwas verlotterten und verlumpten Genie, August Becker, gewöhnlich nur der ›rote August‹ genannt. Seine Zurückgezogenheit wurde für Hochmut ausgelegt, und da er offenbar mit politischen Umtrieben zu tun hatte, ein- oder zweimal auch revolutionäre Äußerungen hatte fallen lassen, so geschah es nicht selten, daß man abends, von der Kneipe kommend, vor seiner Wohnung still hielt und ihm ein ironisches Vivat brachte: ›Der Erhalter des europäischen Gleichgewichtes, der Abschaffer des Sklavenhandels, Georg Büchner, er lebe hoch!‹ – Er tat, als höre er das Gejohle nicht, obgleich seine Lampe brannte und zeigte, daß er zu Hause sei. In Wernekincks Privatissimum war er sehr eifrig, und seine Diskussionen mit dem Professor zeigten uns beiden andern bald, daß er gründliche Kenntnisse besitze, welche uns Respekt einflößten. Zu einer Annäherung kam es aber nicht; sein schroffes, in sich abgeschlossenes Wesen stieß uns immer wieder ab.

Aus August Beckers gerichtlichen Angaben

1835/36

Ob ich mich hier [S. 229] gleich meistens der Worte Büchners bedient habe, so dürfte es doch schwer sein, sich einen Begriff von der Lebhaftigkeit, mit welcher er seine Meinungen vortrug, zu machen.

Man braucht nur vier Jahre (und halb so viel im Gefängnis) älter zu sein, als ich damals war, da Büchner solche Reden führte, um die Sophisterei, die sie enthalten, einzusehen; damals war ich fast blind dagegen, sowie andere, z. B. Clemm, Louis Becker, Schütz, denen allen Büchner imponierte, ohne daß sie es vielleicht selber gestehen mochten, sowohl durch die Neuheit seiner Ideen als durch den Scharfsinn, mit welchem er sie vortrug. Wären solche Meinungen das Rühmlichste von Büchner gewesen, dann würde der Abscheu, den sie vielleicht in den Augen des Gerichts erregen, mit Recht auf diejenigen, welche genaueren Umgang mit ihm gepflogen, zurückfallen; allein er hatte bei all dem das edelste Herz und war für diejenigen, die ihn genau kannten, der liebenswürdigste Mensch . . .

Die Mitglieder unserer Gesellschaft stimmten darin mit Weidig überein, daß man gemeinschaftlich handeln müsse, wenn unser politisches Wirken einigen Erfolg haben solle. Büchner meinte, daß man Gesellschaften errichten müsse, Weidig glaubte, daß es schon genüge, wenn man die verschiedenen Patrioten der verschiedenen Gegenden miteinander bekannt mache und durch sie Flugschriften verbreiten lasse. Über diesen Punkt wollte man sich auf der Badenburger Versammlung besprechen. Büchner hoffte, auf derselben seine Ansichten bei den Marburgern durchzusetzen. Ich weiß nicht, wieweit ihm dies gelungen ist. Als ich ihn nach meiner Rückkehr aus dem Hinterland über die Sache sprach, sagte er mir, daß auch die Marburger Leute seien, welche sich durch die Französische Revolution, wie Kinder durch ein Ammenmärchen, hätten erschrecken lassen, daß sie in jedem Dorf ein Paris mit einer Guillotine zu sehen fürchteten usw. Es muß demnach auf dieser Versammlung die Rede davon gewesen sein, in welchem Geist die Flugschriften abgefaßt werden müßten, und Büchner, welcher glaubte, daß man sich an die niederen Volksklassen wenden müsse, und der auf die öffentliche Tugend der sogenannten ehrbaren Bürger nicht viel hielt, muß auf der Badenburg seine Ansichten nicht gebilligt gesehen haben, weil er über die Marburger sich so ungehalten äußerte.

Dieser Büchner war mein Freund, der mich lange Zeit zum einzigen Vertrauten seiner teuersten Angelegenheiten machte, von welchen er weder seiner Familie noch einem seiner andern Freunde etwas gesagt hatte. Ein solches Vertrauen mußte ihm mein Herz gewinnen; seine liebenswürdige Persönlichkeit, seine ausgezeichneten Fähigkeiten, von welchen ich hier freilich keinen Begriff geben kann, mußten mich unbedingt für ihn einnehmen bis zur Verblendung. Die Grundlage seines Patriotismus war wirklich das reinste Mitleid und ein edler Sinn für alles Schöne und Große. Wenn er sprach und seine Stimme sich erhob, dann glänzte sein Auge – ich glaubte es sonst nicht anders – wie die Wahrheit. Ich habe die von ihm verfaßte Flugschrift abgeschrieben. Was hätte ich nicht für ihn getan, wovon hätte er mich nicht überzeugt?! –

Büchner, der bei seinem mehrjährigen Aufenthalt in Frankreich das deutsche Volk wenig kannte, wollte, wie er mir oft gesagt hat, sich durch diese Flugschrift überzeugen, inwieweit das deutsche Volk geneigt sei, an einer Revolution Anteil zu nehmen. Er sah indessen ein, daß das gemeine Volk eine Auseinandersetzung seiner Verhältnisse zum Deutschen Bund nicht verstehen und einem Aufruf, seine angeborenen Rechte zu erkämpfen, kein Gehör geben werde; im Gegenteil glaubte er, daß es nur dann bewogen werden könne, seine gegenwärtige Lage zu verändern, wenn man ihm seine naheliegenden Interessen vor Augen lege. Dies hat Büchner in der Flugschrift getan. Er hatte dabei durchaus keinen ausschließlichen Haß gegen die Großherzoglich Hessische Regierung; er meinte im Gegenteil, daß sie eine der besten sei. Er haßte weder die Fürsten noch die Staatsdiener, sondern nur das monarchische Prinzip, welches er für die Ursache alles Elends hielt.

Mit der von ihm geschriebenen Flugschrift wollte er vorderhand nur die Stimmung des Volks und der deutschen Revolutionärs erforschen. Als er später hörte, daß die Bauern die meisten gefundenen Flugschriften auf die Polizei abgeliefert hätten, als er vernahm, daß sich auch die Patrioten gegen seine Flugschrift ausgesprochen, gab er alle seine politischen Hoffnungen in bezug auf ein Anderswerden auf.

Über den ›Hessischen Landboten‹

Die Tendenz der Flugschrift läßt sich vielleicht dahin aussprechen: Sie hatte den Zweck, die materiellen Interessen des Volkes mit denen der Revolution zu vereinigen, als dem einzigen möglichen Weg, die letztere zu bewerkstelligen. – Solche Mittel, die Revolution herbeizuführen, hielt Büchner für ebenso erlaubt und ehrbar als alle anderen ...

In dem oben angegebenen Sinn schrieb Büchner die Flugschrift, welche von Weidig ›Landbote‹ genannt worden ist. Noch muß ich erwähnen, daß Büchner während meiner Abwesenheit einmal bei Weidig gewesen sein muß, um bei demselben eine Statistik vom Großherzogtum, die er bei seiner Arbeit benutzt hat, zu entlehnen; ich weiß wenigstens nicht, wie er sonst dazu gekommen sein soll, denn diese Statistik habe ich Weidig später überschickt. Auch wußte Weidig schon vorher von der Absicht Büchners, etwas zu schreiben. Diese Schrift wurde durch Clemm und mich an Weidig überbracht. Er machte zum Teil dieselben Einwendungen, die er mir gegen dieselbe gemacht hatte, und sagte, daß bei solchen Grundsätzen kein ehrlicher Mann mehr bei uns aushalten werde (er meinte damit die Liberalen). Ich erinnere mich dieser Einzelheiten noch sehr genau. Überhaupt war Weidig in allem der Gegensatz zu Büchner; er (Weidig) hatte den Grundsatz, daß man auch den kleinsten revolutionären Funken sammeln müsse, wenn er dereinst brennen solle: er war unter den Republikanern republikanisch und unter den Konstitutionellen konstitutionell ...

Indessen konnte Weidig der Flugschrift einen gewissen Grad von Beifall nicht versagen und meinte, sie müsse vortreffliche Dienste tun, wenn sie verändert werde. Dies zu tun, behielt er sie zurück und gab ihr die Gestalt, in welcher sie später im Druck erschienen ist. Sie unterscheidet sich vom Originale dadurch, daß an die Stelle der Reichen die Vornehmen gesetzt sind, und daß das, was gegen die sogenannte liberale Partei gesagt war, weggelassen und mit anderem, was sich bloß auf die Wirksamkeit der konstitutionellen Verfassung bezieht, ersetzt worden ist, wodurch denn der Charakter der Schrift noch gehässiger geworden ist. Das ursprüngliche Manuskript hätte man allenfalls als eine schwärmerische, mit Beispielen belegte Predigt gegen den Mammon, wo er sich auch finde, betrachten können, nicht so das letzte. Die biblischen Stellen sowie überhaupt der Schluß sind von Weidig.

Als Clemm und ich diese Schrift zu Weidig brachten, befand sich dessen Frau krank zu Friedberg. Es mag anfangs Juni 1834 gewesen sein, als Schütz und Büchner nach Offenbach reisten, um die erwähnte Schrift in Druck zu geben. Ungefähr einen Monat später gingen Schütz und Minnigerode an denselben Ort, um sie abzuholen. Wer sie gedruckt und wo diese Leute bei dieser Gelegenheit logiert, kann ich nicht angeben. Karl Zeuner hat damals einen Pack von der Flugschrift nach Butzbach gebracht. Ich war gerade in seinem Haus, als er zurückkehrte, und ich brachte sie in der Tasche in die Wohnung des Weidig ...

Das Manuskript dieser Flugschrift habe ich bei Büchner ins reine geschrieben, weil seine eigene Hand durchaus unleserlich war. Es ist nachher in die Hände Weidigs gekommen, wie eben gesagt, aus welchen, soviel ich weiß, es Schütz und Büchner empfangen haben, um es in die Druckerei nach Offenbach zu tragen. Ich habe indessen nur das ursprüngliche Manuskript, wie es Büchner geliefert hat, abgeschrieben. Ich kann auch hier noch anführen, daß der Vorbericht ebenfalls von Weidig verfaßt worden ist. Büchner war über die Veränderung, welche Weidig mit der Schrift vorgenommen hatte, außerordentlich aufgebracht; er wollte sie nicht mehr als die seinige anerkennen und sagte, daß er ihm gerade das, worauf er das meiste Gewicht gelegt habe und wodurch alles andere gleichsam legitimiert werde, durchgestrichen habe. *Nöllner, S. 420ff.*

Aus Zeuners gerichtlicher Aussage

In der darauffolgenden Nacht [vom 1. zum 2. August] klopfte mir um Mitternacht jemand an meinem Fenster und rief mich bei Namen. Ich öffnete das Fenster und fragte: was gibt's Neues? worauf erwidert wurde: Minnigerode sei am Tor zu Gießen verhaftet worden, und man habe bei ihm Schriften vorgefunden; er habe sich sogleich aufgemacht, um uns davon zu benachrichtigen. Ich erkannte nun den Büchner, er wünschte, ich möge ihn alsbald zu Weidig begleiten, was ich dann auch tat. Ich klopfte dem Weidig am Fenster; sowie er heraussah, wurde ihm alsbald die Hiobspost mitgeteilt; er erwiderte, das sei sehr schlimm. Weidig öffnete das Haus, und wir traten in seine Stube. Weidig pochte auch den A. Becker aus dem Schlaf, welcher damals in dem Weidigschen Haus übernachtete. Becker war sehr bestürzt. Außer uns vier Personen war niemand zugegen. Weidig sagte sogleich zu Büchner, da er doch einmal auf dem Weg sei, so müsse er notwendig seine Reise fortsetzen, namentlich nach Offenbach, um den Schütz, wo möglich, zeitig zu benachrichtigen, damit er nicht in eine gleiche Falle gerate ... *Nöllner, S. 431.*

Wilhelm Büchner an Franzos

Scheveningen, den 9. September 1878.

Allerdings brachte ich die letzte Zeit vor der Flucht meines Bruders Georg mit demselben im väterlichen Hause zu, und war ich wohl der, welcher in seine politischen Verwicklungen der damaligen Zeit wie seine Pläne zu flüchten am tiefsten eingeweiht war.

Daß er flüchten müsse, sprach er mir gegenüber wiederholt aus, und alle Einreden halfen nicht; zog ihn doch zugleich sein Verhältnis zu seiner Braut mächtig nach Straßburg. Aber verschiedene Gründe hielten ihn noch immer zurück. Vor allen Dingen das daraus entspringende Zerwürfnis mit dem Vater, die Sorge um die in der Gefangenschaft befindlichen Freunde, denen zur Flucht zu helfen seine stete Sorge war, der Glaube, man könnte nicht an ihn heran, und der Mangel an Geld. Was sollte er in Straßburg beginnen, wenn ihm nicht einige Mittel zu Gebot gestellt würden? Letzter Grund war auch vorzugsweise das Motiv, das schon lange im Kopf herumgetragene Drama ›Dantons Tod‹ mit kurzen und raschen Zügen zu entwerfen, um sich Geld zu ›machen‹. Und was war das für ein kleines, schwer verdientes Geld. Einhundert Gulden! – Die letzten Tage meiner Anwesenheit in Darmstadt vergingen in furchtbarer Aufregung. Ich hatte das Manuskript für ihn zur Post gebracht, und nun kamen die Augenblicke der Abspannung wie der Erwartung. Damals war es, als er mich um die zwei Geldstücke bat, die hinreichen würden, ihn über die Grenze zu bringen.

Vorladungen nach Offenbach vor den Untersuchungsrichter wich er aus; eine Vorladung in das Arresthaus in Darmstadt zur Vernehmung umging er damit, daß er mich an seiner Statt hinschickte; ich war dahin instruiert, mich nicht früher zu erkennen zu geben, als bis das Protokoll angefangen würde, und möge ich beobachten, ob man die Absicht zeige, mich (für ihn) in Haft zu nehmen. Wir hatten schon tagelang eine Leiter in dem Garten an die Mauer gelehnt, mit deren Hülfe er in andere Gärten flüchten wollte, wenn die Häscher kämen. – Meinen Vorstellungen gegenüber, welchen Kummer er den Eltern bereiten würde, wenn er flüchte, erklärte er, es sei sein Tod, wenn er in Gefangenschaft geriete. Da ließ ich ab, ihn zu bitten, und mein Abschied war ein schmerzlicher.

Die Beratungen mit seinen politischen Freunden drehten sich in dieser Zeit nur um die Mittel, wie man die Gefangenen befreien könne. So wurde namentlich bezüglich der Befreiung von Minnigerode vieles besprochen, wobei ich die Umsicht meines Bruders wiederholt bewunderte. Sie mißglückte an der körperlichen Schwäche Minnigerodes.

Eine einzige politische Unterhaltung dürfte von allgemeinem Interesse sein. Es wurde darüber debattiert, ob es wünschenswerter sei und erfolgversprechender, gleich eine einheitliche Republik zu proklamieren, oder ob man nicht zuerst dahin streben müsse, zugunsten der Krone Preußens die anderen Dynastieen zu beseitigen. Mein Bruder meinte damals, das gäbe doppelte Arbeit, und wollte von dem stationsweisen Vorgehen nichts wissen. – Er würde niemals Nationalliberaler geworden sein, so wenig wie ich es heute bin.

Pfungstadt, den 23. Dezember 1878.

Inwieweit ich Ihren Wünschen nachkommen kann, will ich versuchen, fürchte aber, Sie nicht in allem befriedigen zu können; liegt doch eine so lange Zeit dazwischen und habe ich auch mit den Schwierigkeiten des Lebens zu kämpfen gehabt, die wohl dazu beigetragen haben mögen, daß mir jene so ernste Zeit nicht mehr ganz vor Augen steht.

Zu Ihren Fragen mich wendend, lege ich das gewünschte Gedicht bei.*

Ad. 2. Mein Vater, eine strenge Natur, die alles sich selbst verdankte, was sie erreichte, war im höchsten Grad sparsam für sich, aber gab mit vollen Händen, was zur Ausbildung seiner Kinder nötig war; er selbst, ein Zeitgenosse der großen Französischen Revolution, der als Arzt einige Feldzüge bei den holländischen Truppen mitmachte, die damals unter französischem Kommando waren, hatte die größte Sympathie für die Bewegung der Geister, und gehörte es zu seiner liebsten Lektüre, die erlebten Ereignisse in der später erscheinenden Zeitschrift ›Unsere Zeit‹ zu repetieren und zu ergänzen. Vielfach wurden diese abends vorgelesen, und nahmen wir alle den lebhaftesten Anteil daran. Wohl möglich, daß bei dem ohnehin freien Geist der Familie die Wirkung dieser Lektüre von besonderm Einfluß insbesondere auf Georg war, und ist wohl diese Lektüre der Entstehungsmoment von ›Dantons Tod‹. Bei aller Freisinnigkeit meines Vaters war derselbe aber sehr vorsichtig, und bei seiner großen Lebenserfahrung erkannte er ganz gewiß schon frühe die Gefahr einer politischen Richtung für seine Söhne. Von den Verbindungen und Beziehungen Georgs wußte er absolut nicht früher etwas, bevor die eingeleiteten Untersuchungen Tagesgespräch geworden waren. Ebenso war ihm die Arbeit über Danton völlig unbekannt. Hätte er gewußt, in welcher politischen Situation sich Georg befand, er würde mit äußerster Strenge gegen ihn verfahren sein. – Das persönliche

* Im Nachlaß erhalten: »Erinnerung an meinen Bruder Georg! Pfungstadt, Juni 1875. Darin die Verse:

›Das blaue Aug, sein lockig Haar,
Die kühne Stirn mit den Apollo-Bogen,
Ein schlanker, großer junger Mann,
Geziert mit roter Jakobiner-Mütze,
Im Polen-Rock, schritt stolz er durch die Straßen
Der Residenz, die Augenweide seiner Freunde!‹«

Verhältnis zum Vater war ein sehr gutes im allgemeinen, und war Papa stolz auf die Talente seines Sohnes, von dessen Zukunft er sich viel versprach, weil er von den politischen Verbindungen nichts wußte. – Als nun gar Georg nach Straßburg flüchtete, war derselbe im höchsten Grad erbittert und hat jede pekuniäre Unterstützung positiv abgelehnt. Nur durch die Mutter und die Großmutter wurden Georg einige Mittel von Zeit zu Zeit zugewiesen, vielleicht nicht ganz ohne Wissen des Vaters, aber nicht mit seiner offiziellen Bewilligung.

Ad 3 glaube ich, daß vorzugsweise die Lektüre ›Unsere Zeit‹ Anlaß zur Arbeit über Danton gegeben hat; ob ein weiterer Anstoß durch Barères Memoiren gegeben wurde, weiß ich nicht. Sicherlich hat ihn am meisten zur beschleunigten Herausgabe und zur scharfen, markierten Sprache darin seine bedrohte Situation, sein Zorn gegen den Polizeistaat und sein Wunsch, nur einiges Geld in [die] Hand zu bekommen, bewogen. Bei ruhigerer Überlegung würde er das Werk mehr ausgefeilt haben – vielleicht zum Schaden des Entwurfs: grade das Unfertige, die ungeschwächte Sprache, macht den tiefen Eindruck, dem jeder Leser sich nicht entziehen kann.

Ad 4. Allerdings hat Georg die Gesellschaft der Menschenrechte in Darmstadt, ich glaube, auch in Gießen, begründet. Ich selbst habe diesen Versammlungen nie beigewohnt, indem Georg nicht auch mich in diese Gefahren hineinziehen wollte, ich auch in dieser Zeit wenig zu Hause war. Die Persönlichkeiten waren Koch, Minnigerode – die anderen Namen sind mir entfallen. In Butzbach, wo eine geheime Gesellschaft bestand und wohin ich wenige Zeit vor Georgs Flucht mich in Kondition als Apotheker begab, wurde ich als Bruder Georgs mit offnen Armen empfangen. Nachdem man mich kennen gelernt, sollte ich nun auch in den geheimen Bund aufgenommen werden; ich war mehr neugierig als erregt darüber. An einem bestimmten Abend wurde ich abgeholt, an einem Haus wurde vorsichtig Stellung genommen, beobachtet, ob man keinen Lichtschimmer an einem bestimmten Fenster sähe; darauf ging einer der ›Verschworenen‹ ins Haus und kam mit der Nachricht ›Alles in Ordnung‹. Im Dunklen ging's nun eine steile Treppe vorsichtig hinauf; es brannte im Zimmer ein dampfendes Talglicht. – Nun wurde im Flüsterton gesprochen, Bier gebracht, Pfeifen angezündet und – über Mädchen, aber in anständiger Weise, gesprochen. Als das einige Zeit gedauert hatte, gingen die Verschworenen wieder einzeln mit größter Vorsicht fort, und aus war die ganze Geschichte. Hatte ich nun früher über die verwegenen Butzbacher so viel gehört, so hatte ich wohl das Recht, etwas Besonderes zu erwarten. Ich fand gute Kameraden, derb und bieder; aber um die Welt zu verbessern, dazu konnten sie kein Material abgeben –, und von dem Augenblick an war ich von dem Wahn befreit, als wenn durch Geheimbündelei etwas Gutes zu erzielen sei. Nur als Handlanger konnten die Leute gebraucht werden.

Ad 7. Bei der Vernehmung wußte ich, daß die Fragen nach Vor- und Zunamen, Alter usw. zuerst gestellt würden, um zu Protokoll genommen zu werden. Bei dem Fragen nach dem Vornamen mußte ich, wollte ich nicht als absichtlicher Lügner dastehen, meinen Namen angeben. Bei Nennung meines Namens Wilhelm hatte die Sache ein Ende, indem ich erklärte, ich sei nur gekommen, um meinen Bruder zu entschuldigen.

Hier muß ich bemerken, daß der Richter meine Familie genau kannte, indem mein Papa Arzt bei demselben war. Seiner Humanität war es wahrscheinlich ohnehin zu danken, daß Georg nicht gleich arretiert und nur sehr vorsichtig gegen ihn vorgegangen wurde, vielleicht in der Absicht, ihm Zeit zur Flucht zu lassen; denn die Verfolgungssucht eines Georgi hatte nicht bei allen Richtern Platz gegriffen, und viele legten den Verirrungen der Jugend die Bedeutung nicht bei, um ganze Familien deshalb ins Unglück zu bringen. –

Der Steckbrief

Der hierunter signalisierte Georg Büchner, Student der Medizin aus Darmstadt, hat sich der gerichtlichen Untersuchung seiner indizierten Teilnahme an staatsverräterischen Handlungen durch die Entfernung aus dem Vaterlande entzogen. Man ersucht deshalb die öffentlichen Behörden des In- und Auslandes, denselben im Betretungsfalle festzunehmen und wohlverwahrt an die unterzeichnete Stelle abliefern zu lassen.

Darmstadt, den 13. Juli 1835.

Der von Großh. Hess. Hofgericht der Provinz Oberhessen bestellte Untersuchungsrichter, Hofgerichtsrat Georgi.

Personal-Beschreibung

Alter: 21 Jahre,
Größe: 6 Schuh, 9 Zoll neuen Hessischen Maßes,
Haare: blond,
Stirne: sehr gewölbt,
Augenbraunen: blond,
Augen: grau,
Nase: stark,

Mund: klein,
Bart: blond,
Kinn: rund,
Angesicht: oval,
Gesichtsfarbe: frisch,
Statur: kräftig, schlank,
Besondere Kennzeichen: Kurzsichtigkeit.

Züricher Universitätsprotokolle

Protokoll der philosophischen Fakultät,
Sitzung vom September 1836.

Da das Gutachten der Herren Professoren Oken, Schinz, Löwig und Heer durchaus günstig lautet für die von Herrn G. Büchner in Straßburg zur Erlangung der philosophischen Doktorwürde eingereichte Schrift: Sur le système nerveux du barbeau par G. Büchner, Strasbourg 1836, wird beschlossen, Herrn Büchner auf diese Schrift hin die philosophische Doktorwürde zu erteilen.

Protokoll der philosophischen Fakultät,
Sitzung vom November 1836.

Da die am heutigen Tage gemäß der Aufforderung des Hohen Erziehungsrates angestellte Probevorlesung des Herrn Dr. Büchner nach Form und Inhalt des Vorgetragenen den Forderungen der Fakultät vollkommen entsprochen, wird beschlossen, denselben dem Hohen Erziehungsrate zur Aufnahme unter die Privatdozenten der Hochschule zu empfehlen.

Des Kantonalstabsarztes Dr. Lüning Erinnerungen an den Dozenten Büchner

[9. Nov. 1877 an Franzos]

Meine erste Begegnung mit Büchner fand im Herbst 1836 statt, und zwar auf der Burgruine Manegg im Sihltale bei Zürich, wohin er mit dem politischen Schriftsteller Dr. W. Schulz und dessen geistvoller Gemahlin Caroline (der Herwegh später seine Gedichte dedizierte) gekommen war. Vor allem fiel er mir auf durch die breite, mächtige Dichter- und Denkerstirn, wie ich sie imposanter nie wieder gesehen habe, und durch eine gewisse, äußerst dezidierte Bestimmtheit in Aufstellung von Behauptungen, die zwar von hoher Selbständigkeit des Urteils zeugte, zuweilen aber doch ein wenig über das Ziel hinausschoß. So erinnere ich mich, daß er an demselben Tage den bekannten Revolutionsmann Eulogius Schneider mit dem Philologen Schneider identifizieren wollte und mit der größten Hartnäckigkeit, ja fast Heftigkeit, auf seinem Satze bestand, als Hermann Sauppe (damals Professor in Zürich, jetzt in Göttingen) ganz maßvoll widersprach. Daß er – an demselben Tage – kühn genug die landschaftlichen Schönheiten des eben erst verlassenen Elsaß als der Schweiz vollkommen ebenbürtig darstellte, daran mochten wohl zum Teil ein Paar lieber Augen mit beitragen, die das Land, dem sie angehörten, in verklärendem Schimmer erscheinen ließen.

Büchner lebte in Zürich sehr zurückgezogen; sein Umgang beschränkte sich auf das Schulzsche Ehepaar, mit dem auch ich näher befreundet war, und auf einige von früher her bekannte hessische Familien. Wir erfuhren unter anderm von ihm, daß er bis vor kurzem noch ungewiß gewesen war, ob er sich der spekulativen Philosophie (über Spinoza hatte er eingehende Studien gemacht) oder der beobachtenden Naturwissenschaft zuwenden solle; nun habe er sich aber definitiv der letzteren gewidmet. – Damit übereinstimmend kündigte er mit Beginn des Wintersemesters 1836/37, nachdem er die venia legendi erhalten, an der Universität zu Zürich Vorlesungen über vergleichende Anatomie der Fische und Amphibien an, die denn auch von mir besucht wurden.

Unter den zirka 20 Zuhörern, von denen die mir bekannten sämtlich gestorben sind, befand sich auch der später als Reisender in Neuseeland berühmt gewordene Dr. Ernst Diefenbach, wenn ich mich recht erinnere. Der Vortrag Büchners war nicht geradezu glänzend, aber fließend, klar und bündig, rhetorischen Schmuck schien er fast ängstlich, als nicht zur Sache gehörig, zu vermeiden, was aber diesen Vorlesungen vor allem ihren Wert verlieh und was dieselben für die Zuhörer so fesselnd machte, das waren die fortwährenden Beziehungen auf die Bedeutung der einzelnen Teile der Organe und auf die Vergleichung derselben mit denen der höheren Tierklassen, wobei sich Büchner aber von den damaligen Übertreibungen der sogenannten naturphilosophischen Schule (Oken, Carus usw.) weislich fernzuhalten wußte; das waren ferner die ungemein sachlichen, anschaulichen Demonstrationen an frischen Präparaten, die Büchner, bei dem völligen Mangel daran an der noch so jungen Universität, sich größtenteils selbst beschaffen mußte. So präparierte er z. B. das gesamte Kopfnervensystem der Fische und der Batrachier auf das sorgfältigste an frischen Exemplaren, um diese Präparate jedesmal zu den

Vorlesungen verwenden zu können. Diese beiden Momente, die beständige Hinweisung auf die Bedeutung der Teile und die anschaulichen Demonstrationen an den frischen Präparaten, hatten denn auch wirklich das lebendigste Interesse bei allen Zuhörern zur Folge. Ich habe während meines achtjährigen (juristischen und medizinischen) Studiums manches Kollegium gehört, aber ich wüßte keines, von dem mir eine so lebendige Erinnerung geblieben wäre als von diesem Torso von Büchners Vorlesungen über vergleichende Anatomie der Fische und Amphibien. Es sind nun 41 Jahre, seit ich diese Vorlesungen besuchte, ich habe während meiner praktischen Laufbahn als Militär- und Gerichtsarzt seitdem wenig Gelegenheit gehabt, mich speziell mit der feineren vergleichenden Anatomie zu beschäftigen; aber das weiß ich doch noch so deutlich, als wenn es heute wäre, daß Büchner bei den Fischen (gegenüber den zwölf Kopfnervenpaaren der höheren Tiere) nur sechs Kopfnervenpaare (und demnach auch sechs Kopfwirbel) annahm und die den Fischen fehlenden als bloße Zweige der ihnen eigentümlichen Kopfnerven demonstrierte, so namentlich einen Ast des Nervus vagus als Repräsentanten des Nervus glossopharyngeus und den Ramus opercularis des Nervus trigeminus als Repräsentanten des Nervus facialis der höheren Tiere; die Augenmuskelnerven dagegen ließ er aus der bei den Fischen vorhandenen vorderen Wurzel des Nervus opticus entspringen. Bei den Batrachiern nahm er nur fünf Kopfnervenpaare an, weil das sechste (beim Menschen das zwölfte), der Nervus hypoglossus, bei denselben zwischen dem ersten und zweiten Rückenwirbel seinen Ursprung nehme. Wir sehen daraus, daß er kein naturphilosophischer Pedant und Fanatiker war, bei dem alles in das System hineingezwängt werden mußte. So gestand er auch offen, daß ihm bei den Batrachiern der Ursprung der Augenmuskelnerven nicht ganz klar sei; er habe bei seinen Präparationen einigemal geglaubt, dieselben aus dem Nervus trigeminus hervorkommen zu sehen. Ein Naturphilosoph vom reinsten Wasser hätte natürlich die Möglichkeit der Verschiedenheit des Ursprungs dieser Nerven bei Fischen und bei Batrachiern um keinen Preis zugegeben! –

Diese Vorlesungen, deren wissenschaftlicher Wert endlich noch durch die eingehendste Berücksichtigung der in- und ausländischen Literatur erhöht wurde, sollten leider nicht beendigt werden. Nach Beendigung der Vorlesungen über die Anatomie der Fische ging der geniale junge Dozent über zur Anatomie der Amphibien; aber hier sprach leider das unerbittliche Geschick: bis hieher und nicht weiter! Es war dem Vortragenden nur noch vergönnt, über Knochen- und Nervensystem der Batrachier zu lesen; dann warf ihn der damals in Zürich grassierende Typhus auf das Krankenlager, von dem er nicht wieder erstehen sollte, und nach einigen Wochen schon war das junge, vielversprechende Leben für immer entflohen, und jenes Kolleg über die vergleichende Anatomie der Fische und Amphibien blieb das erste und einzige, das Büchner gehalten hat. –

Georg Büchner wohnte im Hause des kürzlich verstorbenen Bürgermeisters Dr. Zehnder von Zürich, der ihn in Gemeinschaft mit Schönlein behandelte; verpflegt wurde er aufs liebevollste von der Familie Schulz und andern deutschen Familien, und wir deutschen Studenten ließen es uns nicht nehmen, einen förmlichen Wachtdienst für Tag und Nacht zu organisieren. – Da war ich denn oft genug Zeuge von jenen Phantasieen, wie sie das arme Gehirn des Gemarterten durchtobten und wie sie Herwegh 1841 in seinen drei Gedichten auf Büchners Andenken so ergreifend schilderte; denn als ich 1839 in Emmishofen bei Konstanz die Bekanntschaft des damals noch unbekannten ›Lebendigen‹ machte, ließ er nicht nach, mich über alles und jedes, was Büchner betraf, zu befragen, und aus diesen Erzählungen sind großenteils die Schilderungen jener Phantasieen des kranken Dichters entstanden. –

Das ist ungefähr alles, was ich von Büchner zu erzählen wüßte; vergessen habe ich ihn nicht; wer mit dieser Feuerseele einmal in Berührung kam, dem schwand sie nicht wieder aus der Erinnerung.

Caroline Schulz' Tagebuchaufzeichnungen über Büchners letzte Tage
Februar [1837]

2ten fragten wir Büchner, ob er einen weiten Spaziergang mit uns machen wollte; er antwortete, daß er mit seinem Freunde Schmid nur einen kurzen Gang machen würde, weil er sich nicht ganz wohl fühle. Als wir gegen Abend nach Hause kamen, klagte er, daß es ihm fieberisch zumute sei. Da er sich aber nicht zu Bette legen wollte, aus Furcht, nicht einschlafen zu können, setzte er sich zu uns aufs Sofa. Ich bot ihm Tee an, den er ausschlug; bald bemerkte ich, daß er einschlief, und als er erwachte, bat ich ihn dringend, sich zu Bett zu legen, was er auch endlich tat, nachdem er ein Senffußbad genommen hatte. Wir sagten ihm, daß er an der Wand klopfen solle, die an unsere Schlafstube stieß, wenn er des Nachts etwas bedürfe, und ließen seine Lampe brennen.

3ten hatte Büchner nicht gut geschlafen, klagte aber keinerlei Schmerzen. Da es sehr hell im Zimmer war, gab ich ihm grüne Vorhänge, auch ein Pferdehaarkissen unter den Kopf, was ihm wohl tat. Ich hatte gehofft, daß er den Abend wieder bei uns zubringen könnte, und deswegen unser gewöhnliches Lesekränzchen nicht abgesagt; da er aber nicht dabei sein konnte, ließ er sich von uns erzählen, womit wir uns unterhalten hatten.

4ten war das Fieber etwas stärker, doch gab es zu keiner Besorgnis Raum; er aß etwas Suppe und Obst und versicherte, daß es ihm ganz wohl in seinem Bette sei. Wir erhielten Briefe von den Unsrigen, die ich ihm vorlas und denen er mit Interesse zuhörte.

5ten klagte er über Schlaflosigkeit; ich suchte ihn damit zu trösten, daß ich in meiner kürzlichen Krankheit viele Nächte nicht geschlafen habe und dabei noch Schmerzen habe leiden müssen. Er war sehr geduldig und ruhig; da wir genötigt waren, einige Besuche zu machen, so blieb sein liebster Freund Schmid bei ihm; als wir wieder nach Hause kamen, ließ er sich von uns erzählen, doch hatte er es nicht gerne, wenn man laut sprach.

6ten, da ich keine häuslichen Geschäfte hatte, konnte ich mich ganz seiner Pflege widmen, was ich von Herzen gerne tat. Es zeigte sich nach und nach eine große Empfindlichkeit bei ihm; man konnte ihm nicht leicht etwas recht machen, was seine Freunde oft nicht begreifen konnten. Ich, die ich aber aus Erfahrung wußte, wie es einem ist, wenn man an den Nerven leidet, ich tat ihm alles, was er nur haben wollte, worüber ich jetzt doppelt froh bin.

7ten schickte Frau Sell Suppe für Büchner, die ihm sehr gut schmeckte; auch die vorgeschriebene Arzenei nahm er gerne, worüber ich ihn oft lobte. Da wir den Fastnachtsabend bei Sells zubringen sollten, so blieb Büchners Freund Braubach bei ihm, den er auch sehr gerne hatte.

8ten zeigte sich nur sehr wenig Fieber, und er wollte, da Briefe von seiner Braut angekommen waren, an dieselbe schreiben; ich bat ihn, dieses zu verschieben, bis er sich wieder ganz wohl fühlte; auch erbot ich mich, statt seiner zu schreiben, was er aber ablehnte. Da die Briefe Minnas sehr fein geschrieben waren, legte er sie weg, um sie später fertig zu lesen.

9ten hatte der Kranke fast gar kein Fieber, doch klagte er fortwährend über Schlaflosigkeit; mein Mann war des Nachts lange bei ihm und bemerkte doch, daß er zuweilen geschlafen hatte. Er war kleinmütig, und wir sprachen ihm alle Mut ein; auch riet man ihm, ein wenig aufzustehen, um dann vielleicht besser schlafen zu können. Es wurde ihm Mandelmilch verordnet, die ich ihm bereitete und die ihn sehr erquickte. Jeden Abend legte man ihm Senf auf die Waden.

10ten stand er nachmittags auf und wollte schreiben; ich holte ihm alles Nötige herbei, da ich sah, daß er sich durchaus nicht wollte abhalten lassen, und da er sagte, daß er sich auf dem Sofa wohler wie im Bett fühle, so freute ich mich sehr und nahm es für ein Zeichen der Besserung. Er ergriff die Feder, erklärte aber sogleich, nicht schreiben zu können; ich bot ihm abermals an, in seinem Namen zu schreiben, was er jetzt geschehen ließ. Damit er seinen Geist nicht anstrengen sollte, schrieb ich den Brief nach meiner Idee, und er sagte mir alsdann, was ich daran ändern solle. Endlich war das Schreiben nach seinem Wunsch ausgefallen; er nahm es mir hastig weg und setzte die Worte: ›Adieu mein Kind‹ darunter, ließ mich eine seiner Locken hineinlegen und eilte schnell zu Bett, nach welchem er sehr verlangte. Nachdem der Brief weg war, fiel es mir schwer aufs Herz, daß die gute Minna vielleicht diese Worte für Abschiedsworte nehmen könnte, da doch die Krankheit damals nicht im geringsten gefährlich schien. Dies beunruhigte mich sehr, und ich hatte einen traurigen Abend. Mein Mann und seine anderen Freunde schliefen diese wie die folgenden Nächte abwechselnd in seinem Zimmer, was ihm lieb war.

11ten. Büchner hatte viel Schleim im Halse und mußte oft auswerfen. Der schwache Tee, den er morgens genoß, und die Suppen, die ich ihm selbst kochte, schmeckten ihm recht gut; doch fiel uns eine Art Unempfindlichkeit (Apathie) an ihm auf. Ich fragte ihn an diesem Morgen, ob es ihm angenehm wäre, wenn ich mit meiner Arbeit mich zu ihm setzte, was er gerne zu haben schien. Da er viel Schleim im Munde hatte, fiel ihm das Sprechen schwer, und er drückte sich oft durch Gebärden aus, die mich zu Tränen rührten, auch weil sie mich lebhaft an meinen verstorbenen Vater erinnerten, mit dem ich sogar in der hohen freien Stirne einige Ähnlichkeit bei Büchner zu entdekken glaubte. – An einigen Äußerungen, die er an diesem Tage tat, bemerkte ich, daß sein Geist nicht ganz helle war. Wir beschlossen, noch einen Arzt kommen zu lassen, und zwar Schönlein; der Kranke wollte aber nichts davon hören, da er sich nicht so krank fühlte. Es wurde indessen jetzt jede Nacht gewacht, was seine Freunde gerne übernahmen.

12ten, Sonntag, erklärte endlich Büchner, daß er Schönlein zu sprechen wünsche; dieser war aber verreist; sein Assistent hatte indessen Büchner schon besucht und sich mit den von Dr. Zehnder verordneten Mitteln ganz einverstanden erklärt.

13ten. Die Betäubung dauerte fort; am Tage vorher war es, wo er zum ersten Male sagte, der Kopf sei ihm schwer, und dies war das einzige Mal in seiner ganzen Krankheit, daß er den Kopf klagte. Er war ganz bei sich, sprach aber zuweilen im Schlaf. Wir schrieben an diesem Tage an unsre Geschwister nach Darmstadt.

14ten. Morgens frühe kam Schönlein und billigte ganz das bisherige Verfahren des Dr. Zehnder, auch behielt er dieselben Arzeneien bei. Büchner sprach sehr vernünftig mit ihm, bekam aber schon während der Anwesenheit der Ärzte starke Hitze. Ich blieb bei ihm, und er nannte mich manchmal Schmid; wenn ich dann sagte, ich sei Frau Schulz, lächelte er mir zu; auch glaubte er zuweilen, es stände jemand in der Ecke u. dgl. Ich las für mich im Morgenblatt, das er für einen Brief hielt; ich legte es daher weg. Gegen Abend bekam er einen heftigen Anfall von Zittern (Zittern der Hände hatte man schon früher bemerkt), wobei er ganz irre sprach. Ich wurde sehr unruhig und sorgte von nun an dafür, daß außer mir auch immer noch einer seiner Freunde bei ihm war. Er wurde nach und nach wieder ruhiger. Gegen 8 Uhr kam das Delirieren wieder, und sonderbar war es, daß er oft über seine Phantasieen sprach, sie selbst beurteilte, wenn man sie ihm ausgeredet hatte. Eine Phantasie, die oft wiederkehrte, war die, daß er wähnte, ausgeliefert zu werden. Die Nacht war unruhig; er sprach viel Französisch und redete mehrere Male seine Braut an.

15ten fand ich ihn morgens früh sehr verändert; doch kannte er mich, verlangte zu seinem Tee, weil die Tasse groß war, auch einen großen Löffel und spülte sich den Mund aus. Er sprach, wenn er bei sich war, etwas schwer, sobald er aber delirierte, sprach er ganz geläufig. Er erzählte mir eine lange zusammenhängende Geschichte: wie man ihn gestern schon vor die Stadt gebracht habe, wie er zuvor eine Rede auf dem Markte gehalten usw. Ich sagte ihm, er sei ja hier in seinem Bette und habe das alles geträumt; da erwiderte er, ich wisse ja, daß Professor Escher (einer seiner Schüler) sich für ihn verbürgt habe, und deshalb sei er wieder zurückgebracht worden. Es hatte sich nämlich die Idee bei ihm gebildet, er habe Schulden, was aber in der Wirklichkeit nicht der Fall war. Solche Phantasieen ließ er sich leicht ausreden, verfiel aber alsdann in andere. Um 12 Uhr kam Schönlein, den

Büchner nicht erkannte, und da ich um jeden Preis wissen wollte, wie es um den Kranken stehe, blieb ich im Zimmer, ob es schicklich war oder nicht. Schon als Schönlein eintrat, sagte er: »Welch ein Geruch!«, ließ sich den Stuhlgang zeigen, der ganz schwarz war und aus dickem Blut bestand, betrachtete den Kranken und sagte zu mir: »Alles paßt zusammen, es ist das Faulfieber, und die Gefahr ist sehr groß.« Ich erschrak heftig, und da meine Nerven sehr angegriffen waren, empfahl mir der Arzt dringend, das Krankenzimmer zu meiden; auch war männliche Pflege jetzt dringender. Ich konnte jetzt nichts mehr für ihn tun als beten. – Es wurde ein braver Wärter angenommen; doch war bei diesem immer noch einer von Büchners Freunden, besonders Wilhelm und Schmid. Ich war sehr traurig und schrieb sogleich nach Straßburg.

16ten. Die Nacht war unruhig; der Kranke wollte mehrere Male fort, weil er wähnte, in Gefangenschaft zu geraten, oder schon darin zu sein glaubte und sich ihr entziehen wollte. Den Nachmittag vibrierte der Puls nur, und das Herz schlug 160 mal in der Minute; die Ärzte gaben die Hoffnung auf. Mein sonst frommes Gemüte fragte bitter die Vorsehung: ›Warum?‹ Da trat Wilhelm ins Zimmer, und da ich ihm meine verzweiflungsvollen Gedanken mitteilte, sagte er: »Unser Freund gibt dir selbst Antwort, er hat soeben, nachdem ein heftiger Sturm von Phantasieen vorüber war, mit ruhiger, erhobener, feierlicher Stimme die Worte gesprochen: ›Wir haben der Schmerzen nicht zu viel, wir haben ihrer zu wenig, denn durch den Schmerz gehen wir zu Gott ein!‹ – ›Wir sind Tod, Staub, Asche, wie dürften wir klagen?‹« Mein Jammer löste sich in Wehmut auf, aber ich war sehr traurig und werde es noch lange sein.

17ten. In der Nacht phantasierte der Kranke von seinen Eltern und Geschwistern in den rührendsten Ausdrücken. Er sprach fast immerwährend. Schönlein wunderte sich, ihn am Morgen noch lebend zu finden; er kam täglich zweimal und nahm den größten Anteil, so wie alle, die Büchner auch nur entfernt kannten. Jeden Morgen ließ man sich von verschiedenen Seiten nach seinem Befinden erkundigen. Gegen 10 Uhr kam Frau Pfarrer Schmid von Straßburg und benachrichtigte uns, daß Minna angekommen sei; ich erschrak sehr, denn ich fürchtete für sie, wenn sie den Kranken in so verändertem Zustande sehen würde. Ich eilte zu ihr ins Wirtshaus und bereitete sie nach und nach auf die große Gefahr vor, in der ihr Teuerstes schwebte. Ich machte mich recht stark bei ihr. Ich holte sie nach Tisch mit ihrer Begleiterin zu uns; die Ärzte hatten ihr erlaubt, den Kranken zu sehen. Er erkannte sie, was eine schmerzliche Freude für sie war; unsere Tränen flossen vereint an diesem Tage, und mein Herz litt viel, denn es verstand das ihrige. Sie und Frau Schmid blieben von nun an bei uns. Die Nacht war für uns alle traurig. Der Kranke delirierte fortwährend.

18ten besuchte Minna frühe den Kranken, der sie deutlicher wie am vorigen Tage erkannte; er sprach zu ihr, auch von ihrem Vater, doch konnte man nicht alles verstehen, denn seine Stimme war jetzt schwächer. Er ließ sich den Mund reinigen, nahm aus Minnas Händen ein wenig Wein und Konfitür, aß mittags etwas Suppe, nannte mehrere seiner Freunde mit Namen, auch der Puls hob sich ein wenig; alles dieses war ein Hoffnungsstrahl für uns, trotz den Ärzten, die nichts darauf gaben, aber nur *ein* Hoffnungsstrahl, denn am Abend traten von neuem üble Symptome ein. Die Nacht war ruhig, da die Schwäche zunahm; doch sprach der Kranke immerfort.

19ten, Sonntag. Der Atem wurde schwerer, die Schwäche größer, der Tod mußte nahe sein. Das starke Mädchen bat meinen Mann, sie zu rufen, wenn der verhängnisvolle Augenblick käme, denn lange konnte und durfte sie nicht im Krankenzimmer verweilen. Es war Sonntag; der Himmel war blau, und die Sonne schien. Die Kinder hatte man weggeschickt, es war stille im Hause und stille auf der Straße. Die Glocken läuteten. Minna und ich saßen allein in meinem traulichen Stübchen. Wir wußten, daß wenige Schritte von uns ein Sterbender lag, und *welcher*! Wir hatten uns aber in den Willen der Vorsehung ergeben, denn was ja in der Menschen Macht lag, den Teuren zu retten, war geschehen. Ich erinnere mich in meinem Leben wenig so feierlicher Stunden, wie diese; eine heilige Ruhe goß sich über uns. Wir lasen einige Gedichte, wir sprachen von ihm, bis Wilhelm eintrat, Minna zu rufen, damit sie dem Geliebten den letzten Liebesdienst erzeige. Sie tat es mit starker Ruhe, aber dann brach ihr Schmerz laut aus. Ich nahm sie in meine Arme und weinte mit ihr. Sie wurde ruhiger und endigte einen angefangenen Brief. Der Abend verging uns in Gesprächen über den Hingeschiedenen; oft gedachten wir mit Schmerz der armen Eltern und Geschwister des Verewigten. Minna brachte die Nacht bei mir zu, und da wir lange nicht geschlafen hatten, behauptete die Natur ihr Recht, und ein sanfter Schlummer stärkte uns. Am Abend war ein Brief aus Darmstadt gekommen, der uns tief bewegte; ich beantwortete ihn am

20ten. Auch Minna schrieb an ihren Vater. Wir lasen in einer Art Tagebuch, das sich unter Büchners Papieren gefunden hatte und reiche Geistesschätze enthält. Die Freunde des Verewigten brachten den Abend bei uns zu, und er war wie immer der Gegenstand unsrer Unterhaltung. Da er sich über alles, was uns interessierte, so oft mit uns besprochen hatte, so wußten wir viel von ihm zu erzählen. Fast jeder Gegenstand, der uns umgab, erinnerte uns an diese oder jene geistreiche Bemerkung, die er darüber gemacht. Bald flossen unsre Tränen, und bald mußten wir lachen, wenn wir uns seine treffende Satire, seine witzigen Einfälle und launigen Scherze ins Gedächtnis zurückriefen.

21ten. Der Himmel war helle, und die Sonne schien dem Tage, an dem seine irdische Hülle der Erde wiedergegeben werden sollte. Wir wanden am Morgen einen großen Kranz von lebendigem Grün, Lorbeer und Myrten und weißen Blüten, der nach hiesiger Sitte den ganzen Sarg umgeben sollte. Auch ließ Minna dem Dichter und Bräutigam durch Wilhelm einen Lorbeer- und Myrtenkranz auf die hohe blasse Stirne drücken. Ein Strauß von lebendigen Blumen, den einige Freundinnen schickten, ruhte in seinen Händen. Um 4 Uhr sollte das Begräbnis stattfinden; ich verließ daher gleich nach Tisch mit Minna das Haus, denn einem zerrissenen Herzen können die Anstalten dazu keinen Trost gewähren. Wir besuchten zuerst den Lieblingsspaziergang unsers Freundes, einen kleinen Platz am See, und dann begaben wir uns zu einer teilnehmenden Freundin, wo wir bis zum Abend blieben. Wilhelm holte uns dort ab und erzählte uns, daß mehrere hundert Personen, die beiden Bürgermeister und andere der angesehensten Einwohner der Stadt an der Spitze, den Verewigten zur Ruhestätte begleitet hatten. Die Teilnahme der ganzen Stadt war groß. Bekannte und Unbekannte waren tief erschüttert durch den Tod eines so geist- und talentvollen jungen Mannes.

Am Abend schickte eine Freundin einen Blumentopf, gefüllt mit der Erde, in der der Vollendete ruht. Das Immergrün, das darin stand und das auch auf seinem Grabe sproßt, sei uns ein Symbol der Hoffnung, der Hoffnung des Wiedersehens. Mit den herzlichsten, teilnehmendsten Worten an Minna war dieses sinnige Geschenk begleitet.

Wilhelm Schulz' Nachruf

Schweizerischer Republikaner, 28. Februar 1837

Im Verlaufe weniger Tage hat der Tod zwei ausgezeichnete deutsche Männer den Reihen ihrer trauernden Landsleute und der Genossen ihres Schicksals entrissen. Am 15. Februar wurde Ludwig Börne zu Paris, am 21. Februar Georg Büchner zu Zürich beerdigt. Beide ruhen in fremdem Lande, denn beiden hatte sich das Vaterland verschlossen. Wenn Börne im heiligen Kampfe für Licht und Recht ein lang erprobter Streiter war, der mit steter Ausdauer die scharfen Geisteswaffen gegen Unterdrückung und Knechtschaft, gegen Heuchelei und Lüge gerichtet hatte, so begrüßten alle, welche Georg Büchner näher kannten, in diesem die frische Jugendkraft, der eine weite Bahn des Ruhms und der Ehre offen lag. Große Hoffnungen ruhten auf ihm, und so reich war er mit Gaben ausgestattet, daß er selbst die kühnsten Erwartungen übertroffen haben würde.

Georg Büchner, der Sohn eines angesehenen Arztes zu Darmstadt, wurde am 17. Oktober 1813 zu Goddelau bei Darmstadt geboren. Nachdem er das Gymnasium dieser Stadt besucht, widmete er sich zu Straßburg vom Herbste 1831 bis zum August 1832, sodann vom Oktober dieses Jahres bis zur Mitte des Jahres 1833 dem Studium der Naturwissenschaften, besonders der Zoologie und vergleichenden Anatomie. In dieser Zeit von einer Unpäßlichkeit befallen, fand er sorgsame Pflege im Hause des Pfarrers Jägle zu Straßburg. Während dieser Krankheit verlobte er sich mit der Tochter dieses würdigen Geistlichen, welche durch Geist und Herz in jeder Beziehung seiner würdig war. Die Gesetze seines Heimatlandes riefen ihn im Herbst 1833 auf die Universität Gießen, wo er sein Studium der Naturwissenschaften fortsetzte und zugleich, nach dem Wunsche seines Vaters, mit der praktischen Medizin sich befaßte. Durch eine Hirnentzündung im Frühjahr 1834 erlitten diese Studien einige Unterbrechung; doch kehrte er nach kurzem Aufenthalte in Darmstadt nach Gießen zurück, wo er bis zum Herbst 1834 verweilte. Von da begab er sich abermals in sein elterliches Haus zu Darmstadt, wo er fortwährend mit Naturwissenschaften sowie mit Philosophie sich beschäftigte und zugleich, im Auftrage seines Vaters, anatomische Vorlesungen hielt.

In der letzten Zeit seines Aufenthalts in Gießen wurde Büchner, mit vielen andern Jünglingen seines Sinnes und Alters, in die politischen Bewegungen jener Zeit verwickelt. Der gegen ihn eingeleiteten Untersuchung entzog er sich im März 1835 durch seine Abreise nach Straßburg. Hier gab er entschieden die praktische Medizin auf und widmete sich mit rastlosem Eifer dem Studium der neueren Philosophie. Besonders tief drang er in die Lehren von Cartesius und Spinoza ein. Eine gleiche Tätigkeit, die ihn häufig seine Arbeiten bis tief in die Nacht fortsetzen ließ, wendete er auf die Naturwissenschaften. Im Dezember 1835 begann er die Vorarbeiten für seine

Abhandlung Sur le système nerveux du barbeau, welcher er die Ernennung zum korrespondierenden Mitgliede der Naturforschenden Gesellschaft zu Straßburg verdankte. Durch Einsendung derselben Abhandlung an die philosophische Fakultät zu Zürich erwarb er sich die philosophische Doktorwürde. Von den ausgezeichnetsten Kennern der Naturwissenschaften ist diese Schrift für eine meisterhafte Arbeit erklärt worden, die zu den höchsten Erwartungen berechtige. Gleichbedeutend kündigte er sich durch seine Probevorlesung und seine akademischen Vorträge über vergleichende Anatomie an der Hochschule zu Zürich an, wohin er sich am 18. Oktober vorigen Jahres zu bleibendem Aufenthalte begeben hatte.

Aber nicht bloß die Natur, auch das reiche innere Leben der Menschen, ihre Leidenschaften und Neigungen, ihre Schwächen und Tugenden zogen ihn mächtig an, und was er mit scharfem Blicke aufgefaßt, gestaltete sich seinem produktiven Geiste zu poetischen Schöpfungen. Besonders hatte ihn das große Drama der neueren Zeit, die Französische Revolution, lebhaft ergriffen. Er studierte gründlich die Geschichte derselben und bemächtigte sich eines ihrer bedeutendsten Stoffe. In politische Untersuchungen verwickelt, unter mannigfachen Störungen und Beschäftigungen verschiedener Art, vollendete er in wenigen Wochen, während seines letzten Aufenthalts zu Darmstadt, sein dramatisches Werk: ›Dantons Tod; dramatische Bilder aus der Zeit der Schreckensherrschaft‹. Einer der strengsten und geistvollsten Kritiker Deutschlands bezeichnete dieses Drama als das Werk des Genies, und pries sich glücklich, der erste zu sein, welcher das deutsche Publikum auf den so hervorragenden Geist aufmerksam mache. In Straßburg gab sodann Büchner sehr gelungene Übersetzungen der beiden Dramen Victor Hugos, Lucretia Borgia und Maria Tudor, heraus. In derselben Zeit und später zu Zürich vollendete er ein im Manuskript vorliegendes Lustspiel, Leonce und Lena, voll Geist, Witz und kecker Laune. Außerdem findet sich unter seinen hinterlassenen Schriften ein beinahe vollendetes Drama, sowie das Fragment einer Novelle, welche die letzten Lebenstage des so bedeutenden als unglücklichen Dichters Lenz zum Gegenstande hat. Diese Schriften werden demnächst im Druck erscheinen.

Der so reich begabte junge Mann war mit zu viel Tatkraft ausgerüstet, als daß er bei der jüngsten Bewegung im Völkerleben, die eine bessere Zukunft zu verheißen schien, in selbstsüchtiger Ruhe hätte verharren sollen. Durch seinen frühe gereiften Geist auf eine heitere Höhe gestellt, blieb er indessen in seinen politischen Ansichten von manchen Täuschungen frei, welchen sich die Jugend willig hinzugeben pflegt. Ein Feind jeder töricht unbesonnenen Handlung, die zu keinem günstigen Erfolge führen konnte, haßte er doch jenen tatenlosen Liberalismus, der sich mit seinem Gewissen und seinem Volke durch leere Phrasen abzufinden sucht, und war zu jedem Schritte bereit, den ihm die Rücksicht auf das Wohl seines Volkes zu gebieten schien. So haben denn in gleicher Weise die Wissenschaft, die Kunst und das Vaterland seinen frühzeitigen Verlust zu beklagen. Dieses Vaterland hatte er verlassen müssen, aber der Genius ist überall zu Hause. In Zürich hätte er eine zweite Heimat gefunden; dafür bürgt die Anerkennung, die ihm seine Talente erwarben, dafür die Teilnahme, die von so vielen der ausgezeichnetsten Bewohner dieser Stadt seinem Andenken am Tage der Beerdigung bezeigt wurde.

Keiner seiner Freunde hatte diesen Tag noch vor wenigen Wochen nahe geglaubt. Außer einigen leichten Unpäßlichkeiten war Büchner während seines Aufenthalts in Zürich stets gesund geblieben. Sein Äußeres schien mit seinem Innern in Harmonie zu stehen, und die breit gewölbte Stirne schien noch lange seinem umfassenden Geiste eine sichere Stätte zu sein. Doch mochte er selbst ein Vorgefühl seines frühen Endes haben. Wenigstens vergleicht er in einem hinterlassenen Tagebuche den Zustand seiner Seele mit einem Herbstabende und schließt seine Bemerkung mit den Worten: »Ich fühle keinen Ekel, keinen Überdruß; aber ich bin müde, sehr müde. Der Herr schenke mir Ruhe!«

Am 2. Februar mußte er sich zu Bette legen, das er von jetzt an nur für wenige Augenblicke verließ. Trotz der Sorgfalt der Ärzte und der Pflege seiner Freunde machte die Krankheit unaufhaltbare Fortschritte und bildete sich bald zum heftigen Nervenfieber aus. Am 12. Tage fingen die Delirien an. Der Gegenstand seiner Phantasieen waren seine Braut, seine Eltern und Geschwister, deren er mit der rührendsten Anhänglichkeit gedachte, und das Schicksal seiner politischen Jugendgenossen, die seit Jahren in den Kerkern seiner Heimat schmachten. Wie vor seiner Krankheit, so sprach er auch jetzt in bitteren, aber wahren Worten, die im Munde eines Sterbenden ein doppeltes Gewicht haben, über jene Schmach unserer Tage sich aus, über die verwerfliche Behandlung der politischen Schlachtopfer, die nach gesetzlichen Formen und mit dem Anschein der Milde in jahrelanger Untersuchungshaft gehalten werden, bis ihr Geist zum Wahnsinne getrieben und ihr Körper zu Tode gequält ist. »In jener Französischen Revolution,« so rief er aus, »die wegen ihrer Grausamkeit so verrufen ist, war man milder als jetzt. Man schlug seinen Gegnern die Köpfe ab. Gut! Aber man ließ sie nicht jahrelang hinschmachten und hinsterben.« Später jedoch, als ihm der Tod näher gerückt war, schien er sich bereits von allen irdischen Banden losgerissen zu haben, und mit gehobener Sprache, deren Worte die erhabensten Stellen der Bibel ins Gedächtnis riefen, ergoß sich seine Seele in religiöse Phantasieen.

Auf die erste Nachricht von seiner Krankheit eilte seine Verlobte an das Krankenbett ihres Bräutigams. Die Nähe der Geliebten leuchtete freundlich in seine Träume hinein, und seine sichtbar freudige Bewegung weckte einen letzten Schimmer der Hoffnung bei denen, die ihm nahestanden. Aber es war nur ein kurzes Aufflackern des verglimmenden Lebens! Von Landsleuten und Freunden umgeben, starb er am 19. Februar, nachmittags gegen vier Uhr, und seine treue Braut schloß ihm das gebrochene Auge. Sein Verscheiden war schmerzlos und sanft, denn der Segen der Liebe ruhte auf ihm.

Wilhelmine Jaegle an Eugen Boeckel

Straßburg, den 5. März [1837].

Werter Freund! Sie versagen mir wohl den Trost nicht, mich Ihnen, dem treuen Freund meines geliebten George, schriftlich zu nähern? Es ist mir Erleichterung, auch glaube ich ganz im Sinne meines teueren Heimgegangenen zu handeln, wenn ich Ihnen von seiner letzten Lebenszeit spreche, da Sie ja gewiß unbekannt sind mit den genauen Umständen seines Todes. Sonntag, den 12., erhielt ich einen Brief von fremder Hand, man meldet mir, daß George ein gastrisches Fieber habe. Bloß fünf Worte, von ihm selbst geschrieben, sagen mir, daß er lebt, sonst hätte ich gleich das Schrecklichste geahnt. Übrigens ließ er mich beruhigen, da er wieder auf dem Wege der Besserung sei. Ich war auf der Folter, ich wollte fort, hin zu ihm eilen, seine Pflege übernehmen; man ließ mich nicht gehen: Montag, Dienstag ohne Nachricht. Dienstag packte ich zusammen mit dem Bedeuten, daß ich mich jetzt nicht mehr halten ließe. Ich war dem Wahnsinne nahe. Da mußte man sich nach einer Begleiterin umsehen, weil man meinen Bruder, der sich losgemacht hätte, nicht für hinreichend fand, mich zu beschützen! O armselige Rücksichten. Endlich trat ich Mittwoch abend mit dem Kehler Eilwagen meine Reise an, und kam erst Freitag morgens gegen 11 Uhr in Zürich an. Ich mußte den Ausspruch von Dr. Schönlein, der zwischen 12–1 Uhr kam, abwarten. Es hieß, für den Kranken könne mein Anblick nicht schädlich wirken, denn er würde mich ja doch nicht erkennen – aber mir dürfe man nicht gestatten, das entstellte Antlitz zu schauen. Sie können denken, daß, sobald nur mein Ich in Betracht kam, man mir den Eingang ins Krankenzimmer nicht mehr wehren durfte. Dr. Zehnder führte mich hinein, noch vor der Türe sagte er mir: Fassen Sie sich, er wird Sie nicht kennen. Nein, er wird mich kennen, war meine Antwort. Und er hat mich erkannt, er fühlte meine Nähe, und ich habe Ruhe über ihn gebracht. Er ist sanft eingeschlummert, ich habe ihm die Augen zugeküßt, Sonntag, den 19. Februar, um halb 4. Der Jammer der Eltern ist grenzenlos. Über meine übrigen Lebenstage ist ein schwarzer Schleier geworfen. Der Himmel möge sich meiner erbarmen und mich nur noch so lange leben lassen als meinen alten Vater. Leben Sie wohl. Sein Freund ist auch der meinige. W. Jägle.

Adolf Stöber an Gustav Schwab

Oberbronn, den 9. März 1837.

Von Dr. Schulz und seiner Frau erhalten wir von Zeit zu Zeit Nachricht. Er fing in Zürich, wo er den Winter zugebracht hat, Vorlesungen über Statistik an, fand aber bald nach den ersten unentgeltlichen Sitzungen keine Zuhörer mehr, und so beschäftigt er sich jetzt lediglich mit Schriftstellerarbeiten. In Zürich ist auch vor kurzem ein sehr talentvoller deutscher Flüchtling gestorben, der uns wohl bekannt und befreundet war, *Georg Büchner*, ein junger Mann von 23 Jahren. Er schrieb ein Trauerspiel *Dantons Tod*, welches von wahrhaft genialer Anlage zeugt, aber natürlich noch keine vollendete Reife hat.

August Stöber

Fußnote in seiner Monographie ›Der Dichter Lenz und Friedericke von Sesenheim‹, Basel 1842

Dieser Aufsatz bildet die Grundlage der leider Fragment gebliebenen Novelle *Lenz* meines verstorbenen Freundes Georg Büchner. Er trug sich schon in Straßburg lange Zeit mit dem Gedanken, Lenz zum Helden einer Novelle zu machen, und ich gab ihm zu seinem Stoffe alles, was ich an Handschriften besaß.

Gutzkows Nachruf

Frankfurter Telegraf, Juni 1837

In den letzten Tagen des Februar 1835, dieses für die Geschichte unserer neuern schönen Literatur etwas stürmischen Jahres, war es, als ich einen gesellig verbundenen Kreis von ältern und jüngern Kunstgenossen und Wahrheitsfreunden bei mir sah. Wir wollten einen Autor feiern, der bei seiner Durchreise durch Frankfurt am Main nach Literatenart das Handwerk begrüßt und lange genug zurückgezogen gelebt hatte, um uns zu verbergen, daß er im Begriff war, Bücher herauszugeben, welche, ob sie gleich jüdischen Inhalts waren, dennoch von der evangelischen Kirchzeitung kanonisiert werden sollten. J. Jacobi war's. Kurz vor Versammlung der Erwarteten erhielt ich aus Darmstadt ein Manuskript nebst einem Briefe, dessen wunderlicher und ängstlicher Inhalt mich reizte, in ersterem zu blättern. Der Brief lautete: [vgl. S. 173 f.].
Dieser Brief, den ich abdrucke, um sogleich ein Bild des Charakters zu geben, dessen Erinnerung wir feiern, den ich auch, unbekümmert um seine noch lebenden vermöglichen Eltern, abdrucke, weil wir die kleine Affektation und das *unmotivierte* Elend darin bald erklären werden, reizte mich, augenblicklich das Manuskript zu lesen. Es war ein Drama: *Dantons Tod*. Man sah es der Produktion an, mit welcher Eile sie hingeworfen war. Es war ein zufällig ergriffener Stoff, dessen künstlerische Durchführung der Dichter abgehetzt hatte. Die Szenen, die Worte folgten sich rapid und stürmend. Es war die ängstliche Sprache eines Verfolgten, der schnell noch etwas abzumachen und dann sein Heil in der Flucht zu suchen hat. Allein diese Hast hinderte den Genius nicht, seine Begabung in kurzen scharfen Umrissen schnell, wie im Fluge, an die Wand zu schreiben.

Alles, was in dem lose angelegten Drama als Motiv und Ausmalung gelten sollte, war aus Charakter und Talent zusammengesetzt. Jener ließ diesem keine Zeit, sich breit und behaglich zu entwickeln; dieses aber auch jenem nicht, nur bloß Gesinnungen und Überschweifungen hinzuzeichnen, ohne wenigstens eine in der Eile versuchte Abrundung der Situationen und namentlich der aus der köstlichsten Stahlquelle der Natur fließenden hellen und muntern Worte. *Dantons Tod* ist im Druck erschienen. Die ersten Szenen, die ich gelesen, sicherten ihm die gefällige, freundliche Teilnahme jenes Buchhändlers noch an dem bezeichneten Abend selbst. Die Vorlesung einer Auswahl davon, obschon von diesem oder jenem mit der Bemerkung, dies oder das stände gerade so im Thiers, unterbrochen, erregte Bewunderung vor dem Talent des jugendlichen Verfassers.

Kaum hatte Georg Büchner einen Bescheid, so erfuhren wir, daß er auf dem Wege nach Straßburg war. Ein Steckbrief im Frankfurter Journal folgte ihm auf der Ferse. Er hatte in Darmstadt, vor seiner Familie sogar, verborgen gelebt, weil er jeden Augenblick befürchten mußte, in eine Untersuchung gezogen zu werden. Er war in jene unglückseligen politischen Wirrnisse verwickelt, die in so vielen Familien die Ruhe untergraben, so vielen Vätern ihre Söhne und Frauen ihre Gatten genommen haben. Ob ihn nur Verdacht oder eine erwiesene Beschuldigung verfolgte, weiß ich nicht; man versicherte, daß er den Frankfurter Vorfällen nicht fremd gewesen. Vielleicht hatten ihn auch nur seine in Straßburg früher fortgeführten Studien verdächtig gemacht. Jedenfalls ergab sich, daß Büchner die Partie der Flucht *gern* ergriff. Er war mit einer jungen Dame in Straßburg versprochen; das Exil, für andere eine Plage, war für ihn eine Wohltat. Er gestand mir ein, daß er die Teilnahme seiner (wahrscheinlich loyalen) Eltern durch seine tollkühnen Schritte auf eine harte Probe stelle und daß er nicht den Mut hätte, diese abzuwarten. Dies spornte ihn an, sich selbst einen Weg zur bürgerlichen Existenz zu bahnen und von seinen Gaben die möglichen Vorteile zu ziehen. Daher das verzweifelnde Begleitungsschreiben des Danton: das Pistol und die unschuldige Banditenphrase: la bourse ou la vie!

Mehrere der aus Straßburg an mich gerichteten Briefe Büchners sind mir nicht mehr zur Hand. Ich hatte indessen große Mühe mit seinem *Danton*, da solche Dinge, wie Büchner sie hingeworfen, Ausdrücke, die er sich erlaubte, heute nicht gedruckt werden dürfen. Es tobte Sansculottenluft in der Dichtung: die Erklärung der Menschenrechte wandelte darin, mit Rosen bekränzt, aber nackt. Die Idee, die das Ganze zusammenhielt, war die rote Mütze. Büchner studierte Medizin. Seine Phantasie spielte mit dem Elend der Menschen, in das sie durch Krankheit geraten; ja, die Krankheiten des Leichtsinns mußten ihm zur Folie seines Witzes dienen. Die dichterische Flora des Buches bestand aus Feld- und aus Quecksilberblumen. Jene streute seine Phantasie, diese seine übermütige Satire. Um dem Zensor nicht die Lust des Streichens zu gönnen, ergriff ich selbst dies Amt und beschnitt die wuchernde Demokratie der Dichtung mit der Schere der Vorzensur. Da fühlt ich wohl, wie gerade der Abfall des Buches, der unsern Sitten und Verhältnissen geopfert werden mußte, der beste, der individuellste, eigentümlichste Teil des Ganzen war. Lange, zweideutige Dialoge in den Volksszenen, die von Witz und Gedankenfülle sprudelten, mußten zurückbleiben. Die Spitzen der Wortspiele mußten abgestumpft werden oder durch aushelfende dumme Redensarten, die hinzuzusetzen waren, krumm gebogen. Der *echte Danton* von Büchner ist *nicht* erschienen. Was davon herauskam, ist ein notdürftiger Rest, die Ruine einer Verwüstung, die mich Überwindung genug gekostet hat.

Büchner schrieb im Sommer 1835 an mich: [vgl. S. 175 f.].

Der wilde Geist in diesem Briefe ist die Nachgeburt Dantons. Der junge Dichter muß seinen Thiers und Mignet loswerden; er verbraucht noch die letzten Reste auf seiner Farbenpalette, von der er jene dramatischen Bilder aus Frankreichs Schreckensherrschaft gemalt hatte. Der Ausdruck ist ihm wichtiger als die Sache. Die revolutionäre Phraseologie reißt ihn hin, dafür nach idealen Unterlagen zu suchen. Er wird bald andere Ansichten haben und sich von jener Unruhe befreien, die man immer spürt, wenn man eben vom Reisewagen steigt. Der Puls schlägt dann öfter in der Minute, als man Gedanken für jeden Schlag hat. G. Büchner hörte bald auf, von gewaltsamen Umwälzungen zu träumen. Die zunehmende materielle Wohlfahrt der Völker schien ihm die Revolution zu verschieben. Je mehr jene zunimmt, desto mehr schwindet ihm eine Aussicht auf diese. Er schrieb mir unter anderm: (vgl. S. 179].

Inzwischen hatte ich den erschienenen *Danton* nach Verdienst im *Phönix* gewürdigt. Büchners Bescheidenheit schmollte, daß ich ihn zu hoch gestellt: er käme in Verlegenheit, meine in seinem Namen gegebenen Versprechungen zu erfüllen. Meine Kritik hatte aber noch eine andere Folge, die für unsere Zustände nicht uninteressant war. Ich erhielt aus der Schweiz einen anonymen Brief, der allem Anschein nach von der dortigen jeune Allemagne herrührte und worin mir über mein Lob eines patriotischen Apostaten, wofür nun schon Büchner galt, die heftigsten Vorwürfe gemacht wurden. Es war zu gleicher Zeit der Neid eines Schulkameraden, der sich in dem Briefe ausgällte. Den Verfasser ärgerte das einem ehemaligen Freund gespendete Lob, und um seine kleinliche Empfindung zu verbergen, hüllte er sich in pädagogische Vorwände. Der geärgerte Schulkamerad schrieb: »Bei der unbedingtesten Gerechtigkeit, die ich Büchners Genie widerfahren ließ, ist es mir doch nie eingefallen, mich vor ihm in eine Ecke zu verkriechen!« Darauf erfolgte ein Erguß über die Eitelkeit, in der nun der Kamerad bestärkt werden würde, eine Versicherung, daß er Büchners wahrer Freund wäre, und in einem Postskript – ob ich nicht eine Antikritik abdrucken wollte! Mir schien dies anonyme Treiben so verdächtig, daß ich Büchnern einen Wink gab und von ihm Aufklärung erhielt. Ich will die betreffende Stelle hersetzen . . . Büchner antwortete: [vgl. S. 185].

Weil sich Büchner mit allen Kräften auf eine akademische Stellung vorbereitete, so konnte er seine Mußezeit nur leichten Arbeiten widmen. Er übersetzte in der Serie von Victor Hugos übertragenen Werken die *Tudor* und *Borgia* mit dichterischer Verwandtschaft mit dem Original. Einen seiner Briefe, wo er die Schwächen Victor Hugos mit feinem Auge musterte, kann ich nicht wiederfinden. Alfred de Musset zog ihn an, während er nicht wußte, wie er sich »durch V. Hugo durchnagen« solle, Hugo gäbe nur »aufspannende Situationen«, A. de Musset aber doch »Charaktere, wenn auch ausgeschnitzte«. Wie wenig er auch arbeitete und erklärte, für den *Danton*, der so hurtig zustande gekommen, wären ›die darmstädtischen Polizeidiener seine Musen gewesen‹, so trug er sich doch mit einer Novelle, wo Reinhold *Lenz* im Hintergrunde stehen sollte. Er wollte viel Neues und Wunderliches über diesen Jugendfreund Goethes erfahren haben, Neues über Friederiken und ihre spätere Bekanntschaft mit Lenz.

Büchners spätere Briefe beschäftigen sich meist mit seinen Zukunftsplänen. Sein Herz war gefesselt, er suchte eine Existenz als Schmied seines Glücks. Er hatte die Medizin verlassen und sich auf die abstrakte Philosophie geworfen. Er schrieb (wie gewöhnlich ohne Datum): [vgl. S. 190f. und S. 187f.].

Dies Ganze ist die Zusammensetzung zweier Briefe; der letzte Teil ist älter als der erste. Der Umzug nach Zürich brachte eine momentane Störung hervor. Die Habilitation beschäftigte Büchner, der übermäßig arbeitete; ich drang auf keine Nachrichten, weil ich hoffte, die Züricher Niederlassung würde gute Wege haben. Inzwischen erkrankte Büchner und starb.

Beweisen nicht schon die von mir mitgeteilten Brieffragmente, um welch reichen Geist mit ihm unsere Nation gekommen ist? Alles, was er berührte, wußte er in eine bedeutsame Form zu kleiden. Er hatte die Rede und den Gedanken in gleicher Gewalt und wußte mit einer an jungen Gelehrten *seltenen* Besonnenheit, seine Ideen abzurunden und zu kristallisieren. Seine Inaugurationsabhandlung wird als ein Beleg von Gelehrsamkeit und Scharfsinn gerühmt. Büchner würde, wie Schiller, seine Dichterkraft durch die Philosophie geregelt und in der Philosophie mit der Freiheitsfackel des Dichters die dunkelsten Gedankenregionen gelichtet haben. Alle diese Hoffnungen knickte der Sturm. Ein frühes Grab war der Punkt, in welchem sich all die frischen, kühnen Perioden, die wir von einem Jünglinge in diesen Mitteilungen gelesen haben, endigen sollten. Zu dem Trotze, der aus diesem Charakter sprach, lachte der Tod. Der Friedensbogen, der sich über diese gärende Kampfes- und Lebenslust zog, war die Sense des Schnitters, von welcher so frühe gemäht zu werden, uns schmerzlich und fast mit einem gerechten Schein die Unbill des

Schicksals anklagen läßt. Könnte ich diese Erinnerungsworte ansehen als in Stein und nicht in Sand gegraben, daß sie vom Wind nicht verweht werden! Könnte ich in künftigen Darstellungen unserer Zeit, wie sie war, rang, litt, hoffte, wenigstens den Namen *Georg Büchner* in der Zahl derjenigen, die durch ihr Leben und ihre Arbeiten die Entwicklung unserer Übergangsperiode bezeichnen, dauernd und mit goldenem Schein erhalten!

Die schönste Belohnung, die ich für diesen Nachruf erhalten konnte, waren die saubern Abschriften des poetischen Nachlasses Büchners von der Hand seiner Verlobten. Es ist ein vollendetes Lustspiel *Leonce und Lena*, in der Weise des ›*Ponce de Leon*‹ von Brentano. Dann das Fragment des *Lenz* und ein Heft von Briefen, die ohne Absicht geschrieben und doch voll künstlerischen und poetischen Wertes sind.

Herwegh sagt von ihm in einem größeren schönen Gedichte:

Ein unvollendet Lied, sinkt er ins Grab,
der Verse schönsten nimmt er mit hinab.

Wilhelm Baum an Eugen Boeckel

Zürich, den 1. Oktober 1837.

... Auch unseres Büchners frühes Grab habe ich letzthin besucht – noch wächst kein Gras, aber Blumen darauf, von lieber Hand gepflanzt und von Mad. Orelli gepflegt. Er hoffte einst zuversichtlich, ich würde ihn hier besuchen und bei ihm hausen können. Ich kann Dir nicht sagen, wie es ergriff, das schöne noble Angesicht mir jetzt da unten unter dem Grunde zu denken, durchwühlt von Moder und Ungeziefer. Der Kirchhof, wo er liegt, heißt zum Krautgarten und verdient in jeder Beziehung diesen prosaischen Namen, über den er selbst, wie er das konnte und pflegte, auf eine witzige Weise, wenn er lebte, [sich] lustig machen würde. Er liegt mitten in der Stadt ou à peu près, und man sieht nichts als Hinterhäuser, verbrämt mit cabinets inodores und rundscheibigten Kammerfenstern, von denen aus die müden Knechte und Mägde den kleinen Ort der Ruhe mit geheimem Schauer betrachten.

Sein Andenken ist unter den Professoren schon ziemlich erblaßt. Das ist das Los des Schönen auf der Erde! Nur kolossale Felsen, wie die in dem Rheinstrom bei Schaffhausen, bleiben in dem Zeitenstrome stehen, kleinere Steine, und wäre es der herrlichste Kristall, werden nur in der Tiefe mit fortgerissen (in einigen Gemütern stille bewahrt), und am Ufer findet ihn das Auge des Künstlers und hebt ihn auf zur Bearbeitung. Diesen Künstler hat Büchner gefunden, wie ich höre: Gutzkow wird eine gewiß geistreiche Biographie von ihm schreiben und ihm dadurch ein Denkmal setzen; denn dasjenige, das auf seinem Grabe steht, wird in kurzer Zeit verwittert sein. –

Die Zürcher Büchner-Feier 1875

1. Aus Konrad Escher, Chronik der Gemeinden Ober- und Unterstraß. Zürich 1915, S. 266:

Im Jahre 1875 wurde von der Stadt das Areal des Krautgarten-Friedhofs verkauft und mußte bei diesem Anlaß die Grabstätte des Georg Büchner verlegt werden. Die Studentenverbindung ›Germania‹ nahm sich der Sache an und kam beim Gemeinderat Oberstraß um die Bewilligung ein, den Denkstein auf den ›Hochbuck‹ zu versetzen, zu gleicher Zeit aber auch einen Stammbaum auf demselben zu pflanzen. Die Bewilligung wurde erteilt . . .

Sonntag, den 4. Juli 1875, fand die Versetzung des Grabsteins, unter welchen die noch vorhandenen Leichenteile gebettet wurden, sowie die Pflanzung einiger Bäume auf dem ›Hochbuck‹ statt. Um den Grabstein, auf dem die Worte

Ein unvollendet Lied, sinkt er ins Grab,
Der Verse schönsten nimmt er mit hinab

an den frühen Tod und die unvollendete Laufbahn des Dichters erinnern, wurde ein eisernes Gitter angebracht. Der Hügel wurde mit einer Linde und zwei Ulmen, die zusehends wachsen und gedeihen, geschmückt.

2. Aus dem ›Landboten‹, Winterthur, vom 5. Juli 1875:

Zürich, 4. Juli. Heute fand hier bei etwas betrübender Witterung die Büchnerfeier statt. Der schwarz-rot-goldnen Fahne der deutschen Studierenden folgten vom Polytechnikum aus ca. 150 Teilnehmer, vorwiegend Studierende aller Nationen; stark vertreten war auch die Professorenwelt, weniger die Deutschen Zürichs, denen die Sympathie für einen Republikaner von Büchners Schlag infolge der politischen Änderungen in Deutschland wohl etwas ferner liegen mag. Der Zug ging hinauf zur Jakobsburg, in deren nächster Nähe, auf dem sog. Germaniahügel, nun die Gebeine des Verstorbenen ruhen . . .

Im Namen der Familie des Verewigten dankte der Bruder, Herr Ludwig Büchner (der berühmte ›Kraft und Stoff‹-Büchner), und ein zweiter Bruder, Herr Alexander Büchner, wußte in geschickter Weise den Versammelten das Bild des Gefeierten vor Augen zu führen. Trotz des unfreundlichen Regens hielt das zahlreich versammelte Publikum wacker aus, und manch einer wird Vergleiche zwischen einst und jetzt gezogen haben ... Ein Kommers im Café Littéraire schloß die Feier.

Wilhelmine Jaegle an Karl Emil Franzos

Straßburg, 2. April 1877.

Geehrtester Herr! In Ihrem geehrten Schreiben vom 17. Februar reden Sie von der moralischen Verpflichtung, die ich habe, durch Mitteilung derjenigen Papiere Georg Büchners, die in meinen Händen sind, die Herausgabe seiner Werke zu befördern.

Hierauf habe ich die Ehre, Ihnen zu antworten, daß ich durchaus keine moralische Verpflichtung fühle, die besagten Papiere zur Öffentlichkeit zu bringen; teils sind es solche, die nur mich persönlich angehen, teils sind es unvollständige Auszüge und unvollendete Notizen. Das Andenken an Georg Büchner ist mir zu teuer, als daß ich wünschen könnte, etwas Unfertiges von ihm der Kritik der Rezensenten auszusetzen. Durch schwere Krankheit verhindert, Ihnen früher zu antworten, mußte ich es bis heute aufschieben.

Sie werden mich, geehrter Herr, verpflichten, wenn Sie sich für die Zukunft mit dieser Erklärung genügen lassen wollten.

Hochachtungsvoll zeichnet L. W. Jaeglé.

NACHWORT

Ein kurzes Lebens- und Charakterbild Georg Büchners vermittelt dem Leser der Nachruf seines befreundeten Landsmannes Wilhelm Schulz (S. 323 ff.). Seine Gesamteinschätzung hat noch heute Gültigkeit, und Einzelheiten lassen sich aus den Briefen berichtigen.

Schon die Mitwelt ließ jener Nachruf ahnen, welchen Verlust sie mit dem Tod des noch nicht Vierundzwanzigjährigen erlitten, und noch heute lebt Georg Büchner fort, als Politiker und Naturforscher zwar mehr in geschichtlicher Erinnerung, als Mensch und Dichter aber unmittelbar Leser, Hörer und Zuschauer ansprechend und ergreifend.

Wenn es zu einem wahren Dichter gehört, daß er nicht nur den Besten seiner Zeit genug tut, sondern Ewigkeitswerte schafft, durch die er auf die Nachwelt fortwirkt, selbst ohne Kommentar und biographische Einführung, so erweist sich hierin Georg Büchners Dichtertum. Auch wer nichts von den Quellen des ›Danton‹ weiß, noch die äußeren Umstände seiner Entstehung kennt, wird doch erschüttert von der dämonischen Macht des Schicksals in diesem Drama und wird die Verwandtschaft seines Helden mit dem Schreiber des Briefes vom November 1833 (S. 161 f.) herausfühlen. Und der Leser der ›Lenz‹-Novelle wird die geniale Verquickung von Landschaftsschilderung mit psychoanalytischer Offenbarung wie ein Juwel neuester Erzählungskunst in sich aufnehmen und nur bedauern, daß sie nicht zu Ende gediehen ist. Bei dem Lustspiel ›Leonce und Lena‹, mit seiner rätselhaften ›Vorrede‹, mag der Leser zwar anfangs stutzen, wird dann aber doch dem Dichter folgen durch allen Zwiespalt seiner Gefühle, mit denen er den Idealisten (wie Alfieri) und, noch gründlicher, den deutschen Kleinstädter verspottet, das letzte Wort aber dem Sancho Pansa-Valerio läßt, der es mit Gozzis materiellerem Sinn hält, in diesem Spiel von Scherz, Satire und Ironie, doch auch von tieferer Bedeutung, und mit einer so traumzarten Mondscheinnacht ausgestattet, wie sie kaum einmal aus der Welt der Romantik heraufstieg. Und nun endlich der ›Woyzeck‹: wer würde nicht des Dichters Anklage auch ohne jeden Kommentar heraushören, wer nicht sein Mitleid mit der ›armen Kreatur‹ mitempfinden, aber auch von des Dichters eignem Pessimismus aufs tiefste erschüttert werden?

Das Persönlichkeitsbild, das uns aus den Dichtungen anspricht, erfährt durch die Briefe Büchners noch eine intensivere und zugleich intimere Beleuchtung. Hier spricht der Dichter unmittelbar aus, was ihn bewegt, verstimmt, beschäftigt, hier lernen wir ihn als Menschen kennen in seiner sprühenden Laune und seiner sensiblen Reizbarkeit, in seinem sozialen Mitgefühl und seinem revolutionären Zorn, in seiner Naturfreude, seiner teilnehmenden Freundschaft und seiner trauten Zwiesprache mit der Geliebten, auch in seinem beruflichen Streben, seiner künstlerischen und politischen Meinungsbildung und seiner weltanschaulichen Gesinnung. Was wir nicht von ihm selbst erfahren, verraten uns vielfach die an ihn gerichteten Briefe seiner Verwandten und Freunde (S. 267ff.), und in dieser Beziehung müssen besonders die Briefe seines Freundes Boeckel beachtet werden.

Eugen Boeckel war der Sohn eines Straßburger Pfarrers und hatte selbst erst Theologie studiert, bevor er sich mit Georg Büchner im Herbst 1831 als Medizinstudent in Straßburg immatrikulieren ließ. Das gleiche Studium und mehr noch die gleiche Aufgeschlossenheit für all die geistigen Fragen, die Büchner so lebhaft beschäftigten (Kunst, Politik, Weltanschauung), machte sie bald zu Freunden, die einander gegenseitig – Boeckel war der Ältere, aber durchaus nicht der Überlegene – zu geben und zu nehmen hatten. Boeckel war es wohl, der seinen Freund mit jenem Kreise Theologiestudierender bekannt machte, die er selber vor seiner beruflichen Umstellung kennen und schätzen gelernt: mit den um die Sammlung elsässischer Volksdichtung verdienten Brüdern Stöber und dem aus Rheinhessen gebürtigen angehenden Kirchenhistoriker Baum, mit denen er zusammen Mitglied der ›Theologischen Gesellschaft‹ zu Straßburg gewesen war, aber auch mit all den andern ›Eugeniden‹, die in Boeckels Briefen immer wieder auftauchen: Mitgliedern der auch hauptsächlich theologischen Studentenverbindung Eugenia zu Straßburg, in der auch Büchner häufiger als gern gesehener Gast erschien (vgl. S. 229). Dem Alter entsprechend, schloß Boeckel etwas früher als Büchner sein Studium mit der Promovierung zum Dr. med. ab und unternahm dann mit seinem Landsmann und Fachgenossen Schwebel die ausgedehnte Studienreise, von der er die Mehrzahl seiner Briefe an den in Straßburg zurückgebliebenen Freund geschrieben hat. Es ist ein besonderer Vertrauensbeweis Büchners, daß er ihn auch in sein Elternhaus einkehren ließ, und wir erfahren bei dieser und anderer Gelegenheit manch neuen intimen Charakterzug Georgs. Daß er fechten lernte, wie es der junge Goethe getan, daß er auch Schach spielte, daß er aber vom Rauchen in den Cafés nichts wissen wollte, gewiß, es sind keine aufsehenerregenden Mitteilungen, aber doch Mitteilungen, die uns das Bild des Dichters noch persönlicher gestalten. Die Erwähnung der reizenden Schauspielerin Therese Peche und Büchners Reaktion darauf am Schluß seiner Antwort (S. 194) wirft auch ein kurzes Schlaglicht auf frühzeitige Theaterbesuche Georgs (1828/29). Der Schwerpunkt dieses Briefwechsels überhaupt aber liegt in dem Interesse, das Boeckel bei seinem Freunde voraussetzen konnte in all den Fragen, die die Naturwissenschaften und allgemeine Medizin, die bildende Kunst, Musik, Theater und auch die Politik angehen. Der Verfasser des ›Hessischen Landboten‹ hat zwar jede Mitwirkung auf der politischen Bühne nach seiner Flucht aus Darmstadt aufgegeben, aber nicht seine politische Anteilnahme an dem Ergehen seines Vaterlandes. Er horcht auf, als sein Freund am 18. Juni 1836 seine ersten Eindrücke von den politischen Verhältnissen in Deutschland mitteilt, und veranlaßt ihn, der diese Schilderung wohl mit Rücksicht auf die ihm bekannte andere Meinung Georgs mit einem ›Sed absint politica‹ abbricht, im folgenden Brief das politische Thema noch einmal ausführlicher aufzunehmen. Es ist sehr schade, daß Büchners Antwort darauf nicht auf uns gekommen ist; wie sie aber ausfiel, darüber kann kein Zweifel sein: diese Wandlung in der politischen Anschauung Boeckels konnte Büchner nicht mitmachen; urteilte sein Freund doch auch nur aus der Perspektive seines flüchtigen Besuches und übersah dabei zum Beispiel ganz, daß die Österreicher mit dem damaligen Kaiser, dem unfähigen Ferdinand I., für den eine Staatskonferenz eingesetzt werden mußte, durchaus nicht zufrieden sein konnten.

Nach diesem kurzen Verweilen bei den erst 1936 von Strohl veröffentlichten Briefen Boeckels wenden wir uns Büchners eigenen Briefen zu, um zu ihnen, besonders für den mit des Dichters Lebensgeschichte nicht vertrauten Leser, noch einige Erläuterungen zu geben. Im übrigen sei für Einzelheiten auf das kommentierende Register hingewiesen.

Da Büchner die Studien an der hessischen Landesuniversität abschließen mußte, aber wenigstens die ersten Studienjahre zur Erweiterung seines Gesichtskreises außerhalb Hessens verbringen sollte, schickten ihn die Eltern nach Straßburg, wo er in den Familien Reuß und Himly mütterlicherseits Verwandte besaß. Er wohnte im Hause des Pfarrers an der Sankt Wilhelm-Kirche Johann Jakob Jaegle, damals bereits Witwer, dem die Tochter Wilhelmine (oder kurz Minna) den Haushalt führte: Rue Saint Guillaume 66. Dort sind also die Briefe der Jahre 1831 bis Juli 1833 geschrieben, außer dem Brief an August Stöber, der den jungen Studenten während der Sommerferien 1832 im Elternhaus zeigt, von wo er sich nach Straßburg zurücksehnt. Den Grund dieser Sehnsucht verrät der erste Brief seines Freundes Boeckel mit der Auskunft, daß er Minna Jaegle: ›Mademoiselle, jolis pieds et jolies mains‹, bereits kurz vor

Empfang eines Briefes von Georg besucht hätte und offenbar dessen Grüße aus diesem Grunde nun nicht gleich anbringen könnte. Der Vertraute weiß Diskretion zu wahren, auch stand damals das Verhältnis der beiden erst in zarten Anfängen.

Schon in den Straßburger Briefen der Jahre 1831–33 fällt das starke politische Interesse Büchners auf, wenn auch daran erinnert werden muß, daß in der ersten Ausgabe der ›Nachgelassenen Schriften‹ (1850), der die Erhaltung der auf uns gekommenen Büchner-Briefe überwiegend zu danken ist, die Auswahl mit der Absicht getroffen wurde, das zu geben, ›was zur Kenntnis der politischen Bewegungen jener Zeit und des Anteils, den Büchner daran hatte, wichtig erschien‹. Bereits der Darmstädter Gymnasiast beschäftigte sich mit politischen Fragen und bewies ein sich gegen jene Zeit der Reaktion heftig aufbäumendes Freiheitsgefühl. In der republikanisch gesinnten Universitätsstadt Straßburg fand dieser Freiheitssinn neue Nahrung, so daß er die politischen Ereignisse jener Jahre: den Aufstand der Polen gegen das Zarentum (S. 155) und den Abfall Belgiens von Holland (S. 155: ›Es sieht kriegerisch aus‹, und S. 157), mit den Augen der französischen Republikaner ansah. Diese Einstellung wird besonders deutlich in der Äußerung über den französischen Ministerpräsidenten, also in einer innerfranzösischen Angelegenheit: Périer, der übrigens doch noch 1832 an der Cholera starb (vgl. S. 156), wurde von den republikanisch gesinnten Franzosen bekämpft, weil er die Sache der Freiheit an die Krone verraten hatte. Büchners schrankenlose Bekenntnisse gegen Monarchie und Reaktion müssen die Eltern besorgt gemacht haben: er muß ausdrücklich versichern, daß er sich nicht an Studentenkundgebungen im badischen Freiburg, dessen Universität wegen kleiner, durch die Widerrufung der Preßfreiheit entstandener Unruhen bereits im September 1832 vorübergehend geschlossen worden war, beteiligen werde (S. 158), und er stellt im Juni 1833 auch in Aussicht, sich nach seiner Übersiedlung nach Gießen in die dortige ›Winkelpolitik‹ nicht einlassen zu wollen. Von Straßburg, wo es eine Ortsgruppe der französischen ›Gesellschaft der Menschenrechte‹ gab, die auch Büchner nach Viëtors Forschungen besucht zu haben scheint, bringt er die Erkenntnis mit, daß nur die ›große Masse‹ (S. 159) Änderungen der Staatsform bewirken könne und alles revolutionäre Streben daher vom Bedürfnis der Masse ausgehen müsse: das ist bereits die Erkenntnis des ›Hessischen Landboten‹.

Als ›Herr Studiosus Büchner‹ nach Schluß des Sommersemesters 1833 endgültig nach Hessen zurückkehrte, hatte er sich mit Minna im stillen fürs Leben gefunden (vgl. S. 324). Er hielt diesen Bund zunächst auch vor den Eltern geheim, wird aber mit der Geliebten selbst, vielleicht unter Boeckels Vermittlung, in brieflicher Fühlung geblieben sein. Denn es ist nicht anzunehmen, daß der erste erhaltene Brief Büchners an Minna (S. 161f.) überhaupt der erste seit ihrer Trennung an sie gerichtete Gruß ist und sie sich also über ein Vierteljahr lang nichts zu sagen gehabt hätten. Wenn Boeckel im September 1833 nach Darmstadt schreibt, daß er ›Louis und Mademoiselle‹, das heißt Minna und ihren jüngeren Bruder, mehrere Male inzwischen gesehen, so wird das für Georg mehr als für seine uneingeweihten Eltern bedeutet haben sollen.

Der erste auf uns gekommene Brief Büchners an Minna ist selbst eine Antwort auf eine Sendung Minnas, die ihm Veilchen, wohl aus dem Pfarrgarten, und andere Liebeszeichen aus Straßburg schickte. Die Nachricht von seiner Hirnhautentzündung in Gießen[1] mag den Anlaß zu dieser Sendung gegeben haben, doch hofft der Genesende, daß inzwischen Freund Boeckel die Braut über sein Befinden beruhigt hat. Aber neue Beunruhigung brachte gewiß seine erregende Mitteilung von dem niederschmetternden Eindruck, den er von ›dem gräßlichen Fatalismus der Geschichte‹ beim Studieren der Französischen Revolution erhalten (S. 162); kein Wunder: da er bisher den ›Freiheitskampf der Franken‹ (S. 207) nur in idealem Licht gesehen. Die Enttäuschung hält an und wird zur Stunde der Empfängnis seiner poetischen ›Danton‹-Konzeption. – Der ob der Erkrankung Georgs besorgte Vater Büchner rief inzwischen seinen Sohn zur endgültigen Wiederherstellung heim, und so ist auch der zweite Brief an August Stöber wie der erste wieder aus Darmstadt geschrieben. Anfang 1834 aber war Georg wieder in Gießen, wo nunmehr ein scheinbarer Umfall in seiner politischen Haltung erfolgt.

Schon im November 1833 hatte Büchner in Gießen eine politisch sehr erregte Stimmung vorgefunden: die hessische Kammer, die sich ungesetzlichen Wünschen der Regierung nicht gefügig gezeigt hatte, war aufgelöst worden, die von Darmstadt ›zurückgekehrten Deputierten‹ (S. 161) waren als aufrechte Männer gefeiert worden. Dem hatte Büchner noch mit objektiver Beobachtungslust zusehen können, entsprechend der früheren Voraussage, daß er sich auch in Gießen ›in revolutionäre Kinderstreiche nicht einlassen werde‹ (S. 160). Aber es ist ja auch nicht die ›Gießener Winkelpolitik‹, die er nun mitmacht und die sich in burschenschaftlichen Demonstrationen oder vereinzelten Aufständen erschöpft, sondern er bleibt der Erkenntnis treu, daß die große Masse für die Revolution gewonnen

[1] 1833 (vgl. S. 163), wonach also Schulz S. 324 zu berichtigen ist.

werden müsse. Zu diesem Zweck nämlich gründet er jetzt nach französischem Muster auch in Gießen eine geheime ›Gesellschaft der Menschenrechte‹. Näheres darüber sowie über Büchners nicht konstitutionelle, sondern sozialpolitische Ziele bringt der Anhang (S. 306ff., sowie S. 229f.), während aus den Briefen hervorgeht, wie Büchner mit Beginn der politischen Aktivität auch seinen Umgang wechselt und deshalb des Hochmuts bei den Eltern von jenen verklagt wird, die seine veränderte Haltung nicht verstehen können (S. 164f.); die nächsten Freunde sind jetzt nicht mehr die alten Schulkameraden Luck und die Brüder Zimmermann, sondern außer dem mit ihm schon in der Schulzeit revolutionär gesinnten Minnigerode noch August Becker und Klemm, die auch schon mit den erwähnten ›drei trefflichen Freunden‹ (S. 163) gemeint sein werden.

Die vielfachen Spannungen, zu denen auch die lange Trennung von der Geliebten wesentlich beitrug, erzeugten bei Büchners leichter Erregbarkeit jenen unerträglichen Seelenzustand, von dem er seiner Braut Anfang März 1834 schreibt (S. 165 f.). Im Februar hatte er sich noch scherzhaft damit getröstet, daß er Ostern nicht nur Auferstehung feiern, sondern davor schon Himmelfahrt halten würde (S. 165): in der ›Diligence‹ auf der Fahrt zur Braut nämlich; als nun aber gar Minna erkrankte, die vielleicht durch den überreizten Ton von Georgs Briefen zu sehr erschüttert worden, faßte Büchner den Plan, in den Osterferien nicht erst nach Darmstadt, sondern gleich nach Straßburg zu fahren, um dem unbequemen Zustand des heimlichen Verlobtseins ein Ende zu machen. Da er zu dieser Reise Mittel benötigte, die er von den Eltern ohne deren vorzeitige Aufklärung nicht erhalten konnte, wandte er sich an den Onkel Reuß, der ihm auch aushalf (S. 270). Von Straßburg erfolgte dann die Aufklärung der Eltern, von der uns allerdings der wesentliche Teil in dem April-Briefstück (S. 169) nicht übermittelt ist. – Den Rest der Osterferien verbrachte Büchner bei den Seinen in Darmstadt, wo er die kurze Zeit dazu benutzte, auch dort heimlich eine Zweiggruppe der ›Gesellschaft der Menschenrechte‹ zu gründen.

Im Mai 1834 ist Büchner wieder in Gießen und nun ganz mit der politischen Aktion beschäftigt. Daß diese nichts mit dem burschenschaftlichen Treiben gemein hat, beweist sein Brief vom 25. Mai 1834; allerdings scheint ihm nach Karl Vogts Bericht (S. 305) der ›Bursche‹ Spott mit Hohn vergolten zu haben. Spätestens Anfang 1834 aber lernte Büchner durch August Becker den Butzbacher Rektor Dr. Weidig kennen, den liberal gesinnten, für ein einheitliches Deutsches Reich schwärmenden Revolutionär, der in ihm einen tatkräftigen Helfer für seinen Kampf sah und mit seinem Anhang unterstützte.

Weidig lud ihn ein zu der am 3. Juli 1834 von ihm veranstalteten geheimen Zusammenkunft bei der Ruine Badenburg, wo sich die Gleichgesinnten aus Butzbach, Gießen und dem kurhessischen Marburg über ein gemeinsames Vorgehen gegen die Regierung berieten, und schon vor jener Versammlung mag Weidig, der selber den ›Leuchter und Beleuchter für Hessen‹ heimlich erscheinen ließ, auch Büchner zur Abfassung einer eigenen Flugschrift, des ›Hessischen Landboten‹, angeregt haben. Darüber berichtet ausführlich der Anhang, nichts aber über den Verräter, der die neue Verhaftungswelle in Hessen auf dem Gewissen hatte. Auch Büchner hat von ihm nichts gewußt, erst die ›Aktenmäßige Darlegung‹ des Verfahrens gegen Weidig durch Nöllner (1844) gab, wie Viëtor in seiner Schrift ›Büchner als Politiker‹ ausführt, den Verräter der öffentlichen Verachtung preis: es war der Butzbacher Bürger Kuhl, der bereits andere Komplotte, darunter den Frankfurter Wachensturm, der hessischen Regierung gegen Geld und das Versprechen der Geheimhaltung verraten hatte und nun, ein wahrer Judas Ischariot, der weiter in Weidigs Kreise blieb und äußerlich mittat, Zug um Zug auch das Unternehmen der politischen Flugschrift bei der Regierung in Darmstadt denunzierte; so am 31. Juli, daß sich in der letzten Nacht Minnigerode, Schütz und Zeuner zur Abholung des gedruckten ›Landboten‹ von Butzbach nach Offenbach begeben hatten, und kurz darauf, daß Büchner der Verfasser war. Schon am 2. August erhielt daraufhin der Universitätsrichter Georgi vom hessischen Justizministerium den Auftrag zur Verhaftung Büchners, ohne daß er jedoch über die näheren Gründe, also die Kuhlsche Anzeige, aufgeklärt wurde. Büchner war aber nach der Verhaftung Minnigerodes unterwegs nach Offenbach und Frankfurt zur Warnung der übrigen Beteiligten (vgl. S. 309) und wußte nach seiner Rückkehr durch sein dreistes Auftreten Georgi irrezuführen (S. 171 f.); auch konnte er einen harmlosen Grund für seine plötzliche Reise anführen, da ihm gerade Freund Boeckel sein Durchkommen durch Frankfurt angesagt und ein dortiges Wiedersehn vorgeschlagen hatte. Diesen Vorwand zu seinem überstürzten Ausflug wird gleichfalls der an die Familie von Frankfurt aus gerichtete Brief in seinem nicht mitüberlieferten Anfang angegeben haben, doch beunruhigte er die Eltern so, daß sie weitere Aufklärung verlangten, die sehr gewunden ausfiel. Da im übrigen das Semester zu Ende war, kehrte Büchner auf des Vaters Wunsch heim und verbrachte den Winter 1834/35 in Darmstadt.

Im September 1834 hatte Büchner die Freude, seine Braut als Besuch bei den Eltern einzuführen. Nach ihrer Abreise beschäftigte er sich mit anatomischen Arbeiten und führte sogar angehende Studenten während des Winters unter Anleitung seines Vaters in die Anfangsgründe der Anatomie ein. Ferner las er philosophische und geschichtliche Bücher, diese mit ausgesprochenem Hinblick auf die Französische Revolution (Thiers, Mignet, Unsere Zeit), zu deren dramatischer Vergegenwärtigung es jetzt den erregten Genius drängte. Dazwischen aber führte der politische Agitator seine Tätigkeit fort, obwohl die Untersuchungen weitergingen und er selbst erst in Friedberg, dann Januar 1835 in Offenbach als Zeuge vernommen wurde. Die Offenbacher Vernehmung galt dem von Büchner gewarnten Flüchtling Schütz und mußte ihn selbst aufs Äußerste gefaßt machen. So traf er denn die von seinem Bruder Wilhelm geschilderten Vorbereitungen (S. 309ff.), und er entfloh, als er das Drama seinem Bruder zum Versand an den Verlag Sauerländer übergeben konnte. Auf der Flucht fand er überall bei politischen Gesinnungsgenossen die notwendige Unterstützung; ein Steckbrief (S. 313f.) ward gegen ihn erst erlassen, als er schon in Sicherheit war.

Über Büchners letzten Straßburger Aufenthalt geben die Briefe guten Bescheid. Er wohnte diesmal mit Rücksicht auf sein nahes Verhältnis zu Minna nicht beim Pfarrer Jaegle, sondern bei dem Weinhändler Siegfried in der damaligen Rue de la Douane 18. Seine guten Beziehungen in Straßburg sicherten ihm nicht nur den Aufenthalt mit Hilfe einer französischen Sicherheitskarte, sondern erleichterten ihm auch die Vorbereitung auf einen Beruf. Hierbei scheint ihn Wilhelm Schulz, der sich als politischer Flüchtling in Straßburg aufhielt und sich selber nach einer neuen Existenzmöglichkeit umsah, auf die knapp drei Jahre bestehende Universität Zürich und die Möglichkeit, dort als Privatdozent anzukommen, aufmerksam gemacht zu haben (vgl. S. 177). Für welches Wissenschaftsgebiet er sich aber entscheiden sollte, darüber wurde sich Büchner noch nicht sogleich klar. Die Medizin allerdings erwähnt er, wohl auch nur aus Rücksicht auf des Vaters Lieblingswunsch, nur noch im Brief vom 9. März 1835; dagegen hat er zunächst noch philosophische Vorlesungen ins Auge gefaßt (vgl. S. 315) und sich zu diesem Zweck in Straßburg mit Descartes und Spinoza beschäftigt. Indessen brauchte er für die Zulassung als Privatdozent ein Doktordiplom, und als Dissertation hierzu erwies sich eine naturwissenschaftliche Arbeit in Straßburg, wo ihm die Professoren Lauth und Duvernoy gern behilflich waren, als praktischer. So wählte Büchner als Dissertationsthema ein naturwissenschaftliches: ›Sur le système nerveux du barbeau‹, wozu er sich die notwendigen Fischpräparate eigenhändig herstellte. Die bei dieser Arbeit selbständig gemachten Beobachtungen, deren Wert Jean Strohl in seiner Schrift ›Oken und Büchner‹ verdeutlicht hat, konnte er, dank den Empfehlungen seiner Lehrer, in der Naturgeschichtlichen Gesellschaft Straßburgs April und Mai 1836 vortragen, wofür er zum korrespondierenden Mitglied dieser Gesellschaft ernannt und vor allem auch der Druck seiner Abhandlung in den Veröffentlichungen der Gesellschaft beschlossen wurde; sie erschien noch im selben Jahre. Hiermit war Büchner die große Sorge um die Druckkosten seiner Dissertation los. Im übrigen meldete er schon im November 1835 (S. 186) ›die besten Nachrichten‹ aus der Schweiz in seiner Angelegenheit. Sie werden dahin gelautet haben, daß der philosophischen Fakultät Zürichs eine von den Professoren Duvernoy und Lauth gutgeheißene naturwissenschaftliche Abhandlung zur Erteilung der Doktorwürde genüge und das persönliche Erscheinen erst zur Abhaltung einer Probevorlesung vonnöten sei. Auch hierfür ein naturwissenschaftliches Thema (S. 145) zu wählen, lag nun nahe, und Büchner entschloß sich dazu auf die Nachricht hin, daß bereits Professor Bobrik philosophische Vorlesungen angekündigt hätte.

Die literarischen Arbeiten werden in den Mußestunden vorgenommen, wie die Straßburger Briefe dartun. Die auf Gutzkows Veranlassung dem Dichter von Sauerländer angebotene Übersetzung zweier Dramen Victor Hugos (›Lucretia Borgia‹ und ›Maria Tudor‹) für die in Frankfurt erscheinende deutsche Gesamtausgabe war reine Brotarbeit. Büchner erhielt zwar mit Wissen seines Vaters außer dem nach Darmstadt gesandten ›Danton‹-Honorar die notwendigsten Unterhaltsmittel von Hause, mußte aber für die selbstverschuldete Hinauszögerung einer selbständigen Existenz allein aufkommen und stand gelegentlich vor dem Nichts (vgl. S. 193). Auch die ›Lenz‹-Novelle war anfänglich nur in Form von Zeitschriftenbeiträgen als Broterwerb gedacht. Ihre frühesten Anregungen gehen übrigens bis auf die erste Bekanntschaft mit der Familie Stöber zurück: der Vater Ehrenfried hatte 1831 eine französisch geschriebene Oberlin-Biographie erscheinen lassen und August Stöber in Cottas Morgenblatt 1831 über den Aufenthalt des Dichters Lenz bei Oberlin auf Grund von dessen Tagebuchaufzeichnungen in einer Aufsatzreihe berichtet. Büchner selber aber bekennt (S. 188): ›Ich bleibe auf dem Felde des Dramas‹, und dahin kehrte er spätestens zurück, als der Verlag Cotta am 3. Februar 1836 einen Preis für das beste deutsche Lustspiel ausgesetzt hatte. Dieses Preisausschreiben war die äußere Veranlassung zu dem Lustspiel ›Leonce und Lena‹, das in dem uns erhaltenen Briefwechsel wohl zuerst von Gutzkow im Juni 1836 unter der offenbar Büchnerischen Bezeichnung ›Ferkeldramen‹ miterwähnt wird (S. 286). Leider überschritt der Dichter die vom Verlag festgesetzte und bis Ende August verlängerte Frist für die Bewerbung, so daß er das eingesandte Manuskript, das sich übrigens nicht erhalten hat, ungeöffnet zurück erhielt. – Was mit dem anderen von Gutzkow erwähnten Ferkeldrama gemeint ist, bleibt ungewiß. Der ›Woyzeck‹ schlägt zwar auch einen naturalistisch derben Ton an, doch ist die Grundstimmung tragisch; vielleicht ist eher an das nicht auf uns gekommene Drama zu denken, das nach Ludwig Büchners auf Minna Jaegle zurückgehender Mitteilung (in des Bruders ›Nachgelassenen Schriften‹, S. 39 f.) den italienischen Dichter des sechzehnten Jahrhunderts Pietro Aretino zum Helden gehabt hat und das einen dem Charakter des Helden entsprechenden lasziveren Ton angeschlagen haben wird. Dieses kann zeitlich auch vor dem ›Woyzeck‹, ja vielleicht gar vor dem Lustspiel liegen, wird doch seine Entstehung von Max Herrmann (Voss. Ztg., 3. Nov. 1929) auf den schon 1834 in der ›Revue des deux mondes‹ erschienenen Aufsatz ›L'Aretin‹ von Ph. Chasles zurückgeführt. Beide Dramen mag der Dichter später in dem an seinen Bruder Wilhelm gerichteten Brief vom 2. September 1836 (›sich einige Menschen auf dem Papier totschlagen oder verheiraten lassen‹) und in dem Septemberbrief an die Familie im Sinne haben; wahrscheinlich hat er auch das von Cotta zurückgesandte Lustspiel zur Verbesserung noch einmal vorgenommen.

Mit der Politik gibt sich Büchner nicht mehr aktiv ab, doch hat er Fühlung mit den nach Straßburg kommenden politischen Flüchtlingen, hört durch sie von dem Schicksal seiner verhafteten Freunde und ist schmerzlich enttäuscht von Klemms Verhalten. Dieser hatte, im Gegensatz zu seinem Verhalten während einer achtmonatigen Haft 1833/34, bald nach der im April 1835 erfolgten Wiederverhaftung vor Georgi ein volles Geständnis abgelegt, weil er doch alles verloren glaubte und wenigstens seine bürgerliche Existenz retten wollte; er wurde im August gegen Kaution zwar freigelassen, aber hernach doch zu Zuchthausstrafe verurteilt, so daß an seine von Büchner erwähnte Heirat mit einem Fräulein v. Grolmann (S. 180) nicht zu denken war. Noch mit einem andern Freund erlebte Büchner eine Enttäuschung. Gutzkow schreibt ihm am 28. August 1835 von einer anonymen, seine erste Dichterleistung verkleinernden Zusendung aus der Schweiz, und Büchner weiß in der Antwort (S. 185) sofort Bescheid: ihr Urheber war Hermann Trapp, Schulkamerad und Gießener Kommilitone Büchners, der wegen Zugehörigkeit zur Burschenschaft und zur ›Gesellschaft der Menschenrechte‹ nach der Schweiz geflüchtet war, wo er jedoch noch einmal mit Büchner Fühlung nahm, bevor er selber drei Monate nach ihm starb.

Deutsche Flüchtlinge in der Schweiz gefährdeten vorübergehend auch Büchners Zukunftspläne. Er schreibt selbst im Mai 1836 an die

Familie davon. Diese ›Vorfälle in Zürich‹ gaben dem dortigen Polizeipräsidenten Heß Anlaß zu einer ausführlichen ›Correspondenz, betr. die Umtriebe der deutschen Flüchtlinge und Handwerker‹, die sich in Darmstadt erhalten hat. Heß wußte von dem Plan einer Generalversammlung der politischen Vereinigung ›Junges Deutschland‹ zu Pfingsten 1836 im Solothurnischen und befürchtete tatsächlich einen Einfall der deutschen Emigranten nach Deutschland, besonders nach dem badischen Schwarzwald; da dies die Großmächte zu Schritten gegen die Schweiz veranlassen konnte, mußte durch Verhaftungen vorgebeugt werden. In dieser Angelegenheit spielt neben dem früheren Göttinger Privatdozenten Dr. v. Rauschenplatt, dessen man nicht habhaft wurde, der mysteriöse v. Eib eine besonders aktive Rolle, und zwar ganz in der Art, wie sie der erstaunlich gut unterrichtete Büchner schildert: der angebliche Baron war nach Heß' Feststellungen ein Vagabund, der früher mit optischen Gläsern gehandelt hatte, und, wie der Regierungsstatthalter von Bern in einem Antwortschreiben nach Zürich meint, ›wahrscheinlich ein agent provocateur‹. Soweit die Verhafteten Mitglieder des ›Jungen Deutschlands‹ waren, wurden sie aus der Schweiz ausgewiesen; auch mag die Schweiz danach jenes Ansuchen, das auch Büchners Schreiben an Heß (S. 196) veranlaßte, an Frankreich gestellt haben: künftig Flüchtlingen nur gegen Vorzeigen einer behördlichen Schweizer Autorisation einen Paß auszustellen. Büchner selber erhielt das erbetene Zeugnis, so daß seiner Übersiedlung nach Zürich seitens der Behörden nichts mehr im Wege stand.

Bevor aber Büchner Straßburg verließ, hatte er noch die große Freude, dort zum ersten Mal nach der abschiedslosen Flucht aus dem Elternhaus seine Mutter wiederzusehen. Eine seiner beiden Schwestern, wohl die ältere, einundzwanzigjährige Mathilde, begleitete sie. Sie werden aber nicht erst im Herbst, wie Büchner an Boeckel schreibt (S. 193), sondern schon im Sommer gekommen sein; so berichtet Ludwig Büchner in den ›Nachgelassenen Schriften‹, und so erklärt sich auch die große Lücke in der Brieffolge an die Familie, die vom Juni bis September klafft. (Auch noch der Brief an den Bruder Wilhelm vom 2. September kann seines Anfangs wegen nicht für die Mutter mitbestimmt sein und ist vielleicht gar nicht nach Darmstadt gerichtet; Wilhelm war ja auch schon vor Georgs Flucht als Apothekerlehrling einmal außerhalb Darmstadts.) Mutter und Tochter, die bei den Verwandten Reuß in Straßburg gewohnt haben werden, lernten bei diesem Besuch erst Georgs künftigen Schwiegervater kennen, während Minna sie ja bereits 1834 in Darmstadt besucht hatte. Wie sie Georg selbst antrafen, berichten uns die auf Seite 231 mitgeteilten Zeilen.

Büchner hatte im November 1835 gehofft, bereits Ostern 1836 in Zürich dozieren zu können. Aber die Erteilung der Doktorwürde erfolgte erst im September, und erst danach kam die Bewerbung um eine Dozentenstelle in Form einer Probevorlesung in Frage. Am 18. Oktober, nachdem er seinen Geburtstag noch mit der Braut zusammen verlebt haben wird, reiste er endlich nach Zürich ab, und Anfang November hielt er dort die auf Seite 145 ff. wiedergegebene Vorlesung. Sie wurde vor einem erlesenen Publikum, mit Professor Oken an der Spitze, gehalten und hatte den erwarteten Erfolg. In dem schon begonnenen Semester las Büchner dann nach Strohls Feststellung ›Zootomische Demonstrationen‹. Den lebendigen, nachhaltigen Eindruck dieser Vorlesung hat uns Dr. Lüning noch nach über vierzig Jahren packend geschildert (vgl. S. 314ff.), und es bedeutet keine Abschwächung seiner Darstellung, wenn sich herausgestellt hat, daß von jenen ›zirka zwanzig Zuhörern‹ nur vier für das Kolleg auch eingeschrieben waren, darunter Okens Sohn Otto, der Medizin studierte, Büchners Freund Dr. Schulz und der auf Seite 320 erwähnte Geolog Escher von der Linth, der damals freilich erst als Privatdozent wirkte.

Aus Büchners Züricher Briefen spürt man die Freude an der Arbeit und mehr noch das Glücksgefühl endgültiger Geborgenheit. Auch die Phantasie des Dichters erhielt neuen Aufschwung, und so konnte er der Braut in den letzten erhaltenen Briefzeilen, ›kurz vor Beginn der tödlichen Krankheit‹, wie es in Ludwig Büchners Einleitung zu den ›Nachgelassenen Schriften‹ des Bruders heißt, das Erscheinen gleich dreier Dramen in baldige Aussicht stellen (S. 199). Daß es sich hier außer dem Lustspiel noch um den ›Woyzeck‹ und das verschollene Drama ›Aretino‹ handelt, steht außer Zweifel, doch hat sich ein fertiges Manuskript weder vom ›Woyzeck‹ noch vom ›Aretino‹ im Nachlaß des Dichters finden lassen (während vom Lustspiel wohl die von Cotta zurückgesandte Reinschrift damals noch vorhanden war).

Nun hat freilich Franzos in einem Aufsatz ›Über Georg Büchner‹ 1901 berichtet, daß der ›Aretino‹ für die Ausgabe der ›Nachgelassenen Schriften‹ (1850) noch erreichbar gewesen wäre, daß Minna Jaegle ihn als ein Vermächtnis ihres Verlobten handschriftlich besessen hätte, es aber aus persönlichen und sachlichen Gründen auch noch 1879 keiner Veröffentlichung preisgeben wollte; nach ihrem Tode jedoch hätte sich in ihrem Nachlaß kein Blatt mehr von Büchners Hand gefunden. Wir verweisen demgegenüber auf die von Minna Jaegle an Franzos erteilte Antwort (S. 335) und glauben keinesfalls, daß sich in Minnas Besitz das für den Druck bestimmte ›Aretino‹-Manuskript befunden haben kann. Als sie im Spätsommer 1837 Gutzkow für die von ihm geplante Biographie Georg Büchners dessen literarischen Nachlaß zur Auswertung anbietet, fragt sie ihn offenbar auch, ob er etwa eine Handschrift von Georg noch erhalten hätte, was Gutzkow am 30. August verneint: ›Eine Handschrift von der Art, wie Sie andeuten, hab ich nicht erhalten‹. Im übrigen greift er gern zu: ›Vertrauen Sie mir alles an, was Sie von Büchner haben!‹ und so sendet ihm Minna daraufhin ihre Briefe Georgs, ferner das Lustspiel, das Lenz-Fragment und – stellt noch ›Fragmente eines Dramas‹ in Aussicht, wie aus Gutzkows Empfangsbestätigung vom 14. September hervorgeht. Zur Sendung dieses Dramas, gewiß der ›Woyzeck‹-Fragmente, kommt es jedoch nicht mehr, da Gutzkow zu geringes Entgegenkommen beim Vater Büchner findet, der ihm Georg Zimmermann, seines Ältesten Schulkameraden, als Biographen und etwaigen Herausgeber seines literarischen Nachlasses vorzieht, allerdings dann von dessen Laschheit enttäuscht wird. So kommt denn der poetische Nachlaß Georgs erst in der von seinem jüngeren Bruder Ludwig 1850 besorgten Ausgabe heraus. Auch diese aber bringt weder den ›Woyzeck‹ noch den ›Aretino‹, obwohl vom erstern Entwürfe vorhanden sind, so daß sie Franzos noch 1879 vorfindet, nichts jedoch vom ›Aretino‹. Da inzwischen ein Brand im Hause Büchner vieles vernichtet hat, könnten ›Aretino‹-Entwürfe ihm zum Opfer gefallen sein. Daß aber Minna noch 1879 das Manuskript des ›Aretino‹ besessen haben soll, ist eine nicht bewiesene Behauptung von Franzos: den poetischen Nachlaß bewahrte, mehr schlecht als recht, die Familie Büchner und nur die Briefe und das sehr persönliche Tagebuch ließ man der trauernden Braut zum Trost, die übrigens im selben Jahr 1837 auch noch den Verlust ihres ›alten Vaters‹ zu beklagen hatte! Letztentscheidend ist für uns jedenfalls Minnas zurückweisende Antwort an Franzos 1879.

Wir verweilten bei dem ›Aretino‹-Problem etwas länger, weil es das Werk des Dichters betrifft, von dem nach Franzos in der Familie Büchner die Sage ging, ›daß es sein bestes gewesen sei‹. Wie dem auch sein mag (die vollendete Handschrift hat von den Büchners ja niemand gesehen!), so steht doch fest die erschütternde Tatsache: Georg Büchner war bereit, mit drei neuen, ausgereiften Stücken als deutscher Dramatiker vor die Öffentlichkeit zu treten und damit der deutschen Literatur neue Wege zu weisen, als der Tod dazwischentrat und das Lebenswerk dieses erst dreiundzwanzigjährigen Jünglings jäh abbrach.

Das letzte Ringen auf dem Krankenlager hat Freundestreue liebevoll festgehalten (S. 317ff.), um die Erhaltung einer würdigen Grabstätte sich Zürich ein Verdienst erworben (S. 334). Vor Jahren hat nun auch Strohls pietätvoller Forschersinn das Haus gefunden, in dem der Dichter seine Züricher Tage bis zum bitteren Ende verbracht hat: es kam nicht mehr zu dem der Braut zuletzt noch so froh verkündeten herrlichen Logis am Züricher See, sondern es war das Haus der jetzigen Spiegelgasse 12, das seitdem eine Gedenktafel mit der Inschrift trägt: ›Hier wohnte im Winter 1836/37 und starb dreiundzwanzigjährig der Dichter und Naturforscher Georg Büchner.‹

Zur siebenten Auflage

Schon durch ihren größeren Umfang unterscheidet sich diese neue Ausgabe des Insel-Büchner von den vorangegangenen Auflagen. Wichtige biographische Rückschlüsse hat die Büchner-Forschung aus den wieder aufgenommenen ›Miszellen‹ ziehen können, und zu reizvollen Seitenblicken regen sie noch immer an. Z. B. der Aufsatz über den Selbstmord, in welchem 1831 der junge Gymnasiast Büchner den Großen in Weimar zitiert (S. 217), und zwar nicht etwa aus einer allbekannten Dichtung, sondern aus einer seiner frühesten Rezensionen in den Frankfurter Gelehrten Anzeigen, die soeben erst (1830) in Goethes Ausgabe letzter Hand der Vergessenheit entrissen worden waren: reichen sich hier nicht die Vertreter zweier Epochen im Geiste die Hände, kurz bevor der Heros des Klassizismus für immer die Augen schließt, während der junge Genius bei aller Kürze des ihm beschiedenen Lebensweges den entscheidenden Schritt zum Realismus noch gar nicht getan hat? Auch gelangt der Jüngling zu seinem Start erst auf dem nun freilich ungoethischen Umweg eines politischen Freiheitsfanatikers. Auch das bezeugen die ›Miszellen‹, und die auf S. 228 wiedergegebenen Verse des Gymnasiasten zeigen ihn so sehr im Gefolge der Brüder Follen, daß der bisher nicht entzifferte Reim ›Dörner-Siegeshörner‹ nach A. L. Follens ›Bundeslied‹ nunmehr eingesetzt werden konnte.

Einen sehr beachtenswerten Zuwachs bringen ferner im Anhang die Paralipomena zum ›Woyzeck‹. Hier werden diesmal nicht bloß die im Text nicht verwerteten Szenen nachgetragen, sondern in Anbetracht der Tatsache, daß sich eine eindeutige Lösung des Schlusses nicht geben läßt und überhaupt verschiedene Möglichkeiten der Szenenfolge und selbst der Szenenverwertung bestehen bleiben, soll dem Leser wie dem Dramaturgen diesmal selbst Urteil und Entscheidung dadurch überlassen werden, daß ihnen das gesamte Handschriften-Material mit genauer Beschreibung ihres Zustandes im Anhang mitgeteilt wird. Das enthebt natürlich auch uns nicht der eigenen Entscheidung, und so ist im Text auch die eigene Lösung wiedergegeben.

Sie unterscheidet sich nicht von der Fassung unserer letzten Ausgaben, deren Begründung denn auch hier wiederholt sei:

»Ein Text, der als sakrosankt gelten könnte, wird sich für diesen genialen Torso niemals gewinnen lassen. Er ist uns nun einmal nur in handschriftlichen Entwürfen überkommen, die nicht allein schwer entzifferbar sind, sondern sich obendrein auch noch überschneiden, ja widersprechen und selbst für die Szenenfolge nur Anhaltspunkte, aber keine endgültige Lösung geben ... Auch Büchner selbst kann ja bei der letzten Niederschrift, die wir nicht kennen, die er aber höchstwahrscheinlich noch ausgeführt hat, auf die früheren Entwürfe noch einmal zurückgegriffen und aus ihnen seine Dichtung noch bereichert haben. In diesem Sinne also einen bloßen Buchstabendienst ablehnend, haben wir die Möglichkeit einer Bereicherung aus den früheren Fassungen selbst noch einmal geprüft und so in einzelnen Zusätzen noch einigen Gewinn erzielt ... Hingegen widerstanden wir nach wie vor der Versuchung, durch Herübernahme auch bloßer Füllsel oder motivwiederholender Szenenvarianten einen Rekord in der Länge und der Szenenzahl aufzustellen. Im Gegenteil, ein derartiger Versuch von anderer Seite bewegt uns zu einem neuen Verzicht: auf die letzten Szenen in unsern früheren Ausgaben, die gleich dem Auftritt ›Idiot, Kind, Woyzeck‹ eine Wiederkehr Woyzecks vom Teich voraussetzen. Dazu bemerken wir folgendes:

»Des Dichters ursprüngliche Absicht war, den Mörder auch noch vor Gericht erscheinen, zum Tode verurteilen und vielleicht auch gar noch hinrichten zu lassen, entsprechend dem kriminalgeschichtlichen Vorgang, der Büchner zu dieser Tragödie angeregt hat (vgl. im Reg.: Woyzecks kriminalgeschichtl. Urbild). Von der Ausführung dieser Konzeption sind uns jedoch nur jene drei Szenen, von denen die dritte sogar nur angedeutet ist, erhalten geblieben. Nicht einmal die Tendenz der weiteren Ausführung geht aus ihnen eindeutig hervor, obschon ja das ganze Drama eine einzige Anklage gegen die menschliche Gesellschaft in deren ironischer Spiegelung darstellt. Aber der Dichter ist nicht nur Sozialist, er ist auch Pessimist, wenn nicht gar Nihilist, wie das Märchen der Großmutter (S. 130) andeuten möchte. Sollte nun etwa die krasse Ungerechtigkeit des Todesurteils und seiner Vollstreckung jene Anklage gegen die menschliche Gesellschaft noch steigern zu einer Anklage gegen die göttliche Weltordnung? Vielleicht wieder in ironischer Spiegelung von Verhören, Tribunalszenen mit abschließendem Todesurteil und darauf folgender Hinrichtung vor einer applaudierenden Volksmenge? ›Das war schon einmal da; wie langweilig!‹ würde mancher ›Danton‹-Kenner da sagen. Aber freilich, Karikaturen aus dem hessischen Gerichtsleben mit seinen Folterungsmethoden könnten diesmal bereichernd hinzukommen; während sich andrerseits Woyzeck doch keineswegs so glänzend wie Danton würde verteidigen können. Denn dieser arme Kerl, der gequält, betrogen und mißbraucht worden zu tierischen Versuchen, die ihn nicht nur der Herrschaft über seine körperlichen Funktionen, sondern auch zeitweilig schon der Sinne beraubten, war zu einer rhetorischen Leistung vor dem Tribunal nicht fähig, höchstens zu einer stummen Anklage: durch den erschütternd hilflosen Eindruck, den solche in ihrer Menschenwürde ruinierte Kreatur auf Mitmenschen machen muß. Also ein ›Ecce homo‹, in schneidender Parodie etwa zu dem göttlichen Urbild?! Wir wissen es nicht... Wie dem aber auch sein mag, ob nun Anklage gegen Gott selbst oder nur gegen die menschliche Gesellschaft: auch der Dichter hätte seine Anklage nur symbolisch erheben können. Und wenn es denn also bei einer stummen Anklage verbleiben mußte, war dann nicht Woyzecks Tod durch Ertrinken in unmittelbarer Folge seiner Geistesverwirrung sein bester, sein beredtester Anwalt? Auch bei diesem Ausgang bleibt ja die Auslegung einem jeden unbenommen; man kann ihn pessimistisch, ja auch nihilistisch deuten, und man kann ihn versöhnlicher auslegen: als ein Gottesurteil, das gerechter und milder sühnt als das Kriminalgericht eines unsozialen Staates. Vielleicht ist der Dichter selbst zu dieser Lösung gelangt, die seine eigenen Entwürfe ihm nahelegen konnten und uns jedenfalls nahelegen mußten, da eine andere Lösung von seiner Hand nicht vorliegt. Ohne fremde Ergänzung des Dichterwortes kann nur mit unserer Fassung die Tragödie zu einem Abschluß gebracht werden, zu einem Abschluß überdies, dem die Phantasie des Lesers oder Bühnenkunst kaum noch zum stimmungsvollen Finale nachzuhelfen braucht, wenn auf die noch verbleibenden Folgeszenen im Text verzichtet wird.« –

Auch der jetzige ›Woyzeck‹-Text, das sei gleich hier noch hinzugefügt, dient vor allem dem ästhetischen Genuß des Lesers, ist daher befreit von dem philologischen Beiwerk der eckigen Klammern, die die Zusätze aus den ersten Entwürfen und szenarische Bemerkungen des Herausgebers bezeichnet haben. Nur die waagerechten Striche, die einen Tageswechsel markieren sollen, sind beibehalten. Maßgeblich für diese Zeiteinteilung sind Mariens Worte S. 128: ›Der Franz ist nit gekommen, gestern nit, heut nit‹. Diese Stelle bot zugleich den Hauptanhaltspunkt für die ganze Szenenfolge.

Noch ein letzter Zuwachs der siebenten Auflage findet sich endlich in der Anhang-Abteilung der ›Erinnerungen an Büchner‹: es sind S. 299f. Büchners Reifezeugnis, S. 328 zwei Stöber-Beiträge und, gewichtiger, S. 329ff. Gutzkows Nachruf, von dem bisher nur die eingestreuten Briefzitate in der Abteilung ›Briefe‹ mitgeteilt waren. Auch Gutzkows Briefe selber konnten nicht nur textkritisch revidiert, sondern auch ergänzt werden, und zwar auf S. 275, Z. 2–24, S. 275, Z. 1 v. u. – S. 276, Z. 10, S. 276, Z. 12 v. u. – 4 v. u., S. 277, Z. 21 v. u. – 14 v. u. und S. 286, Z. 1 v. u. – S. 287, Z. 2 – beides, Textgewinn und Korrekturen, dank freundlicher Beihilfe von Frau Hildegard Schubart.

Aber Korrekturen am Text sind auch sonst noch neu zu verzeichnen. Am Dichterwort selbst, nachdem wir den ›Woyzeck‹ bereits berücksichtigt haben, vor allem im ›Danton‹. Hier sind sie das Ergebnis einer Vergleichung des Textes der jetzt zu Weimar aufbewahrten Reinschrift Büchners mit handschriftlichen Korrekturen, die er selber in zwei Exemplaren des stark korrumpierten Erstdruckes vom Jahr 1835 vorgenommen hat, bevor er das eine Exemplar seinem Freunde August Stöber (HE/D), das andre dem ihm ebenfalls befreundeten Theologen Baum (HE/H) dedizierte; beide Exemplare haben sich erhalten (in Darmstadt und in Hamburg), doch ist das Baumsche erst neuerdings von Thieberger in seiner französischen ›Danton‹-Ausgabe ausgewertet worden. Da diese handschriftlichen Korrekturen offenbar die letztgewollte Form des Dichters darstellen, müssen sie als solche, wenigstens wo sich die Korrekturen in beiden Geschenkexemplaren decken, auch von uns respektiert werden. Soweit dies nicht schon auf Grund bereits früherer Textvergleichung mit den Korrekturen des Stöberschen Exemplars in der 3. Auflage (1940), S. 507 geschehen, sind es im wesentlichen folgende Stellen:

S. 9, Z. 12 ›kahl Haupt‹ statt ›kahles Haupt‹

S. 18, Z. 18 v. u. ›O laß das‹ zugefügt

S. 33, Z. 7f. v. u. ›hurt, lügt, stiehlt und mordet‹ weder nach HE/H (›was in uns lügt, und stiehlt und mordet?›) noch nach HE/D (›was in uns lügt, hurt, stiehlt und mordet?‹), sondern nach Büchners Reinschrift, weil für Danton das ›hurt‹ an erster Stelle am adäquatesten ist. Vgl. auch Briefstelle, S. 162, Z. 21.

S. 44, Z. 15 ›den Arm‹ statt ›die Arme‹ nach HE/D

S. 59, Z. 11 ›zahllosen‹ statt ›zahnlosen‹nach HE/D und HE/H. Vgl. Thieberger, S. 147: ›unique et multiple‹.

Hinzu kommen noch zwei Korrekturen, die Thieberger außerhalb seiner Handschriften-Kollationierung in seiner französischen Ausgabe vorgeschlagen hat:

S. 25, Z. 19 v. u. ›Tribunen‹ statt ›Tribünen‹, wie Büchner wohl irrtümlich die plurale Form seiner Quelle ›Unsere Zeit‹ gedeutet hat. (Thieberger, S. 144.)

S. 49, Z. 17 ›Masoret‹ statt ›Masonet‹. Schon im Schlußwort zur sechsten Auflage (S. 370) konnte die falsche Lesart berichtigt werden, die bis dahin als Ausdruck für ›Freimaurer‹ in allen Ausgaben vom Erstdruck übernommen worden, und zu der auch die Reinschrift Büchners verführen konnte: möchte man doch noch in dem von Thieberger wiedergegebenen Faksimile der betreffenden Seite (nach S. 146) Büchners Fraktur-Buchstaben r für ein n ansehen. Über des Wortes Bedeutung vgl. Reg.

In der ›Lenz‹-Novelle sind es folgende Korrekturen:

S. 68, Z. 7 v. u. ›Bad‹ verbessert in ›Baden‹, wie es bei Oberlin steht.

S. 72, Z. 11 v. u. ›verändert‹ wiederhergestellt aus ›unverändert‹ auf Grund der naturphilosophischen Auffassung in der Probevorlesung S. 147, Z. 5 ff. Vgl. auch wiss. Ausg. (W–A, 1922) S. 680, Lesart zu S. 71.

S. 78, Z. 2 gestrichen hinter ›beleben möge‹ der störende Folgesatz ›wie er schwach und unglücklich sei‹ (gewiß nur einer der handschriftlichen Vermerke im Konzept des Dichters, die keine Verwertung gefunden).

Im Lustspiel ›Leonce und Lena‹ zwei Korrekturen:

S. 93, Z. 3 betrifft nur einen, aber sinnverbessernden Buchstaben: ›anderer‹ statt ›andere‹.

S. 105 ein stärkerer Eingriff dramaturgischer Art. Den Lesern der früheren Auflagen wie auch wohl aller andern Ausgaben mußte im Akt III, 3 auffallen, daß nach dem Zeremonienmeister gleich ein Zweiter Bedienter spricht, ein Erster erst später auftritt. Da beide nicht individuell unterschieden sind, muß etwas ausgefallen sein. Das ist auch der Fall nach den Lesarten von W–A, S. 697: Der Zeremonienmeister hat einen Bedienten mit einem Auftrag weggeschickt, so daß dann freilich ein Zweiter zuerst zu Worte kommt. Da nun aber auch der Zeremonienmeister sich in seiner Unterhaltung mit dem Bedientenvolk durchaus nicht von dessen schlüpfriger Vorstellungslust abhebt, wird es jedem Dramaturgen recht sein, wenn diese etwas langatmige Unterhaltung durch Wiedereinstellung des Ersten Bedienten an geeigneter Stelle etwas aufgelockert wird.

In Büchners ›Briefen‹ ist die Datierung des ersten Briefes an die Braut (S. 161 f.) von neuem angezweifelt worden (von Wissing-Nielsen, Kopenhagen, im ›Orbis Litterarum‹, Bd. 12, 1957). Zu alten, schon in den Lesarten von W–A, S. 755 f. vorgebrachten Bedenken kommen jedoch keine durchschlagend neuen hinzu, so daß wir es bei der Einordnung in das Jahr der Hirnhauterkrankung 1833 belassen haben.

In den ›Briefen an Büchner‹ hingegen hätte ein Datierungsfehler im Text, wohl bloßer Schreibfehler, längst berichtigt sein sollen: in dem Brief der Mutter nämlich, S. 292, Z. 13 v. u. muß es natürlich ›26. Oktober‹ statt ›28. Oktober‹ heißen.

Daß auch der Text von Gutzkows Briefen Korrekturen erfahren hat, ist bereits erwähnt worden; so zahlreich diese auch sind, darf dennoch auf deren Einzelanführung verzichtet werden, da sie keinen Büchnertext betreffen.

Wer Büchner ganz kennen lernen will, muß auch wissen, was er als Politiker und als Naturforscher dachte und schrieb.

Besonders des Politikers Wirken in Wort und Tat begegnet heute vertieftem Interesse, und so durfte vor allem ›Der Hessische Landbote‹ auch in dieser Neuausgabe nicht fehlen. Natürlich wurde hier auch das graphologische Unterscheidungsmittel zwischen Büchners eigenem Text und den in Kursivschrift wiedergegebenen Zutaten des Rektors Weidig beibehalten, soweit dessen Anteil die Zeugenaussagen erkennen lassen. Diese selbst findet der Leser im Anhang, S. 306ff. sowie in den mündlich festgehaltenen Äußerungen Büchners S. 229ff., eine Zusammenstellung aller politischen Auslassungen überdies im Register.

Des Naturforschers große Spezialuntersuchung ›Sur le Système nerveux du Barbeau‹ bleibt dem Laienverständnis freilich verschlossen, aber seine mehr naturphilosophisch gehaltene Probevorlesung ›Über Schädelnerven‹ verdiente gleichfalls den Wiederabdruck; verhalf sie uns doch sogar zu der unter den Korrekturen bereits aufgeführten Berichtigung in der ›Lenz‹-Erzählung. Über den Eindruck des Dozenten Büchner berichtet Dr. Lüning in den ›Erinnerungen‹, Anhang, S. 314ff.

Der Anhang insgesamt hat zwar diesmal die ›Mündlichen Äußerungen‹ Büchners an die ›Miszellen‹ des Hauptteils abgegeben, dafür aber den schon erörterten Zuwachs in den Abteilungen ›Paralipomena‹ und ›Erinnerungen an Büchner‹ erhalten; im übrigen ist er in seiner literarischen wie in seiner biographischen Substanz wiederabgedruckt.

Ähnliches gilt von dem ›Register‹, das außer der Registrierung von Personennamen, Begriffs- und Sachworten auch wieder die Aufgabe eines Kommentars mitübernommen hat. Es ist durch einige neue Erkenntnisse bereichert worden, beschränkt sich im übrigen aber überwiegend auf unentbehrliche sachliche Erklärungen, die man nicht in den heutigen Nachschlagewerken findet. Nur der Person des Dichters ward wiederum mehr Raum zugestanden, während die Aufführung der rein dichterischen Gestalten im allgemeinen ausgeschlossen blieb.

Wer aber für ernstere Arbeit hiermit nicht auskommt, sei auf die wissenschaftliche Ausgabe von 1922 hingewiesen sowie, für die heranzuziehende Büchner-Literatur, auf 1) Karl Viëtors Beitrag ›Georg Büchner. Leben, Werke, Schrifttum‹ zu Goedekes Grundriß, Neue Folge, 1934; 2) Fritz Bergemann: ›Entwicklung und Stand der Georg Büchner-Forschung‹ in Zs. ›Geistige Arbeit‹, 20. April 1937 und: ›Georg Büchner-Schrifttum seit 1937‹ in ›Dtsch. Vierteljahrschr. für Literaturwissenschaft u. Geistesgeschichte‹ 1951; 3) Hans Oppel: ›Stand und Aufgaben der Büchner-Forschung‹ in ›Euphorion‹, Bd. 49, 1955.

Zeitlich nicht mehr erfaßt werden konnte von Oppels dankenswerter Übersicht Rudolf Majuts Studie ›Some literary affiliations of Georg Büchner with England‹ in der Zeitschrift *Modern Language Review* 1955; der auch um die Büchner-Forschung rühmlich verdiente Sprachgelehrte und Literaturforscher setzt mit dieser Bemühung seine in gleicher Zeitschrift erschienene und von Oppel bereits gewürdigte Untersuchung der Beziehungen Büchners zu englischen Philosophen und Naturforschern auf literarischem Gebiet fort. Im Register wird wiederholt auf diese fördernden Hinweise Majuts (mit MLR 1953, resp. MLR 1955) Bezug genommen. Das sonst noch in dieser Ausgabe häufiger zitierte Schrifttum sei hier noch mit seinen genaueren Titeln und mit den für sie in Text und Register gebrauchten Abkürzungen alphabetisch aufgeführt:

Georg Büchner, Dantons Tod and Woyzeck. Edited with Introduction and Notes by Margaret Jacobs, Lecturer in German . . . Manchester University Press (1954) = M. Jacobs

Mignet: Histoire de la Révolution Française depuis 1789 jusqu'en 1814. Tome II. Paris 1824 = Mign

Nöllner: Aktenmäßige Darlegung des wegen Hochverrats eingeleiteten gerichtlichen Verfahrens gegen Pfarrer Dr. Friedr. Ludw. Weidig . . . Darmstadt, 1844 = Nöllner

Oberlins Tagebuch: in August Stöbers Bericht ›Der Dichter Lenz und Friedericke von Sesenheim. Aus Briefen und gleichzeitigen Quellen‹ in Zeitschrift *Ervinia*, 1839 = Oberlin

Armin Renker: Georg Büchner und das Lustspiel der Romantik. Eine Studie über Leonce und Lena. Berlin, 1924

Aug. Stöbers ›Elsässisches Volksbüchlein. Kinderwelt und Volksleben in Liedern, Sprüchen, Rätseln, Spielen etc.‹ Straßburg, Schuler, 1842 = E. Vb.

Jean Strohl: Oken und Büchner. Zwei Gestalten aus der Übergangszeit von Naturphilosophie zu Naturwissenschaft. Mit Briefen Büchners. Verlag Corona. Zürich, 1936 = Strohl

Rich. Thieberger: La Mort de Danton de Georges Büchner et ses sources. Presses Universitaires de France. Paris, 1953 = Thieberger

Thiers: Histoire de la Révolution Française. Tome VI. Paris, 1825 = Th.

Unsere Zeit oder geschichtliche Übersicht der merkwürdigsten Ereignisse von 1789 bis 1830, nach den vorzüglichsten französischen, englischen und deutschen Werken bearbeitet von einem ehemaligen Offizier der kaiserlich-französischen Armee [Konrad Friedrich Pseudonym Carl Strahlheim]. Stuttgart, 1826–1830. 12. Duodezbd. 1828 = U. Z.

Karl Viëtor: Georg Büchner. Politik, Dichtung, Wissenschaft. Verlag A. Francke. Bern, 1949 = Viëtor

Karl Viëtor: Georg Büchner als Politiker. Verlag Paul Haupt. Bern-Leipzig, 1939 = Viëtor II

REGISTER

Abkürzungen (außer üblichen): 1. vgl. S. 355 f.; 2. Bü = Büchner, E. Vb. = Elsässisches Volksbüchlein (siehe Aug. Stöber), G. d. M. = Gesellschaft der Menschenrechte, Ms = Manuskript, Zs = Zeitschrift.

INHALT